C000175404

Gemälde Der Physischen Welt Oder Unterhaltende Darstellung Der Himmels- und Erdkunde

by Johann Gottfried Sommer

Address:
HardPress
8345 NW 66TH ST #2561
MIAMI FL 33166-2626
USA
Email: info@hardpress.net

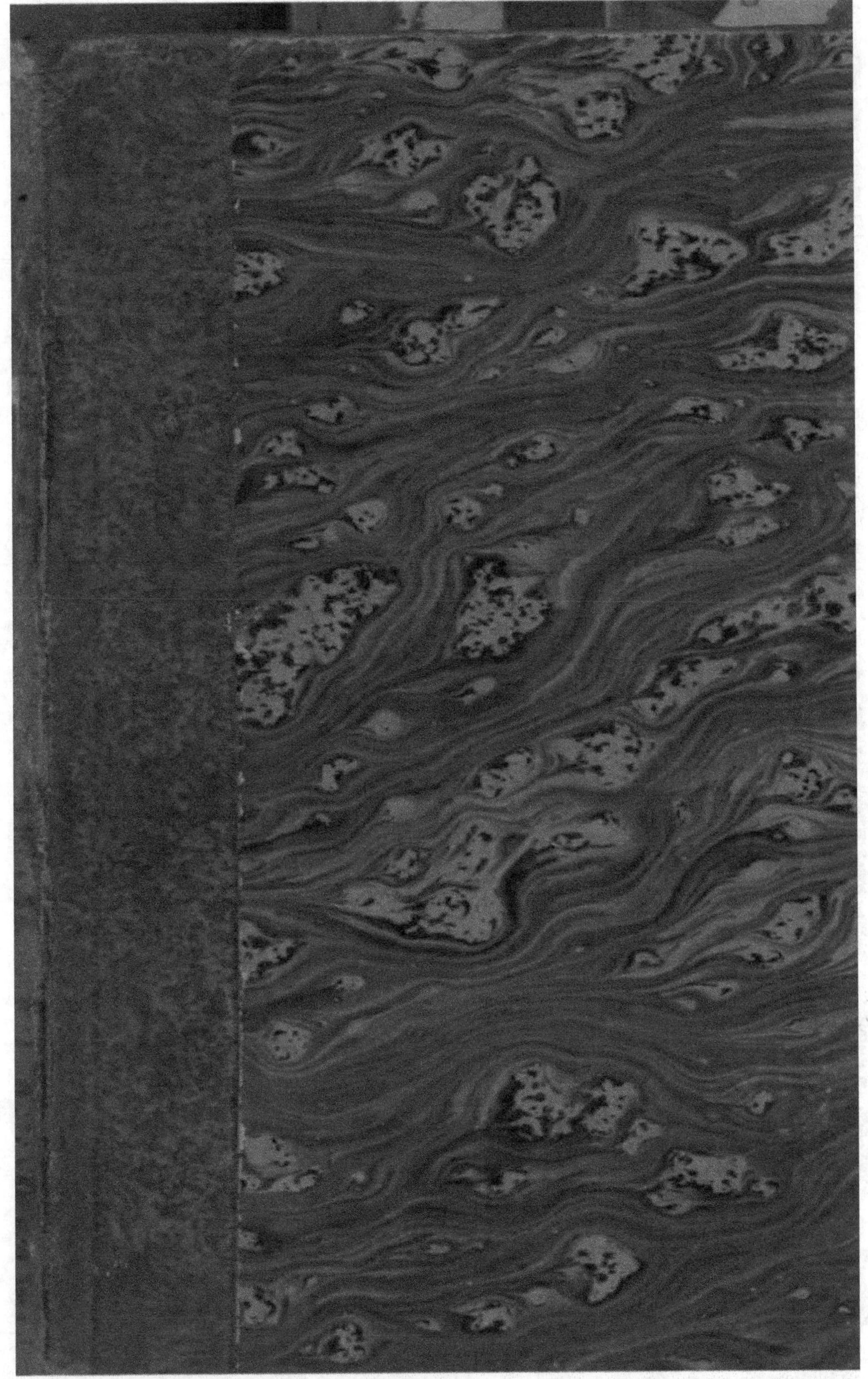

Gemälde der physischen elt

oder

unterhaltende Darstellung

der

Himmels- und Erdkunde.

Nach den besten Quellen und mit beständiger Rücksicht auf die neuesten Entdeckungen bearbeitet

von

Johann Gottfried Sommer,
Professor am Conservatorium der Tonkunst zu Prag.

Vierter Band.

Physikalische Beschreibung des Dunstkreises der Erdkugel.

Zweite verbesserte und vermehrte Auflage.

Mit 4 Kupfertafeln und 2 Steindrücken.

PRAG.
J. G. Calve'sche Buchhandlung.
1830.

—

Gemälde der physischen Welt

von

Johann Gottfried Sommer.

Mit Kupfern und Charten.

Vierter Band.

Zweite verbesserte und vermehrte Auflage

Prag
J. G. Calvesche Buchhandlung
1830.

Physikalische Beschreibung

des

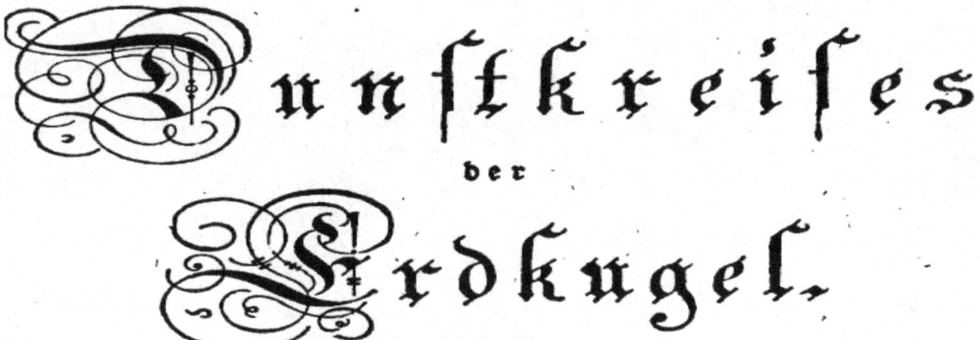

Von

Johann Gottfried Sommer,

Professor am Conservatorium der Tonkunst zu Prag.

Aus dessen „Gemälde der physischen Welt“
besonders abgedruckt.

Zweite verbesserte und vermehrte Auflage.

Mit 4 Kupfertafeln und 2 Steindrücken.

PRAG.
J. G. Calve'sche Buchhandlung.
1830.

Gedruckt bei Carl Wilhelm Medau in Leitmeritz.

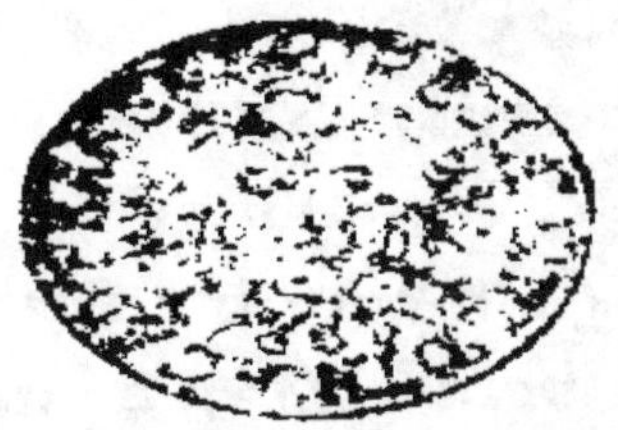

Vorbericht zur zweiten Auflage.

Da die Masse neuer Entdeckungen im Gebiete der Atmosphärologie während der kurzen Zeit, die seit dem Erscheinen der ersten Ausgabe dieses Bandes verflossen, nicht so beträchtlich war, als bei denjenigen Zweigen der Naturwissenschaft, welche den Inhalt der vorigen Bände ausmachen: so hatte auch der gegenwärtige bei der neuen Auflage desselben keiner wesentlichen Umarbeitung nöthig. Dessenungeachtet ist die Bogenzahl um ein Beträchtliches vermehrt worden, indem ich mich bemüht habe, Manches, was mir in der ersten Auflage als zu kurz behandelt, oder nicht klar genug dargestellt erschien, hier umständlicher zu erörtern. So habe ich z. B. bei den Abschnitten, die von der Atmosphäre im Allgemeinen handeln, die so wichtige, in der ersten Auflage übergangene, Lehre von den Miasmen oder Ansteckungsstoffen hinzugefügt. Eben so ist weiterhin die Lehre vom

Blitz und vom Nordlicht viel ausführlicher als früher behandelt worden. Die Abschnitte, deren Inhalt die Lufterscheinungen, insbesondere die Wolken, der Regen und die Luftspiegelung, so wie die Lehre vom Wind ausmachen, boten gleichfalls Gelegenheit dar, Einzelnes zu berichtigen oder besser zu erläutern. Ob das, was ich S. 32 in Beziehung auf die bisherige Annahme, daß die Pflanzen unter dem Einflusse des Sonnenlichts Sauerstoff ausströmen, so wie S. 37 u. a. in Ansehung des Wasserstoff-Gases, berichtigt habe, von allen Physikern, trotz der Autorität eines Berzelius, wirklich für eine Berichtigung anerkannt werden dürfte, muß ich freilich dahin gestellt seyn lassen.

Prag, am 22. Jäner, 1830.

Der Verfasser.

Inhalt des vierten Bandes.

Erklärung der Kupfertafeln und Steindrücke.

Tab. I. Darstellung der Wärme-Aenderungen durch das ganze Jahr für verschiedene Orte. (Aus Brandes Beiträgen zur Witterungskunde).

— II. und III. Howards Wolkengestalten. (Aus Brandes Beiträgen ꝛc.)

— IV. Höfe um Sonne und Mond, Nebensonnen, Nebenmonde und Sternschnuppen. (Aus Forsters Untersuchung über die Wolken und andere Erscheinungen in der Atmosphäre).

— V. Farbiger Schatten. (Aus Oreillys Greenland, the adjacent Seas and the North-West-Passage etc.

— VI. Zur Erklärung der Luftspiegelung. (Aus dem Taschenbuche Kronos, Jahrgang 1817).

I.

Von der Luft im Allgemeinen.

Die Erdkugel ist nach allen Seiten von einem flüssigen Körper umgeben, welchen wir **Luft** nennen. Insofern diese Lufthülle der Erdkugel die mancherlei Ausdunstungen derselben in sich aufnimmt, wird sie der **Dunstkreis**, die **Dunstkugel**, oder auch mit einem griechischen Worte die **Atmosphäre** genannt.

Das Daseyn der Luft wird zunächst durch das Gefühl wahrgenommen. Wenn wir einen Fächer, ein Tuch, ein Stück Papier u. dgl. schnell hin und her bewegen, so fühlen wir einen Widerstand, und es entsteht dadurch ein merklicher Wind, auch wohl ein Geräusch. Die sogenannte Zugluft, der Wind und der Sturm sind nichts anders, als Bewegungen und Strömungen der Luft. Wenn man ein Trinkglas beim Boden anfaßt, und es mit der Oeffnung so gleichförmig in ein Gefäß mit Wasser taucht, daß alle Punkte des Randes die Oberfläche des Wassers auf Ein Mal berühren, und folglich die im Glase befindliche Luft nicht entweichen kann: so sieht man, wie dieselbe, je tiefer man das Glas eintaucht, nach oben oder dem Boden hin zusammengedrängt wird. Auch wenn das Glas schon ganz ins Wasser eingetaucht ist, bemerkt man oben in demselben einen leeren Raum, in welchen das Wasser nicht hinaufsteigt. Es ist die Luft, welche diesen Raum erfüllt. Wird dagegen das Glas schief oder so eingetaucht, daß die Luft nach der Seite hin entweichen kann, so bemerkt man jenen leeren Raum nicht und das Wasser steigt bis zum Boden hinauf. Taucht man ein Fläschchen mit nach oben gekehrter Oeffnung in einem Gefäße voll Wasser unter, so bemerkt man, wie die von dem eindringenden Wasser ausgetriebene Luft in Gestalt von Blasen emporsteigt.

Wir wollen jetzt die Eigenschaften der Luft kennen lernen.

Die Luft ist zwar flüssig, wie das Wasser, und sucht, wie dieses, sich nach allen Seiten auszubreiten, jeden ihr zugänglichen Raum zu erfüllen and sich überall ins Gleichgewicht zu setzen. Aber die Luft ist kein tropfbar=flüssiger Körper, d. h. sie besitzt nicht, wie das Wasser, das Oel u. a., das Vermögen, sich in kleine kugelichte Massen, Tropfen genannt, abzusondern. Sie ist vielmehr elastisch=flüssig, oder, wie man auch wohl sagt, eine ausdehnsame (expansible) Flüssigkeit. Man kann sie nämlich mittelst einer äußern Kraft in einen kleinern Raum bringen; wenn aber die äußere Kraft zu wirken aufhört, so dehnt sich die Luft wieder in ihren vorigen Raum aus.

Einen Beweis von dieser Ausdehnsamkeit oder Federkraft (Schnellkraft, Elasticität) der Luft giebt der vorhin erwähnte Versuch mit dem eingetauchten Trinkglase. Je tiefer man das Glas unters Wasser bringt, desto mehr Gewalt muß man anwenden, um es in dieser niedergedrückten Lage zu erhalten. Läßt man mit dem Drucke nach, so schnellt es in die Höhe, neigt sich, fällt um, und zugleich fahren Luftblasen empor, welche auf der Oberfläche des Wassers zerplatzen. Es ist die Ausdehnung der im Glase zusammengepreßten Luft, welche diese Erscheinung hervorbringt. Was sich an diesem Trinkglase im Kleinen beobachten läßt, das zeigt die Taucherglocke im Großen. Diese Vorrichtung besteht aus einem glockenförmigen Gefäße von Blei oder Kupfer, mit einem oben befindlichen Fenster, damit das Licht hineinfallen könne. Unten befindet sich ein Schämel oder eine Bank, auf welcher ein Mann stehen oder sitzen kann. Wird nun diese Glocke so ins Meer hinabgelassen, daß der Rand der Oeffnung die Wasserfläche mit allen seinen Punkten zugleich berührt, so kann die Luft darin nicht entweichen, sondern drängt sich bloß nach oben hin zusammen, und der Taucher, dessen Kopf, Brust und Arme sich im Trocknen befinden, kann (eine Zeit lang wenigstens) frei athmen und seine Geschäfte verrichten. Manche Taucherglocken sind so eingerichtet, daß der Taucher durch hinabgelassene Schläuche frische Luft erhalten und die in der Glocke durch sein Ausathmen verdorbene Luft dadurch ersetzen kann.

Auf der Zusammendrückbarkeit und Ausdehnsamkeit der Luft beruhen noch manche andere Erfindungen, z. B. die der Windbüchse, des Blaserohrs, des Schießpulvers, der Luftpumpe u. a. Die Windbüchse ist ein Gewehr, aus welchem mittelst verdichteter Luft

Kugeln mit einer großen Geschwindigkeit getrieben werden können. Der Hauptbestandtheil der Windbüchse ist die sogenannte Windkammer, ein starkes, metallenes mit einer Klappe (Ventil) versehenes Gefäß. Nachdem durch eine Pumpe die Luft darin bedeutend verdichtet worden, wird es an dem Laufe des Gewehrs befestigt. Beim Losdrücken des Schlosses wird die Klappe, vor deren Oeffnung die Kugel liegt, auf einen Augenblick geöffnet, und sogleich dringt die verdichtete Luft aus der Windkammer mit der größten Heftigkeit hervor und treibt die Kugel zum Laufe hinaus.

Wie auch im Blaserohr, so wie in der bekannten Platz- oder Knallbüchse der Kinder, die verdichtete Luft wirke, ist leicht einzusehen. Die Wirkungen des Schießpulvers sind darum so ansehnlich, weil sich beim Entzünden desselben eine Menge Luft (dem Raume nach 200 Mal so viel als das Pulver einnimmt) entwickelt, durch die Erhitzung noch mehr ausgedehnt wird, und nunmehr jedes Hinderniß seiner Ausdehnung gewaltsam aus dem Wege räumt.

Die Luftpumpe ist eine Vorrichtung, mittelst welcher man ein hohles Gefäß, wo nicht ganz luftleer machen, doch wenigstens die darin befindliche Luft so außerordentlich verdünnen kann, daß es so gut wie luftleer zu betrachten ist. Die Hauptbestandtheile einer Luftpumpe sind 1) eine hohle Walze (Cylinder), der Stiefel genannt; 2) ein Kolben, oder eine nichthohle (massive) Walze, die den Stiefel genau ausfüllt und sich darin hin und her bewegen läßt; 3) der Teller, oder eine glatte Scheibe mit einer Oeffnung in der Mitte, welche durch eine Röhre mit dem Stiefel in Verbindung steht; 4) der **Recipient** oder ein Gefäß, meist eine Glasglocke, welches auf dem Teller luftdicht befestigt wird, und 5) der **Hahn**, welcher auf eine doppelte Weise so durchbohrt ist, daß man, je nachdem er gedreht wird, entweder den Recipienten mit dem Stiefel, oder den Stiefel mit der äußern Luft, oder auch den Recipienten mit der äußern Luft in Verbindung setzen kann. Will man nun den Recipienten luftleer machen, so dreht man den Hahn so, daß jener mit dem Stiefel, in dem der Kolben bis an den Boden steckt, mittelst der erwähnten Röhre, in Gemeinschaft komme. Wird der Kolben gezogen oder von dem Boden des Stiefels entfernt, so entsteht darin ein leerer Raum, in welchen sogleich die Luft aus dem Recipienten tritt. Da dieser Letztere luftdicht verschlossen ist, so kann keine neue Luft von außen hineindringen und die früher bloß in ihm enthalten gewesene Luftmenge muß sich jetzt in dem ganzen Raume des Recipienten, der Röhre und des Stiefels vertheilen, folglich **verdünnt** werden. Jetzt dreht man den Hahn so, daß der Recipient abgeschlossen, oder seine Verbindung mit dem Stiefel aufgehoben, dagegen dieser Letztere mit der äußern Luft in Gemeinschaft gesetzt wird. Wenn man nun den Kolben wieder nach dem Boden hinab stößt, so muß die im Stiefel enthaltene Luft heraus, in die Atmosphäre treten. Hierauf stellt man die Verbindung zwischen dem Stiefel und dem Recipienten wieder her, und zieht den Kolben aufs neue zurück. Der dadurch entstehende leere Raum im Stiefel kann wieder von keiner andern als der im Recipienten, befindlichen Luft ausgefüllt, und diese muß folglich noch mehr verdünnt werden. Wie sich dieses Verfahren nun noch weiter fortsetzen lasse, bedarf keiner weitern Erklärung.

Wir gehen zur Betrachtung der übrigen Eigenschaften der Luft über. Wäre sie bloß ausdehnsam, so würde sie keine Hülle um die Erdkugel bilden, sondern sich von derselben entfernen, und sich in dem unendlichen Raume des Weltalls verbreiten. Aber sie ist auch schwer, d. h. sie wird von dem Mittelpunkte der Erde angezogen und übt folglich durch ihr Gewicht einen Druck aus. Durch die höhern Luftschichten werden die tiefern zusammengepreßt. Die *Dichtigkeit* der Atmosphäre ist daher zunächst an der Oberfläche der Erde am größten, und vermindert sich in dem Maße, als man sich weiter von derselben entfernt. *Mariotte*, ein französischer Naturforscher, hat durch Versuche gefunden, daß die Luft in einer Höhe von 3010 Pariser Klafter nur noch $\frac{1}{2}$ Mal so dicht sei als an der Erd=Oberfläche, bei 6020 Klafter nur noch $\frac{1}{4}$ Mal, bei 9030 nur $\frac{1}{8}$ Mal, bei 12040 nur $\frac{1}{16}$ Mal u. s. f., so daß folglich die Dichtigkeit der Atmosphäre in geometrischer Fortschreitung abnimmt, wenn die Höhe derselben in arithmetischen Reihen wächst. Aus diesem *Mariotte'schen Gesetze* läßt sich zugleich sehen, daß die Höhe der Atmosphäre *unendlich groß*, oder ihre Gränze *unendlich weit* hinauszusetzen seyn müsse; denn wie weit man auch die geometrische Reihe $\frac{1}{2}$, $\frac{1}{4}$, $\frac{1}{8}$, $\frac{1}{16}$, $\frac{1}{32}$, $\frac{1}{64}$, $\frac{1}{128}$, fortführen möge: nie wird man auf einen Bruch kommen, der so viel als Null wäre, oder mit andern Worten: selbst eine billionen- und trillionenmalige Verdünnung der Luft ist immer noch keine Abwesenheit der Luft, sondern setzt vielmehr noch das Vorhandenseyn derselben voraus. Biot *) bemerkt indeß sehr richtig, daß sich eine solche unendliche Höhe der Atmosphäre nicht wohl annehmen lasse, sondern daß wahrscheinlich der außerordentliche Grad von Kälte, welcher in den hohen Gegenden herrschen muß, die Beschaffenheit dieser höhern Schichten hinreichend verändern werde, um ihre Neigung zur Ausdehnung aufzuheben. Laplace und Wollaston haben aus dem Gesetze der Anziehungskraft der Weltkörper bewiesen, daß die Erd-Atmosphäre sich nicht ins Unendliche erstrecken könne. Denn wenn das Weltall mit atmosphärischer Luft, sei diese auch noch so sehr verdünnt, angefüllt wäre: so müßte ein Theil davon, wenigstens durch die Sonne und die größten Planeten, Jupiter und Saturn, angezogen und verdichtet werden, so daß diese Weltkörper weit größere Atmosphären haben würden, als selbst unsere Erde. Wollaston hat aber bei der Beobachtung des letzten Venus-Durchganges durch die Sonne an den Rändern der Letztern keine solche Strahlenbrechung wahrnehmen können, als nothwendig Statt finden müßte, wenn die Sonne von einer Atmosphäre wie die unserige **) umgeben wäre. Auch die Beobachtungen der Finsternisse an den Jupiters-

*) Anfangsgründe der Erfahrungs-Naturlehre rc. Aus dem Franz. von Dr. Wolf. I. B. Berlin. 1819. S. 70.

**) Ueber die Wahrscheinlichkeit einer Licht-Atmosphäre um die

Monden, so wie der Sternbedeckungen durch Jupiter und Saturn, zeigen durch den gänzlichen Mangel an Strahlenbrechung beim Ein- und Austritt, zur Gnüge, daß diese Planeten keine Lufthülle haben. Es geht daraus hervor, daß unsere Atmosphäre eine Eigenthümlichkeit der Erde ist und irgendwo bestimmte scharfe Gränzen haben muß. Nach Mairan's Beobachtungen über das Nordlicht könnten diese in einer Höhe von 300 französischen Meilen zu finden seyn. Benzenberg und Brandes haben Sternschnuppen beobachtet, die sich nach ihren Berechnungen in einer Höhe von 50 teutschen Meilen befinden mußten. Diejenige Höhe der Atmosphäre, bis zu welcher sie noch so viel Dichtigkeit hat, daß sie das Sonnenlicht zu brechen vermag, erstreckt sich nach mehren genauen, sich auf Beobachtungen der Dämmerung gründenden Berechnungen, im Durchschnitt auf $9\frac{2}{3}$ geographische Meilen. Die Gestalt ist, wie bei der Erdkugel selbst, sphäroidisch. Aber die Größe der Abplattung an den Polen, oder der Unterschied zwischen dem Durchmesser des Aequators und der Axe, ist größer als bei der Erde. Die Ursache ist nicht nur die größere Fliehkraft der Luft zwischen den Wendekreisen, sondern auch die, aus der daselbst herrschenden größern Wärme hervorgehende, stärkere Verdünnung der Luft, wodurch sie (wie weiter unten gezeigt werden wird) einen emporsteigenden Strom bildet, welcher von den Polen aus in gleichem Maße wieder ersetzt wird.

* Sonne sehe man den 1. Band dieses Werkes S. 249 (der neuen Auflage).

Die Tauglichkeit der atmosphärischen Luft zum Athmen scheint sich nicht viel über eine teutsche Meile hoch zu erstrecken. Schon auf Bergen über 10000 Fuß Höhe wird das Athmen beschwerlich. Man empfindet eine bedeutende Schwäche, Bangigkeit, Schwindel, und bei fortgesetztem Höhersteigen dringt auch wohl Blut aus den Ohren, Augenwinkeln ꝛc. Viele dieser Zufälle sind indeß der Ausdehnsamkeit der im Innern des menschlichen Körpers befindlichen Luft zuzuschreiben, welche sich mit der verdünnten äußern ins Gleichgewicht zu setzen strebt. Humboldt sah, als er den Chimborasso erstiegen hatte, noch einen Condor hoch über sich fliegen. Gay-Lussac hat sich mit einem Luftball bis zu mehr als 21000 Pariser Fuß erhoben. Bei diesen bisherigen Betrachtungen über die Höhe der Atmosphäre haben wir die Letztere nur gleichsam als eine Hülle um die Erdkugel angesehen, welche mit ihrer untersten Schicht auf der Oberfläche derselben ruht, so daß sie hier eine bestimmt abgeschnittene Gränze bildet. Allein Meinecke *) hat darauf hingewiesen, daß die Atmosphäre auch ins Innere der Erdrinde, und zwar nach dem, was sich aus den Erdbeben und andern chemischen Prozessen schließen läßt, wenigstens bis zu einer Tiefe von 20 geogr. Meilen eindringt. Die Atmosphäre über der Oberfläche ist also dieser Ansicht

*) Ueber den Antheil, welchen der Erdboden an den meteorischen Processen nimmt. (Eine Vorlesung, gehalten in der öffentlichen Sitzung am Stiftungsfeste der Naturforschenden Gesellschaft zu Halle den 5. Juli 1823 vom Professor J. L. G. Meinecke, zeit. präsid. Director der Gesellschaft). S. 12 u. ff.

nach nur als eine Fortsetzung derjenigen Luftmenge zu betrachten, welche sich im Innern der Erde befindet. Sie ist gleichsam der Aushauch der Erdkugel, der sich in gasförmiger Gestalt rings um dieselbe anhäuft, indem er durch die Schwerkraft verhindert wird, sich von der Erde weg, in den Weltraum zu zerstreuen. Die Atmosphäre ist also nicht, wie eine bloße Decke, über die Erdfläche hin gebreitet, sondern mit der Erdkugel selbst so innig, gleichsam organisch, verbunden, als die Haut mit dem thierischen Körper. Wir werden weiterhin sehen, wie fruchtbar diese Ansicht Meinecke's sich bei der Betrachtung und Erklärung der atmosphärischen Erscheinungen zeigt. Einstweilen beschäftigen wir uns noch mit der Atmosphäre im gewöhnlichen Sinne, d. h. mit der Luftmasse über der Erd-Oberfläche.

Man hat die eigenthümliche Schwere der Luft durch mancherlei Versuche zu erfahren gesucht. Wenn man eine hohle kupferne Kugel, die mit einem Hahne genau verschlossen werden kann, luftleer macht, sie dann auf eine empfindliche Wage hängt und Alles ins Gleichgewicht bringt, hierauf den Hahn öffnet und die äußere Luft hineintreten läßt: so sinkt die Kugel, und das zur Wiederherstellung des Gleichgewichts nöthige Gegengewicht zeigt genau an, wie viel die in der Kugel befindliche Luft wiegt. Es hat sich auf diese Weise ergeben, daß jeder Körperzoll (Kubikzoll) atmosphärischer Luft nach einer Mittelzahl 4681 Zehntausendtheile eines Grans, oder noch nicht ganz ½ Gran wiege. Ein Körperfuß (Kubikfuß) ist demnach beinahe 808 Gran schwer, und jeder

Geviertfuß der Erdfläche würde, wenn die Atmosphäre überall gleich hoch wäre, ein Gewicht von $2216\frac{2}{3}$ Pfund zu tragen haben. Mit dem Wasser verglichen, ist die Luft mehr als 770 Mal leichter als dasselbe. Es versteht sich, daß dieses Gewicht, je nachdem die Luft reiner oder dunstiger, dichter oder dünner, feuchter oder trockner, wärmer oder kälter ist, mannichfachen Abweichungen unterworfen seyn muß.

Der Druck der Luft äußert sich, so wie der aller andern schweren Flüssigkeiten, nicht bloß von oben nach unten, sondern überhaupt nach allen Richtungen hin. Wenn daher ein Körper der Luft ausgesetzt wird, so wird jeder Punkt seiner Oberfläche von der Luft gedrückt. Man hat berechnet, daß der gesammte Druck der Luft auf die ganze Oberfläche eines menschlichen Körpers von mittlerer Größe das Gewicht von 32000 Pfund übersteige. Man sollte glauben, ein so beträchtlicher Druck sei nicht auszuhalten, und müsse uns zu Boden drücken und alle unsere Bewegungen verhindern. Aber das Räthselhafte dieser Erscheinung verschwindet, wenn wir erwägen, daß die innern Theile des menschlichen Körpers entweder mit Flüssigkeiten, die sich nicht zusammendrücken lassen, und welche fähig sind, den ganzen Druck auszuhalten, oder mit Luft von demselben Grade der Spannkraft, wie die äußere uns umgebende, die dieser folglich das Gleichgewicht hält, angefüllt ist. Eben so wenig stellt sich unsern Bewegungen ein Hinderniß entgegen, weil der Druck der Luft sich von allen Seiten an den verschiedenen Theilen unsers Körpers das Gleichgewicht hält. Wir könnten nur dann von dem Druck der äußern Luft erdrückt werden, wenn man die in unserm Innern befindliche Luft wegschaffte. Bei den im Wasser lebenden Thieren findet eine ähnliche Erscheinung Statt. Ein Fisch auf der Tiefe des Meeres, zwei, drei und mehr Tausend Fuß unter der Oberfläche, ist einem mehr als 100 Mal größerm Drucke des Wassers ausgesetzt, als wir von der Atmosphäre zu erleiden haben. Gleichwohl wird er von dieser ungeheuern Last nicht erdrückt, sondern bewegt sich vielmehr nach allen Richtungen mit der größten Leichtigkeit. Sein Inneres ist gleichfalls mit Flüssigkeiten angefüllt, die dem Drucke des äußern Wassers widerstehen. Namentlich besitzen die Fische eine Blase mit Luft gefüllt, welche nicht von der Beschaffenheit der atmosphärischen Luft, sondern ganz eigenthümlicher Art ist, und durch eine besondere Einrichtung der Organisation erzeugt und abgesondert wird. Diese Luft hat einen hinlänglichen Grad von Dichtigkeit und Spannkraft, um dem Drucke des Wassers das Gleichgewicht halten zu können. Was die Leichtigkeit der Bewegung betrifft, so rührt diese davon her, daß die Oberfläche des Fischkörpers von allen Seiten her gleich stark gedrückt wird, so daß folglich der Druck sich wechselseitig aufhebt.

Auf dem gleichförmigen Drucke der Luft nach allen Richtungen beruhen gar viele Erscheinungen, so wie eine Menge nützlicher Erfindungen und ergötzlicher Spielwerke. Wenn z. B. die in einem Gefäße enthaltene Flüssigkeit unten aus dem geöffneten Hahne ausfließen soll, so muß zugleich das Spundloch des Fasses geöffnet werden. Unter=

läßt man dieses, so fließt nichts aus dem Hahne. Die Ursache davon ist der einseitige Druck der Luft an der Oeffnung des Hahns, welcher, so lange ihr nicht zugleich oben der Zutritt gestattet wird, die Flüssigkeit nicht herausläßt. Auch der Stechheber gründet sich hierauf. Man belegt mit diesem Namen ein röhrenförmiges Gefäß, das sowohl oben als unten eine Oeffnung hat; die untere muß aber sehr klein seyn. Taucht man diese Röhre in eine Flüssigkeit, so muß sie sich anfüllen. Verschließt man nun die obere Oeffnung mit dem Daumen, und zieht den Heber wieder aus dem Gefäße, so fließt aus der untern nichts aus, und man kann die Flüssigkeit in irgend ein beliebiges anderes Gefäß auslaufen lassen, indem man den Daumen von der obern Oeffnung wegnimmt. Es versteht sich, daß der Heber ganz mit der Flüssigkeit angefüllt seyn muß; denn sobald noch Luft über derselben ist, so wird mehr oder weniger davon ausfließen.

Es läßt sich jetzt leicht einsehen, daß wenn das Gleichgewicht des Luftdruckes auf einen Gegenstand aufgehoben, und derselbe auf der einen Seite größer oder kleiner wird, als auf der andern, eine Bewegung hervorgebracht werde. Auf dieser Erfahrung beruhen gleichfalls eine Menge Erscheinungen, Vorrichtungen und Erfindungen, z. B. das Saugen, das Trinken, das Athmen, das Tabakrauchen, der Blasebalg, der Heber u. a. m. Wenn wir einen Strohhalm mit der einen Oeffnung ins Wasser stecken, und an der andern saugen, so steigt sogleich das Wasser in dem Halme empor und dringt in den Mund. So lange nämlich der Strohhalm vor dem Saugen im Wasser steckt, bringt dasselbe nur so hoch in denselben ein, als es selbst im Gefäße steht, weil die in ihm befindliche Luft dem Drucke der äußern Luft auf das den Halm umgebende Wasser das Gleichgewicht hält. Durch das Saugen wird aber der Halm luftleer gemacht, und jener Druck der äußern Luft erhält jetzt das Uebergewicht, so daß das Wasser dadurch in den Halm getrieben werden muß. Eben so verhält sichs mit dem Tabaksrauchen. Durch das Ziehen an der obern Oeffnung wird das Innere des Rohres luftleer, und der Druck der äußern Luft treibt jetzt den Rauch des brennenden Tabaks aus dem Kopfe nicht nur in das Rohr, sondern auch in den Mund. Der Heber ist eine krummgebogene, zweischenkelige, an beiden Enden offene Röhre, deren man sich bedient, um Bier, Essig u. dgl. aus einem Gefäße, das man gerade noch nicht anzapfen will, in ein anderes auslaufen zu lassen. Wenn man den einen, gewöhnlich kurzen, Schenkel in das Spundloch des Fasses eintaucht, und den andern, längern, außerhalb des Fasses frei herabhangen läßt, so steigt natürlich die Flüssigkeit in dem eingetauchten Schenkel so hoch hinauf, als sie selbst im Fasse steht. Beide Wasserflächen, sowohl die im Fasse, als die in der Röhre, sind dem natürlichen Drucke der Atmosphäre gleich stark ausgesetzt, und es bleibt Alles im Gleichgewicht und in Ruhe. Sobald man aber an dem offnen Ende des außerhalb des Fasses befindlichen Schenkels zu saugen und den Heber dadurch luftleer zu machen anfängt: so treibt der Druck der äußern Luft die Flüssigkeit aus dem Fasse weiter in den Heber hinein, so daß dieser zuletzt ganz angefüllt wird, und an der äußern Oeffnung, wo gesaugt worden, auszulaufen beginnt. Dieses Auslaufen muß so lange dauern, bis die Flüssigkeit im Gefäße unter die Oeffnung des eingetauchten Schenkels hinabgesunken ist, und folglich nichts mehr in denselben treten kann *).

II.

Fortsetzung des Vorigen. — Von dem Barometer.

Alle die bisher beschriebenen Eigenschaften der Luft sind erst um die Mitte des zehnten Jahrhunderts genauer bekannt, wenigstens erst seit dieser Zeit wissenschaftlich untersucht worden. Nicht als ob man in frühern Zeiten mit den mancherlei Erscheinungen, worin sich jene Eigenschaften offenbaren, unbekannt gewesen wäre. Schon den Alten war bekannt, daß das Wasser durch Pumpen höher gehoben, durch Heber geleitet, und in einem Gefäße, das ganz verschlossen und angefüllt ist, und nur eine einzige kleine Oeffnung hat, von einem Orte zum andern getragen werden könne, ohne daß etwas herauslaufe. Aber sie erklärten diese Erscheinungen durch eine vermeintliche Abneigung der Natur vor dem leeren Raume

*) Wie auch manche periodische oder aussetzende Quellen auf heberartigen Verbindungen von Klüften und Höhlen beruhen, ist im III. Theile, S. 64 u. s. f. der neuen Aufl. gezeigt worden.

(fuga vacui). Wenn man also das Wasser in dem Augenblicke steigen sah, wo der Stämpel oder Kolben in einer Pumpenröhre in die Höhe gezogen wurde: so sagte man, daß der Stämpel bei dieser Bewegung einen leeren Raum in der Pumpenröhre hervorzubringen strebe, daß aber die Natur, vermöge ihres Abscheues vor jedem leeren Raume, sich gleichfalls bestrebe, augenblicklich Wasser in denselben bringen zu lassen und ihn dadurch wieder auszufüllen.

Eines Tages hatten die Brunnenmacher zu Florenz eine sehr lange Pumpenröhre gemacht, in der Absicht, das Wasser auf eine größere Höhe als die gewöhnliche zu heben. Da fanden sie aber, daß dasselbe nur ungefähr auf eine Höhe von zwei und dreißig Fuß stieg, und ungeachtet man den Stämpel fortwährend in Thätigkeit setzte, durchaus nicht höher zu bringen war. Voll Erstaunen eilten sie zu dem berühmten Naturforscher Galilei *) und fragten denselben in dieser Verlegenheit um Rath. Er gab ihnen zur Antwort: Der Abscheu der Natur vor dem leeren Raume erstrecke sich offenbar nicht höher als zwei und dreißig Fuß **).

Erst seinem Schüler Torricelli war es vorbe-

*) Wir kennen ihn schon aus dem 1sten Bande dieses Gemäldes der physischen Welt, als einen nicht minder berühmten Sternkundigen. Man sehe daselbst S. 263 u. a.

**) Biot (a. a. O. S. 244) ist der Meinung, daß Galilei von der wahren Ursache dieser Erscheinung, dem Drucke der Luft, zwar eine Ahnung gehabt, aber wahrscheinlich, weil er diese neuen Ansichten noch nicht gehörig geprüft, sich lieber gegen die Brunnenmacher der obigen Ausflucht bedient habe, als daß er sein Geheimniß hätte sollen laut werden lassen.

halten, die wahre Ursache dieser Erscheinung zu ergründen, und durch einen sinnreichen Versuch auf eine überzeugende Weise darzuthun. Er füllte nämlich eine drei Fuß lange, an dem einen Ende verschlossene, gläserne Röhre mit Quecksilber an, bedeckte das offene Ende mit dem Finger, kehrte nunmehr die Röhre um, und tauchte sie mit diesem Ende in ein offenes Gefäß, worin gleichfalls Quecksilber enthalten war. Hierauf zog er den Finger von der Oeffnung weg, und das Quecksilber in der Röhre fing an heraus zu laufen, so daß ein Theil am obern Ende leer wurde. Doch hörte dieses Fallen bald auf und die Quecksilbersäule in der Röhre blieb nach mehren Schwankungen im Gleichgewichte, wobei sie eine Länge von ungefähr acht und zwanzig Zoll hatte.

Der sogenannte Abscheu der Natur vor dem leeren Raume war jetzt in seiner Lächerlichkeit dargestellt. Denn wenn er sich bei der Pumpenröhre wenigstens bis auf 32 Fuß erstreckte, warum nicht auch bei der Quecksilberröhre so weit? Warum hier nur bis 28 Zoll?

Torricelli hatte schon vorher gewußt, daß die Quecksilbersäule diese Höhe haben würde. Da das Quecksilber nämlich 14 Mal schwerer ist als Wasser *), so schloß er sehr richtig, daß dieselbe Ursache, welche das Wasser auf die Höhe von 32 Fuß treibe und darauf erhalte, das Quecksilber auf eine 14 Mal kleinere Höhe, oder $27\frac{1}{2}$ Zoll, treiben und darauf erhalten müsse. Diese Ursache war, wie gesagt, der Druck der Luft, und Torricelli ist als der erste Erfinder des Barometers zu

*) Man sehe den IIIten Band, S. 49.

betrachten, ungeachtet unsere gegenwärtigen Werkzeuge dieser Art im Laufe der Zeit sehr verändert und vervollkommnet worden sind und der Torricellischen Röhre wenig mehr ähnlich sehen. Man pflegt nämlich jetzt die Röhre unten hinauf zu krümmen, und dem kurzen offenen Schenkel oben die Gestalt eines kugel- oder birnförmigen Gefäßes zu geben, um das Barometer bequemer, als es sich mit der Torricellischen Röhre und dem Quecksilbergefäß thun läßt, von einem Orte zum andern bringen zu können. Die Länge der senkrechten Quecksilbersäule in dem langen Schenkel, welche von dem, auf den kurzen offenen Schenkel wirkenden Drucke der Luft getragen wird, heißt die Barometer-Höhe. Um sie zu messen, bedient man sich des gewöhnlichen Längenmaßes, der Pariser, Englischen, Wiener u. a. Zolle, oder auch des Meters und seiner Theile. Diese Längenmaße werden am obern Theile des Barometers angebracht und heißen die Gradleiter (Scala) *). Der luftleere Raum über der Quecksilbersäule im langen Schenkel heißt die Torricellische Leere **).

*) 12 Englische Zoll sind soviel als $11\frac{1}{4}$ Pariser, oder $11\frac{39}{70}$ Wiener Zoll; 12 Wiener Zoll gleichen $11\frac{41}{60}$ Pariser Zollen, und 1 Meter ist so viel als 3 Pariser Fuß und $11\frac{3}{10}$ Linien, oder 3 Wiener Fuß 1 Zoll und $11\frac{11}{15}$ Linien.

**) Wohl zu unterscheiden von der Guerikischen Leere, worunter man den durch die Luftpumpe hervorgebrachten luftleeren Raum versteht. Sie hat ihren Namen von dem Erfinder der Luftpumpe, Otto von Guerike, Bürgermeister zu Magdeburg, der um die Mitte des sechszehnten Jahrhunderts lebte.

Schon gleich nach der Erfindung des Barometers bemerkte man, daß die Quecksilber-Säule sowohl an verschiedenen Orten, als auch an einerlei Orte zu verschiedenen Zeiten, nicht immer einerlei Höhe habe, und man schloß daraus, daß dieses Steigen und Fallen des Barometers mit Veränderungen der Luftmasse in Verbindung stehe, und daß vielleicht das Barometer selbst geschickt seyn könne, die abwechselnden Veränderungen in der Luft anzugeben. Die ersten Versuche dieser Art wurden in Frankreich auf dem Berge Pui de Dome, von dem Rath Perrier zu Clermont in Auvergne, angestellt. Je höher er den Berg hinaufstieg, desto mehr fiel das Quecksilber im Barometer, und auf dem 500 Klafter (Toisen) hohen Gipfel des Berges stand es 3 Zoll tiefer als am Fuße desselben. Das neue Werkzeug wurde nun immer allgemeiner bekannt und aufmerksamer beobachtet, und erhielt eben von seiner Tauglichkeit, den Druck oder die Schwere der Luft zu bestimmen, den griechischen Namen Barometer, d. h. Schweremesser; obschon es richtiger bloß Druckmesser heißen sollte, da der Druck der Luft nicht allein von der Schwere, sondern auch von der Spannkraft und Dichtigkeit derselben abhangt, auf welche wieder Wärme und Kälte, Trockne und Feuchte bedeutenden Einfluß haben. Wenn jeder Geviertfuß der Erd-Oberfläche, wie wir vorhin gesehen haben, eine Luftsäule von $2216\frac{2}{3}$ Pfund im Durchschnitt zu tragen hat, so ist dieß von der Ebene des Meeresspiegels zu verstehen, wo das Barometer den höchsten Stand erreicht, den es haben kann. Bei jeder Linie, um die das Quecksilber fällt, vermindert sich das Gewicht jener Luftsäule ungefähr um $6\frac{7}{10}$ Pfund (oder genauer um $6\frac{5795}{10000}$).

Da man ferner bemerkte, wie mit Veränderungen des Luftdruckes auch Veränderungen in der Witterung verbunden seien: so fing man an, sich des Barometers auch zur Vorherbestimmung des Wetters zu bedienen, und nannte es Wetterglas. Auf den meisten Barometern pflegt daher neben der Gradleiter noch eine Angabe des Wetters angebracht zu werden, welches bei bestimmten Barometer-Höhen Statt findet. Wenn man die an einem Orte eine lange Zeit hindurch beobachteten Barometer-Höhen zusammenzählt, und die Summe durch die Anzahl aller Beobachtungen dividirt, so giebt der Quotient die mittlere Barometer-Höhe dieses Ortes. Auf der Gradleiter pflegt dieser Punkt durch das beigesetzte Wort veränderlich angezeigt zu werden, weil das Wetter, so lange das Barometer auf dieser mittlern Höhe verweilt, selten von Dauer ist. Gewöhnlich steht es bei anhaltendem Regen, und stürmischem Wetter unter, bei anhaltend heiterm Himmel und stillem Wetter aber über der mittlern Höhe. Daher ist man so ziemlich berechtigt, aus dem Steigen des Barometers auf bevorstehendes gutes, beim Fallen desselben aber auf schlechtes Wetter zu schließen. Wir sagen: „so ziemlich", denn es giebt Fälle, wo diese Vorzeichen täuschen, weil die Witterung nicht von der Schwere der Luft allein, sondern auch von andern Verhältnissen abhangt, die nicht immer mit jener verbunden sind. Wie groß die Zuverlässigkeit sei, die das Barometer bei Wetterprophezeihungen gewähren kann, sieht man nur aus der Vergleichung einer vieljährigen Reihe von Barometer=Beobachtungen mit dem jedesmaligen Zustande der Witterung. Buek *) hat eine solche Zusammenstellung in Beziehung auf Hamburg gemacht, indem er aus jedem Monate, zwanzig Jahre hindurch, eine gleiche Anzahl von hohen und niedrigen Barometer=Ständen wählte und die gleichzeitige Witterung anmerkte. Besonders nahm er Rücksicht auf solche Veränderungen des Barometer=Standes, welche plötzlich eintraten und mit einer Aenderung des Wetters verbunden waren. Er fand dabei: Frost, bei hohem Barometer=Stande 93 Mal, bei tiefem 16 Mal; Regen, Schnee, Thau= und naßkaltes Wetter, bei hohem Stande 78 Mal, bei tiefem 289 Mal; heiteres Wetter, bei hohem 290, bei tiefem 67 Mal; trübes oder nebliges Wetter, bei hohem 91, bei tiefem 70 Mal; Gewitter, bei hohem 2, bei tiefem 27 Mal; starker Wind, bei hohem 15, bei tiefem 34 Mal; Sturm, bei hohem 2, bei tiefem 36 Mal. Man sieht daraus, daß die Zahl der Fälle, wo man sich auf das Barometer verlassen konnte, bei Frost 5 Mal, bei Regen ꝛc. 4 Mal, bei heiterm Wetter fast 5 Mal, bei Gewitter 13 Mal, bei starkem Wind 2 Mal, und bei Sturm 18 Mal größer war, als die Zahl der entgegengesetzten Fälle. Ein ungewöhnlich tiefes und schnelles Sinken der Quecksilber=Säule pflegt mit Orkanen, zuweilen auch mit Erdbeben in Verbindung zu

*) Hamburgs Clima und Witterung. Ein Beitrag zur medicinischen Topographie von Hamburg, so wie zur Climatologie von Teutschland überhaupt. Hamburg 1826 S. 67 u. f.

stehen, die aber nicht immer an dem Orte, wo das Barometer beobachtet wird, selbst, sondern oft in weit entfernten Gegenden Statt finden. So sank z. B. zu derselben Zeit, als das südliche Spanien im März 1829 durch die schrecklichsten Erdbeben verwüstet wurde, zu Prag das Barometer (am 30. um 10 Uhr Abends) auf 26 Zoll $8\frac{33}{100}$ Linien, oder $8\frac{1}{2}$ Linien unter seinen mittlern Stand, welcher zu Prag 27 Zoll $5\frac{38}{100}$ Linien beträgt. Aehnliche Beispiele fast durch ganz Europa lieferten die Orkane am 24. und 25. Dezember 1821, wo überall ein ungewöhnlich tiefes Fallen des Barometers beobachtet wurde.

Am Aequator sind die Barometer-Veränderungen am geringsten, und der Unterschied zwischen dem höchsten und niedrigsten Stande beträgt nicht über $\frac{1}{4}$ Pariser Linie. Bis zu den Wendekreisen erstrecken sich diese Veränderungen auf 6 Linien. Merkwürdig ist, daß die Witterung hier fast keinen merklichen Einfluß auf den Stand des Barometers ausübt. Nur große Orkane machen eine Ausnahme. So wird z. B. von Billiard *) berichtet, daß auf Isle de France, also unter 20° südlicher Breite, bei dem Orkane am 28. Febr. und 1. März 1818, das Barometer auf 26 Zoll und 4 Linien gefallen sei. Je weiter man sich indeß vom Aequator nach den Polen zu entfernt, desto größer werden die Barometer-Veränderungen, und desto mehr hangen sie mit

*) Reise nach Isle de France und der Insel Bourbon. Aus dem Franz. in Dr. Brans Ethnogr. Archiv, XVIII. Bd. 2. Heft, S. 401.

der Witterung zusammen. Wenn in Rio Janeiro (unter 22° 54′ 10″ südl. Br.) der Unterschied zwischen dem höchsten und tiefsten Stande nur 524 Tausendtheile eines englischen Zolls, also etwa $5\frac{7}{10}$ Pariser Linien beträgt *), so macht er in Neapel (etwa unter 41° nördl. Br.) schon beinahe einen vollen Pariser Zoll aus. In Paris und im nördlichen Teutschland beträgt er an 2, in London $2\frac{1}{4}$, in der Schweiz $2\frac{1}{3}$, in Petersburg $3\frac{1}{8}$ Zoll **). Der tiefste Stand und die größten Schwankungen (Oscillationen) des Barometers pflegen in den gemäßigten Zonen um die Zeit der Nachtgleichen und im Winter Statt zu finden. Der höchste Stand fällt häufiger in den Sommer. Wenn die Sonne, während das Quecksilber im Fallen ist, durch den Meridian geht, so wird dieses Fallen dadurch beschleunigt. Ist es aber um diese Zeit im Steigen, so steigt es entweder langsamer, oder es bleibt stehen, oder es fällt auch. Vom Neumonde zum Vollmonde pflegt das Quecksilber mehr zu steigen, vom Vollmond zum Neumonde aber zu fallen; auch will man bemerkt haben, daß das Steigen mehr in die Zeit der Erdferne als in die der Erdnähe des Mondes fällt. Alles dieses deutet auf einen Zusammenhang der Veränderungen des Luftdruckes mit dem Stande des Mondes und der Sonne hin. Auch die Richtung der Winde hat Einfluß auf den Stand des Barometers.

*) S. Eschwege Journal v. Brasilien ꝛc. IItes Heft. Weimar, 1818, S. 139.

**) S. Ersch u. Gruber Allgemeine Encyklopädie ꝛc. Art. Barometer.

Nach Buek (a. a. O. S. 68 und 69) trifft in Hamburg der höchste Barometer-Stand im Durchschnitt mit dem Nordost, der tiefste mit dem Südwest zusammen.

Merkwürdig sind außer diesen größern Schwankungen des Barometers, welche sich an keine regelmäßigen Zeiträume binden, die kleinern, welche täglich zu bestimmten Stunden, oder regelmäßig eintreten, bei uns aber, die wir unter höhern Breiten wohnen, nicht allgemein wahrgenommen werden, weil sie sich in der Menge von regellosen Schwankungen verlieren. Godin, Bouguers Begleiter bei der Gradmessung in Süd-Amerika *) war der Erste, welcher das regelmäßige tägliche Schwanken in der Nähe des Aequators beobachtete. Aus den Versuchen, die Lamanon späterhin auf Veranlassung der französischen Akademie anstellte, ergab sich, daß das Barometer von 4 bis 10 Uhr Morgens stieg, von da an bis 4 Uhr Abends fiel, von hier an bis 10 Uhr wieder stieg, und dann bis 4 Uhr Morgens abermals fiel. Horner, welcher in den Jahren 1815 u. ff. Otto von Kotzebue auf dessen Reise um die Welt begleitete, beobachtete das Barometer auf offener See, in der Nähe des Aequators, 61 Tage lang von Stunde zu Stunde, und fand den Stand desselben: um 3 Uhr 50 Min. Nachmittags = $\frac{518}{1000}$ Par. Lin. unter dem Mittel; um 10 Uhr 6 Min. Abends = $\frac{414}{1000}$ P. L. über demselben; um 3 Uhr 40 Min. früh = $\frac{360}{1000}$ P. L. unter dem Mittel; um 9 Uhr 19 Min. Vormittags $\frac{484}{1000}$ P. L.

*) Man sehe den I. Bd. dieses Gemäldes, S. 93 der neuen Aufl.

über demselben. Der tiefste Stand war also um 3 Uhr 50 Min. Morgens, der höchste um 9 Uhr 19 Min. Abends. Zugleich sieht man, daß das Steigen und Fallen bei der Nacht etwas geringer war als am Tage.

Diese täglichen Schwankungen des Barometers beweisen, daß die Atmosphäre eine zweimalige tägliche Ebbe und Fluth habe. Daß sie auch außerhalb der Wendekreise bis zu höhern Breiten hinauf wahrnehmbar sei, obschon sie hier gewöhnlich übersehen wird, beweisen die in Paris von Ramond, in München von Yelin, in Heidelberg von Muncke, in Hamburg von Buek, in Jena, Halle und anderwärts angestellten sorgfältigen Beobachtungen. Doch wird der Unterschied zwischen dem höchsten und tiefsten täglichen Stande immer geringer, je weiter man nach den Polen kommt. Zu Paris beträgt er $\frac{44}{100}$, zu Heidelberg $\frac{33}{100}$ Linien. In Hamburg steigt das Barometer Morgens 8 Uhr $\frac{1}{10}$ und Abends 10 Uhr $\frac{2}{10}$ Linien über das tägliche Mittel, welches nach Buek um 2 Uhr Nachmittags eintritt *). Innerhalb der Polarkreise scheint dieses Schwanken ganz aufzuhören; wenigstens versichert Scoresby, daß er es bei allen seinen höchst zahlreichen Beobachtungen im Eismeere bei Grönland und Spitzbergen niemals wahrgenommen habe **).

Die mittlere Barometerhöhe ist natürlich

*) Von 10 Uhr Abends bis 8 Uhr Morgens sind keine Beobachtungen angestellt worden.

**) Gehlers Physikalisches Wörterbuch. Neue Bearbeitung 1ster Band. Leipzig, 1825. Artikel Barometer, S. 921 — 926.

nicht an allen Orten einerlei. Je höher ein Punkt über der Meeresfläche liegt, desto niedriger muß daselbst das Quecksilber stehen. Wir haben schon im IIten Bande S. 29 (der neuen Aufl.) gezeigt, daß sich aus dem Barometerstande eines Ortes seine Höhe über dem Meere berechnen lasse. Auf dem Spiegel des Meeres ist die mittlere Höhe des Barometers mit wenigem Unterschiede immer dieselbe. Einige wollen bemerkt haben, daß sie in der südlichen Halbkugel ein wenig geringer sei. In unserm nördlichen gemäßigten Himmelsstriche beträgt sie, bei einer Temperatur von $12\frac{8}{10}{}^{\circ}$ des hunderttheiligen Thermometers ($10\frac{24}{100}{}^{\circ}$ Reaum.), 28 Pariser Zoll $2\frac{22}{100}$ Linien, zu Paris am Wasserspiegel der Seine 28″ $0\frac{9}{10}$‴, zu Wien 27″ $8\frac{2}{10}$‴, zu Genf 26″ $11\frac{3}{10}$‴, zu München 26″ $5\frac{3}{10}$‴, auf dem Gipfel des Brocken 24″ 6‴, der Schneekoppe 23″ $3\frac{8}{10}$‴, im Kloster auf dem St. Gothard 21″ 10‴, in der Stadt Quito 20″, auf dem Aetna 18″ $11\frac{5}{10}$‴, auf dem Montblanc 16″ $\frac{2}{10}$‴, und auf dem Chimborasso 12″ $10\frac{4}{10}$‴ *).

*) Neumanns Lehrbuch der Physik. II. Theil. Wien 1810, S. 722.

III.

Fortsetzung. — Von den Bestandtheilen und den chemischen Eigenschaften der Luft.

So wenig — wie wir im Anfange des IIIten Bandes gesehen haben, — das Wasser irgendwo auf der Erde im reinen Zustande angetroffen wird, eben so wenig ist dieß mit der atmosphärischen Luft der Fall. Sie ist überall mehr oder weniger mit fremdartigen Körpern erfüllt, die sich in ihr auf eine bald größere, bald geringere Höhe erheben, unter gehörigen Umständen aber auch sich wieder von ihr abscheiden. Nahe an der Erde ist sie am unreinsten. Hier befindet sich die große Masse von Ausdunstungen der Erde und des Wassers sowohl als der Pflanzen, Thiere und Menschen, und die Lufthülle der Erdkugel hat eben von diesen Dünsten, wie schon erwähnt, den Namen Dunstkreis erhalten. Am meisten sind es dampf- und gasförmige Stoffe, welche von der Erdfläche in die Luft emporsteigen. Außerdem ist die Atmosphäre noch ein Aufenthalt für Licht- und Wärmestoff, electrische und magnetische Flüssigkeiten. Die schweren Dämpfe und Gasarten sammeln sich natürlich in den untersten Schichten des Luftkreises; in den höhern Gegenden finden sich die leichtern Stoffe. Auch feste Körper fallen nicht selten aus der Luft herab, wie der Hagel und die Meteorsteine; aber sie erzeugen sich erst in der Luft oder kommen aus dem großen Weltraume zu uns. Mehr von allen diesen fremdartigen Beimischungen der Luft soll weiterhin, bei den Lufterscheinungen oder Meteoren, vorkommen.

Ehedem glaubte man, die Luft sei ein einfacher Körper, und man rechnete sie unter die sogenannten vier Elemente (Feuer, Wasser, Luft und Erde), aus welchen alle übrige Körper zusammengesetzt seien. Die neuere Chemie hat indeß gezeigt, daß auch die reinste, von allen fremden, dampfartigen und andern Beimischungen befreite, atmosphärische Luft, kein einfacher, sondern ein aus zwei andern Gas- oder Luftarten, Sauerstoffgas und Stickgas, zusammengesetzter Körper sei.

Das Sauerstoffgas ist derjenige Bestandtheil der atmosphärischen Luft, welcher dieselbe allein zur Unterhaltung des Feuers und zum Athemholen der Menschen und Thiere geschickt macht. Es hat daher auch die Namen Lebensluft und Feuerluft erhalten. Sein Grundstoff ist der Sauerstoff, den wir bereits im IIIten Bande, S. 29 (der neuen Aufl.) als einen Bestandtheil des Wassers kennen gelernt haben. Durch den Zutritt des Wärmestoffes (eines von den Chemikern zur Erklärung der Wärmeerscheinungen angenommenen höchst feinen unwägbaren, flüssigen, ausdehnsamen Körpers) zum Sauerstoffe entsteht das Sauerstoff-Gas und man kann daher dieses, unter den gehörigen Umständen, aus allen Körpern gewinnen, welche Sauerstoff enthalten, z. B. Säuren, Metallkalke, Wasser u. dgl. Es ist etwa um den sechszehnten Theil (oder in dem Verhältnisse wie 17 zu 16) schwerer als die gemeine Luft. Hundert Theile der Letztern, nach dem Volumen oder dem körperlichen Raume, den sie einnehmen, gerechnet (z. B. hundert Kubikfuß oder Kubikzoll) bestehen aus 21 Theilen Sauerstoff-Gas und 79 Theilen Stickstoff-Gas. Dieses Verhältniß ist unveränderlich. Man hat bei aërostatischen Versuchen mehre Tausend Klafter über der Erd-Oberfläche, ferner auf hohen Bergen, in Thälern, über dem Meere und dem Festlande, unter dem Aequator und in den höchsten zugänglichen Breiten Luft aufgefangen und sie allenthalben in diesem Verhältniß zusammengesetzt gefunden. Freilich hat es den Anschein, als ob die Atmosphäre zu manchen Zeiten und an manchen Orten mehr Sauerstoff enthalte als gewöhnlich und anderwärts. Lampadius *) fragt z. B.: „Woher rührt es, daß an gewissen Tagen, die gerade nicht immer die heißesten sind, die Milch leichter sauer wird? Woher kommt es, daß die Frühlingsluft besser, als die im höchsten Sommer bleicht? Ist hier elektrisches Fluidum (Flüssigkeit) im Spiel, oder wirkt veränderter Sauerstoff-Gehalt der Luft?" Auch scheinen, nach den Bemerkungen vieler Aerzte, manche Entzündungskrankheiten, die sich zu gewissen Zeiten besonders häufig zeigen, in einer Zunahme des Sauerstoffes der Luft begründet zu seyn. Allein wenn in diesen Fällen wirklich eine solche Zunahme Statt finden sollte, so kann sie nur eine relative (oder bezügliche) seyn, die in der vermehrten Dichtigkeit der Luft ihren Grund hat. Sobald nämlich ein gewisser körperlicher Raum, z. B. eine Kubikklafter, über-

*) Systematischer Grundriß der Atmosphärologie rc. Freiberg 1806 S. 20.

haupt mehr Luft enthält als gewöhnlich, so muß sich auch in demselben Verhältniß mehr Sauerstoff-Gas darin befinden, ungeachtet das Verhältniß desselben zum Stickstoff-Gas immer das nämliche bleibt.

Bloß bei einer Luftmasse, die in einen bestimmten Raum eingeschlossen ist und mit der außerhalb desselben befindlichen atmosphärischen Luft in keiner oder nur schwachen Verbindung steht, kann durch chemische oder organische Prozesse, z. B. durch das Verbrennen eines Körpers oder durch das Athmen der Menschen und Thiere, das Mischungsverhältniß der Bestandtheile dieser Luftmasse bedeutend und zwar bis zu einem Grade verändert werden, daß das Sauerstoff-Gas gänzlich verschwindet. Eine Luft, die zum Athmen tauglich seyn soll, muß wenigstens 10 Hunderttheile Sauerstoff-Gas enthalten. Jemehr sich dieser Gehalt vermindert, desto beschwerlicher wird das Athemholen und muß zuletzt ganz aufhören. Die eingeathmete atmosphärische Luft wird nämlich von der Lunge zersetzt, oder in ihre zwei Bestandtheile zerlegt. Das Sauerstoff-Gas vereinigt sich mit dem Blute und erzeugt die Wärme und rothe Farbe desselben; das Stickgas aber wird nebst einem Theile kohlensauren Gases wieder ausgeathmet. Es erklärt sich hieraus, wie nach und nach durch fortgesetztes Athmen eine ganze eingeschlossene Luftmasse, zu welcher keine äußere dringen kann, verdorben und zuletzt tödtlich werden muß. Daher das Ungesunde des fortwährenden Aufenthalts in verschlossenen Zimmern, die Unmöglichkeit für einen vom Scheintode im Sarge aufgewachten Menschen, am Leben zu bleiben, wenn ihm nicht schleunige Hilfe gebracht wird u. dgl. m. Auch beim Verbrennen geschieht jene Zersetzung der Luft. Der Sauerstoff verbindet sich mit dem verbrennenden Körper und der Stickstoff bleibt zurück. Hieraus erklären sich mancherlei Erscheinungen. Das Feuer wird durch Anblasen verstärkt. Warum? Weil eine größere Luftmasse und folglich auch eine größere Menge Sauerstoff hinzugebracht wird. Ein Brand kann im Entstehen unterdrückt werden, wenn der brennende Körper fest zugedeckt und somit aller Luft der Zutritt abgeschnitten wird. Unter der Glocke der Luftpumpe lischt bei zunehmender Verdünnung der Luft ein Licht aus. Auf Bergen von mehr als 10 = und 12000 Fuß Höhe kostet es Mühe ein Feuer zu unterhalten, selbst wenn der beste und reichlichste Brennstoff vorhanden ist, u. dgl. m.

Bei der ansehnlichen Menge von Sauerstoff, welcher der Atmosphäre durch das Einathmen so vieler Millionen Thiere und durch so viele Verbrennungen und andere chemische Prozesse unaufhörlich entzogen wird, ist es unerklärlich, daß derselbe nicht abnimmt, und der Gehalt der atmosphärischen Luft daran im Ganzen fortwährend der nämliche bleibt. Parrot hat eine ungefähre Berechnung über den täglichen Verbrauch des Sauerstoff = Gases angestellt. „Rechnet man“ — sagt er *) — „die Menschenzahl auf der ganzen Erde auf 900 Millionen und den täglichen Verbrauch des Sauerstoff = Gases eines Jeden auf $26\frac{1}{3}$ Cubikfuß durch die Athmung, mittelst der Haut und der Lunge, und 50 Cubikfuß für seine Heizung, Be=

*) Grundriß rc. S. 407.

leuchtung, das Kochen der Speisen und die Gewerbe: so macht das eine Consumtion (einen Verbrauch) an Sauerstoff=Gas jährlich von 25 Billionen 175500 Millionen Cubikfuß. Rechnet man für die Athmung aller vierfüßigen Thiere das Zehnfache, für die Athmung der Vögel das Doppelte, für die der Insekten, Gewürme ꝛc. das Doppelte, und endlich für die Fische auf der ganzen Erd=Oberfläche das Zwanzigfache: so beträgt die Athmung der ganzen thierischen Welt das 34fache, oder etwa 856 Billionen Cubikfuß Sauerstoff=Gas."

Man glaubte bis in die neueste Zeit, daß die Pflanzen im Sonnenschein das Wasser zersetzten und den Sauerstoff in Gasform ausströmten. Allein Berzelius *) erklärt diese Annahme für unrichtig und nennt überhaupt die ganze Wiederersetzung des verbrauchten Sauerstoff=Gases, und das immer gleiche Verhältniß desselben in der Atmosphäre ein noch unerforschtes Naturgeheimniß.

Da das Sauerstoff=Gas derjenige Bestandtheil der atmosphärischen Luft ist, wodurch sie zum Athmen und Verbrennen tauglich wird, ungeachtet es nur den fünften Theil derselben ausmacht: so läßt sich denken, daß es für sich allein noch weit tauglicher dazu seyn müsse. Die damit angestellten Versuche sind in der That äußerst merkwürdig. Ein Thier lebt in einer bestimmten Menge von reinem Sauerstoff=Gas sechs bis sieben Mal länger, als wenn es in die nämliche Menge von gemeiner Luft eingesperrt wird. Eben so brennt ein Licht darin sechs

*) Lehrbuch der Chemie. Aus d. Schwed. von Wöhler. Isten Bds. Iste Abth. S. 345.

bis sieben Mal länger und auch mit einer glänzendern Flamme und größern Hitze. Ein glimmender Docht geräth im Sauerstoff-Gas wieder zur vollen Flamme. Zunderschwamm, welcher sonst nur glimmt, bricht darin ebenfalls in Flammen aus. Glühende Kohlen verzehren sich darin weit schneller, und brennen mit starkem Scheine. Eine zugespitzte stählerne Uhrfeder, welche vorher an der Spitze glühend gemacht worden, oder an welche man ein Stückchen brennenden Schwammes gesteckt hat, verbrennt im reinen Sauerstoff-Gas mit vielem Funkensprühen. Besonders stark aber und vom blendenden Glanze ist die Flamme des darin verbrennenden Phosphors oder Kamphers. Wenn man es durch ein Löthrohr auf die Flamme einer Kerze leitet, so kann man damit eine Hitze hervorbringen, welche der Hitze großer Brennspiegel gleich kommt.

Was den zweiten Bestandtheil der atmosphärischen Luft, das Stick-Gas oder Stickstoff-Gas betrifft, so hat dieses seinen Namen von den Umständen erhalten, daß weder ein Thier darin athmen noch ein Feuer darin brennen kann, sondern beide darin ersticken müssen. Einige Chemiker finden diese Benennung nicht ganz passend, weil die Untauglichkeit zum Brennen und Athmen auch vielen andern Gasarten zukommt, die also gleichfalls Stickgase sind. Sie nennen den Stickstoff lieber Salpeterstoff, weil er die Grundlage der Salpetersäure (des sogenannten Scheidewassers) ausmacht. Durch den Zutritt des Wärmestoffes zum Stickstoffe entsteht das Stickstoff-Gas. Es macht, wie schon oben bemerkt, etwa $\frac{4}{5}$ ($\frac{79}{100}$) der gemeinen Luft aus, und ist ein wenig leichter als diese. Merkwürdig ist, daß der Stickstoff der atmosphärischen Luft den Pflanzen die grüne Farbe mittheilt. Selbst solche, welche in gemeiner Luft zu welken angefangen haben, erholen sich wieder in reiner Stickluft.

Von den übrigen Gasarten, welche der atmosphärischen Luft beigemischt zu seyn pflegen, ohne jedoch wesentliche Bestandtheile derselben auszumachen, gedenken wir hier nur des kohlensauren und des Wasserstoff-Gases.

Das kohlensaure Gas entsteht unter anderm, wenn Kohle im Sauerstoff-Gas verbrennt. Der Kohlenstoff zieht den Sauerstoff des Letztern an sich, woraus Kohlensäure entsteht, welche in Verbindung mit dem Wärmestoffe zum luft- oder gasförmigen Körper wird. Da in kohlensaurem Gas kein Thier athmen und keine Flamme brennen kann, so heißt sie auch mephitische Luft. Andere haben sie fixe Luft genannt, welchen Namen überhaupt sonst alle Gasarten führten, die sich aus andern Körpern entwickelten, weil man annahm, daß sie vorher im gebundenen oder festen (fixen) Zustande darin gewesen wären.

Das kohlensaure Gas erzeugt sich in der Natur sehr häufig, z. B. bei der Gährung, beim Verbrennen der Körper, selbst beim Athmen. Ausgeathmete Luft besteht nicht bloß aus Stickgas, sondern auch aus kohlensaurem. Im Innern der Erde besonders ist es in Menge vorhanden und von jeher den Bergleuten unter dem Namen Schwaden oder böse Wetter bekannt gewesen. Von der sogenannten Hundsgrotte bei Neapel, deren Boden mit einer Schicht kohlensauren Gases bedeckt ist, in welcher Thiere, deren Kopf nicht darüber hinausragt, sogleich ersticken, haben wir schon im IIten Bande, S. 109 (der neuen Aufl.) gesprochen. In großer Menge erzeugt es sich in Kellern, wo Most in Gährung ist; daher sie zu dieser Zeit nicht ohne Lebensgefahr zu betreten sind; ferner in verschlossenen Brunnen, Grüften u. s. w. Auch ist es ein Bestandtheil vieler Mineralwasser, worüber wir gleichfalls im IIIten Bande das, was von den sogenannten Sauerbrunnen (S. 113 der neuen Aufl.) gesagt worden, nachzusehen bitten.

Auch die reinste atmosphärische Luft ist nicht frei von kohlensaurem Gas; hundert Raumtheile derselben enthalten wenigstens $\frac{1}{1000}$ davon.

Da es mehr als anderthalb Mal schwerer ist als die gemeine Luft: so scheint es unerklärbar, wie es in die höchsten bis jetzt von Menschen erreichten Bezirke der Atmosphäre habe gelangen können, indem es Saussure z. B. auf der Spitze des Montblanc gefunden hat. Allein die verschiedenen Luftarten haben, wie Berzelius *) zeigt, eine gewisse Neigung, sich mit einander zu mengen, welche bewirkt, daß sie sich gegenseitig schnell durchdringen und eine in der andern, wie in leeren Zwischenräumen, sich ausbreiten. Wenn daher eine Menge kohlensaures Gas in die atmosphärische Luft gebracht wird, so sinkt es allerdings wegen seiner größern Schwere Anfangs darin zu Boden; allein in Kurzem beginnt es wieder emporzusteigen und sich nach allen Richtungen

*) Lehrbuch der Chemie. A. a. O. S. 343.

gleichförmig zu vertheilen. Auch bei der vollkommensten Ruhe ist die Schwere dann nicht im Stande, eine Absonderung hervorzubringen, so daß das kohlensaure Gas neuerdings zu Boden sänke.

Freilich ist zunächst an der Erd-Oberfläche, wo so vieles kohlensaures Gas unaufhörlich erzeugt wird, der Gehalt der Atmosphäre an demselben oft sehr beträchtlich und kann bis zu Hunderttheilen steigen. In den bergmännischen Gruben enthält die Luft zuweilen bis 7 Hunderttheile kohlensaures Gas, bei welchem Verhältniß die Gesundheit der Arbeiter schon sehr gefährdet ist. Da in der von Menschen ausgeathmeten Luft ungefähr $\frac{9}{100}$ kohlensaures Gas enthalten sind: so sieht man, daß die gemeine Luft, wenn sie eben soviel davon enthält, nicht zum Athmen tauglich sei und daß ein brennendes Licht darin verlöschen müsse.

Das Wasserstoff-Gas entsteht durch den Zutritt des Wärmestoffes zu dem Wasserstoffe. Von diesem Letztern ist, als einem Hauptbestandtheile des Wassers, bereits im IIIten Bande S. 29 u. ff. (der neuen Aufl.) die Rede gewesen. Ebendaselbst ist auch gezeigt worden, wie man aus Wasserdämpfen, die man über glühendes Eisen ꝛc. streichen läßt, Wasserstoff-Gas gewinnen kann. Es ist für sich allein gleichfalls nicht zum Athmen und zur Unterhaltung des Feuers tauglich, hat aber das Eigne, daß es sich bei der Berührung mit atmosphärischer Luft oder mit Sauerstoff-Gas entzünden läßt. Man nennt daher das Wasserstoff-Gas auch brennbare Luft. Auf diese Eigenschaft desselben gründet sich seine Benützung zu den bekannten electrischen Zündmaschinen. Es wird hier durch eine Auflösung von Zink in einer Mischung aus Schwefelsäure und Wasser erzeugt. Durch das Drehen des Hahns öffnet man ihm einen Ausgang aus der Flasche; das ausströmende und mit der atmosphärischen Luft in Berührung tretende Gas wird aber sogleich von dem, durch dasselbe Drehen des Hahnes erzeugten, electrischen Funken entzündet. — Eine Mischung aus Wasserstoff=Gas und atmosphärischer Luft oder Sauerstoff=Gas heißt Knallluft, weil sie sich, wenn ihr eine Flamme nahe gebracht wird, augenblicklich mit einem starken Knalle entzündet. Das Wasserstoff=Gas ist 12 bis 13 Mal leichter als die atmosphärische Luft und steigt darin in die Höhe. Allein es ist irrig, wenn manche Physiker, z. B. Parrot, daraus geschlossen haben, daß es vorzüglich in den höchsten Schichten des Luftkreises angetroffen werden müsse. Vermöge der schon erwähnten Neigung der Luftarten, sich mit einander zu mengen, findet das Aufsteigen des Wasserstoff=Gases nur Anfangs Statt. Späterhin vertheilt es sich gleichförmig und nach allen Richtungen durch die Atmosphäre. Im Ganzen ist der Gehalt der Atmosphäre an Wasserstoff=Gas so äußerst gering, daß er sich gar nicht messen läßt. Gay=Lussac, welcher mit seinem Luftball beinahe eine teutsche Meile (nämlich 20428 Par. Fuß) hoch emporstieg, brachte aus dieser Gegend, wo nach Parrot gerade das meiste Wasserstoff=Gas zu vermuthen wäre, Luft mit herunter, welche bei der Untersuchung nicht die mindeste Spur davon zeigte. Da man schon künstlich aus einer Mischung von Sauerstoff- und Wasserstoff-Gas, mittelst des electrischen Funkens, Wasser erzeugen kann: so entsteht wahrscheinlich auch das atmosphärische Wasser, wenn nicht ganz, doch zum Theil, ebenfalls aus Wasser- und Sauerstoff-Gas. Mehr davon weiter unten, wo von den wässerigen Lufterscheinungen die Rede seyn wird.

Eine andere Gattung von Wasserstoff-Gas, welche, weil sie Kohlensäure bei sich führt, gekohltes Wasserstoff-Gas heißt, ist zwar auch brennbar, aber dabei schwerer als die atmosphärische Luft und sinkt daher Anfangs in dieser zu Boden. Sie entsteht durch Fäulniß der Thiere und Pflanzen, entwickelt sich häufig in unterirdischen Höhlen, Bergwerken, besonders Steinkohlen-Gruben, in den Gedärmen der Thiere und Menschen, in heimlichen Gemächern, in Todtengrüften, auch in Sümpfen, Pfützen u. dgl. Wir werden weiter unten, bei den feurigen Lufterscheinungen, zeigen, daß die sogenannten Irrlichter nichts weiter als Entzündungen gekohlten Wasserstoff-Gases sind. Man sollte voraussetzen, daß die Menge des reinen sowohl als des kohlensauren Wasserstoff-Gases, welche stets von der Erd-Oberfläche in die Atmosphäre emporsteigt, nichts weniger als unbedeutend seyn könne. Parrot glaubt annehmen zu dürfen, daß im Durchschnitt ein jeder Geviertzoll der Erdfläche binnen 24 Stunden wenigstens $\frac{1}{10000}$ Kubikzoll liefere. Dieses würde in einem Jahre fast 14 Billionen Kubikfuß betragen. Aber so groß diese Zahl an sich betrachtet ist, so sind es dennoch nur ungefähr $1\frac{1}{6}$ Kubikmeile. Angenommen, daß die Atmosphäre nur Eine geographische Meile hoch sei, so würde ihr gesammter körperlicher Inhalt, da die Oberfläche der Erde 9,281910 Quadratmeilen beträgt, eben so viel Kubikmeilen ausmachen, unter die sich also jene $1\frac{1}{6}$ Kubikmeile Wasserstoff-Gas zu vertheilen hätte. Es würden also auf 100 Raumtheile atmosphärischer Luft nicht mehr als ungefähr 12 Milliontheile Wasserstoff-Gas kommen. Nun ist aber die Atmosphäre, wie wir schon oben S. 8 gesehen haben, viel höher als eine geographische Meile, wenigstens $9\frac{2}{3}$, folglich ist auch die Vertheilung jener $1\frac{1}{6}$ Kub. M. Wasserstoff-Gas um eben so viel Mal größer.

Außer den hier beschriebnen Gasarten, welche wir als Bestandtheile in der atmosphärischen Luft antreffen, befindet sich auch zu allen Zeiten, selbst wenn der Himmel noch so rein und blau ist, eine bald größere, bald geringere Menge Wasserdampf darin, der, wie wir weiter unten weitläuftiger davon handeln werden, unter gewissen Umständen tropfbar flüssig wird, oder sich in Wasser verwandelt, und als Thau, Regen, Schnee oder Hagel auf die Erde fällt. Die Menge dieses Wasserdampfes wechselt mit der Temperatur der Luft und ist unter höhern Breitegraden, im Winter und in den obern Bezirken der Atmosphäre beträchtlich geringer als unter niedrigen Breiten, im Sommer und in den untern Luftschichten. Wir werden weiter unten, bei der Lehre von den wässerigen Lufterscheinungen umständlicher über das Wasser in der Atmosphäre sprechen.

In manchen Gegenden befinden sich in der atmosphärischen Luft auch sogenannte Miasmen, oder der

Gesundheit schädliche Stoffe, welche durch ihre Verbreitung, indem sie von Menschen und Thieren eingeathmet oder durch die feinen Oeffnungen der Haut eingesogen werden, bestimmte Krankheiten oder Seuchen hervorbringen. Daß dergleichen Miasmen oder Ansteckungsstoffe zu gewissen Zeiten und an gewissen Orten wirklich vorhanden sind, lehrt die Erfahrung unwidersprechlich, obschon es noch nicht gelungen ist, ein Miasma aus einer bestimmten Luftmenge wirklich niederzuschlagen und es in verdichteter Gestalt als unbestreitbares Miasma darzustellen. Die Versuche, welche Dupuytren, Thenard und Mosgati hierüber angestellt haben, sind nicht entscheidend. Die beiden erstern Chemiker vermischten ganz reines oder destillirtes Wasser mit gekohltem Wasserstoff-Gas, welches durch Fäulniß thierischer Körper entstanden war, und es bildete sich in dem Gefäße ein flockiger Niederschlag, welcher sehr übel roch. Mosgati bediente sich hohler Glaskugeln, die mit Eis gefüllt waren und theils über ungesunden Reißfeldern (in der Lombardei) theils in Krankensälen aufgehängt wurden. Als er den wässerigen Niederschlag, der sich auf der Oberfläche dieser Glaskugeln bildete, der chemischen Untersuchung unterwarf, sonderte sich ebenfalls ein übelriechender Stoff in Flockengestalt davon ab. Ob nun aber dieser Stoff wirklich das verdichtete Miasma war, das sich früher in Dampf- oder Gasform in der Atmosphäre verbreitet hatte, geht, wie gesagt, nicht mit Gewißheit, obwohl mit vieler Wahrscheinlichkeit aus diesen Versuchen hervor. Ueberhaupt läßt sich aus dem schädlichen Einflusse, den die Ausdunstungen faulender Körper, die Nachbarschaft von Sümpfen, gewissen Gewerbsanstalten, das Zusammenleben mit Kranken u. s. w. auf die Gesundheit haben, unbestreitbar urtheilen, daß in der Luft gewisse Ansteckungsstoffe vorhanden seyn müssen, aber von der Art, daß sie durch die Sinne, selbst durch den Geruch nicht wahrgenommen werden können.

Die Erfahrung lehrt, daß die Miasmen bedeutend schwerer sind, als die atmosphärische Luft; denn sie halten sich stets in den untersten Schichten der Atmosphäre auf. Orte, die zwar in der Nachbarschaft von Sümpfen, aber auf hohen Bergen liegen, sind von dem Einflusse der schädlichen Ausdunstungen frei *). Die Gefahr der Ansteckung durch Miasmen ist übrigens am Morgen und am Abende größer als Mittags, bei starker Sonnenhitze. Wie wir weiter unten sehen werden, lösen sich auch die Ausdunstungen der Blumen am Morgen und Abende schwerer in der Atmosphäre auf und sind also dem Geruche wahrnehmbarer, als um die Mittagszeit. Es scheint also, daß auch für die Miasmen die Auflösungskraft der Luft um die Mittagsstunden größer sei, als zu den andern Tageszeiten. Endlich verdient noch bemerkt zu werden, daß die Verbreitung der Miasmen durch einen Wald oder Berg, selbst durch eine bloße Mauer oder Wand gehindert wird, wahrscheinlich, weil diese Gegenstände sie an sich ziehen und niederschlagen. Auch an

*) Man vergleiche hier das, was wir im III. Bande dieses Werkes, S. 212 (der neuen Aufl.) von den Pontinischen Sümpfen, zwischen Rom und Neapel, erzählt haben.

Kleidungsstücken, Geräthschaften, Papier rc. hangen sich die Miasmen an und ansteckende Krankheiten werden durch dergleichen Gegenstände verbreitet. Wie lange die Miasmen an denselben haften können, beweist die im Jahr 1556 zu Breslau ausgebrochne Pest. Sie entstand durch die Oeffnung eines angesteckten Leinwand-Packets, das im Jahr 1542, also 14 Jahre vorher, nach dieser Stadt gebracht worden war *).

Unter den Mitteln, die Miasmen in der Atmosphäre sowohl, als an den Körpern, woran sie sich niedergeschlagen haben, zu zerstören, sind die Säuren, vorzüglich Räucherungen mit salpetersauern Dämpfen, und noch mehr mit Chlor-Gas, welche Letztern Guyton de Morreau zuerst vorgeschlagen, auch bereits im Jahr 1769 erprobt hat, und die besonders in unsern Tagen eine sehr verbreitete Anwendung erhalten haben, die sichersten.

Zum Schlusse dessen, was hier über die Bestandtheile und das chemische Verhalten der Luft gesagt worden, müssen wir noch der blauen Farbe derselben gedenken, welche, da sie dem reinen Himmelsgewölbe eigenthümlich ist, eben deshalb den Namen Himmelblau (Azur) erhalten hat. Es giebt indeß verschiedene Abstufungen dieser Farbe. Unter höhern Breitegraden, in Tiefländern und wenn der Himmel ganz frei von Wolken ist, erscheint sie heller, dagegen in niedern Breiten, auf hohen Bergen und zwischen sehr weißen, scharf abge-

*) *Sennert:* De Febribus, etc. Lib. IV. Cap. 3. — bei Gehler, a. a. O. S. 477.

gränzten Wolken, dunkler. Auch findet vom Scheitelpunkte nach dem Gesichtskreise herab ein allmähliger Uebergang vom Dunkeln ins Helle Statt. Zwischen den dunkelrothen Wolken beim Sonnenauf- oder untergange ist die Atmosphäre hell- oder gelbgrün, und bei der Nacht schwarz.

Um den Grad der Luftbläue in einer gewissen Gegend, wenigstens vergleichungsweise bestimmen zu können, hat Saussure d. ä. ein Werkzeug erfunden, welches Kyanometer (Cyanometer, Blaumesser) genannt wird. Es besteht aus einem kreisförmigen Streifen Papier, der in 51 Theile (Grade genannt) getheilt ist, von welchen jeder mit einer verschiedenen Abstufung von Blau bemalt wird, so daß der erste Streifen das dunkelste, fast vom Schwarzen nicht zu unterscheidende, und der einundfünfzigste das hellste Blau enthält. Will man nun die Bläue der Atmosphäre bestimmen, so dreht man das Werkzeug so lange gegen die Luft, bis der entsprechende Grad mit derselben ganz genau übereinstimmt.

Woher die blaue Farbe der Atmosphäre komme, darüber hat es von jeher mancherlei Meinungen gegeben. Manche Physiker, worunter Berzelius, vermuthen, daß sie der Luft eigenthümlich, aber so schwach sei, daß man sie nur bemerken kann, wenn man die Luft in Masse sieht, auf dieselbe Art, wie farblose Glasscheiben nach der Richtung der schmalen Kante betrachtet, grün oder blau aussehen. Was für diese Meinung spricht, ist der Umstand, daß uns die Gegenstände auf der Erd-Oberfläche, seien sie auch noch so verschieden gefärbt, aus der Entfernung betrachtet, ebenfalls blau erscheinen und zwar um so blauer, je größer die Entfernung ist, allem Anscheine nach deshalb, weil sich im letztern Falle eine größere Luftmasse zwischen uns und dem Gegenstande, z. B. einem Gebirge, befindet. Eine wichtige Einwendung aber dagegen besteht darin, daß das Licht der Himmelskörper sich nicht weiß darstellen könnte, wenn es durch eine wirklich blaue Atmosphäre durchzugehen hätte.

Eine ältere Ansicht, welcher in unsern Tagen von Göthe *) beigetreten ist und die darin besteht, daß man das Blau der Luft aus der ewigen schwarzen Nacht des leeren Weltraums hinter der Atmosphäre entstehen läßt, welche dem von der Luft selbst zurückgeworfnen weißen Sonnenlichte zur Grundlage dienen soll, scheint dadurch bestätigt zu werden, daß die Luft um so dunkler wird, je näher man dem finstern Weltraume auf hohen Bergen steht. Andererseits aber wird nicht erklärt, warum das von einem schwarzen Hintergrunde durch die durchsichtige farblose Atmosphäre zurückgeworfene weiße Sonnenlicht gerade blau ist.

Auch von den Dünsten, die in der Luft vorhanden sind, und an denen sich, wie Einige annehmen, die Lichtstrahlen so brechen sollen, daß nur die blauen in unser Auge gelangen, kann die Erscheinung der Himmelsbläue nicht herrühren. Wenn nämlich die Dünste sich vollkommen in Gas verwandelt haben, so verhalten sie sich gegen das Licht ganz so wie die atmosphärische Luft selbst, d. h.

*) Zur Farbenlehre. Erster Bd. Tübingen, 1810. S. 59.

sie lassen es unzertheilt durchgehen. Fangen sie aber an, sich niederzuschlagen, so trüben sie die Atmosphäre und bilden Wolken.

Wahrscheinlich entsteht die blaue Farbe der Atmosphäre auf dieselbe Weise, wie die farbigen Schatten vieler Körper, z. B. der blaue Schatten, den die Bäume im Winter bei niedrig stehender Sonne auf den Schnee werfen. Wir können uns jedoch über diesen Gegenstand erst weiter unten, bei der Lehre von der Brechung des Lichtes in der Atmosphäre, deutlicher erklären.

IV.

Von der Beschiffung der Luft.

Eine der merkwürdigsten Erfindungen, welche die in neuern Zeiten erlangte genauere Kenntniß der Atmosphäre herbeiführte, war die Beschiffung derselben (Aëronautik). Schon in den ältesten Zeiten scheint man, durch den Anblick der Vögel veranlaßt, auf den Gedanken gekommen zu seyn, sich in der Luft zu erheben. Die altgriechische Dichtung von Dädalus und Ikarus deutet darauf hin. Dädalus hatte dem Könige Minos von Kreta das berühmte Labyrinth gebaut, später aber der Ariadne gelehrt, wie sie den Theseus aus demselben befreien könne. Zur Strafe dafür schloß Minos den Dädalus nebst seinem Sohne Ikarus in das Labyrinth als Gefangene ein. Um sich nun daraus zu retten, machte

Dädalus sich und seinem Sohne künstliche Flügel und befestigte sie an dem Körper mit Wachs. Nach gehörigen Uebungen im Fliegen traten Beide die Reise durch die Luft an. Ikarus war zwar vom Vater gewarnt worden, sich nicht allzu hoch zu erheben; aber durch den glücklichen Fortgang verwegen gemacht, entfernte er sich vom Vater und näherte sich der Sonne so sehr, daß das Wachs von der Hitze schmolz und er rettungslos ins Meer stürzte. Der Vater kam glücklich nach Sizilien.

Nach Erfindung der Luftpumpe gerieth man auf den Gedanken, luftleer gemachte Körper zum Aufsteigen zu benützen, da sie wegen ihrer größern Leichtigkeit in der Luft emporsteigen müßten. Ein Jesuit, Franz Lana, gab, um das Jahr 1670, den Rath, vier große Kugeln von dünnem Kupferbleche zu verfertigen, sie luftleer zu machen und dann ein Schiffchen daran zu hängen. Da sie wegen der großen luftleeren Räume weniger wiegen müßten, als die durch sie verdrängte atmosphärische Luft, so würden sie darin emporsteigen. Es wurde indeß kein Versuch dieser Art gemacht. Eben so unausgeführt blieb der Vorschlag eines französischen Dominikaners, Galien, in den höhern Luftgegenden einen großen Kasten zu bauen, dessen Gerippe aus Holz, das Uebrige aus getheerter Wachsleinwand bestehen sollte. Brächte man nun diesen Kasten in die Tiefe herab, so würde er, da die in ihm enthaltene Luft viel dünner wäre als die untere, emporsteigen, und in einer gewissen Höhe schweben bleiben. Erst nachdem durch Cavendish die große Leichtigkeit des reinen Wasserstoff-Gases entdeckt worden war, sah man sich im Besitz eines Mittels, wodurch ein damit angefüllter Körper zum Steigen gebracht werden könnte. Cavallo machte die ersten Versuche damit im Jahre 1781, und füllte Seifenblasen mit Wasserstoff-Gas, welche nach Wunsche gut in die Höhe stiegen. Er machte nun auch Versuche mit kleinen Papierbällen und Blasen von Thieren. Diese gelangen aber nicht, vermuthlich weil sie zu klein waren; denn jeder Luftball muß eine gewisse Größe haben, um sich in der atmosphärischen Luft erheben zu können.

Glücklicher in diesen Versuchen waren im folgenden Jahre die Gebrüder Stephan und Joseph Montgolfier zu Annonay in Frankreich. Sie machten die Bemerkung, daß die durch Hitze verdünnte und dadurch leichter gewordene atmosphärische Luft eben so geschickt als das Wasserstoff-Gas seyn müsse, einen damit gefüllten Ball in die Höhe zu heben. Es ist in der That zu verwundern, daß man nicht schon in frühern Zeiten auf dieses Mittel verfallen war, da man doch die Eigenschaft der Luft, durch Wärme ausgedehnt, folglich auch verdünnt und leichter zu werden, längst kennen mußte. Schon eine gemeine Erfahrung, die man in jedem geheizten Zimmer machen kann, überzeugt uns davon. Die obern Luftschichten sind immer wärmer als die am Boden, welches bloß davon herrührt, daß die durch den Ofen erwärmte Luft dünner, folglich leichter wird und empor steigt. Oeffnet man die in ein anderes, aber kaltes Zimmer führende Thüre, so zieht die obere wärmere Luft in dasselbe hinaus, und die kältere Luft des andern

Zimmers bringt unten herein. Recht deutlich sieht man dieß an einem brennenden Lichte, welches man in die geöffnete Thüre bringt. Hält man es oben hin, so bewegt sich die Flamme hinaus; unten am Boden bewegt sie sich hereinwärts. In der Mitte, wo keine Bewegung der Luft Statt findet, stehet die Flamme still.

Der ältere Montgolfier verfertigte zuerst einen balkenförmigen Körper (ein Parallelepipedum *)) aus Taffet, von etwa 40 Körperfuß Inhalt. Als die Luft darin durch brennendes Papier hinlänglich verdünnt war, erhob er sich und erreichte eine Höhe von ungefähr 70 Fuß. Beide Brüder wagten sich nunmehr an die Verfertigung eines größern Körpers und wählten dafür die kugelförmige Gestalt, weil unter allen Körpern keiner so wenig Raum nach Verhältniß seiner Masse einnimmt, als eine Kugel. Dieser Luftball war aus feiner Leinwand gemacht, die über ein Gerippe von Eisendrath gespannt und hierauf noch mit Papier überleimt wurde. Der Durchmesser war 35 Fuß und das Gewicht des Ganzen 500 Pfund. Unten befand sich eine Oeffnung, durch welche die Luft im Ball vermittelst eines darunter gemachten Strohfeuers verdünnt und somit die zusammengefaltete Hülle aus einander getrieben wurde. In dem Augenblick, als man den Ball los ließ, stieg er schnell empor, erhob sich zu einer Höhe von ungefähr 6000 Fuß und fiel nach 10 Minuten, etwa 7200 Fuß vom Orte des Aufsteigens, wieder nieder.

*) Wie man für Cylinder das teutsche Wort Walze hat, kann man eben so passend für Parallelepipedum Balken sagen.

Als die Nachricht von diesem Versuche der Gebrüder Montgolfier nach Paris gelangte, machte ihn sogleich ein dortiger Professor der Chemie, Namens Charles, nach. Sein Ball war von Taffet und mit Firniß von Federharz überzogen. Der Durchmesser betrug 12 Fuß und 2 Zoll, und der körperliche Inhalt 943 Fuß. Charles wandte zu seiner Füllung nicht erhitzte, sondern brennbare Luft oder Wasserstoff-Gas an, und ließ ihn am 27. August 1783 vor einer Versammlung von 40000 Menschen steigen. Der Ball erhob sich binnen 2 Minuten auf 2928 Fuß, und fiel nach drei Viertelstunden, 4 Meilen von Paris, zwar sanft aber zerrissen nieder. Man hatte nämlich den Fehler begangen, den Ball ganz mit Wasserstoff-Gas anzufüllen; dieser hatte sich, als der Ball in die höhern dünnern Luftschichten kam, noch mehr ausgedehnt und ihn zersprengt.

So waren demnach gleich bei ihrer Erfindung die Aërostaten (wie man die Luftbälle auch zu nennen pflegt) in zwei Classen getheilt, nämlich in solche, welche mit brennbarer Luft oder Wasserstoff-Gas, und solche, welche mit erhitzter gemeiner Luft gefüllt wurden. Die Bälle der letzten Art erhielten in der Folge, ihren Erfindern zu Ehren den Namen Montgolfieren, die der ersten Art Charlieren.

Im September 1783 wurden durch den jüngern Montgolfier, welcher deshalb eigens nach Paris gereist war, zwei neue Versuche, der eine für die Akademie der Wissenschaften, der andere für den König angestellt. Der Letztere fand am 19. September zu Versailles

Statt und zeigte schon bedeutende Vervollkommnungen, die die neue Erfindung erhalten hatte. Der Luftball war nämlich nicht ganz kugelförmig, sondern hatte mehr die Gestalt eines Sphäroids, d. h. der Höhendurchmesser war größer als der Breitendurchmesser, jener nämlich 57 Fuß, dieser 41 Fuß. Man befestigte einen Käfig daran, worin sich ein Hammel, eine Ente und ein Hahn befanden. Nach Verbrennung von 80 Pfund Stroh war die Luft im Ball so verdünnt, daß er sich auf 1440 Fuß hoch erheben konnte. Er blieb acht Minuten lang in der Luft, und fiel dann sanft und ohne die geringste Beschädigung der Thiere 10000 Fuß weit vom Orte des Aufsteigens nieder. Es war zu erwarten, daß nunmehr auch Menschen versuchen würden, mit Luftbällen emporzusteigen. Noch im Oktober des nämlichen Jahres verfertigte der jüngere Montgolfier einen neuen Ball, von 70 Fuß Höhe und 46 Fuß Breite. An diesem war unten eine Art Korb mit Stricken befestigt, worin man hin und her gehen konnte. Zugleich befand sich unter der Oeffnung des Luftballs eine Gluthpfanne von starkem Eisendrath, worin das Strohfeuer von der Person im Korbe unterhalten und nach Erfoderniß verstärkt oder geschwächt werden konnte. Ein Herr Pilatre de Rozier stellte sich in den Korb, als der Ball am 15. Oktober aufstieg, ließ aber denselben für dieß Mal noch an Stricken festhalten und erhob sich nur zu einer Höhe von 80 Fuß. Dieser Versuch wurde von ihm einige Tage darauf wiederholt, und Rozier suchte besonders durch geschickte Leitung des Feuers nach Gefallen höher oder tiefer zu steigen.

Bei einer dieser Auffahrten begleitete ihn ein Herr de Vilette, und Beide erhoben sich bis 324 Fuß. Als Rozier sich gehörig eingeübt glaubte, unternahm er nun auch am 21. November in Begleitung des Marquis d'Arlandes eine Fahrt, bei welcher der Ball nicht mehr an Seilen zurückgehalten wurde. Der Wind führte sie über einen Theil der Stadt Paris und die Seine, und nach 25 Minuten kamen sie 30000 Fuß vom Platze ihres Aufsteigens wohlbehalten wieder auf dem Erdboden an. Der Luftball hatte 6000 Körperfuß Inhalt und wog über 1600 Pfund. Man wurde jetzt immer kühner. Im Jänner 1784 verfertigte der ältere Montgolfier einen Ball von 126 Fuß Höhe und 104 Fuß Breite. Dieser stieg mit einer solchen Kraft empor, daß nicht nur Montgolfier und Rozier, sondern auch fünf andere Personen sich in das unten angebrachte Schiff setzen konnten. Aber nur 12 Minuten dauerte diese Luftfahrt; denn der Ball bekam einen Riß und sank schnell zur Erde herab.

So sehr man sich von der Unbequemlichkeit und selbst von der Gefährlichkeit der Montgolfieren zu überzeugen anfing, so gab man sie doch nicht ganz auf. Sie haben nämlich den Vortheil, daß sie leichter zu verfertigen und wohlfeiler zu füllen sind, als die Luftbälle mit Wasserstoff-Gas. Eine Kugel von 30 Fuß im Durchmesser mit der wohlfeilsten brennbaren Luft gefüllt, wie sie aus der Auflösung des Eisens in Schwefelsäure gewonnen werden kann, kostet mehre Tausend Gulden. Dagegen kann eine Montgolfiere zur Noth aus Papier verfertigt und das Feuer von Stroh und gehackter Wolle, oder von Rollen mit Oehl getränkten Papiers gemacht und unterhalten werden. Blanchard, ein junger Mechaniker zu Paris, der sich schon im Jahre 1781 angelegentlich beschäftigt hatte, ein Luftschiff mit Flügeln zu verfertigen, was indeß nicht gelungen war, griff jetzt zu der Montgolfier'schen Erfindung, ging nach England und machte am 7. Jänner 1785 mit dem Amerikaner Jefferies die kühne Fahrt von England nach Frankreich über den Kanal, auf welcher er zwei Stunden zubrachte. Der Ruf dieses Wagstückes verbreitete sich durch alle Länder und Blanchard machte nunmehr aus der Luftschifferei ein förmliches Gewerbe, indem er mit seinem Balle ganz Europa durchreiste und in allen volkreichen Städten Auffahrten veranstaltete, die ihm sehr viel Geld eintrugen. Die neue Erfindung war jetzt (wie später durch mehre seiner Nachfolger, einen Robertson, Garnerin, u. A.) zum Gaukelspiele herabgewürdigt, von dem die Wissenschaft bis jetzt nur geringe Vortheile gezogen hat*).

Auch Charles blieb mit seinem durch Wasserstoff-Gas gefüllten Luftball nicht zurück. Noch im Dezember 1783 verfertigte er einen Ball von 26 Fuß im Durchmesser, brachte unten ein Schiffchen an und versah ihn inwendig mit einer Klappe, welche durch eine bis ins

*) Wie wenig Blanchard mit den Eigenschaften der Luft bekannt gewesen seyn möge, beweis't sein Versuch zu Warschau, die Montgolfiere durch Hitze von Holzkohlen zum Steigen zu bringen. Die Hitze dehnte zwar den Ball aus, aber zugleich erfüllte er sich mit kohlensaurem Gas, das ihn seiner Schwere wegen eher niederdrücken als heben mußte. S. Kants Phys. Geogr. III. Bds. 1ste Abth. S. 181.

Schiff herabgehende Schnur geöffnet werden konnte, um nach Erforderniß der brennbaren Luft einen Ausgang zu verschaffen. Dadurch hatte er es in der Gewalt, den Ball nach Belieben sinken zu lassen. Um sich aber auch nöthigenfalls wieder heben zu können, nahm er Ballast in das Schiff, d. h. einige mit Sand gefüllte Säcke von verschiedener Größe. Indem er einen Theil dieses Sandes ausschüttete, wurde der Ball leichter und mußte steigen. Charles bestieg in Begleitung eines Herrn Robert diesen Luftball und Beide durchliefen in wenig Minuten einen Raum von neun französischen Meilen, worauf sie sich wieder herabließen. Robert stieg jetzt aus und Charles erhob sich mit Pfeiles Schnelle bis zu einer Höhe von 10500 Fuß.

Blanchards kühne Fahrt über den Kanal, aus England nach Frankreich, reizte zur Nachahmung. Der oben erwähnte Pilatre de Rozier beschloß im Jahre 1785 eine ähnliche Fahrt zu machen, hatte aber den unglücklichen Einfall, beide Arten von Aërostaten mit einander zu verbinden, in der Meinung wahrscheinlich, die Fahrt mit einem viel bessern Erfolg zu unternehmen. Er bediente sich nämlich zweier Luftbälle; der obere war mit Wasserstoff-Gas, und der untere mit erhitzter atmosphärischer Luft gefüllt. „Dieses hieß" — bemerkt Biot sehr treffend — „einen Ofen unter einem Pulvermagazine anlegen." — De Rozier stieg in Begleitung eines Herrn Romain zwar auf. Nachdem sie aber durch einen Windwechsel eine Zeitlang über dem Meere geschwebt hatten, wurden sie zurückgetrieben und Beide stürzten plötzlich an der Küste bei Boulogne aus einer vermuthlichen Höhe von 1200 Fuß todt herab. Die Maschine war in Brand gerathen.

Dieser Unglücksfall leitete Blanchard auf die Erfindung der Fallschirme, welche auf dem Widerstande beruht, den die Luft einem dünnen, aber sehr breiten oder viel Oberfläche habenden Körper darbietet. Ein Fallschirm hat ungefähr die Gestalt und Einrichtung eines Regenschirmes. Der Mensch, der sich mittelst desselben von einer Höhe herablassen will, hält in einer kleinen Entfernung von dem ausgespannten Dache die Stange, welche durch den Mittelpunkt des geöffneten Schirmes senkrecht geht. Der Widerstand der Luft ist desto größer, je größer der Durchmesser des ausgespannten Daches ist, und der Mensch schwebt langsam herab. Garnerin, der sich bei seinen Luftfahrten mehre Male von sehr großen Höhen herabgelassen hat, befand sich dabei in einem am Fallschirme befestigten Korbe und hatte noch 75 Pf. Ballast bei sich. Sein Schirm war aus Leinwand gemacht und hielt im Durchmesser 25 Fuß.

Was den Nutzen der Luftbälle betrifft, so ist dieser bis jetzt allerdings noch nicht so groß gewesen, als man Anfangs erwarten mochte. Eine Hauptsache fehlt noch: das Vermögen, sie nicht bloß auf- oder niederwärts, sondern auch seitwärts lenken zu können. Bis jetzt muß sich der Luftfahrer in letzterer Hinsicht ganz der Richtung des Windes preis geben. Es scheint fast, als ob die willkürliche Leitung eines Luftballes, nach Art der Schiffe, unter die Unmöglichkeiten gehöre. Auf dem

Wasser sind zwei Kräfte vorhanden, die sich gegen einander gebrauchen lassen: die Bewegung des Wassers nämlich und die des Windes. In der Luft aber haben wir es nur mit dem Letztern zu thun, und die Leitung der Luftbälle wird sich folglich nicht eher erfinden lassen, als bis wir der Natur die Kunst abgelernt haben werden, nach Gefallen Luftströme zu schaffen. Gleichwohl sind die Luftbälle bisher nicht ohne allen Nutzen gewesen. Die Franzosen bedienten sich derselben in den Feldzügen von 1793 bis 1796 zu Beobachtungen des Feindes, zum Ausspähen seiner Stellungen, Wendungen rc. Die Schlacht von Fleurus, am 26. Juni 1794, sollen sie dadurch gewonnen haben. Auch sind die Luftbälle zu naturwissenschaftlichen Untersuchungen, zu Beobachtungen der Luftbeschaffenheit in den höhern Schichten, der Electricität, des Magnetismus rc. mit großem Erfolge gebraucht worden. Die Herren Biot und Gay = Lussac z. B. unternahmen eine solche Fahrt, und stiegen dabei bis zu einer Höhe von 12313 Fuß. Bei einer zweiten Aufsteigung, die Gay = Lussac mit dem nämlichen Ball allein unternahm, erhob er sich bis zu einer Höhe von 21549 Fuß, wahrscheinlich die größte, welche jemals von einem Menschen erreicht worden ist*). In unsern Tagen ist die Entdeckung gemacht worden, daß auch das gekohlte Wasserstoff = Gas sich sehr gut zur Füllung der Luftbälle anwenden läßt. Obschon es etwas schwerer ist als das reine Wasserstoff = Gas, so hat es doch andererseits den großen

*) S. Biot, a. a. O. S. 433 u. ff. Kant, a. a. O. S. 177. Neumanns Lehrbuch d. Physik. I. Th. S. 419 u. ff.

Vortheil, daß es wohlfeil zu erhalten ist. Bekanntlich erzeugt man es in den Apparaten zur Gas-Beleuchtung bei der Destillation von Steinkohlen. Der Erste, welcher die Entdeckung machte, daß es sich zum Füllen der Luftbälle eigne, war der Engländer Green. Er versuchte die Sache Anfangs nur mit einem kleinen Ballon von drei Fuß im Durchmesser, den er das eine Mal mit Wasserstoff-Gas, auf die gewöhnliche Weise bereitet, das andere Mal mit Gas aus einem Gasbeleuchtungs-Canal füllte. Es zeigte sich, daß der Ball im erstern Falle 17, im letztern 11 Unzen leichter war, als eine gleichgroße Menge atmosphärischer Luft. Green unternahm nun eine wirkliche Luftfahrt mit einem durch gekohltes Gas gefüllten großen Ballon, welche so glücklich ausfiel, daß er sie nachher mehre Male wiederholte*).

Der Uhrmacher Degen in Wien hat einen mit brennbarer Luft gefüllten kleinen Ball mit Vortheil bei der von ihm erfundenen Vorrichtung zum Fliegen benützt. Diese Vorrichtung bestand aus zwei Flügeln, jeder von $10\frac{1}{2}$ Fuß Länge und 9 Fuß Breite. Das Gerippe war aus Rohr, und die Flächen bestanden aus 3500 Klappen von gefirnißtem Papier, welche sich bei der Bewegung des Flügels nach aufwärts öffnen, nach abwärts schließen. Der Schlag der Flügel wird durch die Arme und Füße hervorgebracht mittelst einer Bewegung des Körpers, die der beim Schwimmen ähnlich ist. Der

*) Berzelius: Jahresbericht über die Fortschritte der physikalischen Wissenschaften. Aus dem Schwed. von Gmelin. 2ter Jahrgang, Tübingen 1823. S. 33.

Luftball trägt die Maschine zum Theil und erleichtert dadurch die Bewegungen des Fliegenden. Herr Degen ist im Jahr 1808 zu Wien und später auch zu Paris mit Beifall mehre Male aufgestiegen*).

V.

Von der Wärme und Kälte der Luft.

Die Erfahrung lehrt, daß die Temperatur der Luft eben so wenig an allen Orten der Erde einerlei ist, als die Temperatur des Wassers. Da das Sonnenlicht die Hauptursache aller Wärme der Atmosphäre ist, und die Sonne überdieß, vermöge der schiefen Richtung ihrer Bahn gegen den Aequator, nicht für alle Orte jährlich und täglich die nämliche Höhe am Himmel erreicht: so geht schon hieraus eine Verschiedenheit der Luftwärme hervor. Wir haben bereits im ersten Bande auf die Eintheilung der Erdoberfläche in fünf sogenannte Zonen oder Erdstriche aufmerksam gemacht. Zwischen den Wendekreisen, wo die Sonne den höchsten Stand am Himmel erreicht, und des Mittags entweder im Scheitelpunkte, oder doch nicht weit von demselben steht, muß die Hitze das ganze Jahr hindurch bis zu einem hohen Grade steigen. Dieser Theil der Erdfläche heißt daher mit Recht die heiße Zone. An den Polen dagegen, wo sich die Sonne selbst bei ihrem höchsten Stande nicht mehr als

*) S. Neumanns Lehrbuch d. Phys. I. Th. S. 442.

50 Grad über den Horizont erhebt, und für Wochen und Monate gänzlich vom Himmel verschwindet, muß der höchste Grad von Kälte herrschen. Diese von den Polarkreisen eingeschlossenen Theile der Erdfläche werden daher gleichfalls mit Recht die beiden kalten Zonen genannt. Zwischen ihnen und der heißen Zone liegen die beiden gemäßigten, deren Bewohnern die Sonne eben so wenig jemals in den Scheitelpunkt tritt, als sie für Wochen und Monate gar nicht aufgeht. Es muß also hier ein, zwischen jenen beiden die Mitte haltender Grad von Wärme und Kälte herrschen.

Wir müssen hier bemerken, daß die Wärme eines Orts nicht allein von der schiefen oder senkrechten Richtung der Sonnenstrahlen abhangt, sondern auch von der Zeit, wie lange die Sonne daselbst über dem Horizonte verweilt. Die Länge dieses Verweilens, bei einem schiefen Auffallen der Strahlen, kann sogar der Wirkung des senkrechten Auffallens gleich kommen. So steigt z. B. im hohen Norden, zwischen 60° und 65° Breite, im Juli die Hitze nicht selten auf 26, 28, ja 30° Reaum., so daß während des kurzen Sommers daselbst gleichwohl noch Feld- und Gartenfrüchte reifen können. Aber die Sonne verweilt auch gegen 20 bis 24 Stunden über dem Horizonte!

Die Verschiedenheit in der Entfernung der Erde von der Sonne hat auf die Erwärmung der Atmosphäre keinen merklichen Einfluß, da das Verhältniß dieser Abweichung im Ganzen zu unbedeutend ist. Nimmt man nämlich die mittlere Entfernung der Erde von der Sonne zu

10000 an, so ist sie in der Sonnenferne etwa 10168, und in der Sonnennähe etwa 9832. Da nun die mittlere Entfernung in der Wirklichkeit 21 Millionen geographische Meilen beträgt, so kann durch eine Abweichung davon in dem obigen Verhältnisse kein großer Unterschied hervorgebracht werden. Für uns Bewohner der nördlichen Halbkugel kann diese Sonnennähe schon um deßwillen nicht merklich seyn, weil die Sonne sich zu dieser Zeit über der südlichen Halbkugel befindet und uns ihre Strahlen nur in schiefer Richtung zusendet.

Wären die Sonnenstrahlen die einzige Ursache von der Erwärmung der Luft, so würde die Wärme und Kälte jedes einzelnen Ortes genau von seiner geographischen Breite abhangen, und ein Jahr wie das andere die nämliche seyn, bloß mit Ausnahme des Unterschiedes, welchen der aus der Schiefe der Sonnenbahn hervorgehende Wechsel der Jahreszeiten mit sich bringen würde, der aber gleichfalls immer der nämliche wäre. Allein die Erfahrung lehrt, daß dieß nicht der Fall ist. Es giebt Orte in dem heißen Erdstriche, welche das ganze Jahr hindurch einer sehr gemäßigten Wärme genießen; z. B. eine Menge Inseln des großen Weltmeers. Philadelphia in Nordamerika, das fast unter einerlei Breite mit Neapel liegt, hat ein viel kälteres Klima als dieses. An den Küsten von Norwegen ist der Winter mäßiger als in Sibirien unter gleichen Breiten. Wir schließen daraus, daß es außer der Sonne noch andere Ursachen geben müsse, von denen die Wärme und Kälte der Luft abhangt.

Eine der ersten dieser Mitursachen ist die Höhe eines Ortes über der Meeresfläche. Wir haben schon im zweiten Bande, S. 209 u. ff. der neuen Aufl., diesen Gegenstand bei Gelegenheit der Schnee- und Eisberge zur Sprache gebracht. Je höher ein Ort liegt, desto kälter ist er, unter übrigens gleichen Umständen. Der Hauptgrund dieser Erscheinung ist die Verdünnung der Luft, welche mit der Höhe zunimmt. Schon im ersten Bande, S. 219 haben wir gezeigt, daß es die Sonnenstrahlen nicht an sich sind, welche Wärme hervorbringen, und daß dieselbe nicht bloß von der Sonne ausströme. Sie befindet sich vielmehr schon in der Erde und in der Luft und wird bloß durch die Sonnenstrahlen aufgeregt oder frei gemacht. Je dichter übrigens ein Körper ist, desto leichter kann er erwärmt werden. Eine sehr dünne, von dem Erdkörper weit entfernte Luft, kann daher nicht in dem Grade, wie die untern dichtern Schichten, nahe an der Oberfläche der Erde, erwärmt werden. In Süd-Amerika bleiben auch unter dem Aequator die höchsten Berge, wie z. B. der Chimborasso, stets mit Schnee und Eis bedeckt. Auf dem Pichincha fand Bouguer jeden Morgen vor Sonnenaufgang eine Kälte von 7 bis 9° R. Fast alle Reisende, die die Gipfel hoher Berge besteigen, müssen sich, selbst im Sommer, mit warmer Kleidung versehen, Feuer anmachen, u. dgl. Auch die Luftschiffer empfinden diesen Unterschied der Temperatur, je höher sie steigen. Robertson z. B. fand am 11. August 1803 in der Höhe von 2400 Klafter über Hamburg den Stand des Reaumurschen Thermometers nur 1° über 0, da er an der

Erde 21° war. Nur auf dem Gipfel des Montblanc scheint eine Ausnahme von dieser Regel Statt zu finden. Ungeachtet er auch im höchsten Sommer mit Schnee und Eis bedeckt ist, sind die Sonnenstrahlen daselbst doch äußerst stechend und de Saussure z. B. fand die Hitze ohne Sonnenschirm fast unerträglich. Auch einer der neusten Besteiger dieses Berges, der Engländer Clissold, fand am 19. August 1822, gegen 3 Uhr Nachmittags, 4 bis 5 Fuß über dem Boden, die Hitze 70° Fahr. oder $16\frac{8}{9}$° R. *). De Luc ist in Beziehung auf die Wahrnehmung Saussures der Meinung, es müsse etwas Oertliches, vielleicht etwas Subjektives, d. h. in dem Körper des Beobachters selbst Liegendes, die Ursache davon gewesen seyn **). Diesem widerspricht indeß die Clissold'sche Beobachtung des Thermometers.

Ueber jedem einzelnen Orte der Erdfläche befindet sich in der Atmosphäre ein Punkt, wo selbst im heißen Sommer Schnee und Eis nicht aufthauen, oder mit andern Worten, das Reaumursche Thermometer nicht über Null steigt. Eine durch alle diese Punkte, vom Aequator nach den Polen hin, gezogene Linie heißt, wie schon aus dem IIten Bande S. 212 bekannt, die Schnee- oder Eislinie, die Schneegränze, die Gränze des ewigen Schnees. In so fern die Vereinigung aller jener Punkte rings um die Erdkugel vielmehr eine Fläche als eine Linie bildet, könnte man sie auch die Schneefläche nennen, wenn nicht dieses Wort schon eine andere

*) S. Bibl. univers. Sept. 1822. S. 75.

**) Kant, a. a. O. III. Bd. 2. Abtheil. S. 109.

Bedeutung hätte. Berge, die über die Schneegränze hinausragen, sind daher selbst im hohen Sommer mit ewigem Schnee und Eis bedeckt. Die Höhe dieser Schneegränze ist indeß nicht unter jedem Parallelkreise die nämliche, sondern es gibt zwischen Punkten, die unter einerlei Breite liegen, Unterschiede von mehren Hundert ja bis tausend Fuß. Wieder ein Beweis, daß die Wärme der Atmosphäre nicht allein von der Sonne abhange. Unter dem Aequator liegt die Schneegränze allerdings am höchsten, und scheint zu 16000 Fuß hinauf zu reichen. Der Pichincha in Südamerika, unter $\frac{1}{4}^{\circ}$ südlicher Breite, ist bei einer Höhe von 14600 Fuß mit ewigem Schnee bedeckt. Ueber Mexiko, unter 19 — 20° nördl. Br. fängt sie mit 15000 engl. Fuß an. Nach den Polen senkt sie sich immer tiefer herab. Ebel giebt sie für die Alpen zu 7812 bis 8100 Par. Fuß an *). Auch findet in den Gebirgen ein großer Unterschied zwischen der Nord- und der Südseite Statt. Parrot d. j. überzeugte sich davon in den Pyrenäen, während des Septembers 1817 **). Auf der nördlichen Seite fand er die Schneegränze zwischen 7388 und 8000, auf der südlichen zwischen 8000 und 9236 Par. Fuß. Ueberhaupt findet Parrot, daß in den Gebirgen unserer mittlern Breiten

*) Ueber den Bau der Erde in dem Alpengebirge. ꝛc. I. Bd. S. 13 u. ff.

**) Naturwissenschaftliche Abhandlungen aus Dorpat. Erster Band. Berlin, 1823. Einen Auszug aus der Beschreibung von Parrots Reise enthält mein Taschenbuch zur Verbreitung geogr. Kenntnisse. III. Jahrgang. S. 251 u. ff.

die zweite Hälfte des Septembers der sicherste Zeitpunkt zur Bestimmung der Schneegränze sei. Bekanntlich trifft die größte und anhaltende Sommerwärme nicht genau mit der Sonnenwende oder dem höchsten Stande der Sonne zusammen, sondern tritt erst im Durchschnitt um die Hälfte oder gegen das Ende des Julius ein. Vor diesem letztern Zeitpunkte liegt im Hochgebirge noch eine Menge Schnee vom verflossenen Winter her, welcher der Erfahrung zu Folge, im Verlaufe des Spätjahres noch wegschmilzt. In der zweiten Hälfte des Septembers aber ist (vorausgesetzt, daß noch kein frischer Schnee gefallen, welcher jedoch auf den ersten Blick zu erkennen ist) aller Schnee weggeschmolzen, der in diesem Sommer wegschmelzen kann, und nur da, wo man also um diese Zeit noch Schnee findet, liegt die wahre Schneegränze. In der Nähe der Pole selbst, zum Theil schon zwischen 65 und 70° Breite, fällt die Schneegränze mit der Meeresfläche zusammen. Auf der südlichen Halbkugel der Erde ist sie überall niedriger als auf der nördlichen.

Eine sehr auffallende Abweichung von der im Allgemeinen über den Verlauf der Schneegränze beobachteten Stufenfolge, zeigt das Himalaya-Gebirge, wo sie nicht nur viel höher, als es die geographische Breite mit sich bringt, hinaufgeht, sondern sogar auf der Nordseite höher liegt als auf der Südseite. Webb fand z. B. zwischen 30° 25′ und 31° 15′ Br., am nördlichen Abfalle des Gebirges, in einer Höhe von 14004 (engl.) Fuß noch gute Viehweiden und überhaupt einen lebhaften Pflanzenwuchs; am südlichen Abhange zeigte sich dieser nur bis 11980 Fuß hinauf. Der Paß des Niti, auf welchem Webb 14 Tage verweilte, hat eine Höhe von 15630 Fuß und liegt unter 31° Breite. Gleichwohl fand Webb keine Spur von Schnee auf demselben, und sogar die benachbarten Bergspitzen, welche um 300 Fuß höher liegen, waren frei davon. An der Nordseite des Passes fand er in einer Höhe von 14000 Fuß Pappeln und Tamarisken von 8 Fuß Höhe, Viehweiden und Kornfelder. Die Ursachen dieser ungewöhnlich hohen Lage der Schneegränze im Himalaya-Gebirge sind selbst durch die Forschungen v. Humboldts noch nicht ergründet worden *).

Nach Parrots Vergleichung der bisherigen Beobachtungen scheint die Temperatur der Luft nahe an den Schneebergen geringer zu seyn, als in freier Atmosphäre bei der nämlichen Höhe. Gay-Lussac hatte bei seiner Luftfahrt in einer Höhe von 2220 Klafter noch $5\frac{6}{10}$ Reaum. über Null, da hingegen der jüngere Parrot in derselben Höhe am Kasbek (auf dem Kaukasus) zwischen 5 und 6° R. unter Null fand. Parrot (der Aeltere) erklärt dieß aus dem Umstande, daß die Sonnenstrahlen auf dem Schnee sehr wenig Wärme erzeugen, und daß diese Wärme nur dazu diene, Schnee zu schmelzen und folglich die Temperatur zu vermindern. Wo keine Schneekoppen sind, werde die Temperatur in der Nähe des Berges allerdings höher seyn, als bei gleicher Höhe in freier Luft, da die Sonne auf der Erdfläche mehr

*) Gehlers Wörterbuch ꝛc. Art. Erde. III. Bd. 2. Abth. S. 1029 u. ff.

Wärme zu erzeugen vermag als in bloßer Luft. Finde man gleichwohl die Temperatur an den untern Theilen der Schneeberge geringer als bei gleicher Höhe in der freien Luft, so entstehe dieß daher, daß die kältere Luft des mit Schnee bedeckten obern Theils sich herabsenkt und also den untern Theil erkältet *).

Zwischen der Temperatur der Luft und der Erd-Oberfläche herrscht ein merklicher Unterschied, der indeß, wenn einerlei Temperatur sehr lange anhält (wie z. B. im hohen Norden während des zehnmonatlichen Winters), sich allmählich aufhebt. Pictet hat vergleichende Erfahrungen über diesen Unterschied angestellt. Er steckte ein Thermometer in die Erde, brachte ein anderes nahe an der Oberfläche derselben, und noch andere in verschiedenen Höhen über dieser Oberfläche an. Sie zeigten nie einerlei Temperatur. Das in einer Höhe von 50 Fuß hangende Thermometer stieg bei Tage weniger und fiel auch in der Nacht weniger, als das, welches nur 5 Fuß hoch befestigt war. Dieses Letztere stieg, als die Wärme bei Tage am größten war, schnell sehr hoch, und zeigte eine Stunde nach Sonnenuntergang fast die nämliche Temperatur wie das 50 Fuß hoch hangende. Es fiel hierauf tiefer und stieg nach Sonnenaufgang wieder. Das in die Erde gegrabene Thermometer endlich stieg den Tag über bis auf 45° (Fahr.) und erhielt sich auch die Nacht hindurch auf einer beträchtlichen Höhe. Es folgt aus diesen Beobachtungen, daß die Oberfläche der Erde ihre Wärme während der

*) Parrots Grundriß S. 401 u. ff.

Nacht behält, indessen die Wärme in der Luft abnimmt, und daß diese Abnahme in der Höhe weit geringer ist als in der Nähe der Erde.

Einen großen Einfluß auf die Wärme und Kälte eines Ortes hat die Nachbarschaft des Meeres, der Seen und großer Flüsse. Die Luft ist in der Nähe derselben im Winter wärmer und im Sommer kälter als anderwärts. Da das Wasser ein schlechterer Wärmeleiter ist als das trockne Land, so wird es auch langsamer kalt und vermindert dadurch, indem es seine Temperatur der anstoßenden Luft mittheilt, zur Winterszeit die Kälte. Wegen seiner beständigen Ausdunstung, bei welcher es, wie wir weiterhin bei der Lehre von den wässerigen Lufterscheinungen sehen werden, viel Wärmestoff verbraucht, kühlt es aber auch die Luft im Sommer ab, und vermindert dadurch die Hitze. Daher kommt es, daß Länder unter höhern Breiten oft einen gelindern Winter haben als südlicher gelegene. In London z. B. (ungefähr $51\frac{1}{2}^\circ$ N. B.) dauern zur Winterszeit mehre Pflanzen in freier Luft aus, welche in dem viel südlichern Paris (49°) erfrieren. Dagegen ist aber auch in Paris die Sommerhitze größer als in London. Obschon die Orkadischen Inseln (nördlich von Schottland) unter 59° und 60° Breite liegen, so herrscht doch selten ein starker Frost daselbst, und es fällt hier im Winter mehr Regen als Schnee. Zu Archangel, unter 64° Br., an den Küsten des Weißen Meeres, wehen im Oktober die von Süden kommenden Winde weit kälter als die nördlichen. Auf den Faröer-Inseln, unter 62° Br., friert es selten länger als einen Monat, und nie so stark, daß man Pferde und Schafe unter Dach bringen müßte.

Merkwürdig ist der Temperatur-Unterschied zwischen den Küsten von Norwegen und dem innern Schweden. Im Letztern beginnt der Winter schon mit der Hälfte des Oktobers und dauert bis zur Mitte des Aprils. Alle Gewässer sind dann mit dickem Eis belegt, und Berg und Thal unter tiefem Schnee begraben. Selbst die brausenden Wasserfälle erstarren mitten in ihrem Sturze. Nicht selten erreicht die Kälte 25° bis 30° R.; der Speichel, den man ausspuckt, gefriert auf der Stelle und rollt über den Erdboden hin, als ob es Hagel wäre. Auf den hohen östlichen Gebirgen, die Norwegen von Schweden trennen, steigt die Kälte oft zu einer Höhe, die alle Vorstellung übertrifft. Im Februar 1719 erfror ein schwedisches Heer von 10000 Mann bei dem Gebirge Ruden oder Tydal, so daß nur 500 und nach den stärksten Angaben 2500 mit zwei Generalen halbtodt davon kamen. Die Uebrigen mit den Generalen La Barre und Zoega, fand man sämmtlich auf Einem Platze todt; jeder noch in seiner Stellung, dieser sitzend, jener liegend, knieend ꝛc. Ihre Gewehre hatten sie zerschlagen und die Schäfte zu Brennholz verbraucht. Ganz anders dagegen ist es an der Westseite der Skandinavischen Halbinsel. Hier weiß man selten von einem Froste, der zwei oder drei Wochen anhielte. Die Luft ist fast immer voll Nebel und das Wetter regnerisch. Den ganzen Winter hindurch dauert die Fischerei fort. Es gehört unter die größten Seltenheiten, wenn der Haven von Bergen ein Mal zufriert. Sehr häufig ist der Winter in Teutschland und Frankreich stärker als an den Küsten von Norwegen.

So lernen wir also die Nachbarschaft des Meeres als eine der Ursachen kennen, welche die Winterkälte vermindern. Eine Ausnahme machen natürlich die Küsten des Eismeeres, wo das Meerwasser gefriert und seine Kälte den angränzenden Luftschichten mittheilt. Daraus erklärt sich die grössere Kälte der südlichen Halbkugel der Erde, wo das Eis ein so grosses Uebergewicht hat. Aus demselben Grunde ist es in Thälern, welche Flüsse führen, die zur Winterszeit mit Eis belegt werden, gewöhnlich des Nachts kälter als auf den höhern Bergen. Nach Lampadius hat Dresden an der Elbe im Durchschnitte eine größere Kälte als Johanngeorgenstadt im hohen Erzgebirge. In kalten Wintern erfrieren in solchen Thälern mehr Bäume als auf den Bergen. Der Unterschied zwischen der höchsten Kälte und Wärme des Tages und der Nacht ist gleichfalls in solchen Thälern größer als auf höhern Bergen oder auf Gebirgsebenen *).

Merkwürdig ist auch noch, daß sowohl in der Alten als in der Neuen Welt die östlichen Gegenden der Festländer kälter sind als die westlichen, unter gleicher Breite. In Nordamerika zeigt sich dieses äußerst auffallend. Schon oben wurde bemerkt, daß Philadelphia in den Vereinigten Staaten ein ungleich rauheres Klima habe als Neapel, ungeachtet es mit diesem fast die nämliche nördliche Breite hat. An der Westküste, längs dem Canal von Santa-Barbara in Neu-Cali-

*) Lampadius Atmosphärologie rc. S. 89.

fornien, wird der Oelbaum mit Glück gebaut. Auf Labrador herrscht eine Kälte wie in Grönland, dahingegen in West-Caledonien, das ungefähr unter der nämlichen Breite an der Westküste liegt, das Thermometer nur wenige Tage im Winter bis auf 28 oder 30° unter Null steht*). In Canada steigt die Winterkälte oft so hoch, und ist so anhaltend, daß der Erdboden bis auf 20 Fuß tief gefriert, und man selbst in geheizten Zimmern Hände und Füße erfriert. Am Noutka-Sunde dagegen, an der Westküste, frieren selbst die kleinsten Bäche vor dem Jänner nicht zu. Eben so verhält sichs in Asien. In Canton, das mit dem südlichen Persien und Aegypten einerlei Breite hat, zeigt sich alle Jahre Eis. In Jakutzk, das ungefähr einerlei Breite mit Petersburg und Bergen hat, wollte man einst einen Brunnen graben, und erreichte auch mit unsäglicher Anstrengung in zwei Sommern eine Tiefe von 91 Fuß. Aber auch hier war der Boden noch gefroren und kein Tropfen Wasser anzutreffen.

Die Ursache dieser größern Kälte der östlichen Länder beider Continente findet Kant*) in der Lage derselben in Bezug auf die herrschenden Winde. Jene Ostküsten bekommen den kalten Nordostwind, der beständig aus den höhern Gegenden Luft herunterbringt, so zu sagen, aus der ersten Hand. Auch anderwärts

*) Harmon: A Journal of Voyages etc. in the Interior of North Amerika etc. in meinem Taschenbuche zur Verbreitung geographischer Kenntnisse ꝛc. Erster Jahrgang. Prag, 1823 S. 136.

**) Kant, a. a. O. S. 114.

zeigt sich dieser Einfluß der Lage gegen den Wind auf das Klima. Baiern z. B., das südlicher liegt als Böhmen, hat gleichwohl keinen Weinbau, weil sowohl die von Norden (vom Böhmerwalde, dem Fichtel- und Erzgebirge) als von Süden her, von den Alpen, wehenden Winde Kälte mit sich bringen. Galizien und Polen liegen tiefer als die meisten Gegenden von Teutschland, aber die von den hohen Karpaten kommenden Winde bringen dort eine weit größere Kälte hervor. Auch die Beschaffenheit der Winde selbst kommt hier in Betrachtung. Der Ostwind z. B. ist bei uns trocken; denn wir erhalten ihn erst, nachdem er den ganzen weiten Weg über das nördliche Asien zurückgelegt hat. Nicht genug also, daß er an sich schon kalt ist, so befördert er auch eben durch diese Trockenheit noch die Ausdunstung in hohem Grade und vermehrt dadurch die Kälte noch. Die Westwinde dagegen, die wir von dem Atlantischen Meere erhalten, haben diese Trockenheit nicht und bringen daher auch nicht solche Kälte hervor. Im Gegentheil, sie mildern im Sommer wegen ihrer Feuchtigkeit die Hitze. In den Niederlanden steigt die Kälte selten über 8° R. unter Null, und die Hitze eben so selten über 20° R. über Null. Nicht bloß die Nähe des Meeres ist die Ursache dieser gemäßigten Temperatur, sondern auch der herrschende Westwind, welcher der Luft immer einen gewissen Grad von Feuchtigkeit mittheilt und also ihre Auflösungs-Fähigkeit vermindert.

Auch große Waldungen haben einen bedeutenden Einfluß auf die Wärme und Kälte einer Gegend. Sie ziehen Wolken und Nebel an, und verbrauchen bei ihrem Wachsthume eine Menge von Licht und Wärme, welche der sie umgebenden Atmosphäre entzogen werden. Auch bleiben Eis und Schnee in dichten Wäldern, wohin die Sonnenstrahlen nicht so leicht dringen können, viel länger liegen als in unbewaldeten Gegenden. Nothwendig muß daraus eine größere Kälte des Klimas entstehen. Wir sehen dieß an Sibirien und Nord-Amerika. Die große Kälte, die hier herrscht, ist nicht bloß der nördlichen Lage dieser Länder, sondern auch den ungeheuern Waldungen zuzuschreiben, die hier den Boden bedecken. Teutschland und Frankreich hatten vor zweitausend Jahren auch ein Klima wie das heutige Sibirien. Aber alles Land war damals mit Wäldern und Sümpfen bedeckt, und es gab hier Auerochsen, Bären, Elennthiere, dergleichen jetzt nur in Preußen, Polen, dem nördlichen Rußland u. dgl. gefunden werden. In dem alten Gallien wollte weder der Weinstock noch der Oelbaum fortkommen, ungeachtet beide Gewächse in dem heutigen Frankreich herrlich gedeihen. Damals wurden die Flüsse dort jeden Winter mit Eis belegt, und Cäsar führte ein Kriegsheer über den zugefrornen Rhone. Heut zu Tage gefrieren nur die Flüsse des nördlichen Frankreichs, wie die Seine u. a. bisweilen zu. Das jetzige mildere Klima ist der Verminderung der Wälder und der Austrocknung der Sümpfe zu verdanken.

Auch Italien hatte zu der alten Römer Zeiten ein kälteres Klima als jetzt. Die Tiber gefror noch um Christus Geburt fast alle Winter; in der heutigen Lombardei wollte kein Weizen fortkommen u. dgl. m.*).

*) Kant, a. a. O., S. 114 u. ff.

In heißen Gegenden wird durch große Waldungen die Feuchtigkeit der Luft vermehrt, da die Winde in das Innere derselben nicht eindringen und den Boden nicht austrocknen können. Aber nicht immer trägt diese Feuchtigkeit zur Abkühlung der Luft bei, sondern in vielen Gegenden wird die Hitze dadurch nur noch unerträglicher, wie z. B. in Senegambien, Guiana, Surinam u. a.

Die größte Wärme, welche unter einer bestimmten Breite möglich ist, wird durch große Sandwüsten hervorgebracht. Eben deßhalb sind die Sahara in Afrika, die Wüsten von Arabien, Syrien und Mesopotamien so heiß. Da hier kein Pflanzenwuchs und kein Wasser vorhanden ist, so kann auch keine Ausdunstung Statt finden, und der Boden muß endlich, bei dem hohen Stande der Sonne, bis zu einem unglaublichen Grade erhitzt werden. Wegen des Mangels an Sandwüsten ist auch in Süd-Amerika, unter gleichen Breiten, nirgends die Hitze zu finden, wie in Afrika.

Außer diesen bisher beschriebenen bleibenden Ursachen der Wärme und Kälte eines Ortes giebt es noch andere, welche bloß eine vorübergehende Aenderung in der Temperatur bewirken. Wenn die Sonnenstrahlen durch langwierige Nebel und Wolkenbedeckungen aufgehalten werden, so muß daraus kühles Wetter und selbst Kälte entstehen. Der starke Winter, welcher von 1783 bis 1784 in Nord-Amerika und anderwärts herrschte, wurde von Franklin dem sogenannten Heer- oder Höhenrauche (einem dicken und trocknen Nebel), welcher im Sommer des Jahres 1783 in mehren Ländern geherrscht hatte, zugeschrieben. Lange anhaltende Regen erzeugen auch bei uns in Teutschland oft sehr kühle Sommer, wie z. B. im Jahr 1816, wo das Reaumursche Thermometer mitten im Junius selten über 10° stieg. Manche haben die geringe Wärme dieses Jahres den zahlreichen und großen Sonnenflecken zuschreiben wollen, welche damals zu sehen waren *).

VI.

Von der mittlern Temperatur, dem Klima und den Jahreszeiten.

Wenn man eine bedeutende Anzahl von Thermometer-Beobachtungen an einem gewissen Orte zusammenzählt und die Summe alsdann mit der Anzahl aller Beobachtungen dividirt: so erhält man zum Quotienten eine Zahl, welche das arithmetische Mittel aller dieser addirten Zahlen ist. Sie zeigt die mittlere Wärme oder die mittlere Temperatur dieses Ortes an. Je mehr Beobachtungen man in dieser Hinsicht vergleichen kann, desto genauer wird das arithmetische Mittel ausfallen. Wollte man bloß die Beobachtungen eines einzelnen Jahres vergleichen, so würde man auch nur die mittlere Wärme dieses Jahres erhalten. Die Erfahrung lehrt aber, daß nicht alle Jahre einerlei mittlere Wärme haben. Es

*) S. I. B. S. 221.

wird also nöthig seyn, wenigstens zehn Jahre mit einander zu vergleichen, und aus den mittlern Temperaturen derselben wieder ein arithmetisches Mittel zu suchen. Dieses wird die mittlere Temperatur des gegebenen Orts schon ziemlich genau anzeigen. Wenn dergleichen Berechnungen für eine lange Reihe von Jahren angestellt werden: so findet man, daß für jede einzelne Gegend der Gang der Wärme-Aenderungen während eines Jahres im Durchschnitt sich gleich ist, d. h. daß nicht nur die mittlere Temperatur (das Medium), sondern auch die höchste (das Maximum) und die niedrigste (das Minimum) alle Jahre im Durchschnitt die nämlichen sind. Man nennt dieß das (physische) Klima dieser Gegend.

Einen Beweis, welch ein ziemlich genaues Ergebniß sich in dieser Hinsicht erhalten läßt, wofern eine hinlängliche Anzahl von Beobachtungen zu Gebote stehen, hat, in Bezug auf einen großen Theil Europa's, Brandes in seinen Beiträgen zur Witterungskunde *) geliefert.

In diesem vortrefflichen Werke (das wir in Rücksicht

*) Auch unter dem Titel: „Untersuchungen über den mittlern Gang der Wärme-Aenderungen durchs ganze Jahr; über gleichzeitige Witterungs-Ereignisse in weit von einander entfernten Weltgegenden; über die Formen der Wolken, die Entstehung des Regens und der Stürme; und über andere Gegenstände der Witterungskunde; von H. W. Brandes, Professor an der Universität in Breslau. Mit 2 Kupfertafeln und 7 illuminirten Witterungstabellen. Leipzig, bei Barth, 1820. 8.

des darauf verwandten vieljährigen Fleißes als ein würdiges Seitenstück zu Hansteens, im II. Bande dieses Gemäldes ꝛc. S. 535 angeführten Untersuchungen über den Magnetismus der Erde betrachten können) hat der Verfasser unter andern für zwölf einzelne Orte in Europa zusammen an 180000 Thermometer-Beobachtungen verglichen (worunter 70000 erst von ihm berechnet werden mußten), daraus zuvörderst die mittlere Wärme jedes einzelnen Tages, und hierauf die mittlere Wärme für jede fünf Tage aus jedem einzelnen Jahrgange berechnet. Die fünftägigen Mittel gaben ihm dann vereinigt die wahre Mittelwärme jeder fünf Tage im Allgemeinen. Das Ergebniß aller dieser Berechnungen hat Brandes in einer Zeichnung dargestellt, die wir hier (Tab. I.) gleichfalls mittheilen. Sie enthält 73 von oben nach unten gehende Abtheilungen, über denen allemal der mittlere aus jenen fünf zusammengenommenen Tagen angesetzt ist, z. B. der 3te, 8te, 13te Jänner, um anzudeuten, daß die hier eingetragene Wärme denjenigen fünf Tagen zugehöre, die dem 3ten, 8ten, 13ten ꝛc. Jänner zugeordnet sind. Die wagrechten Linien bezeichnen die Grade der Wärme und Kälte nach dem Reaumurschen Thermometer, und sind auf der linken Seite von 5 zu 5 Grad durch die Ziffern 5, 10, 15 u. s. w. sowohl auf- als abwärts bezeichnet. Die mit 0 bemerkte Linie in der Mitte ist der Reaumursche Gefrierpunkt. Den jedem der obigen Tage zukommenden mittlern Wärme- oder Kältegrad hat Brandes zuvörderst durch einen Punkt an der gehörigen Stelle bemerkt, hierauf aber alle diese Punkte, welche für einerlei Ort die Wärme oder Kälte an den verschiedenen Tagen andeuteten, durch eine Linie verbunden, deren Steigen folglich Zunahme der Wärme, und das Fallen Abnahme derselben oder auch Zunahme der Kälte anzeigt. Man kann auf diese Weise nicht bloß leicht übersehen, wie an jedem einzelnen dieser zwölf Orte die Zu- oder Abnahme der Wärme gleichförmig oder ungleichförmig fortgeht, sondern auch die Uebereinstimmung in dem Gange der Wärme-Aenderungen an verschiedenen Orten leicht bemerken. Jede Bestimmung gründet sich auf wenigstens achtjährige, die meisten auf zehn- bis zwölfjährige, und mehre auf noch längere Beobachtungen. Jeder einzelne Punkt ist oft, da er das Mittel aus fünf Tagen angiebt (— im Schaltjahr umfaßt der Zeitraum vom 25. Febr. bis 1. März sechs Tage, und dieser sechste Tag ist dann gehörig mit zum Mittel gezogen —) und das tägliche Mittel fast überall aus drei Beobachtungen *) hergeleitet ist, ein Ergebniß von 150 und bei den meisten von noch mehren Beobachtungen. Die zwölf Orte, für welche Brandes seine Tafel berechnet hat, sind folgende:

1) Umea, in Schweden, am Bothnischen Meerbusen, unter 63° 50′ Breite. Die benützten Beobachtungen gehen von 1797 bis 1804.

*) Man pflegt nämlich das Thermometer täglich wenigstens drei Mal zu beobachten, früh beim Aufgang der Sonne, Nachmittags etwa um 2 oder 3 Uhr, und Abends. Die Nachmittags-Beobachtung zeigt im Sommer die größte Hitze für diesen Tag, und die Morgen-Beobachtung an Wintertagen die größte Kälte. Ausnahmen machen natürlich plötzlich im Verlauf des Tages eintretende Veränderungen des Wetters.

2) Petersburg, unter 59° 56′ Breite. Die Beobachtungen sind von den Jahren 1783 bis 1786, und von 1788 bis 1792.

3) Stockholm, unter 59° 20′ Breite, 300 Fuß über der Meeresfläche *).

4) Moskau, unter 55° 46′ Breite, 840 Fuß über dem Meere. Hier standen nur fünfjährige Beobachtungen zu Gebote, und Brandes hat daraus bloß Bestimmungen für den Zeitraum von der Mitte des Jänners bis zur Mitte des März berechnet und aufgezeichnet.

5) Curhaven, unter $53\frac{3}{4}$° Breite, am flachen Ufer der Elbe, bei deren Ausfluß in die Nordsee. Die Beobachtungen sind von 1788 bis 1798; doch ist die Linie vom Juni bis August unterbrochen worden, weil Brandes die Zahl der sich durchkreuzenden krummen Linien im Laufe der Sommermonate nicht zu groß machen wollte.

6) Zwanenburg in Holland, unter $52\frac{1}{4}$° Breite, von 1765 bis 1785.

7) London, unter 51° 31′ Breite und 162 Fuß über dem Meere **); von 1800 bis 1815.

8) Mannheim, unter 49° 29′ Breite, 350 Fuß über dem Meere; von 1781 bis 1792.

9) Wien, unter 48° 13′ Breite, 480 Fuß über dem Meere; von 1763 bis 1786.

*) So hoch hing nämlich das Thermometer, an dem die Beobachtungen gemacht wurden. Die Letztern umfassen einen Zeitraum von 50 Jahren, nämlich von 1758 bis 1807.

**) Siehe die vorige Anmerkung.

10) Der St. Gotthardsberg in der Schweiz, unter $46\frac{1}{2}$° Breite. Die Beobachtungen sind auf dem Hospiz (6440 Fuß über dem Meere) angestellt, und gehen von 1782 bis 1786, und von 1788 bis 1792.

11) Rochelle in Frankreich, 46° Breite, 80 Fuß über dem Meere; von 1782 bis 1790.

12) Rom, unter 41° 54′ Breite und 184 Fuß über dem Meere; von 1783 bis 1792.

Wir gehen jetzt zu den Bemerkungen über, zu welchen die Betrachtung der Tafel Veranlassung giebt.

Fast überall fällt die größte Kälte des ganzen Jahres in die ersten Tage des Jänners. In London und Zwanenburg hält sie bis nach der Mitte dieses Monats gleichförmiger an, als anderwärts, wo nach jenen kältesten Tagen eine merkliche Zunahme der Wärme eintritt. Die verhältnißmäßig geringe Kälte bei Petersburg fällt beim ersten Anblick auf, da es bekanntlich dort Zeitpunkte giebt, wo das Thermometer bis auf 30° unter Null herabsinkt. Eine so große Kälte aber hält nie fünf Tage nach einander an, und die niedrigste Temperatur, die Brandes unter den fünftägigen Mitteln aus einzelnen Jahrgängen gefunden hat, ist — 22°. Aber an den nämlichen Jahrestagen, wo diese Ein Mal (nämlich vom 1. bis 5. Jänner 1786) vorkommt, ist in andern Jahren die mittlere Temperatur — 11°, — 5°, — 2° gewesen, und die wahre Mittelwärme dieser fünf Tage ist daher nur — 8,86°.

Auf diese größte Kälte folgt nun, obige Ausnahme abgerechnet, ein ziemlich gleichförmiges Zunehmen der

Wärme, welches in Stockholm und Umea bis zum 28. Jänner fortdauert. Von diesem Tage an aber tritt in Stockholm, Wien, Rochelle, Mannheim, auf dem St. Gothard, einige Tage später auch in Cuxhaven und London, eine neue Kälte ein, welche in Schweden bis gegen den 12. Februar anhält. An andern Orten ist der Verlauf derselben unregelmäßig, aber merkwürdig ist gleichwohl der 17. Februar (oder vielmehr der Zeitraum vom 15. bis zum 19.), wo die Kälte zu Rochelle, London, Cuxhaven, Mannheim, Rom und Wien bedeutender ist, als an den nächst vorhergehenden Tagen, und auf dem St. Gothard eine der strengsten des Winters gleich kommende Kälte wieder eintritt. Selbst in Petersburg ist die Zunahme der Kälte um diese Zeit merklich und nur in Zwanenburg bemerken wir ein Gleichbleiben der Temperatur. „Dieses Zusammentreffen“ — bemerkt Brandes — „bei allen aus so verschiedenen Jahren genommenen Beobachtungen, scheint auf eine jährlich wiederkehrende, in den Gebirgen am merklichsten wirkende Ursache zu deuten, die vielleicht in Schweden früher eintritt und in den Gegenden am Meere schwächer wirkt, als auf dem festen Lande und in der Nähe von Gebirgen.“

Auf diese Kälte folgt überall (in Schweden schon nach dem 12. Februar) eine neue Zunahme der Wärme, die indeß bald durch eine, offenbar aus Nord-Asien kommende, neue Kälte verdrängt wird. Diese erreicht die westlichern und südlichern Orte später als die östlichern und nördlichern. In Moskau und Petersburg ist sie den 4. März, in Stockholm und Umea den 9. oder etwas später, am größten, und steigt dort eben so hoch wie am Anfange des Jahres. In Cuxhaven und London ist sie den 9., auf dem St.-Gothard vom 9. bis 14., in Wien den 14. am größten. In den südlichern und westlichern Gegenden ist übrigens sowohl der Grad als die Dauer dieser spätern Kälte geringer als anderwärts. In Zwanenburg, Mannheim, Rochelle und Rom tritt zwar um diese Zeit keine merkliche neue Kälte ein, aber gleichwohl ist die Zunahme der Wärme auffallend gehemmt. — Ueber die muthmaßlichen Ursachen dieser so merkwürdigen Erscheinung, welche durch alle Beobachtungsreihen aus ganz verschiedenen Jahren bestätigt wird, müssen wir auf Brandes Werk (S. 13 — 15) selbst verweisen.

Nach dieser Wiederkehr der Kälte fängt die Wärme zwar Anfangs schnell zu wachsen an, wird aber nach 5 bis 10 Tagen aufs neue unterbrochen, und zwar in Wien und auf dem St. Gothard am meisten, weniger an den übrigen Orten, am wenigsten in Petersburg. Mit dem letzten Drittel des März beginnt hierauf ein allgemeines Steigen der Wärme und dauert bis gegen Ende April. Die vom 8. bis 18. April an einigen Orten eintretende Hemmung dieser Wärmezunahme scheint nicht sonderlich bedeutend. Merkwürdiger ist das, selbst in den Stockholmer fünfzigjährigen Beobachtungen deutlich hervortretende, schnelle Wachsen der Wärme vom 13. bis 18. Mai, welches gemäßigter bis zum 28. Mai fortgeht und dann abermals schneller bis zum 7. Juni dauert. An den südlichen Orten, Rom, Rochelle rc. beginnt das starke Zunehmen der Wärme schon am 8. Mai, und hier erfolgt auch schon vom 28. Mai an ein kleines Zurückweichen des Thermometers, welches in Stockholm und Petersburg erst vom 7. bis 12. Juni eintritt. „Diese Ungleichheiten“ — bemerkt Brandes — „scheinen nun zwar zu zeigen, daß hier nicht ganz etwas Allgemeines Statt findet; aber eine schnelle Vermehrung der Wärme um den 10. Mai, und eine minder warme Reihe von Tagen im Anfange des Juni scheint doch deutlich sich zu verrathen.“ Nur London macht eine Ausnahme, indem die im April eingetretene starke Zunahme der Wärme im Mai bedeutend nachläßt.

Nicht minder merkwürdig ist der Zeitpunkt der größten Sonnenhitze, welcher in allen südlichen Gegenden später als in den nördlichen eintritt. In Umea sinkt die Wärme schon vom 7. Juli an und nach dem 27. dess. M. beschleunigt sich die Abnahme derselben. In Stockholm fällt die größte Hitze auf den 27. Juli, in Petersburg auf den 22., in Cuxhaven vom 17. Juli bis 1. Aug., in Mannheim auf den 27. Juli, in London auf den 1. Aug., in Rom, Rochelle, Zwanenburg und St. Gothard auf den 6., in Wien auf den 16. Aug. Indeß ist am letztern Orte die Wärme des 27. Juli fast eben so groß, und Brandes sieht die größere vom 16. Aug. nur als etwas Zufälliges der bestimmten Jahre an, von welchen er die Beobachtungen benützen konnte.

Eine zweite Bemerkung, die sich bei der Betrachtung der Sommerwärme aufdringt, ist, daß sie eigentlich zwei Mal den höchsten Stand zu erreichen sucht, nämlich zuerst im letzten Drittel des Juli, und dann, nach einem mehr oder minder beträchtlichen Sinken, aufs neue um den 11. bis 16. August. Die letztere Wärme ist im Durchschnitt geringer als die erste, aber in einigem Grade merklich ist diese Rückkehr derselben selbst in Umea und Petersburg (am 16. Aug.), in Stockholm (16. — 21. Aug.), in London, Cuxhaven und Wien (16. Aug.). Nur in Zwanenburg, Rochelle, Mannheim und Rom ist sie nicht zu bemerken.

Nach dieser Zeit erfolgt, in den nördlichen Gegenden schon nach dem 16. Aug., in den südlichern erst zu Ende dieses und in der ersten Hälfte des folgenden Monats, ein starkes Sinken der Wärme. Nur in Rom ist bis zum 20. Sept. diese Abnahme geringe. In den nördlichen Gegenden ist sie während der ersten fünf Tage sehr stark, geht hierauf gemäßigter fort, und wird erst um die Hälfte des Septembers, wo auch in den südlichen Gegenden der Herbst eintritt, wieder beschleunigt.

Mit dem Anfange des Oktobers tritt ein Stillstand in dieser Abnahme der Wärme ein, der selbst in Umea und Stockholm merklich ist, wo er sich vom 30. Sept. bis 5. Okt. äußert. Im nördlichen und mittlern Teutschland, so wie in England, scheint er auf die nämlichen Tage zu treffen; in Petersburg und Wien erst vom 5. bis 10. Oktbr.; auf dem St. Gothard dauert dieser Nachsommer bis zum 18. Oktober.

In Stockholm und Petersburg zeigt sich vom 20. bis 25. Okt. eine zweite Rückkehr der Wärme, welche auch in Wien vom 25. bis 30., so wie in Rochelle und Rom vom 30. Oktbr. bis 4. Nov. eintritt. Gerin=

ger ist diese Rückkehr in Mannheim; unmerklich in Curhaven, London und Zwanenburg. Eine noch auffallendere Wiederkehr der Wärme finden wir in Petersburg vom 4. bis 9. Nov., welche auch um die nämliche Zeit in Stockholm und Umea merklich ist. Für die südlichern und westlichern Orte tritt sie später, vom 9. bis 14. Nov., ein.

Hierauf folgt überall eine starke Zunahme der Kälte, die jedoch im letzten Drittel des Novembers aufs neue gehemmt wird, aber von hier an mit nur geringen Unterbrechungen bis zum Schlusse des Jahres fortgeht, um in den ersten Tagen des Jänners, wie oben gezeigt worden, ihren höchsten Stand zu erreichen.

So gewährt also unsere Tafel eine sehr merkwürdige Uebersicht des Gleichförmigen in dem Gange der Wärmeänderungen für das ganze Jahr, und stellt uns zugleich das Klima verschiedener Gegenden deutlich vor Augen. Wir sehen z. B., wie lang und streng der Winter in Petersburg ist; wie dann die Wärme schnell zunimmt und von der Hälfte des Juni bis zum 6. Aug. eben so groß als in Teutschland und London ist, und wie schnell hierauf der Herbst eintritt. Ferner — welch ein Unterschied zwischen Mannheim und dem St. Gothard! Während dieser nie eine dauernde Wärme von 8° darbietet, fängt dort die Frühlingswärme schon im März an, die zu London und Curhaven zu übersteigen. Wenn auch Mannheim strengere Winterkälte hat als London, so erfreut es sich dagegen während des ganzen Frühlings und Sommers einer Wärme, welche die von London um 3°

übertrifft, vom 17. Mai bis 16. Aug., ohne allzuheftig zu werden, immer gleich fortgeht, und noch bis in den September wenig abnimmt.

„Daß übrigens" — sagt Brandes noch am Schlusse seiner Bemerkungen über diese Tafel — „zur genauen Kenntniß des Klimas einer Gegend, eine so sorgfältige Darstellung des Ganges der Wärme erfoderlich sei, wie ich sie hier mitgetheilt habe, erhellt wohl hinreichend. Die mittlere Temperatur des ganzen Jahres könnte an zwei Orten gleich seyn, und dennoch könnte der eine durch größere Sommerwärme und strengere Winterkälte ein ganz anderes Klima haben, als der andere. Um darüber, was hierbei im Allgemeinen in verschiedenen Gegenden der Erde Statt findet, zu entscheiden, müßten wir den Gang der Wärme in allen Gegenden der Erde kennen; und erst dann würden Vergleichungen über den Gang der Wärme im Laufe des Jahres, so wie meine erste Tabelle *) sie darstellt, recht lehrreich werden, wenn man sie für weit entlegene Gegenden anstellen, und eine Uebersicht der Erscheinungen auf der ganzen Erde oder in sehr ansehnlichen Theilen derselben erhalten könnte. Am meisten würden für jetzt Beobachtungsreihen aus mehren Gegenden des russischen Reichs, z. B. aus Archangel, Kasan, Astrachan, Tobolsk, Jakutzk, Kamtschatka, und Beobachtungsreihen aus dem nördlichen Amerika zu unserer Belehrung beitragen, indem sie sich am meisten an das schon Vorhandene anschließen würden."

*) d. h. unsere Tab. I.

VII.

Fortsetzung des Vorigen.

Auch Herr von Humboldt hat Untersuchungen über die mittlere Wärme verschiedener Gegenden, sowohl in der Alten als in der Neuen Welt, und unter verschiedenen Breiten angestellt. Er hat indeß gefunden, daß, wenn man durch alle Orte, welche einerlei mittlere Wärme haben, Linien zieht, diese unter sich und im Verhältniß zum Aequator eine gewisse Regelmäßigkeit zeigen. Er hat sie gleichwärmige oder Wärmegleichheits-Linien (Isotherm-Linien) genannt *). Sie laufen, wie sich schon aus unsern bisherigen Betrachtungen schließen läßt, keineswegs mit dem Aequator parallel, sondern durchschneiden diesen an gewissen Punkten. Von den Ostküsten Amerikas ungefähr steigen sie nordwärts, erreichen im westlichen und mittlern Europa ihre größte Höhe und senken sich weiter nach Osten hin wieder zum Aequator hinab. Humboldt vermuthet, daß sie auch von den Atlantischen Küsten der Neuen Welt nach Westen hin wieder nordwärts steigen. Hier fehlt es natürlich an Beobachtungen.

Bei den Untersuchungen und Berechnungen, wodurch Humboldt auf diese Wärmegleichheits-Linien geleitet wurde, machte er unter anderm die merkwürdige Ent-

*) S. André's Hesperus, Nr. 10 des XXVsten Bandes (1820), S. 73 u. ff. Die Benennung: „gleichwarme Linien" ist unpassend, denn die Linien selbst sind nicht warm.

deckung, daß die mittlere Temperatur der Monate *April* und *Oktober* fast genau der mittlern Temperatur des *ganzen Jahres* überhaupt ziemlich gleichkomme. Folgende Tafel zeigt dieß, wenigstens für eine Menge Orte, sehr deutlich.

Orte.	Mittlere Temperatur		
	des Jahres	des Oktbr.	des April
Cairo	$22\frac{4}{10}^{\circ}$ *)	$22\frac{4}{10}^{\circ}$	$23\frac{5}{10}^{\circ}$
Algier	21°	$22\frac{3}{10}^{\circ}$	17°
Natchez . . .	$18\frac{9}{10}^{\circ}$	$20\frac{2}{10}^{\circ}$	$19\frac{1}{10}^{\circ}$
Rom	$15\frac{8}{10}^{\circ}$	$16\frac{7}{10}^{\circ}$	13°
Mailand . . .	13°	$14\frac{5}{10}^{\circ}$	$13\frac{1}{10}^{\circ}$
Cincinnati . .	12°	$12\frac{7}{10}^{\circ}$	$13\frac{8}{10}^{\circ}$
Philadelphia . .	$11\frac{9}{10}^{\circ}$	$12\frac{2}{10}^{\circ}$	12°
Neu = York . .	$12\frac{1}{10}^{\circ}$	$12\frac{5}{10}^{\circ}$	$9\frac{5}{10}^{\circ}$
Peking . . .	$12\frac{6}{10}^{\circ}$	13°	$13\frac{9}{10}^{\circ}$
Ofen	$10\frac{9}{10}^{\circ}$	$11\frac{3}{10}^{\circ}$	$9\frac{5}{10}^{\circ}$
London . . .	11°	$11\frac{3}{10}^{\circ}$	$9\frac{9}{10}^{\circ}$
Paris	$10\frac{6}{10}^{\circ}$	$10\frac{7}{10}^{\circ}$	9°
Genf	$9\frac{6}{10}^{\circ}$	$9\frac{6}{10}^{\circ}$	$7\frac{6}{10}^{\circ}$
Dublin . . .	$9\frac{2}{10}^{\circ}$	$9\frac{3}{10}^{\circ}$	$7\frac{4}{10}^{\circ}$
Edinburg . . .	$8\frac{8}{10}^{\circ}$	9°	$8\frac{3}{10}^{\circ}$
Göttingen . . .	$8\frac{5}{10}^{\circ}$	$8\frac{4}{10}^{\circ}$	$6\frac{9}{10}^{\circ}$

*) Es sind hierunter *Centesimal = Grade* oder Grade des jetzt in Frankreich sehr gewöhnlichen *hunderttheiligen* Thermometers zu verstehen, bei welchem der Raum zwischen dem Gefrier = und dem Siedepunkte in 100 gleiche Theile eingetheilt ist. 10° Cent. sind also 8° Reaum.

Orte.	Mittlere Temperatur		
	des Jahres	des Oktbr.	des Aprils
Franeker . . .	$11\frac{3}{10}°$	$12\frac{7}{10}°$	$10°$
Kopenhagen . .	$7\frac{6}{10}°$	$9\frac{3}{10}°$	$5°$
Stockholm . . .	$5\frac{7}{10}°$	$5\frac{8}{10}°$	$3\frac{6}{10}°$
Christiania . .	$5\frac{9}{10}°$	$4°$	$5\frac{9}{10}°$
Upsala	$5\frac{5}{10}°$	$6\frac{3}{10}°$	$4\frac{3}{10}°$
Quebeck . . .	$5\frac{4}{10}°$	$6°$	$4\frac{2}{10}°$
Petersburg . .	$3\frac{8}{10}°$	$3\frac{9}{10}°$	$2\frac{8}{10}°$
Abo	$5\frac{2}{10}°$	$5°$	$4\frac{9}{10}°$
Drontheim . .	$4\frac{4}{10}°$	$4°$	$1\frac{3}{10}°$
Ulea	$\frac{6}{10}°$	$3\frac{3}{10}°$	$1\frac{2}{10}°$
Umea	$\frac{7}{10}°$	$3\frac{2}{10}°$	$1\frac{1}{10}°$
Nordkap	$0°$	$0°$	$-1°$

Eben so hat Humboldt gefunden, daß die mittlern Temperaturen der Jahre im Allgemeinen sich ziemlich gleich sind. So war sie z. B. in Paris, von 1803 bis und mit 1816: $10\frac{6}{10}°$, $11\frac{1}{10}°$, $9\frac{7}{10}°$, $11\frac{9}{10}°$, $10\frac{8}{10}°$, $10\frac{4}{10}°$, $10\frac{6}{10}°$, $10\frac{5}{10}°$, $11\frac{5}{10}°$, $9\frac{9}{10}°$, $9\frac{7}{10}°$, $10\frac{5}{10}°$, und $9\frac{6}{10}°$; in Genf, von 1803 bis und mit 1815: $10\frac{2}{10}°$, $10\frac{6}{10}°$, $8\frac{8}{10}°$, $10\frac{8}{10}°$, $9\frac{6}{10}°$, $8\frac{3}{10}°$, $9\frac{4}{10}°$, $10\frac{6}{10}°$, $10\frac{9}{10}°$, $8\frac{8}{10}°$, $9\frac{2}{10}°$, $9°$, und $10°$.

Was nun die erwähnten Wärmegleichheits-Linien (Isotherm-Linien) betrifft, so wollen wir hier, da wir keine Zeichnung davon geben können, die Linien von 0°, 5°, 10°, 15°, 20° Cent. anführen und die Orte bemerken, durch welche jede derselben geht.

Die Linie von 0° (oder 32° F.) geht durch 3° 54' südlich von Nain in Labrador (54° N. Br.), durch den Mittelpunkt von Lappland, und durch 1° nördlich von Ulea (66° 58' N. B.) oder durch Soliskamsky.

Die Linie von 5° (41° F.) geht durch 0° 5' nördlich von Quebeck und St. Georgs-Bay in Neufundland (48° N. B.); durch 1° nördlich von Christiania in Norwegen, 30' nördlich von Upsala, so wie durch Petersburg und Moskau.

Die Linie von 10° (50° F.) geht durch 42° 30' bei Boston in den Vereinigten Staaten; durch 1° südlich von Dublin in Irland; 30' nördlich von Paris; 1° 30' südlich von Franeker in Friesland (51° N. B.); 30' südlich von Prag; 1° 30' südlich von Ofen; 2° 45' nördlich von Peking.

Die Linie von 15° (59° F.) geht durch 4° 30' nördlich von Natchez am Mississippi in den Vereinigten Staaten; durch Montpellier im südlichen Frankreich; 1° nördlich von Rom (43° N. B.) und 1° 30' nördlich von Nangasaki auf Japan.

Die Linie von 20° (68° F.) endlich geht durch 2° 30' südlich von Natchez, 50' nördlich von Funchal auf Madeira und wahrscheinlich auch durch 33° 30' der nördlichen Breite unter dem Mittagskreise von Cypern.

Wir beschließen das Kapitel von der Wärme und Kälte der Luft mit einigen nachträglichen allgemeinen Bemerkungen über das Klima und die Jahreszeiten.

Lampadius*) nimmt für die Erdfläche im Ganzen folgende Jahreszeiten an:

*) Atmosphärologie S. 225 u. ff.

1) Den immerwährenden Sommer in der Nähe des Aequators, welcher nur durch die sogenannte Regenzeit auf einige Wochen unterbrochen wird;

2) Den Wechsel zwischen Frühling und Sommer, welcher in der Nähe der Wendekreise Statt findet;

3) Den Wechsel zwischen Frühling, Sommer, Herbst und Winter, wie er in der Mitte der gemäßigten Zonen, oder von 30 bis 60° Breite angetroffen wird.

4) Den Wechsel zwischen Sommer und Winter, in der Nähe der Polarkreise, oder von 60 bis 75°; und

5) den immerwährenden Winter in der Nähe der Pole, welcher nur durch einige seltene Frühlingstage unterbrochen wird.

Es versteht sich, daß diese Annahme hauptsächlich für die nördliche Halbkugel gilt. Auf der südlichen kann Nr. 3 nur bis 50° Breite gerechnet werden, und Nr. 4 findet hier gar nicht Statt, sondern fällt mit Nr. 5 zusammen.

Die Regenzeit vertritt in der Nähe des Aequators die Stelle des Winters, indem die Pflanzenwelt während derselben sich für eine kurze Zeit erholt und hierauf von neuem Blätter und Blüthen treibt. Zu bemerken ist, daß an den meisten Orten der heißen Zone die Regenzeit mit dem höchsten Stande der Sonne zusammentrifft, und nicht etwa alsdann, wenn die Sonne in der entgegengesetzten Halbkugel steht, eintritt, wie dieß mit dem Winter der gemäßigten Zonen der Fall ist. Mehr von diesen tropischen Regen soll weiter unten, wo vom Regen überhaupt die Rede seyn wird, gesagt werden.

Nach Verfluß der Regenzeit herrscht in der heißen Zone der trockne Sommer, wo die Luft größtentheils heiter und nur selten mit Nebel oder Wolken erfüllt ist. Gewitterregen unterbrechen die Trockenheit nur zuweilen; die Dürre nimmt an manchen Orten so zu, daß beinahe aller Pflanzenwuchs zu Grunde geht. Sie verursacht Halsschmerzen; Lippen und Haut bersten, und in den Sandwüsten werden von dem feinen Sandstaub, mit welchem der Wind die Luft erfüllt, die Augen entzündet. Nur auf Gebirgen, so wie auf Inseln und an Küsten hat diese Jahreszeit sehr viel Angenehmes. Daher erfreuen sich die Bewohner der Australischen Inseln, welche zwischen den Wendekreisen liegen, eines so herrlichen Klimas.

Was den Wechsel des Frühlings mit dem Sommer betrifft, so findet sich dieser besonders im nördlichen Afrika, in der Berberei, dem nördlichen Aegypten, auch zum Theil in Sicilien, im südlichen Spanien und Portugal ꝛc. Schnee und Eis wird hier nur auf hohen Bergen (ein wenig unterhalb der Schneelinie) angetroffen. Im Frühlinge übersteigt die Wärme selten 15° R., und obschon der Sommer beträchtlich heiß ist, so hält doch die größte Hitze nie lange an, sondern wird von Zeit zu Zeit durch sanfte Regen und Winde unterbrochen.

Ueber die besondern Eigenschaften der Witterung in der Mitte der gemäßigten Zonen, wo die Natur vier Jahreszeiten genau unterschieden und jede aufs vollkommenste ausgeprägt hat, brauchen wir hier nicht weiter ins Einzelne zu gehen, sondern verweisen bloß auf die im vorigen Abschnitte gegebene Darstellung der Wärme-Aenderungen durch das ganze Jahr. Dagegen verweilen wir noch ein wenig bei dem kurzen Sommer und dem langen Winter des hohen Nordens, an der Gränze des kalten Erdstrichs. Der Sommer beginnt hier mit der Sonnenwende und dauert höchstens bis in die Hälfte des Augusts, also 6 Wochen, höchstens 2 oder 2½ Monate; die einzige Zeit, wo es nicht friert. Obschon die Hitze alsdann nicht selten an 30° R. erreicht, so vermag sie doch nicht überall den Erdboden bis in die Tiefe aufzuweichen, sondern ihr Einfluß erstreckt sich nur auf einige Fuß. Der Pflanzenwuchs geht während dieser kurzen Zeit sehr lebhaft von Statten; der Himmel ist fast immer heiter und Gewitter sind sehr selten. Die Küsten und Meere werden auf einige Wochen vom Eise befreit, und während der kurzen Nacht herrscht bloß Dämmerung, so daß man um Mitternacht ohne Licht noch arbeiten, selbst lesen und schreiben kann u. s. w.

Desto strenger ist der 7 bis 10 Monate dauernde Winter. Zuweilen treten die heftigsten Grade der Kälte schon im November, am häufigsten jedoch erst im Dezember und Jänner ein. Eine Schneemasse von mehren Fuß Tiefe bedeckt weit und breit alles Land, so daß die weitesten Reisen auf Schlitten unternommen werden können. Einzelne Thauwetter, die zuweilen eintreten, halten nie länger als 24 Stunden an, und vermögen daher nicht, den Erdboden von Schnee zu entblößen. Alle Fäulniß thierischer und Pflanzenkörper ist während dieser Kälte, die oft über — 30° R. steigt, so daß das Quecksilber gefriert, gänzlich unterbrochen. Selbst der Athem gefriert zu Schnee und die Luft ist mit feinen Eistheilchen erfüllt u. s. w.

Der immerwährende Winter an den Polen gleicht dem so eben beschriebenen an Stärke, ist aber noch anhaltender. Der höchste Stand der Sonne und der monatelange Tag vermag nicht, eine größere Wärme als höchstens 12° R. hervorzubringen, und auch diese tritt nur an einzelnen Tagen ein. Meistens steht das Thermometer auf 0° und ein paar Grade darüber.

Der im vorigen Bande schon erwähnte englische Seefahrer Parry*) hatte bei seiner Reise nach dem nördlichen Eismeere, wo er vom Sept. 1819 bis in den August 1820 auf der Melville-Insel, unter 74° 47' nördlicher Breite überwintern mußte, Gelegenheit, das Schreckliche eines Polarwinters aus eigener Erfahrung kennen zu lernen. Schon am 10. Oktober hatte die Kälte einen furchtbar hohen Grad erreicht, und ein Matrose, der ohne Handschuh ausgegangen war, kam in einem so jämmerlichen Zustande zurück, daß ihm an der einen Hand drei Finger abgenommen werden mußten. Parry machte bei dieser Gelegenheit auch sehr merkwürdige Beobachtungen über die Fähigkeit einer so heftigen Kälte, nicht nur den Körper, sondern auch den Geist zu lähmen. Sowohl der genannte Matrose als zwei

*) Reise zur Entdeckung einer nordwestlichen Durchfahrt 2c. Aus dem Engl. von Dr. Bran, im Ethnogr. Archiv, XIV. Bd. I. Heft.

junge Offiziere, die vor ihm noch zurückgekehrt waren, befanden sich in einem der Trunkenheit ähnlichen Zustande. Als Parry mit ihnen sprechen wollte, war ihr Blick ganz verstört, ihre Sprache unverständlich, und nicht auf eine einzige seiner Fragen erfolgte eine verständige Antwort. Erst nachdem sie einige Zeit an Bord gewesen waren, kehrten allmählich mit dem wieder angeregten Kreislaufe ihres Blutes die Gehirnthätigkeiten zurück, und der genauere Beobachter konnte sich jetzt überzeugen, daß diese Offiziere keineswegs durch zu häufige Schlucke aus der Rumflasche sich in einen solchen Zustand versetzt hatten, sondern daß es bloße Folge der Kälte war. Parry bemerkt hierbei, daß ihm noch mehre Fälle während seines Aufenthalts im Winterhafen der Melville-Insel vorgekommen seien, wo das Benehmen der von der Kälte angegriffenen Matrosen von dem eines ganz Betrunkenen gar nicht zu unterscheiden war, und daß er ihm, als einem Solchen, die gewöhnliche Strafe zuerkannt haben würde, wenn er nicht gewußt hätte, daß auf der Melville-Insel kein geistigeres Getränk als Schneewasser zu haben war.

Etwas sehr Peinliches war, nach Parry's Bemerkung, bei zunehmender Kälte, das Anfassen von Metallen in freier Luft mit bloßen Händen. Das dadurch erregte Gefühl glich ganz dem, welches durch das Verbrennen entsteht. Der angegriffene Theil wurde ganz von der Haut entblößt. Parry und seine Offiziere mußten daher bei dem Gebrauche ihrer astronomischen Werkzeuge, namentlich der Fernröhre, die größte Vorsicht an=

wenden, um sich nicht das Gesicht zu beschädigen; die geringste Berührung des Metalls brachte einen brennenden Schmerz hervor. Was die astronomischen Beobachtungen noch mehr erschwerte, war nicht bloß, daß man wegen erstarrter Finger die Werkzeuge nicht gehörig handhaben, und das lange Stillstehen nicht aushalten konnte, sondern hauptsächlich auch der Umstand, daß man während des Beobachtens mit der größten Sorgfalt den Athem an sich halten mußte, indem der geringste Hauch, der die Gläser berührte, sich sogleich in ein Eishäutchen verwandelte, wodurch sie getrübt wurden. Auch litten die Sextanten einigen Schaden durch das Platzen des an den Horizont- und Zeigergläsern befindlichen Silbers, welches nach Parry's Meinung der ungleichen Zusammenziehung der beiden Körper zugeschrieben werden mußte.

An einem Tage, wo das Thermometer am tiefsten stand, machte man einen ganz eignen Versuch, der die Heftigkeit der Kälte bewies. Ein Matrose stieg mit einem blechernen Durchschlag und einem Topfe voll siedend heißen Wassers auf den Mastkorb, und goß das Wasser durch den Durchschlag. Es fiel in kleinen Eiskörnern, dem kleinen Hagel oder den Graupeln ähnlich herunter!

Ein Gegenstand, der immer aufs neue die Verwunderung der Reisenden erregte, war die außerordentlich weite Hörbarkeit der Töne bei großer Kälte. Sie hörten z. B. sehr häufig das Gespräch von Spaziergängern, die eine englische Meile entfernt waren, ganz deutlich. Am 21. Februar hörte P a r r y einen noch weiter als eine Meile von ihm entfernten, am Strande herumgehenden

Matrosen singen. An diesem Tage ward noch eine andere sonderbare Wirkung der Kälte bemerkt. Drei Offiziere der Schiffe kamen bei einem Ausfluge, als sie schon zwei Meilen weit von den Schiffen entfernt waren, an eine Stelle auf der Leeseite (d. h. der unter dem Winde liegenden Seite) derselben, wo sie plötzlich ein höchst auffallender Geruch von Rauch überraschte, der so heftig war, daß er ihnen beinahe den Athem versetzte. Als sie ein wenig weiter gingen, war er ganz verschwunden. Es war der Rauch von den Schiffen gewesen, und dieser Umstand zeigt, bis in welche Entfernung derselbe sich wagrecht fortzieht, da ihn die Kälte, oder vielmehr die damit verbundene außerordentliche Verdünnung der Luft, nicht zum Aufsteigen kommen läßt.

Der Athem eines Menschen glich bei einer Kälte von 25 bis 30° Reaum., wie sie noch in der zweiten Hälfte des Februars Statt fand, in geringer Entfernung dem Pulverdampfe eines so eben abgeschossenen Gewehrs, und der Athem einer auf dem Eis arbeitenden kleinen Truppe einer dicken weißen Wolke.

„Am 6. März endlich" — fährt Parry fort — „stieg früh um 8 Uhr das Thermometer wieder einmal bis zu Null hinauf" (d. h. 0° Fahr., was soviel ist als — $14\frac{2}{9}$° Reaum., eine Kälte, die bei uns für eine strenge Winterkälte gilt) „dergleichen hohe Temperatur wir seit dem 17. Dezember nicht mehr gehabt hatten. . . Eben so gelinde Witterung war am folgenden Tage."

Unterdessen war die Sonne so weit nach Norden herauf gerückt, daß sie vom 1. Mai an um Mitternacht schon nicht mehr unterging. Gleichwohl herrschte an diesem Tage noch ein rauher Nordwind und es fiel ein so häufiger Schnee, daß binnen wenigen Stunden ein kleines Haus, das man zur Aufbewahrung des Takelwerks u. dgl. an der Küste erbaut hatte, gänzlich eingeschneit war. Vom 12. Mai an zeigten sich wieder einige Thiergattungen, z. B. Rebhühner, Füchse, Rennthiere, Bisamochsen, und es wurden nun häufige Jagden von der Schiffsmannschaft veranstaltet. Während des strengsten Winters hatten alle Thiere diese Gegenden verlassen und waren nach Süden gezogen. Nur eine Wölfinn war, aus Anhänglichkeit an einen Hund von den Schiffen, mit welchem sie bald nach seiner Ankunft Bekanntschaft gemacht hatte, da geblieben.

Im Juni legte Parry ein kleines Gärtchen an, und säete Radieschen (Monatrettige), Zwiebeln, Senf und Kresse. Allein trotz aller angewandten Sorgfalt verunglückte der ganze Versuch. Das Laub der Radieschen hatte am Ende des Juli erst einen Zoll Länge, und von den übrigen Sämereien war nicht einmal etwas aufgegangen. Eine Ausnahme machten Erbsen, welche die Matrosen zu ihrem eigenen Spaß ausgesäet hatten; sie wuchsen recht herrlich und es that dem Befehlshaber leid, daß er nicht auch darauf bedacht gewesen, indem schon die bloßen Blätter, gesotten, doch für Menschen, welche mehr als zehn Monate lang aller frischen Pflanzenkost hatten entbehren müssen, ein gesunder Salat seyn konnte.

Der 22. Mai war der erste Tag, wo man mehre Stellen des Bodens der Insel von Schnee entblößt fand, und wo man aus einer kleinen Vertiefung von geschmolznem Schnee eine kleine Flasche füllen konnte. Auch entdeckte man, daß in der Nähe der Schiffe außerordentlich viel Sauerampfer zu wachsen beginne, eine Pflanze, die, nebst dem Löffelkraut, auch in andern Polarländern, wie Spitzbergen und Nowaja Semlja, wo sonst keine Pflanze als einige Moose und Flechten, Steinbrechen, Ranunkeln ꝛc. fortkommen, gut gedeiht, und ein schätzbares Arzneimittel gegen den Scorbut ist.

Am 24. Mai fiel der erste Regen. Parry beschloß in Begleitung mehrer seiner Leute eine Wanderung durch die Melville-Insel vorzunehmen. Am 30. Mai bestieg er einen in der Nähe des Hafens liegenden Berg, um Versuche mit einem Wagen zu machen, den er zum Fortschaffen des Gepäcks hatte zimmern lassen. Aber das Meer zeigte immer noch eine ununterbrochen fortgehende Oberfläche festen Eises, welches nicht weniger als 6 bis 7 Fuß Dicke haben konnte. Den 1. Juni ward die Reise wirklich angetreten, und beschlossen, bloß in den Nachtstunden zu wandern, weil man in diesen hinlängliches Sonnenlicht und dabei den großen Vortheil hatte, der Hitze zu entgehen, und den allzublendenden Sonnenschein zu vermeiden, der beim Schnee den Augen so schädlich ist. Gleichwohl blieb die Reisegesellschaft von der sogenannten Schneeblindheit, einer Krankheit, welche in ganz Nord-Amerika sehr häufig ist, nicht verschont, wie dieses Uebel denn auch schon früher unter der Schiffsmannschaft eingerissen war. Es besteht in einer Entzündung der Augen, und ist mit einem Gefühl verbunden, als wenn Sand oder Staub hinein geworfen worden wäre. Unsere Reisenden heilten sich durch Baden des Auges in einer Mischung von kaltem Wasser und essigsaurem Blei.

Nach einer mühevollen Wanderung, bei der das Fortbringen des Wagens auf dem schmelzenden Schnee und dem weichen Erdboden ungemein beschwerlich war, gelangte man am 6. Juni im Norden der Insel an das Meer. Dieses war hier noch durchaus mit zusammenhangendem Eise und mit Schnee bedeckt, so daß es Anfangs gar nicht mit Gewißheit zu bestimmen war, ob man sich noch auf dem Lande oder wirklich auf dem Meere befinde. Zum vollständigen Beweis machten Parry und einige seiner Gefährten ein Loch in das Eis, welches nicht weniger als 14 Fuß 4 Zoll dick war, und schöpfte zur künftigen Untersuchung der specifischen Schwere des unter demselben befindlichen Wassers eine Flasche davon. Dieser Theil der Nordküste lag, nach sorgfältig angestellten astronomischen Beobachtungen, unter 75° 34′ 37″ Breite und 110° 35′ 52″ westlicher Länge von Greenwich. Die Abweichung der Magnetnadel war etwas über 135° nach Osten.

Auf der Rückreise, die sie nun auf einem andern Wege antraten, fanden sie außer den oben erwähnten Moosen und Sauerampfer, auch einige Zwergweiden und Steinbrech, so wie eine Ranunkel in voller Blüthe. In den Nachtstunden fror es noch. Auf einer Landspitze wurden Ueberreste von sechs Eskimos-Hütten gefunden. Parry glaubt, daß diese Leute in den Monaten Juli und August hierherkommen, und daß alsdann der Aufenthalt hierselbst, der reichen Jagd wegen, sehr angenehm seyn möge. Am 15. Juni Abends trafen die Reisenden wieder in ihrem Winterhafen ein. Bei der Durchsicht der Schiffsvorräthe fand sich, mit Ausnahme des fast verdorbenen Citronensaftes und Weinessigs, Alles noch in eben so gutem Zustande, wie bei der Abreise aus England. Außer der großen Sorgfalt, mit welcher bei der Ausrüstung des Schiffes auf die vorzüglichste Güte aller Lebensmittel und ihre Verpackung gesehen worden war, mußte die treffliche Erhaltung derselben auch den fäulnißhindernden und das Ungeziefer vertilgenden Eigenschaften einer kalten Atmosphäre zugeschrieben werden.

Man machte nun Anstalten zur Abreise aus dem Hafen. Vom 17. an trat die herrlichste Witterung ein und der Sauerampfer war jetzt in so großer Menge zu bekommen, daß er hinreichend für die Mannschaft beider Schiffe gepflückt werden konnte. Am 10. war alles Land um den Hafen her mit den schönsten purpurrothen Stein- brech- und Mohnblüthen bekleidet. Der 31. Juli war der erste Tag, wo sich plötzlich die ganze Eismasse des Hafens brach und langsam nach Südosten hin in Bewegung setzte. Die Stunde der Erlösung hatte geschlagen und die Schiffe verließen am folgenden Tage diesen gräulichen Ort, an welchem sie länger als zehn Monate verweilt hatten.

VIII.

Von der Elektricität der Luft.

Ehe wir von den elektrischen Erscheinungen in der Atmosphäre reden können, dürfte es nöthig seyn, einige allgemeine Belehrungen über Elektricität überhaupt vorauszuschicken *).

Wenn man eine Stange Siegellack oder eine Glasröhre, oder ein Stück Bernstein, welches seit längerer Zeit nicht berührt worden, nimmt, und es kleinen Stückchen Papier, feinen Sandkörnern, Stroh, Federn, oder andern leichten Körpern nahe bringt: so werden diese davon keinen Eindruck erhalten. Wenn man aber die Siegellack = Stange, die Glasröhre oder den Bernstein lebhaft mit einem wollenen Lappen oder einem trocknen Katzenfelle reibt, und sie dann jenen kleinen Körperchen nahe bringt, so werden diese sogleich auf sie zufliegen, oder von dem Siegellack rc. auf ähnliche Weise angezogen werden, wie das Eisen vom Magnete.

Man nennt diese Eigenschaft der Körper, durch Reiben in einen solchen Zustand versetzt zu werden, die **Elektricität**, von dem griechischen Worte **Elektron**, welches **Bernstein** bedeutet, weil sie an diesem Körper zuerst und schon von den Alten wahrgenommen worden ist. Gleichwohl sind viele Jahrhunderte verstrichen, ohne daß

*) **Gehlers** Physikalisches Wörterbuch rc. Neue Bearbeitung. Art. Electricität. **Biot's** Anfangsgründe rc. I. Th. 4tes Buch. **Neumanns** Lehrbuch der Physik rc. II. Th. 12tes Hauptst. **Mayers** Anfangsgründe rc. XIII. Cap.

man diese Wahrnehmung genauer beachtet und die Entdeckung weiter verfolgt hätte. Erst von der Mitte des siebzehnten Jahrhunderts an beschäftigten sich einige Naturforscher, namentlich ein Otto von Guerike, ein Wilhelm Gilbert, Du Fay u. A. wieder mit der Untersuchung der elektrischen Erscheinungen; am sorgfältigsten aber bekümmerte man sich in den letzten siebzig Jahren um die Kenntniß der elektrischen Körper, und die Lehre von der Elektricität ist durch die Bemühungen eines Franklin, Cavallo, Lichtenberg, Volta u. A. so ausgebildet worden, daß sie heut zu Tage einen der wichtigsten und anziehendsten Theile der Naturlehre ausmacht.

Nimmt man zu den vorhin angeführten Versuchen Glasröhren oder Siegellack-Stangen von beträchtlicher Größe, z. B. von 1 bis 1½ Zoll Dicke und 1 bis 2 Fuß Länge: so werden die Wirkungen, welche sie nach dem Reiben äußern, ungleich lebhafter und auffallender. Die einer solchen elektrisirten Röhre nahe gebrachten leichten Körper fliegen schon in einer kleinen Entfernung, und mit Heftigkeit auf dieselbe zu; einige bleiben daran hangen, andere werden nach kurzer Berührung wieder zurückgestoßen. Bringt man die Röhre der Hand oder dem Gesichte nahe, so hat man eine Empfindung, als ob man von Spinnweben berührt würde. Berührt man sie mit dem Knöchel des Fingers oder mit einem runden Metallkörper, so hört man das Knistern eines Funkens, der nach dem berührenden Körper hinspringt, und im Finger empfindet man ein schwaches Stechen. Wenn der Versuch im Finstern angestellt wird, so ist dieser Funke sichtbar, und man sieht zugleich einen bläulichen Lichtschein dem reibenden Körper folgen, so wie man ihn längs der Röhre hin bewegt.

Alle diese Erscheinungen werden noch viel auffallender, wenn statt der Glasröhre oder Siegellack=Stange eine Glaswalze oder Glasscheibe, oder eine Harzkugel, Harzscheibe rc. von beträchtlichem Durchmesser mit einem trockenen weichen Körper, z. B. Flanell, Goldpapier, Taffet, Leder u. dgl. so in Verbindung gesetzt wird, daß sie mittelst einer Kurbel schnell umgedreht und an dem weichen Körper gerieben werden kann. Man nennt eine solche Vorrichtung eine Elektrisir=Maschine, und bringt dabei gewöhnlich noch andere Einrichtungen an, wodurch die Wirkung der Maschine noch sicherer und stärker gemacht wird.

Alle glasartigen und harzartigen Körper, auch Kazzenfelle, Seide u. a. bringen die angeführten elektrischen Erscheinungen hervor; aber von Metallen, Steinen, Erde, Wasser rc. rc. erhält man sie nicht. Nimmt man nämlich eine metallene Röhre in die Hand und reibt man sie mit einem Stück Wollentuch oder einem Katzenfelle: so wird man keine Lichterscheinungen und Anziehungen leichter Körper wahrnehmen. Faßt man aber die nämliche Metallstange nicht mit der Hand, sondern befestigt an derselben einen Handgriff von Glas oder recht trockenem Harze, und reibt sie nunmehr, ohne sie mit einem andern Körper als dem Reibezeuge zu berühren: so erhält sie alle elektrische Eigenschaften und zeigt die nämlichen Erscheinungen wie die Glas= oder Siegellack=Stange. Eben dieß findet Statt wenn der metallne Körper an einer seidenen Schnur aufgehängt, oder von einer mit Seidenzeug umwickelten Hand gehalten, und nun mit einem Katzenfelle gepeitscht wird.

Die metallne Röhre muß also durch Glas oder Seide außer aller Verbindung mit andern Körpern gesetzt, oder wie es die Naturkundigen nennen, isolirt werden, wenn sie durch Reiben elektrische Eigenschaften erhalten soll. Sobald man sie mit dem Finger oder einem andern Stück Metall berührt, so verliert sie dieselben augenblicklich. Man nannte sonst diejenigen Körper, welche, wie Glas und Harz, keiner Isolirung bedürfen, um elektrisch zu werden, idioelektrische (d. h. selbstelektrische, an und für sich elektrische) Körper, oder auch wohl schlechtweg elektrische Körper, und die andern, welche der Isolirung bedürfen, nichtelektrische Körper. Allein dieses war ein Irrthum, den man jetzt aufgegeben hat. Denn auch die Letztern lassen sich, wie die angeführten Versuche zeigen, elektrisch machen; aber sie besitzen nur, wenn sie mit andern Körpern ihrer Art in Verbindung stehen, das Vermögen nicht, die Elektricität zu bewahren. Richtiger nennt man sie Leiter oder leitende Körper, und jene der ersten Art Nichtleiter oder nichtleitende Körper. — Das Isoliren der Leiter geschieht immer durch Nichtleiter; Metall z. B. wird nicht bloß, wie wir vorhin gesehen haben, durch Glas oder Seide, sondern auch dadurch isolirt, daß man es auf Pech, Schwefel, Siegellack u. s. w. stellt.

Die Erfahrung lehrt, daß es weder ganz vollkommene Nichtleiter, noch ganz vollkommene Leiter giebt.

Ein Körper, welcher unter gewissen Umständen ein Leiter ist, kann unter andern Umständen ein Nichtleiter werden. So sind z. B. Pech, Oel und Glas im gewöhnlichen Zustande Nichtleiter, im siedenden oder geschmolzenen aber Leiter. Da alle flüssige Körper, mit Ausnahme der Luft und des Oels, gute Leiter sind: so können sich alle Nichtleiter, wenn sie naß werden, ebenfalls in Leiter verwandeln. Dieß geschieht z. B. mit der Luft, wenn sie mit vielen feuchten Dünsten angefüllt ist. Daraus erklärt es sich, daß die elektrischen Versuche in einem feuchten Zimmer schlecht oder gar nicht von Statten gehen, weil ein jeder elektrisirter Körper seine Elektricität schnell an die ihn umgebende feuchte Luft absetzt. Ein sehr guter Leiter ist der menschliche und thierische Körper, so wie auch die feuchte Erde, und die Erfindung der Blitzableiter, welche wir dem berühmten Nordamerikaner Franklin verdanken, beruht darauf, daß eine oder mehre auf einem Gebäude angebrachte Metallstangen entweder mit dem Erdboden oder mit einem benachbarten fließenden Wasser in Verbindung gesetzt werden.

Auf der Leitungsfähigkeit der Metalle insbesondere beruht diejenige Vorrichtung bei der Elektrisir-Maschine, welche vorzugsweise der Leiter, oder mit einem lateinischen Worte, der Conductor, genannt wird. Gewöhnlich besteht er aus einer Walze von Metallblech, welche entweder an seidenen Schnüren aufgehängt, oder von gläsernen Füßen getragen und dadurch isolirt wird. Seine Stellung ist wagrecht und so, daß er mit dem einen Ende ganz nahe an dem Reiber oder der Glaswalze steht, die durchs Reiben elektrisch gemacht wird. An dieser Stelle muß er mit einer scharfen Kante oder mit Spitzen versehen seyn, damit die in der Glaswalze hervorgebrachte Elektricität sich ihm sogleich mittheilen könne. Die Erfahrung lehrt nämlich, daß durch Spitzen die Elektricität nicht nur viel leichter in einen Körper eindringt, sondern auch eben so leicht daraus entweicht. Aus dem letztern Grunde muß auch die übrige Oberfläche des Conductors so viel als möglich abgerundet werden. Alle Elektricität, die sich durch das Umdrehen der Glaswalze und durch deren Reibung an dem Kissen oder Reibzeug entwickelt, geht sogleich in den Conductor über und wird darin, da er isolirt ist, aufgesammelt. Berührt man nunmehr den Conductor mit einer andern, und zwar ebenfalls, z. B. durch einen gläsernen Griff isolirten Metallstange: so wird diese auch elektrisch, und man kann auf diese Art die Elektricität nach Gefallen überall hinleiten. Ist die Metallstange an ihrem vordern Ende abgerundet, so geschieht der Uebergang der Elektricität durch einen aus dem Conductor in die Metallstange springenden feurigen Funken, der von einem leichten Knall begleitet wird. Die größte Entfernung, in die ein Funke überschlägt, heißt die Schlagweite, und kann bei einer großen Maschine an zwei Fuß betragen. Nähert man sich aber dem geladenen (d. h. mit Elektricität erfüllten) Conductor mit einem spitzigen Körper: so erfolgt der Uebergang der Elektricität ohne einen solchen Funken, und gleichsam nur durch Einsaugen der Spitze. Aus diesem Grunde werden auch bei den Blitzableitern auf

Gebäuden senkrecht emporstehende spitzige Stangen angebracht, so daß schon dadurch der über dem Gebäude befindlichen Luft ein Theil ihrer Elektricität entzogen wird. Im Finstern bemerkt man an den Spitzen sowohl des Conductors als der ihm nahe gebrachten Körper ein schwaches bläuliches Licht, und bringt man demselben einen unbedeckten Theil des menschlichen Körpers nahe, so empfindet man an diesem Theile das Blasen eines Windes. Man nennt dieß auch die elektrische Strömung. Auch verspürt man in der Nähe stark elektrischer Körper einen eignen phosphorartigen Geruch. Die Entfernung, in welcher von einem elektrisirten Körper die ihm genäherten leichten Körperchen angezogen werden, und bis zu welcher sich jene Erscheinungen des Lichts, des Windes und des Geruchs ausdehnen, nennt man den elektrischen Wirkungskreis oder auch die elektrische Atmosphäre dieses Körpers.

Wenn man an dem Conductor einen Metalldraht befestigt: so kann durch denselben die Elektricität des Conductors so weit fortgeleitet werden, als der Draht nur immer lang ist.

Stellt sich ein Mensch auf einen Fußschämel, der mit gläsernen Füßen versehen ist, und setzt er sich, entweder durch unmittelbare Berührung oder durch eine Kette, die er an der Hand hält, mit dem Conductor in Verbindung: so wird er dadurch ein Theil des Conductors, und alle Erscheinungen, die sonst an dem Letztern allein hervorgebracht werden, lassen sich nun auch an dem Menschen beobachten. Er zieht leichte Körperchen an und stößt sie nach einem Weilchen wieder von sich ab. Nähert man sich ihm mit der bloßen Hand oder mit einem runden leitenden Körper, so fahren Funken aus ihm, und er empfindet an der Stelle des Körpers, wo sie heraus fahren, in diesem Augenblicke einen stechenden Schmerz. Seine Haare steigen senkrecht in die Höhe, und im Dunkeln sieht man Lichtbüschel daraus emporfahren, welche man auch an andern spitzigen Körpern bemerkt, die er in den Händen oder sonst an sich hat. Man sagt von einem solchen Menschen, daß er sich im elektrischen Bade befinde. Außer jenem stechenden Schmerze bei der Annäherung eines fremden Leiters, hat er keine besondere Empfindung, ausgenommen, daß er bei länger fortgesetztem Elektrisiren anfängt, eine erhöhte Wärme durch den ganzen Körper zu verspüren. In der Heilkunde hat man auf diese Weise das Elektrisiren gegen mancherlei Krankheiten, Lähmungen rc. angewendet.

Einen sehr wichtigen Fortschritt machte die Lehre von der Elektricität, als man zu der wichtigen Entdeckung gelangte, daß es zweierlei, sich einander in ihren Wirkungen entgegengesetzte Arten von Elektricität gebe. Folgende Erfahrungen beweisen dieß.

Man elektrisire einen gläsernen Körper durch Reiben mit einem Stück Wollenzeug, und auf die nämliche Art auch einen harzigen Körper. Hierauf befestige man ein Kügelchen von Kork oder noch besser von Hollundermark, einem sehr leichten und im hohen Grade leitenden Körper, an einem seidenen Faden und nähere so dasselbe dem elektrisirten Glaskörper. Das Kügelchen wird jetzt angezogen, aber auch sogleich, nachdem es das Glas berührt hat, wieder abgestoßen werden. Nun nähere man das nämliche Kügelchen dem elektrisirten Harzkörper, und man wird hier die nämliche Erscheinung bemerken: es wird zuerst angezogen und nach der Berührung wieder abgestoßen werden. Bringt man es nunmehr wieder dem Glaskörper nahe, so wird es wieder von diesem angezogen werden u. s. w. Es zeigt sich also, daß das Kügelchen in dem Zustande, worin es von dem Glase abgestoßen wird, von dem Harze angezogen werde, und umgekehrt, daß es in dem Zustande, worin es vom Harze abgestoßen wird, vom Glase angezogen werde. Die Elektricität also, die es vom Glase erhält, muß eine andere seyn, als diejenige, welche es vom Harze erhält. Die Verschiedenheit dieser beiden Elektricitäten zeigt sich noch auffallender bei folgendem Versuche. Man hänge zwei Kork- oder Hollundermark-Kügelchen wie vorhin an seidenen Fäden auf, und elektrisire nun beide, entweder bloß durch den geriebenen Glaskörper, oder bloß durch den geriebenen Harzkörper. Nähert man jetzt beide Kügelchen einander, so werden sie sich fliehen, oder eins wird vom andern abgestoßen werden. Wird aber das eine Kügelchen durch Glas, das andere durch Harz elektrisirt: so werden sie sich bei der Annäherung wechselseitig anziehen.

Einige Naturforscher pflegen die durch Reiben mit Wolle in dem Glase hervorgebrachte Elektricität die Glas-Elektricität, und die entgegengesetzte, welche gleichfalls durch Reiben mit Wolle in dem Harze entsteht, die Harz-Elektricität zu nennen. Allein genauere Beobachtungen haben gelehrt, daß diese Benennungen nicht ganz passend sind, indem sich beide Arten von Elektricität in jedem Körper, z. B. die Harz-Elektricität sich auch im Glase erregen läßt, wenn es nämlich mit einem Katzenfelle, statt mit Wolle gerieben wird. Umgekehrt kann auch dem Harze durch Reibung mit einem sogenannten Amalgam (einem Gemisch aus Queckſilber, Zink und Zinn) die Glas-Elektricität mitgetheilt werden. Es kommt also bloß auf das Reibezeug, nicht auf den geriebenen Körper an, was für eine Elektricität im Letztern hervorgerufen werden soll. Auch lehren Versuche, daß wenn man zwei ungleichartige Körper mit einander reibt, beide elektrisch werden, aber die Elektricität des einen ist der des andern entgegengesetzt. Die meisten Naturforscher nennen daher die oben beschriebene Glas-Elektricität die *positive*, und die Harz-Elektricität die *negative Elektricität*, so daß durch diese beiden Benennungen bloß die *Gegensätze* der beiden Zustände bezeichnet werden sollen, ungefähr auf die Art, wie man auch in der Rechenkunst von positiven und negativen Größen (z. B. Vermögen und Schulden, Einnahme und Ausgabe, Vorschritte und Rückschritte rc.) spricht, und jene mit +, diese mit — bezeichnet. Eben so bezeichnet man auch die positive Elektricität mit + E, die negative mit — E.

Aus den vorhin beschriebenen Versuchen geht das allgemeine Gesetz hervor: *Gleichartige Elektricitäten stoßen einander ab, ungleichartige aber, oder entgegengesetzte, ziehen einander an.* Wenn wir die obige Bezeichnung anwenden, so lautet dieses Gesetz so:

+ E stoßt ab + E
— E stoßt ab — E
+ E zieht an — E
— E zieht an + E.

Es gilt nicht allein von denjenigen Körpern, in welchen das + E oder — E ursprünglich, durch Reibung erweckt worden ist, sondern auch von denjenigen, welchen beide Arten von Elektricität bloß mitgetheilt worden sind.

Ein an einem Seidenfaden auf oben beschriebene Art aufgehängtes Kork- oder Hollundermark-Kügelchen (ein elektrisches Pendel) läßt sich als Mittel anwenden, die Art der Elektricität, welche ein gewisser Körper besitzt, zu erkennen. Da der Grad von Elektricität bei manchem Körper und in manchen Fällen ungemein schwach seyn kann: so muß das Pendel so empfindlich als möglich gemacht werden. Dieß geschieht dadurch, daß man das Kügelchen vom möglichst kleinsten Durchmesser macht, und es an einen möglichst dünnen Faden, etwa wie ihn der Seidenwurm spinnt, aufhängt. Will man nun die Art der Elektricität eines gewissen Körpers erforschen, so theilt man dem Kügelchen zuvörderst eine oder die andere Elektricität mit, z. B. + E durch Berühren mit einer durch Reiben mit Wolle elektrisch gemachten Glasröhre. Nun reibt man den Körper, welchen man untersuchen will, ebenfalls und nähert ihn dem Pendel. Wird er zurückgestoßen, so besitzt er ebenfalls + E; wird er aber angezogen, so hat er — E. Das Gegentheil findet im umgekehrten Falle Statt.

Nachstehendes Verzeichniß enthält mehre Körper, welche + E annehmen, wenn sie mit den auf sie folgenden Körpern, — E aber, wenn sie mit den ihnen voranstehenden gerieben werden:

Katzenfell,
Polirtes Glas,
Wollenzeug,
Federn,
Hölzer,
Papier,
Seide,
Gummilack,
Matt geschliffenes Glas.

Es ist merkwürdig, daß das Naturgesetz, wodurch jeder einzelne Körper bestimmt wird, + E oder — E anzunehmen, bis jetzt noch nicht entdeckt ist. Unterhaltend sind die Versuche, welche sich mit schwarzen und weißen seidenen Strümpfen anstellen lassen. Wenn man nämlich bei kaltem und trockenem Wetter einen weißen und einen schwarzen seidenen Strumpf über einander anzieht, und einige Stunden lang trägt, und man zieht nun beide Strümpfe zusammen aus, faßt den äußern beim untern Ende, und den innern beim obern Ende an, und zieht sie so auseinander: so zeigt es sich, daß der weiße Strumpf + E, der schwarze — E habe. Hält man beide Strümpfe in einiger Entfernung von einander, so blasen sie sich dergestalt auf, daß sie die ganze Gestalt des Fußes zeigen. Zwei weiße geriebene Strümpfe, so wie zwei schwarze, stoßen sich ab; ein weißer aber und ein schwarzer ziehen sich an. Bringt man beide sich näher, so fahren sie mit Gewalt an einander. Während ihrer Annäherung verschwindet die Aufgeblasenheit, und nach der Berührung liegen sie dicht und schlaff an einander.

Wir haben bisher nur die Reibung als dasjenige Mittel kennen gelernt, wodurch die ursprüngliche Elektricität in den Körpern hervorgerufen werden kann. Sie ist aber nicht das einzige Mittel dazu. Auch das Schmelzen und Erkalten, Auflösungen mancher Art, Ausdunstungen, so wie das Erwärmen und Abkühlen einiger Körper, können gleichfalls Elektricität erregen. Durchs Schmelzen geschieht es z. B. beim Schwefel, Siegellack, der Chokolade, dem Wachs ꝛc. Wird der geschmolzene Schwefel in ein Gefäß von gedörrtem Holze gegossen, so bekommt er — E und das Holz + E; gießt man ihn aber auf andern Schwefel, oder auf matt geschliffenes Glas, so zeigt er keine merkliche Elektricität. Die Erregung der Elektricität durch Erwärmung und Abkühlung hat man zuerst am Turmalin wahrgenommen, einem harten, halbdurchsichtigen, meist dunkelbraunen, inwendig glänzenden, kleinen Steine, welcher sich in vielen Gegenden von Asien, Europa und Amerika findet. Während der Zeit, da er erwärmt wird, zeigt sich die eine Seite +, die andere — elektrisch. Wird er wieder erkältet, so wechseln die Elektricitäten und jene Seite zeigt — E, diese + E. Auch andere Mineralien, z. B. der brasilische und sibirische hochgelbe Topas, der krystallisirte Galmey, und der Boracit, haben die Eigenschaft, durch Erwärmen oder Erkälten elektrisch zu werden. In Ansehung der Ausdunstung hat man gefunden, daß die Dämpfe des Wassers und anderer Flüssigkeiten, auch das Aufbrausen mehrer Körper, Elektricität hervorbringen. Der Dunst oder Dampf erhält + E, und das zurückgebliebene Unverdunstete zeigt — E. Verdichtet man die Dämpfe, oder bringt man sie wieder zu ihrer vorigen flüssigen Gestalt: so bekommen sie — E, und diejenigen Körper, mit welchen sie zuletzt in Berührung zeigen, waren nun + E. Es läßt sich denken, welche ungeheure Menge von Elektricität fortwährend auf der Erd-Oberfläche und in der Luft durch die unaufhörlichen chemischen Prozesse aller Art erregt werden müsse.

An mancherlei Hypothesen zur Erklärung der elektrischen Erscheinungen hat es bisher nicht gefehlt. Wir können uns aber nicht umständlich darauf einlassen. Sie laufen im Wesentlichen auf zwei hinaus. Das eine System, welches das dualistische heißt, nimmt eine feine, unwägbare Flüssigkeit an, die sie elektrisches Fluidum oder elektrische Materie nennt und welche alle andere Körper durchdringt. Sie ist aus zwei verschiedenen Stoffen, dem + E und dem — E, zusammengesetzt, welche durch Anziehung oder Verwandtschaft eng mit einander vereinigt sind, aber unter gewissen Umständen geschieden werden können. So lange die Vereinigung in einem Körper Statt findet, zeigt dieser keine elektrischen Kräfte; er ist, wie man sich ausdrückt, im natürlichen Zustande. Die Trennung wird durch Reiben, Erkälten, Erwärmen u. s. w. zu Wege gebracht.

Dem Dualismus ist das Franklin'sche oder

das System der Unitarier entgegengesetzt, vermöge dessen alle Erscheinungen der Elektricität nur Ergebnisse des Ueberschusses oder des Mangels einer einzigen überall verbreiteten, sehr feinen Materie sind, deren Theilchen zwar von andern Körpern angezogen werden, aber unter sich selbst einander fortwährend abstoßen. Beim Reiben zweier Körper wird diese Materie aus einem derselben in Freiheit versetzt; sie häuft sich nun um den andern als Atmosphäre an, und versetzt diesen in den + E=Zustand; der andere Körper, welcher die Materie hergegeben hat, also seines natürlichen Antheils derselben beraubt worden ist, wird dadurch in den — E=Zustand versetzt.

Das dualistische System scheint indeß die meisten Erscheinungen besser zu erklären als das Franklinsche.

IX.

Fortsetzung des Vorigen. — Von dem Blitze.

In der Atmosphäre ist zu jeder Zeit und überall eine bald größere, bald geringere Menge Elektricität vorhanden, welche mancherlei Lufterscheinungen hervorbringt. Die bekannteste darunter ist der Blitz.

Es giebt mancherlei Vorrichtungen und Werkzeuge, wodurch sich die Elektricität der Luft, auch wenn kein Gewitter ist, entdecken und untersuchen läßt. Beccaria, ein Geistlicher zu Turin, beschäftigte sich bereits um die

Hälfte des vorigen Jahrhunderts mit diesem Gegenstande. Er bediente sich eines eisernen Drahtes von 132 Fuß Länge, welchen er mit dem einen Ende an einer über dem Schornsteine seiner Wohnung hervorragenden Stange, mit dem andern am Gipfel eines hohen Kirschbaumes befestigte. Beide Enden waren isolirt. Mit diesem Drahte stand ein anderer, kürzerer, in Verbindung, der durch eine dicke, mit Siegellack überzogene Glasröhre geführt war und bis in das Zimmer des Beobachters reichte. Hier stand am Ende des Drahtes wieder ein kleiner Streifen Metall damit in Verbindung, an dessen beiden Seiten zwei Korkkügelchen an seidenen Fäden aufgehängt waren.

Auch die als Kinder-Spielwerk bekannten papiernen Drachen sind von eben diesem Beccaria, so wie von Franklin in Philadelphia und mehren andern Naturforschern, benützt worden, die Elektricität der höhern Luftgegenden zu erforschen. Die Hauptsache dabei ist eine mit Draht durchflochtene hanfene Schnur, an welcher der Drache befestigt ist, und welche die Elektricität der Luftgegend, wo der Drache schwebt, herableitet. Das untere Ende dieser Schnur ist isolirt und mit Elektricitäts-Zeigern, Korkkügelchen u. dgl. versehen. Man nennt diese ganze Vorrichtung den Elektrischen Drachen.

Ein Herr de Romas, zu Nerac im südlichen Frankreich, stellte mit einem solchen elektrischen Drachen im Sommer 1753 sehr merkwürdige Versuche an. Am Ende der Schnur auf der Erde stand eine blecherne Röhre damit in Verbindung, aus welcher de Romas, wie aus dem Conductor einer Elektrisir = Maschine, Funken ziehen konnte. Der Drache hatte 18 Flächenfuß Ausdehnung; die Schnur war 780 Fuß lang und machte, als der Drache 550 Fuß hoch gestiegen war, einen Winkel von 45 Graden mit dem Erdboden. Am 7. Juni, um 1 Uhr Nachmittags, zog er Funken heraus, deren Knistern man auf 200 Schritte weit hören konnte. Ungeachtet er dabei über drei Fuß weit von der Schnur entfernt war, kam es ihm vor, als ob Spinnenweben über sein Gesicht hinzögen. Eine zahlreiche Gesellschaft hatte sich versammelt, um den Versuchen zuzuschauen. De Romas bat sie, weiter zurückzutreten, was er auch selbst that. Ueber dem Drachen schwebten Wolken, aber weder Blitz, noch Donner, noch Regen zeigte sich. Gleichwohl zeigte der Conductor ein fortwährendes Zunehmen der Elektricität. Strohhalme, die auf dem Erdboden, drei Fuß unter dem Conductor, lagen, richteten sich empor und tanzten wie Puppen im Kreise herum, ohne jedoch einander zu berühren. Nach einer Viertelstunde fing es ein wenig zu regnen an, wobei de Romas wieder die Empfindung von Spinnenweben im Gesichte hatte und ein beständiges Prasseln hörte. Er ließ die Gesellschaft jetzt noch weiter zurücktreten. Nun ward auch der längste Strohhalm vom Conductor angezogen, und es erfolgten drei Explosionen, wie Donnerschläge. Sie glichen, nach der Aussage einiger Zuschauer, dem Platzen der Racketen, nach andern dem gewaltsamen Zerschlagen irdener Krüge gegen einen mit Stein belegten Boden. Der dabei hervorbrechende Feuerstrahl war 8 Zoll lang und fast einen halben Zoll breit. Zugleich ward ein Geruch von brennendem Phosphor empfunden und rings um die Schnur, ungeachtet es heller Tag war, eine starke Lichthülle von 3 bis 4 Zoll im Durchmesser wahrgenommen. Später entdeckte man auch, gerade unter der Vorrichtung, in der Erde ein Loch von ½ Zoll Weite und 1 Zoll Tiefe. Ein starker Hagel mit Regen, der endlich eintrat, machte, daß der Drache aus der Luft herabfiel. Die Schnur verwickelte sich dabei an einem Dache, und Jemand, der sie losmachen wollte, bekam einen so heftigen Schlag und eine solche Erschütterung durch den ganzen Körper, daß er die Schnur fahren lassen mußte. Auch einige andere Personen, welchen die Schnur an die Füße fiel, bekamen noch, obwohl schwächere, elektrische Schläge.

Sowohl de Romas als auch andere Naturforscher haben später auf Vorrichtungen gedacht, wodurch die mit solchen Versuchen verbundenen Gefahren abgewendet werden könnten. Namentlich erfand de Romas einen Auslader, welcher aus einer blechernen Röhre bestand, die an einem mehre Schuh langen gläsernen Griffe befestigt war. Von dieser blechernen Röhre hing eine metallene Kette bis auf den Erdboden hinab. Nahm er nun den gläsernen Griff in die Hand und näherte die Metallröhre dem Conductor an der Schnur des Drachen, so mußte der stärkere Funke, welcher herausfuhr, sogleich durch die Kette in den Erdboden geleitet werden. De Romas hat später Funken durch seinen Drachen erhalten, welche an 10 Fuß lang und 1 Zoll dick waren. Der damit verbundene Knall glich einem Pistolenschusse.

Welche Gefahr mit dergleichen elektrischen Versuchen verbunden sei, beweist das traurige Schicksal des Professors Richmann zu Petersburg, der am 6. August 1753 ein Opfer seiner Forschbegierde wurde. Er hatte am Dache seines Hauses eine eiserne Stange aufgerichtet, und metallne Drähte, die bis in sein Zimmer gingen, damit in Verbindung gebracht. Das Ende derselben war hier durch einen gläsernen, zum Theil mit Messingspähnen angefüllten Becher isolirt, um die Elektricität daselbst anzuhäufen. Zugleich befand sich hier ein Elektricitäts-Zeiger. Am vorerwähnten Tage stieg um die Mittagsstunde ein Gewitter auf. Richmann stellte während desselben, in Gesellschaft des akademischen Kupferstechers Sokolow, Beobachtungen an seiner Vorrichtung an und mußte sich dabei öfters niederbücken. Unglücklicherweise kam er das eine Mal dem Ende des Metalldrahtes mit seinem Kopfe so nahe, daß er nur noch einen Fuß ungefähr davon entfernt war. In diesem Augenblicke fuhr ein Blitzstrahl in Gestalt eines weißlich blauen Feuerballs, etwa einer Faust groß, aus dem Drahte nach seinem Kopfe, und warf ihn, ohne daß er einen Laut von sich gegeben hätte, rückwärts todt zu Boden. Auch Sokolow fiel betäubt darnieder. Dieser Blitzstrahl war von einem heftigen Knalle begleitet und ließ einen starken, nach Schwefel-riechenden Dampf zurück. Bei der Besichtigung des Professor Richmann fand man am obern Theile der Stirn, nach der linken Seite zu, einen länglich runden, mit Blut unterlaufenen Fleck, und am Leibe, vorzüglich auf der linken Seite, vom Halse an bis an das Hüftbein, acht andere rothe und blaue Flecke von verschiedener Größe. Außerdem zeigten sich noch eine Menge kleiner Flecke, auf die Art, wie wenn Jemand durch entzündetes Schießpulver beschädigt worden ist. Am linken Fuße war der Schuh aufgerissen, ohne daß man indeß eine Versengung wahrnehmen konnte; nur am bloßen Fuße sah man einen mit Blut unterlaufenen Fleck. Bei der Zergliederung fand man in der Luftröhre, in der Lunge, so wie in der Einfassung der Gekrösdrüse, viel ausgetretenes Blut, und die letzte zeigte sich gequetscht. Nach zwei Mal 24 Stunden fing der Körper an in völlige Fäulniß überzugehen. Man untersuchte nun auch den Weg, den der Blitz genommen hatte, und fand die Pfoste von der offen gestandenen Thüre von oben herunter halb gespalten. Auch der gläserne Becher und der Draht waren zerschmettert und glühende Stücke des Drahtes hatten in Sokolows Kleider Striemen eingesengt.

Diese Begebenheit bewies nicht nur die Nothwendigkeit der größtmöglichen Vorsicht bei allen dergleichen ins Große gehenden elektrischen Versuchen, sondern auch die Einerleiheit der künstlichen Elektricität unserer Vorrichtungen mit der natürlichen, oder dem Blitze.

In frühern Jahrhunderten mangelte es an einer richtigen Erkenntniß dieser eben so fürchterlichen als prachtvollen Naturerscheinung. Die Griechen und Römer hielten den Gott Hephästos (oder Vulkan) für den Verfertiger der Blitze, welche „der Herrscher im Donnergewölk“ Zeus (oder Jupiter) in seinem Zorn aus dem Olymp auf die Menschen herabschleuderte. Noch bis ins siebzehnte Jahrhundert hielten die Naturforscher den Blitz für ein Erzeugniß schwefeliger Dünste, welche in der Luft schwebten und sich durch gegenseitiges Reiben entzündeten. Selbst der berühmte Musschenbroek hatte nicht viel bessere Kenntnisse von dieser Naturerscheinung. Er nahm zwei wesentlich verschiedene Arten von Blitzen an. Die einen brachen nach seiner Meinung aus der Erde hervor, wo sie durch Entzündung schwefeliger Massen entstehen sollten; die andern, aus brennbaren Dünsten entstandenen, kamen vom Himmel herab. Erst im achtzehnten Jahrhunderte, nachdem man sich mit elektrischen Versuchen zu beschäftigen angefangen hatte, gerieth man auf den Gedanken, daß der Blitz mit dem durch die Elektrisir-Maschine hervorgebrachten elektrischen Funken einerlei und nur der Stärke nach von ihm verschieden seyn möge. Alle Wirkungen des Blitzes auf belebte und unbelebte Körper lassen sich im Kleinen auch durch die künstliche Elektricität hervorbringen. Man kann durch die Entladungen mächtiger Verstärkungen, z. B. der sogenannten Batterien und der Leidner Flaschen, Spielkarten, Pappendeckel, Stücke Holz ꝛc. durchlöchern und spalten, brennbare Körper, als Weingeist, brennbare Luft, Schießpulver ꝛc. entzünden (man denke an die bekannten Zündmaschinen), einen dünnen Eisendraht glühend machen und schmelzen u. dgl. m. Die Funken sehr großer Maschinen beschreiben in der Luft das nämliche Zickzack, wie der Blitz. Auch empfindet man dabei einen ähnlichen phosphorartigen Geruch. Wer eine geladene Leidner Flasche durch Berührung mit der Hand entladet, empfindet eine plötzliche und nach Verhältniß mehr oder weniger heftige Erschütterung durch den ganzen Körper, namentlich in den Muskeln des Armes. Diese Erschütterung theilt sich sogar in einem Augenblicke einer ganzen Kette von Personen mit, welche einander bei den Händen anfassen, und von welchen der erste die Flasche hält, der letzte sie durch Berührung entladet. Kleine Thiere können durch dergleichen Entladungen, und durch eine starke Batterie selbst größere Thiere und Menschen getödtet werden.

Winkler in Leipzig und Franklin in Nordamerika haben in den Jahren 1746 und 1747 zuerst überzeugend dargethan, daß der elektrische Funke mit dem Blitze einerlei sei. Die Entstehung des Blitzes in der Luft und den Gewitterwolken geschieht indeß nicht ganz auf die nämliche Art, wie der Funke bei unsern Elektrisir-Maschinen. Anfangs glaubte man dieß allerdings. Man betrachtete nämlich die Gewitter-Wolken als Leiter, welche aus der sie umgebenden Luft die Elektricität empfingen und durch jene isolirt wären. Käme nun eine nichtelektrisirte Wolke der geladenen nahe, so entlade sich diese, und es entstehe der Blitz. Der Donner sei der, auch bei dem künstlichen Funken wahrzunehmende, Knall, welcher durch das Echo der Wolken und der Gebirge vervielfältigt würde. Man erfand sogar Vorrichtungen, wodurch man mittelst der Elektrisir-Maschine Gewitter im Kleinen nachzumachen versuchte. Spätere Beobachtungen haben gelehrt, daß die Natur hierbei nach andern Gesetzen verfahre. Wir werden erst weiter unten, bei der Lehre vom

Gewitter überhaupt und nachdem wir die Lehre von der Ausdunstung und den wässerigen Lufterscheinungen vorgetragen haben, hiervon handeln können. Was die Erscheinungen des Blitzes betrifft, so sieht man ihn in der Luft gewöhnlich in Form eines Zickzacks auf die Erde herabfahren, welches entweder von Unterbrechungen, die seine ursprüngliche Richtung in den verschiedenen, bald feuchtern, bald trocknern Schichten der Atmosphäre erleidet oder von dem Widerstande herrührt, den ihm die vor sich hergetriebene, zusammengepreßte Luft entgegensetzt. Wahrscheinlich würde er auf jedem gegebnen Punkte seiner Bahn plötzlich aufgehalten, einen Feuerball darstellen. Wenigstens hat man dieß in solchen Fällen, wo der Blitz nur einen sehr kurzen Weg zu durchlaufen hatte, beobachtet. Reimarus *) führt einen Fall an, wo mehre Personen durch Einschlagen des Blitzes getödtet wurden und die nahe dabei Stehenden denselben in Gestalt einer feurigen Kugel herabfahren sahen. Auch bei dem vorhin erwähnten Unglücksfalle des Professors Richmann erschien der elektrische Funke der Maschine als ein Feuerball. Schübler sah bei einem Gewitter, daß zwei Blitze sich mit einem armsdicken Feuerstrom endigten, der abwärts gegen die Erde fuhr und an dessen Ende man eine Feuerkugel bemerkte, welche stärker als der Strom selbst glänzte. Unstreitig ist die schnelle Bewegung des Feuerballs Ursache, daß er wie ein Strahl erscheint.

Der Blitz fährt vornehmlich nach solchen Gegenständen, welche gute Leiter der Elektricität sind, und

*) Vom Blitze. 1778; bei Gehler, a. a. O. S. 999.

wenn ihm mehre Körper von verschiedener Leitungsfähigkeit entgegenstehen, so nimmt er seine Richtung nach dem besten und stärksten Leiter. Das letzte Ziel des aus einer Gewitterwolke hervorbrechenden Blitzes ist jedoch immer die Erde, und zwar entweder ihre Oberfläche oder unter gewissen Umständen auch ihre Tiefe. Gewöhnlich trifft der Blitz solche Körper, welche hoch in die Atmosphäre hinaufragen, leichter und eher, als niedrigere Gegenstände; entweder weil sie der Gewitterwolke am nächsten sind, oder weil sie eine weitere Fortleitung des Blitzes bis zur Erde bilden. Dergleichen Körper sind Berggipfel, Bäume, Thürme, Schiffmasten, die Giebel und Schornsteine der Häuser, die Spitzen der Blitzableiter u. dgl. m. Indessen kann ein benachbarter niedriger Gegenstand, wenn er ein stärkerer Leiter ist, als der höhere, den Blitz von diesem ab- und auf sich selbst ziehen. So führt Reimarus einen Fall an, wo ein niedriges Haus, welches an ein größeres, mit einem Ableiter versehenes angebaut war, dennoch an einer Ecke getroffen wurde, ohne Zweifel, weil auf diesem Wege von der Wolke aus bis ganz in die feuchte Erde die vollkommenste Leitung Statt fand. In gewissen, obwohl seltnen Fällen hat man auch gesehen, daß sich der Blitz vor dem Einschlagen in mehre Strahlen getheilt hat; wahrscheinlich weil er mehre gleich starke Leiter in seiner Schlagweite fand.

Da die Luft ein Nichtleiter der Elektricität ist, so kann sie auch an und für sich selbst den Blitz nicht anziehen. Es ist daher ein Vorurtheil, wenn manche Leute glauben, bei einem Gewitter Thüren und Fenster sorgfältig verschließen zu müssen, aus Besorgniß, daß durch die Zugluft der Blitz angelockt werden könne. Bloß eine stark mit Feuchtigkeit erfüllte Luftschicht kann ein Leiter für den Blitz werden; wenigstens verliert sie dadurch ihr Isolirungs-Vermögen. Daher gelingen auch bei feuchter Witterung die Versuche mit der künstlichen Elektricität weit unvollkommner als bei trocknem Wetter.

Die besten Leiter des Blitzes sind die Metalle. Diese trifft er zunächst und geht an ihnen fort, so weit sie reichen. Ist er vorher von andern Körpern geleitet worden, so verläßt er diese, sobald ihm Metalle in den Weg treten. Daher trifft er so leicht metallne Knöpfe, Stangen und Dächer auf Thürmen und Gebäuden. Jedermann weiß, wie gern sich der Blitz an den Drähten der Glockenzüge, den Gypsdecken, den vergoldeten Gesimsleisten, an eisernen Geländern rc. hinzieht. Eine zusammenhangende Metallstrecke verläßt der Blitz, nach dem bereits oben angeführten Gesetze seines Laufs, nur da, wo er einen leichtern Weg zur Erde findet.

Nächst den Metallen trifft der Blitz vorzüglich leicht Menschen und Thiere, besonders wenn sie im freien Felde die einzigen hervorragenden Gegenstände sind oder wenn sie sonst in der Richtung seiner Bahn stehen, z. B. zwischen zwei Metallen, oder einem Metall und der Erde, wo der Blitz einen Uebergang sucht. Daher die Gefahr für Menschen, vom Blitze erschlagen zu werden, wenn sie bei einem Gewitter unter Bäumen, hohen Mauern rc. Schutz vor dem Regen suchen. Indessen macht der Blitz, um den Menschen zu treffen, nie einen weiten Absprung von andern besser leitenden Körpern. Goldne Tressen an den Kleidern können daher bisweilen dazu dienen, den Strahl leichter an der Oberfläche derselben fortzuleiten. Die Körper der Thiere, besonders der Pferde, scheint der Blitz, wenn er zwischen ihnen und Menschen gleichsam die Wahl hat, vorzuziehen. Wenigstens hat man mehre Beispiele, daß die Pferde vor dem Wagen erschlagen worden sind, während der Kutscher oder Fuhrmann unversehrt geblieben ist. Wahrscheinlich muß man die größere Dunstwolke, die sich über angestrengten Pferden sammelt, als die Ursache dieser Erscheinung ansehen.

Auf die thierischen Körper folgen in der Ordnung der blitzleitenden die Pflanzen, das Wasser und feuchte Dünste. Wenn der Blitz in einen Baum schlägt, so nimmt er seinen Weg gewöhnlich durch den saftreichen Raum, welcher sich zwischen dem Holz und der Rinde befindet. Die aus einem Schornstein aufsteigenden Rauchsäulen ziehen häufig den Blitz an sich. Auch erklärt sich dadurch die Gefahr, welche das Beisammenseyn vieler Menschen in einem kleinen Raume darbietet, indem sich hier ebenfalls eine große Masse feuchter Ausdunstungen zusammendrängt. Unter übrigens gleichen Umständen werden größere Versammlungen von Menschen und Thieren immer leichter vom Blitze getroffen, als einzelne Individuen.

Ueberhaupt ist, wie wir schon oben gesagt, das letzte Ziel des Blitzes immer die feuchte Erde, und zwar die Oberfläche derselben. Wenn der Blitz auf seiner Bahn dahin auch noch so viel Zerstörungen angerichtet, Metall geschmolzen, Löcher in die Mauern geschlagen, Thürschwellen zersplittert hat u. dgl. m.: so hören doch da, wo er an die Oberfläche des Erdbodens gelangt, alle Spuren von Zerstörungen auf. Der Fußboden der Häuser, das unter der Erde befindliche Mauerwerk, die Keller, das Steinpflaster 2c. werden gewöhnlich unversehrt gefunden. Der Blitz scheint sich, nachdem er die Oberfläche der Erde erreicht hat, durch die leitende Feuchtigkeit derselben nach allen Richtungen hin unmerklich zu vertheilen.

Diese Erfahrungen über den Gang des Blitzes und die Leitungsfähigkeit der Körper haben Franklin, wie schon oben (S. 104) erwähnt wurde, zur Erfindung der Blitzableiter geführt, über welchen Gegenstand wir uns jedoch hier nicht verbreiten können *).

Die Wirkungen, die der Blitz auf seiner Bahn aus der Gewitterwolke nach der Oberfläche der Erde hervorbringt, sind sehr mannichfaltig und zum Theil höchst merkwürdig. Gewöhnlich ist er für Menschen, die von ihm getroffen werden, äußerst gefährlich. Nur selten sind solche Fälle, wo die Getroffenen mit Betäubung oder leichten Verletzungen davon kommen. In der Regel geht der Blitzstrahl an der Oberfläche des Körpers hin, ohne die innern Theile desselben wesentlich zu beschädigen. Wenn der Schlag den Tod zur Folge hat, so geschieht dieß vornehmlich durch die Zerstörung der Reizbarkeit, also durch unmittelbare Aufhebung der Nerventhätigkeit. Ge-

*) Am erschöpfendsten ist derselbe in der mehrangeführten neuen Bearbeitung des Gehlerschen Wörterbuchs, a. a. O. S. 1035 bis 1092, von Pfaff, behandelt worden.

wöhnlich trifft man die vom Blitz getödteten Personen unverändert in derselben Lage an, worin sie sich unmittelbar vor dem Erschlagenwerden befunden haben. Reimarus erzählt einen Fall, wo zwei vom Blitze Getroffene, die an eine Hecke, unter der sie Schutz gesucht, angelehnt waren, in ihrer frühern Lage, selbst mit offnen Augen, angetroffen wurden, und zwar der eine mit einem Stück Brod in der Hand, das er einem auf seinem Schooße ruhenden, ebenfalls mit erschlagenen Hunde hatte reichen wollen. Ein Mann, der in einem Boote sitzend vom Blitze getödtet wurde, blieb so unverändert in seiner Stellung, daß er für schlafend gehalten wurde. Starke Verletzungen des Körpers entstehen wahrscheinlich nur da, wo die Leitung des Blitzes unterbrochen wird und er auf einen andern Leiter überspringt; auch mögen sie oft von dem Widerstande der Kleider herrühren.

Was die Metalle betrifft, so werden nur sehr kleine Stücke, dünne Drähte rc. stark beschädigt, zerrissen, geschmolzen, in kleine Kügelchen oder in Dampf verwandelt. Auch die Vergoldungen werden meistens zerstört. Größere Metallstücke werden bloß beim Zu- und Abspringen des Blitzes an ihrer Oberfläche angeschmolzen oder durchlöchert. Abgesonderte Stücke, welche im Wege des Blitzstrahls liegen, findet man vergleichungsweise stärker beschädigt, oft ganz zusammengeschmolzen, besonders wenn sie von festen Körpern umgeben sind, welche dem Durchgange des Blitzes und seiner Ausbreitung Widerstand geleistet haben. Einen Beweis für den Zusammenhang der Elektricität mit dem Magnetismus liefert die Erfahrung, daß der Blitz nicht selten dem Eisen magnetische Kräfte mittheilt. Pfaff *) besitzt die Unruhe aus der Taschenuhr eines zu Kiel in seinem Kirchenstuhle vom Blitze erschlagenen Predigers, welche durch diesen Schlag magnetische Polarität erhalten hat. Den mit dem Magnete bestrichenen Nadeln raubt er ihre Kraft oder verkehrt ihre Pole.

Nichtleitende oder schlechtleitende Körper werden vom Blitze, indem er von ihnen zu besser leitenden übergeht, gewaltsam durchbrochen oder zersprengt. Wenn der Uebergang ohne Durchbruch geschehen kann, folgt der Blitz der Oberfläche solcher Körper oft in einer bedeutenden Länge und Ausdehnung. Brennbare Körper, besonders Strohdächer, werden bei dieser Gelegenheit häufig entzündet, das Holz aber oft nur oberflächlich verkohlt, nicht selten auch bloß zersplittert. Man nennt bekanntlich solche nicht zündende Schläge im gemeinen Leben kalte Schläge. Bisweilen wird die entstandene Entzündung durch einen zweiten schnell nachfolgenden Schlag wieder gelöscht. Ungeheuer ist nicht selten die mechanische Gewalt, welche der Blitz beim Einschlagen ausübt. Als am 6. August 1809 ein Haus bei Manchester vom Blitz getroffen wurde, schob er eine 12 Fuß hohe und 3 Fuß dicke, steinerne Mauer zwischen einem Keller und einer Cisterne, ohne sie übrigens zu zertrümmern, dergestalt auf die Seite, daß sie an dem einen Ende 4, an dem andern 9 Fuß abstand. Der weggeschobene Theil enthielt 7000 Backsteine und wog 520 Centner.

*) Gehler, a. a. O. S. 1026.

Bis jetzt noch unerklärt ist der Schießpulver- oder Schwefelgeruch, welchen so viele Personen nach dem Einschlagen des Blitzes wahrgenommen zu haben versichern. Dieser Geruch ist mit dem elektrischen Funken, wie er aus der Maschine erhalten wird, nicht verbunden. Auch kann er weder aus den getroffenen Körpern, welche so verschieden sind, noch aus der Atmosphäre abgeleitet werden, da diese nichts Schwefelartiges in ihrer Mischung enthält. Pfaff glaubt indessen, daß die Thatsache (das Factum) selbst noch nicht ganz ausgemacht sei und daß man den gewöhnlichen brenzlichen Geruch, welchen Spielkarten und Holz, die durch den Batterie-Funken zerschlagen werden, allezeit annehmen, für schwefelartig gehalten habe.

Ein erst in der neusten Zeit wissenschaftlich beobachtetes und erkanntes, obwohl schon frühern Naturforschern nicht unbekannt gewesenes Erzeugniß der atmosphärischen Elektricität sind die Blitzröhren. Man versteht unter dieser Benennung röhrenförmige Körper, welche in Folge einer Schmelzung oder Verglasung durch den Blitz, aus Sande entstanden sind. Diese Röhren gehen gewöhnlich senkrecht, nur selten schräg in die Erde hinab und theilen sich oft in zwei ziemlich gleiche Aeste, welche in größerer Tiefe zuweilen in noch mehre Zweige auslaufen. Ihre Länge ist sehr verschieden, und geht von einigen Zollen bis 30 Fuß und darüber. Am obern Ende sind sie am weitesten, oft bis 20 alte Pariser Linien; nach der Tiefe hin werden sie immer enger und laufen endlich ganz spitzig zu. Sie gehen auch nicht in gerader Richtung fort, sondern machen verschiedne Krümmungen.

Die Dicke der Wände beträgt ½ bis 11 Linien. Inwendig sind die Blitzröhren völlig verglast, nach außen aber bloß zusammengesintert und zuletzt mit angeklebten, eine sehr rauhe Oberfläche bildenden Sandkörnern überzogen. Die Farbe ist in der Regel schwärzlich und perlgrau, zuweilen röthlich, an den verglasten Theilen auch grünlich. Gemeiniglich sind die Blitzröhren beim Ausgraben aus dem Sande, zumal da ihre Entdeckung größtentheils zufällig geschehen, mehr oder weniger beschädigt und bruchstückweise zu Tage gefördert worden. Im Dresdner Naturalien-Cabinet befindet sich eine der merkwürdigsten Blitzröhren. Sie ist aus den einzelnen Stücken in natürlicher Richtung wieder zusammengefügt worden und mißt 14½ Fuß. Bei Drigg, in der englischen Grafschaft Cumberland, ist unter mehren andern Blitzröhren eine senkrecht hinabgehende gefunden worden, welche man bis zu einer Tiefe von 29 englischen Fuß verfolgt hat. Hier stieß sie auf einen Kiesel von Hornstein-Porphyr, mit dem sie zusammengeschmolzen war, lief dann unter einem Winkel von 45° mit dem Horizont längs demselben hin und ging nun wieder senkrecht in den Boden hinab, wo sie jedoch nicht weiter verfolgt werden konnte.

Man hat die bis jetzt bekannten Blitzröhren überall in sandigen Gegenden gefunden und es ist der Natur der Sache nach nicht zu bezweifeln, daß ihre Anzahl auf dem Erdboden sehr groß seyn müsse. Daß sie wirklich durch den Blitz entstehen, beweisen mehre Nachgrabungen, welche man unmittelbar oder doch bald darauf, nachdem der Blitz in sandigen Boden eingeschlagen, veranstaltet hat. So ist

z. B. eine kleine Blitzröhre, welche Pfaff von der schleswigschen Insel Amrum erhielt, von einigen Matrosen gefunden worden, welche sich, als sie den Blitz in den Sand hatten einschlagen sehen, sogleich an Ort und Stelle begaben und nachgruben. Die Röhren entstehen dadurch, daß der trockne Sand, als Nichtleiter der Elektricität, vom Blitze geschmolzen wird. Indem dieser durch die Schnelligkeit seiner Bewegung die Quarzkörner aus einander treibt, wird das Gebilde inwendig hohl, aber auch, da der Blitz beim weitern Vordringen an Kraft verliert, immer enger.

Eine merkwürdige Abweichung von den bisher bekannten Blitzröhren bieten die in Brasilien, in den Sandebenen von Bahia entdeckten Gebilde dieser Art dar. Es sind nicht hohle Röhren, sondern unregelmäßig und tief gefurchte kantige Stücke, und die Sandkörner sind viel stärker, als bei den andern, verglast und zusammengeschmolzen, so daß sie im Bruche zusammenhangend und glasartig, fast wie Hyalith, erscheinen; auch haben die Stücke einen glasartigen Klang. Muncke hält es für möglich, daß diese abweichende Beschaffenheit der brasilischen Blitzröhren von den stärkern Schlägen jener Gegenden herrühre *).

*) Die meisten Blitzröhren in Teutschland hat Fiedler aufgefunden und untersucht. Am vollständigsten findet man alle Verhandlungen hierüber beisammen in Gilberts Annalen der Physik und physikalischen Chemie, Band LV, LXI, LXVIII, LXXI bis LXXIV. Man sehe auch den von Muncke bearbeiteten Artikel Blitzröhren bei Gehler, a. a. O. S. 1093 — 1098.

Auch außer der Zeit eines Gewitters ist die Atmosphäre nicht ohne Elektricität. In der Regel ist diese positiv, und nur zuweilen negativ. An manchen Tagen wechseln + E und — E mit einander ab. An heitern und trocknen Tagen bemerkt man einen gewissen regelmäßigen Gang der elektrischen Veränderungen in der Luft, und ein periodisches Ab- und Zunehmen der Elektricität. Im Sommer ist sie von 3 bis 4 Uhr Nachmittags am stärksten, Abends, wenn der Thau fällt, am schwächsten. Während der Nacht nimmt sie wieder zu, und bis zu Sonnenaufgange wieder ab, so daß sie alsdann wieder am kleinsten ist. Im Winter verhält sichs anders. Die höchsten Grade zeigen sich früh um 10 und Abends um 8 Uhr, und die niedrigsten Morgens und Abends um 6 Uhr. Ueberhaupt ist die Elektricität der Luft bei heiterm Himmel, trockner Luft und nördlichen oder östlichen Winden am stärksten, am schwächsten aber kurz vor Gewittern und bei feuchter warmer, obgleich noch heller Luft.

In der Nähe von Bäumen, Gebäuden, oder andern Leitern, so wie in Thälern, findet man sie, nach Lampadius*), schwächer als im freien Felde, oder auf Ebenen 8 bis 10 Fuß über der Erde, und auf kahlen Bergspitzen. Auch in den größten Höhen, die Menschen erreicht haben, hat man die Luft noch elektrisch gefunden, und Lampadius vermuthet, daß die Luftelektricität in den höhern dünnern Luftschichten, wo es so wenig Ableitung gebe, noch weit häufiger vorhanden seyn müsse, als näher an der Erde.

*) A. a. O. S. 70 u. ff.

Nebel und Thau haben viel + E. Auch die Wolken sind elektrisirt und haben theils + E theils — E. Manche Wolken sind, ohne gerade Gewitterwolken zu seyn, so stark elektrisch, daß sie zur Nachtzeit an den Rändern leuchten. Eben so sind Regen und Schnee stark elektrisch und zwar bald positiv, bald negativ. Der leuchtende Regen, welchen man zuweilen des Nachts bemerkt, entsteht durch einen hohen Grad von Elektricität der Regentropfen, verbunden mit einer großen Trockenheit der Luft. Da hier keine Ableitung Statt findet, so muß sich die Elektricität in jedem einzelnen Regentropfen bis zum Uebermaß anhäufen. Die schwächste Elektricität zeigt sich im Herbste, bei anhaltendem und weit verbreitetem Regenwetter. Es findet dann auf eine weite Strecke eine fortwährende Leitung zwischen den Wolken und der Erde Statt, und die Elektricität kann sich nirgends anhäufen. Stärker elektrisch sind Graupelwetter, Strichregen und Schneeschauer, weil sie einen kleinern Raum einnehmen und meist von trockner, also isolirender Luft umgeben sind. Im IIten Bande haben wir (S. 89 der neuen Auflage) von den Rauch- und Feuersäulen der Vulkane erzählt, daß sie ebenfalls starke Elektricität zeigen, indem sich um den obern Theil der Säule ungeheure Wolkenmassen anhäufen, welche von tausend Blitzen durchkreuzt werden. Lampadius vermuthet, daß die Rauchsäule, welche auf Lava, als einem schlechten Leiter ruht, sich mit Elektricität aus der Atmosphäre anfülle. Indessen mag auch wohl durch den ungeheuern chemischen Prozeß, der im Innern des Vulkans während seines Ausbruches vorgeht, viel Elektricität entwickelt werden.

Ueber die Elektricität der Wasserhosen wird weiter unten, bei den wässerigen Lufterscheinungen, das Nöthige gesagt werden.

Endlich müssen wir noch bemerken, daß auch der Wasserstaub bei Wasserfällen, das Treibeis auf Flüssen, und der Rauch großer Feuer Elektricität besitzen. Der Letztere ist zugleich bei einem Gewitter ein starker Leiter für den Blitz, und kann dem Gebäude, aus welchem er sich erhebt, sehr gefährlich werden.

X.

Von dem St. Elms-Feuer und dem Nordlichte.

Während eines Gewitters und auch sonst bei einer stark elektrisirten Luft bemerkt man an den Spitzen und Ecken erhabener Gegenstände, besonders von Metall, im Dunkeln helle Flammen von verschiedener Größe, welche von einer Zurückwirkung dieser Gegenstände auf die Elektricität der Luft herrühren, und Aehnlichkeit mit den Lichtbüschеln haben, die man im Dunkeln auch an den Spitzen und Ecken der Elektrisir-Maschine und elektrisirter Menschen wahrnimmt. Hauptsächlich sieht man diese Erscheinung auf dem Meere an den Spitzen der Mastbäume und anderer hervorragenden Theile der Schiffe, desgleichen an den Spitzen der Kirchthürme, der Wetterableiter u. dgl. Man nennt sie Wetterlicht und auch das St. Elms- oder Elmus-Feuer, unter welchem Namen sie besonders den Seefahrern bekannt ist. Die Flammen zeigen sich zuweilen in großer Menge und erlangen eine bedeutende Größe. Der französische Seefahrer Forbin erzählt eine merkwürdige Erscheinung dieser Art, welche er im Jahre 1696 beobachtete. Es zog sich bei der Nacht plötzlich ein Gewitter zusammen, und Forbin, welcher einen starken Sturm befürchtete, ließ alle Segel einziehen. Auf dem Schiffe zeigten sich jetzt mehr als 30 Stück Elmsfeuer. Auf dem Windflügel des großen Mastes unter andern befand sich eines von mehr als 1½ Fuß Höhe. Ein Matrose, den Forbin hinaufschickte, um den Flügel mit dem Feuer herabzuholen, hörte dabei ein Geräusch, wie wenn man angefeuchtetes Schießpulver anzündet. Er hatte den Flügel kaum von seiner Stelle weggenommen, so sprang das Feuer von demselben weg und setzte sich auf die Spitze des Mastes, ohne daß es hier wegzubringen war. Nach und nach ward es schwächer und kleiner, und verschwand endlich ganz. Der gefürchtete Sturm unterblieb, und das Anfangs heftige Gewitter löste sich in einen starken Regen auf, der etliche Stunden anhielt. Die Schiffer sehen übrigens das St. Elmsfeuer nicht ungern, weil sie glauben, daß die Heftigkeit des Gewitters dadurch vermindert werde. Am meisten zeigt es sich gegen das Ende des Gewitters.

Aufmerksame Beobachtungen haben gelehrt, daß dergleichen elektrische Flammen nicht bloß zu der Zeit eines

Gewitters, sondern auch während eines Sturms, bei feuchter Luft und strenger Winterkälte zum Vorschein kommen. Auch zeigen sie sich nicht selten an den hervorragenden Theilen der Thiere und Menschen, und an deren Bekleidung, an den Spitzen der Waffen ꝛc. Man hat sie an den Ohren der Pferde bemerkt, u. dgl.

Eine sehr merkwürdige elektrische Erscheinung dieser Art beschreibt Burchell, in seiner Reise in das Innere von Süd-Afrika (Ister Band, Weimar, 1822, S. 368 und 369) mit folgenden Worten: „Den 22. (Jänner 1812) Abends um 9 Uhr kehrte ich von einem Besuche, den ich den Missionärs abgestattet, zurück und als ich über die Wiese ging, bemerkte ich ein elektrisches Phänomen, das ich nur das einzige Mal in meinem Leben sah. Von jeder Himmelsgegend aus schienen Blitze auszugehen, die auf einander, in sehr kurzen Zwischenräumen, ohne Donner folgten. Alles rings umher war still, und nur einzelne schwere Regentropfen entfielen einigen außerordentlich dichten und schwarzen Wolken. Plötzlich erblindete ich fast von einem glänzenden Schimmer, der vom Zenith herabgefahren zu seyn schien, und einen Augenblick lang schien jeder Grashalm fünfzehn Fuß im Umkreis durch die elektrische Materie entzündet zu seyn. Keine Explosion fand Statt, nicht das mindeste Geräusch ließ sich hören, und das Phänomen äußerte seine Wirkung auf durchaus keine andere Weise. Alles blieb ruhig und ich setzte meinen Weg fort, ohne daß die Erscheinung sich von Neuem gezeigt hätte. Das grobe Gras hatte an jener Stelle einen Fuss Höhe und jeder Halm und jedes Blatt war stark erleuchtet, oder schien vielmehr zu brennen; doch weiter als 15 Fuss konnte ich diese Beleuchtung nicht wahrnehmen."

Schon den Alten war diese Naturerscheinung nicht unbekannt. Plinius *) erzählt, daß er Sterne auf den Lanzen der Soldaten und auf den Masten der Schiffe gesehen habe, welche mit Zischen von einem Orte zum andern gehüpft wären. Auf den Schiffen wurden zwei solcher Sterne oder Flämmchen als Vorbedeutung einer glücklichen Fahrt angesehen und Castor und Pollux genannt. Der Ursprung dieser Benennung schreibt sich von dem berühmten Argonautenzuge her, welchem jenes Brüderpaar beiwohnte. Als sich eines Tages ein furchtbares Gewitter erhob und Alles die Götter um Hilfe anflehte, nahm man plötzlich auf den Häuptern der beiden Jünglinge zwei Flämmchen wahr, und zu gleicher Zeit hörte der Sturm auf. Den Gefährten galt diese wunderbare Erscheinung für ein Zeichen der göttlichen Abkunft beider Helden und sie erhielten von dieser Zeit an unter dem Namen der Dioskuren göttliche Verehrung. Nach ihrem Tode versetzte man sie unter die Sterne. Die erwähnten Feuerflämmchen erhielten, wenn sie sich paarweise zeigten, die Namen Castor und Pollux, ein Flämmchen allein hieß Helena (nach der berühmten Schwester des Castor und Pollux, durch deren Entführung der Trojanische Krieg entstand) und wurde für gefährlich

*) Hist. nat. II. 37. bei Fischer, Art. Wetterlichter, St, Elmsfeuer.

gehalten. Kant *) vermuthet, daß von dieser letzten Benennung die jetzige, St. Elmsfeuer, durch Verstümmelung herkomme.

Viele Naturforscher rechnen auch das Nordlicht oder den Nordschein unter die elektrischen Lufterscheinungen. Es besteht der Hauptsache nach aus einem farbigen Kreisabschnitt, der sich über dem nördlichen Horizonte erhebt, und von einem glänzenden, weißen, auch wohl röthlichen Bogen eingefaßt ist, von welchem nach kürzern oder längern Pausen Strahlen, Lichtbündel und Feuergarben ausströmen, und sich endlich im Scheitelpunkte des Beobachters vereinigen. Die meisten, vollständigsten und schönsten Nordlichter werden im hohen Norden, also in Sibirien, Lappland, Island, Grönland und Nord-Amerika beobachtet. Am häufigsten erscheinen sie dort nach der Herbst- und vor der Frühlings-Nachtgleiche, und nehmen meist in den ersten Abendstunden ihren Anfang. Ihre Dauer ist verschieden; bei manchen einige Stunden, bei andern die ganze Nacht hindurch. Von 229 beobachteten Nordlichtern hat Mairan gefunden, daß 21 im Jänner, 27 im Februar, 22 im März, 12 im April, 1 im Mai, 5 im Juni, 7 im Juli, 9 im August, 34 im September, 50 im Oktober, 26 im November, und 15 im Dezember erschienen sind. Nach dem Aequator hin werden die Nordlichter immer seltener und schwächer; der südlichste Ort auf der nördlichen Halbkugel, wo man Nordlichter beobachtet hat, ist Lissabon.

Eine ähnliche Lichterscheinung findet auch in den

*) Phys. Geogr. III. Bd. 2. Abth. S. 78.

Gegenden des Südpols Statt, wo sie Forster, als er Cook auf seiner Reise um die Welt begleitete, mehrmals beobachtet hat. Sie muß dort natürlich das Südlicht heißen. Im Allgemeinen kann man die ganze Erscheinung das Polarlicht nennen.

Um unsere Leser in den Stand zu setzen, sich von der prachtvollen Erscheinung des Polarlichts eine möglichst vollständige Vorstellung zu machen, theilen wir hier die Berichte einiger Männer mit, welche Gelegenheit gehabt haben, dasselbe genau zu beobachten.

Der Professor Parrot*) zu Dorpat beschreibt „das prachtvollste Nordlicht, welches vielleicht gesehen worden ist,“ und welches am 22. Oktober 1804 fast im Scheitelpunkte von Dorpat erschien, mit folgenden Worten: „Abends zwischen 6 und 7 Uhr ließ mich unser damaliger fleißiger Astronom, Professor Knorre, benachrichtigen, daß der Himmel sich zu einem Nordlichte anschicke. In der That beobachtete ich gegen 7 Uhr in Nordnordost einige matte Lichtzüge, welche sich vom Horizonte zu erheben und nahe gegen den Scheitelpunkt sich zu endigen schienen. Diese Lichtzüge kamen in ungleichen Zeiträumen von 5 bis 15 Minuten, und nahmen an Stärke zu. Anfangs hörte ich kein Geräusch. Nach und nach war ein Knistern bei jedem Lichtzuge immer deutlicher hörbar und verwandelte sich allmählich in ein starkes Prasseln und Rauschen, das mit dem Geräusche des zerreißenden Taffets einige Aehnlichkeit hatte, noch besser mit dem Geräusche einer stark vom Winde gebla-

*) S. Grundriß ꝛc. S. 492 u. ff.

senen Flamme einer Feuersbrunst. Dieses Geräusch dauerte jedes Mal nur so lange, als das Auffahren des Lichts. Nach jedem solchen Auffahren war weder Geräusch noch Licht wahrzunehmen. Bei zunehmendem Meteore bildete sich nach und nach am Horizonte in Nordnordost und etwa 15° herauf, ein blasser dauernder Schein, der die Sichtbarkeit der Sterne nicht hinderte; es war sehr kalt und ganz helles Wetter. Um 9 Uhr milderte sich die Erscheinung; die Lichtzüge wurden matter und seltener; um 10 Uhr hielt ich Alles für beendigt. So weit stimmten die Beobachtungen des Professors Knorre, der sich um diese Zeit zu Bette legte, mit den meinigen überein. Gegen 11 Uhr wurde ich durch meine Frau aufmerksam gemacht, daß es draußen sehr hell wäre. Ich sah aus dem Balkon meiner Wohnung, und erblickte den ganzen Himmel wie in Flammen; ich eilte ins Freie und sah das nun vollendete, herrliche Meteor. Sehr nahe am Scheitelpunkt von Dorpat, etwas südwestlich, war ein völlig dunkler Kreis; um denselben, wie ein glänzendes Diadem, eine vollkommen kreisförmige Zone von starkem, aber nicht blitzendem, sondern ruhigem, weißem Lichte, welche von einem etwas dunkeln Reife begränzt war. Von diesem dunkeln Reife ab senkten sich nach allen Himmelsgegenden breite Strahlen von farbigem Lichte, unter welchen man vorzüglich Blau, Roth, Hellgelb und Grün unterschied, bis zum Horizonte herab, welche den Himmel in eine einzige, aus den Farben des Lichts zusammengesetzte Kuppel verwandelten. Von Nordnordost rasselten die Lichtzüge mit starkem Geräusch und häufiger als vorher, und endigten sich in der Krone, welche aber nicht im mindesten davon gestört wurde, sondern vielmehr neuen Glanz zu erhalten schien. Die auffahrenden Lichtzüge waren milchfarbig. Merkwürdig ist es, und meines Wissens noch nicht beobachtet oder erzählt, daß die Krone des Meteors nicht völlig an derselben Stelle blieb, sondern sie rückte in der Zeit meiner Beobachtung (die ich etwa auf 10 Minuten schätze) um 8 bis 10° nach Südwest. Das Meteor verschwand allmählich in allen seinen Theilen durch Abnahme des Lichts; auch sah ich in der letzten Zeit und nachher keine Lichtzüge mehr. Der dunkle Kreis schien mir im Durchmesser beinahe doppelt so groß als die Sonnenscheibe, und die Lichtzone etwa $\frac{1}{10}$ vom Durchmesser des dunkeln Kreises zur Breite zu haben. Ich hatte keine Art von Winkelmesser zur Hand, auch kein Fernrohr, und es zog mich das herrliche Schauspiel zu sehr an, als daß ich es hätte verlassen können. Ich konnte über mein Erstaunen nichts gewinnen, als den Professor Pfaff, der nicht weit von mir wohnte, aus dem Bette auf die Straße zu schaffen, um ihn dessen theilhaftig zu machen; der auch die letzten Augenblicke seiner Herrlichkeit genoß."

Der Professor Lampadius zu Freiberg hatte Gelegenheit, das nämliche von Parrot so eben beschriebene Nordlicht am 22. Oktober 1804, auf einer Rückreise aus Böhmen nach Freiberg zu beobachten. Man erkennt aus seinem Bericht, wie sehr es hier (etwa unter 51° Breite) an Stärke und Pracht dem zu Dorpat (unter 58½° Breite) nachstand.

„Gleich nach untergangener Sonne" — sagt Lampadius *) — „zeigte sich in Nordwesten eine Helligkeit, die man der Dämmerung nicht mehr zuschreiben konnte. Sie wurde durch einen immer deutlicher werdenden weißen, stehenden Lichtbogen hervorgebracht. Dieser erhob sich als ein Kreisausschnitt, dessen erhabene Seite nach dem Scheitelpunkte gekehrt war. Die Grundlinie hatte zum tiefsten Punkte den Horizont in Nordnordwesten, und an den Enden Westnordwesten und Norden. So lief nämlich die Begränzung, unter welcher der ganze Horizont stark weiß erleuchtet war. Es war der reine Nordschein in völliger Stärke. Er leuchtete so, daß man deutlich die Wege erkennen konnte. Nachdem ich ihn etwa eine halbe Stunde gesehen hatte, erblickte ich plötzlich in Nordosten eine purpurfarbne Lichtanhäufung, die sich aber noch nicht in Strahlen auflösete. Nun ging das Spiel weiter fort. Bald häufte sich ein solches Licht in Norden gleich über dem Bogen, bald in Westen, bald in Osten an, und dieses glich dem Schein einer entfernten Feuersbrunst. Nach Verlauf einer neuen halben Stunde schossen nun Strahlen von lichtrother Farbe von Norden nach Süden herauf. Diese fingen oft in Westen an, wälzten sich parallel, aber immer aufsteigend, nach Osten. Von nun an war Alles veränderlich, nämlich das mehr ruhige dunkle Licht, die lichtrothen Strahlen und der stehende Bogen. Letzterer aber ward immer beständiger. Wenn die erstgenannten Lufterscheinungen in Minuten wechselten, so verminderte oder verstärkte sich der Licht-

*) Atmosphärologie ꝛc. S. 78 u. f.

bogen ganz nach und nach. Er gab das eigentliche Licht. Die sogenannte Krone, welche durch Vereinigung mehrer Strahlen im Scheitelpunkte entsteht, zeigte sich nur Ein Mal, um 11 Uhr 30 Minuten. Sie bewegte sich selbst einige Secunden von Nordosten nach Südwesten über den Scheitelpunkt hinaus. Schon gegen 9 Uhr war der Mond aufgegangen, und hatte das Nordlicht etwas undeutlicher gemacht. Um 12 Uhr traf ich in Freiberg ein, und das Meteor schien seine Endschaft erreicht zu haben. Der Feuchtemesser (das Hygrometer) stand sehr trocken, der Wind war Ostsüdost; der Himmel hell, mit einzelnen fliegenden Nebelwolken, die sich nur auf den Gebirgen etwas anhäuften. Das Barometer stand etwas über der mittlern Höhe, und war — wie gewöhnlich, wenn der Wind aus Osten nach Süden sich dreht — im Fallen. Das Thermometer zeigte 4° über Null, also ziemlich kalt für die Jahreszeit. Auf dem Gebirge zwischen Sachsen und Böhmen, welches ich über Frauenstein Morgens um 10 Uhr passirte, waren durch die Wolken die Bäume bereift. — Alle Umstände sprechen für einen zur Anhäufung der gemeinen Luftelektricität günstigen Zustand der Atmosphäre."

Man sieht aus der Vergleichung beider Beschreibungen, wie viel stärker und prachtvoller dieses Nordlicht in Dorpat als bei Freiberg war, und wie bedeutend sich hier ein Breitenunterschied von $7\frac{1}{2}°$ zeigte, um welchen Parrot dem Entstehungspunkte der Erscheinung näher war als Lampadius. Von dem starken Prasseln und Rauschen, das Parrot hörte, erwähnte Lampadius durchaus nichts. Auch der mannichfaltige Farbenwechsel ward bei Freiberg nicht beobachtet, sondern Lampadius spricht nur von weißen, purpurrothen und lichtrothen Strahlen. Uebereinstimmend ist die Verminderung des Nordlichts um 9 Uhr Freiberger Zeit, als der Mond hier aufgegangen war; aber merkwürdig ist, daß Parrot um diese Zeit Alles für beendigt hielt *), da Lampadius nur sagt, der Mond habe das Nordlicht undeutlich gemacht. Von der Rückkehr des Nordlichts mit erneuerter Stärke und Pracht gegen 11 Uhr Dorpater Zeit (oder 10 Uhr Freiberger) erwähnt Lampadius gleichfalls nichts; er gedenkt nur der Krone, die sich Ein Mal, nämlich um 11 Uhr 30 Min. (d. h. um 12 Uhr 22 Min. Dorpater Zeit) vollständig gezeigt habe. Parrot sagt nicht, wann die ganze Erscheinung in Dorpat geendigt habe; wahrscheinlich war es um 1 Uhr, was mit 12 Uhr in Freiberg übereinstimmen würde.

Gmelin **) giebt von der Art, wie sich die Nordlichter im nördlichen Sibirien zeigen, folgende Beschreibung. „Sie fangen mit einzelnen glänzenden

*) Parrot sagt zwar: um 10 Uhr, allein man muß erwägen, daß Dorpat ungefähr unter 44°, Freiberg unter 31° Länge, folglich um 13° westlicher liegt. Da nun 15° Längenunterschied einen Zeitunterschied von einer Stunde hervorbringen, so war es in dem Augenblicke, wo man in Freiberg 9 Uhr hatte, in Dorpat schon 9 Uhr 52 Minuten, oder beinahe 10 Uhr.

**) Philosoph. Transact. Vol. LXXIV. for. 1784 bei Fischer, a. a. O. Art. Nordlicht.

Säulen an, die sich in Norden, und fast zu gleicher Zeit in Nordwesten erheben. Sie nehmen nach und nach zu, bis sie einen großen Theil des Himmels bedecken. Sie schießen von einem Orte zum andern mit unglaublicher Geschwindigkeit und verbreiten sich zuletzt über den ganzen Himmel bis zum Scheitelpunkte. Alsdann sieht man die Lichtströme sich in dieser Höhe vereinigen, wodurch der Himmel einen solchen Glanz erhält, als wenn er mit einer ungeheuren von Rubinen und Sapphiren funkelnden Decke bekleidet wäre. Man kann nichts Prächtigeres malen, noch sich vorstellen, allein man sieht dieses herrliche Schauspiel zum Erstenmale auch nicht ohne Entsetzen. Denn diese übrigens so durchsichtige ungeheure Erleuchtung ist nach Versicherung mehrer Personen mit einem so heftigen Zischen, Platzen und Rollen verbunden, daß es scheint, als höre man das oft wiederholte Knallen des allergrößten Feuerwerkes. Um dieses schreckliche Getöse auszudrücken, bedienen sich alsdann die Einwohner eines Ausdruckes, der so viel heißt, als: der rasende Geist geht vorüber. Die Jäger, welche die blauen und weißen Füchse an den Ufern des Eismeeres verfolgen, werden oft von diesen Nordlichtern überfallen, und ihre Hunde erschrecken alsdann so sehr, daß sie sich auf die Erde niederlegen, und daß es ganz unmöglich ist, sie von der Stelle zu bringen, bis dieses Getöse sich endigt. Diese Lufterscheinung hat gewöhnlich heiteres und stilles Wetter zur Folge. Ich habe diese Nachrichten nicht von einer einzelnen Person, sondern von einer großen Menge Menschen, welche viele Jahre in diesen Gegenden zwischen dem Jenisey und der Lena zugebracht haben, so daß man gar nicht daran zweifeln kann. Dieses Land scheint das Vaterland der Nordlichter zu seyn."

Aus dem Umstande, daß sich Nordlichter rings um den Nordpol zeigen (so wurden z. B. die vom 16. Febr., vom 3. und 19. April 1784 in Schweden und zugleich in Nord-Amerika gesehen) scheint zu folgen, daß der helle Bogen, welcher nordwärts erscheint, den Nordpol der Erde, wie ein Ring, in der Höhe umgebe. Aber nicht der Pol der Erdkugel selbst, sondern wahrscheinlich der magnetische Pol ist der Mittelpunkt dieses Ringes. Denn das Nordlicht steht, wie wir bereits im zweiten Bande dieses Werks (S. 541 und 547 der neuen Aufl.) gezeigt haben, mit dem Magnetismus der Erde in Verbindung, und die Magnetnadel geräth während der Erscheinung desselben in merkliche Unruhe. Nach Daltons Bemerkung liegt der höchste Punkt jenes leuchtenden Bogens, der von irgend einem Orte gesehen wird, in dem magnetischen Meridian dieses Ortes.

Die Höhe der Nordlichter ist wahrscheinlich sehr verschieden. Bei manchen muß sie sehr bedeutend seyn, da man sie so weit sehen kann, wie z. B. das oben beschriebene vom 22. Okt. 1804, welches zu gleicher Zeit in Liefland und Sachsen sichtbar war. Das vom 19. Okt. 1726, welches in ganz Europa, selbst im südlichsten Portugal zu sehen war, muß nach Mairan's Berechnung eine Höhe von 266¼ französischen Meilen gehabt haben. Am 15. Febr. 1730 hat man in

Genf und in Montpellier ein Nordlicht beobachtet, dessen Höhe an 160 franz. Meilen geschätzt worden ist. Biot *) zweifelt im Allgemeinen an der Richtigkeit solcher Berechnungen, die sich auf die gewöhnliche geometrische Messung der Parallaxe gründen; er hält es für sehr schwer, sich zu vergewissern, daß zwei entfernte Beobachter in einem und dem nämlichen Augenblicke wirklich das nämliche Stück des Bogens gesehen und gemessen haben.

Manche Nordlichter können nur eine geringe Höhe haben und müssen zum Theil bis auf die Erde herab reichen. Dieß scheint in der kalten Zone und bei denjenigen Nordlichtern der Fall zu seyn, deren Prasseln und Rauschen so äußerst heftig ist, daß Menschen und Thiere dadurch erschreckt werden. Bergmann erzählt **), daß die Reisenden auf den Norwegischen Alpen nicht selten vom Nordlichte eingehüllt werden, und einen schwefeligen Geruch um sich her wahrnehmen. Biot beobachtete im September 1817 auf den Shetländischen Inseln mehre Male Nordlichter, die nicht höher als die gewöhnlichen Wolken seyn konnten. Leuchtende Massen wie Wolken und Flocken trennten sich ab und schienen wie vom Winde nach einer bestimmten Richtung fortgetrieben zu werden. Biot vergleicht eine solche Lichtwolke, die er am 6. Sept. sah, mit den dunkeln Theaterwolken, die durch dahinter gesetzte Lampen erleuchtet

*) In einem besondern Aufsatze: Ueber das Nordlicht, welchen Gilbert in seinen Annalen der Physik, 1821 mitgetheilt hat.

**) Opuscula phys. et chym. Tom. I. p. 297. bei Biot, a. a. O.

werden. Sie zog endlich langsam nach Westen, und auch einige Feuer-Ausstrahlungen, die von dem Horizonte an der Nordseite ausgingen, bogen sich nach Westen hin, als ob ein oberer Wind von Südost das Meteor dahin triebe. Sehr wichtig sind die Beobachtungen, welche die neuern englischen Reisenden, Parry, Foster, Franklin und Richardson, während ihrer Ueberwinterung in den Polargegenden der nördlichen Halbkugel, über das Nordlicht angestellt haben. Aus den Beobachtungen der beiden Erstern, in Port Bowen, schien zwar im Widerspruch mit frühern Erfahrungen hervorzugehen, daß das Nordlicht keinen Einfluß auf die Bewegung der Magnetnadel habe; allein die länger anhaltenden und vollständigern Beobachtungen Richardsons, im Herbste und Winter der Jahre 1825 bis 1827, wo sie am Bärensee in Nord-Amerika, jedes Mal sechs Monate lang ununterbrochen angestellt wurden, haben die Wirklichkeit jenes Einflusses aufs Unwidersprechlichste dargethan. Dagegen wurde das Elektrometer von der Erscheinung des Nordlichts niemals in eine merkliche Bewegung versetzt. Ueberhaupt bemerkte Richardson, daß Abweichungen der Magnetnadel, welche oft mehre Grade bald östlich bald westlich betrugen, fast immer dann eintraten, wenn das Nordlicht glänzend und heftig funkelte, die Atmosphäre nebelig war und die prismatischen Farben gerade oder bogenförmige Linien darstellten. Bei heller Luft aber und wenn sich der Nordschein als eine zusammenhangende gelbe und ruhige Lichtmasse zeigte, blieb auch die Magnetnadel ruhig. Im ersten Falle bemerkte man, daß die nächste Spitze der Nadel gegen den Punkt hin gezogen wurde, von welchem die Bewegung des Lichts ausging, und die Abweichung war am größten, wenn die Bewegung sehr schnell erfolgte. Besonders häufig erschienen glänzende und starke Funken, wenn das Nordlicht aus einer Wolke nahe an der Erd-Oberfläche zu kommen schien und wenn die Temperatur der Luft sehr niedrig war. Stand das (Fahrenheitsche) Thermometer über dem Gefrierpunkte, so erschienen die farbigen Strahlen nur selten und größtentheils matt. Auch waren die Funken am zahlreichsten und lebhaftesten bei den Nordlichtern, welche zwischen dem Letzten Viertel und dem Neumonde eintraten. Ueber die Höhe der beobachteten Nordlichter sind zwar keine Berechnungen angestellt worden; aber Richardson sagt, daß man sehr oft die untere Fläche vieler Wolken erleuchtet gesehen habe, so daß also das Nordlicht sich nur in geringer Höhe befinden konnte. Auch erwähnt er vier Fälle, wo man schon während der Abenddämmerung sehr deutlich Funken wahrnahm. Oft sah man selbst am hellen Tage Wolken, welche eben solche Streifen und Bogen am Himmel bildeten, wie sie beim Nordlichte erscheinen.

Am auffallendsten ist jedoch bei den von Richardson verzeichneten und nach dem ganzen Verlaufe der Erscheinung sorgfältig beschriebnen Nordlichtern, welche am Bärensee in den Jahren 1825 und 1826 beobachtet wurden — und es sind deren 343 — die Versicherung, daß man niemals irgend ein Geräusch oder Getöse dabei wahrgenommen habe, während doch anderwärts, wie z. B.

bei den oben angeführten von Parrot und Gmelin beschriebnen Nordlichtern, immer ein starkes Prasseln, Rauschen, Zischen, Platzen und Rollen gehört worden ist. Auch verdient hier noch angeführt zu werden, daß Richardson am 23. April 1826 ein sehr glänzendes und heftig funkelndes Nordlicht beobachtete, ein anderer Reisender, Kendall, dagegen, welcher nur zwanzig englische Meilen davon entfernt war und dasselbe Nordlicht ebenfalls genau beobachtete, keine Funken wahrnahm. Es geht daraus hervor, daß sich manche Erscheinungen des Nordlichts nur über einen verhältnißmäßig kleinen Raum der Atmosphäre verbreiten und daß sie wahrscheinlich ihren Grund nur in einer besondern Beschaffenheit einzelner Luftbezirke haben *).

XI.

Verschiedene Erklärungsarten des Nordlichts.

Das Nordlicht gehört unter die noch räthselhaften Naturerscheinungen. Ueber seine Beschaffenheit und Entstehung hat es bis auf die neusten Zeiten nicht an mancherlei Hypothesen gefehlt.

*) Narrative of a second Expedition to the Shores of the Polar Sea in the Years 1825, 1826 and 1827, by John Franklin &. &. London, 1828. Nr. VII. des Appendix, S. 145 bis 147, und die Tabellen S. 148 bis 157.

Die ältern Naturforscher hielten das Nordlicht für eine Entzündung brennbarer Dünste, welche aus der Erde in die Luft emporsteigen. Ueber die eigentliche Beschaffenheit dieser Dünste, ob sie schwefelig, salpeterig, phosphorisch u. dgl. seien, waren die Meinungen getheilt. Diese Erklärungsart mußte ganz unstatthaft befunden werden, als man in neuern Zeiten genauere Beobachtungen über die Ausdunstung der Erde und über das Nordlicht selbst anzustellen begann. Gerade an den Polen, und in den Monaten, wo die Erscheinung am häufigsten ist, dunstet die Erdfläche am wenigsten aus.

Peyroux de la Coudreniere und Cramer waren der Meinung, das Nordlicht entstehe aus der Entzündung der brennbaren Luft. Auch der berühmte Chemiker Kirwan war für diese Erklärungsart, und nahm an, daß die Entzündung durch die Elektricität geschehe. Die meiste brennbare Luft entstehe zwischen den Wendekreisen durch die Fäulniß organischer Körper, auch durch Vulkane u. dgl. und steige wegen ihrer großen Leichtigkeit nach den höchsten Gegenden der Atmosphäre empor, von wo sie nach den Polen hin abströme. Mairans Haupteinwendungen dagegen waren, daß erstens nie eine so große Menge brennbarer Luft in der Atmosphäre angetroffen werde, als zur Entstehung der so häufigen Nordlichter von nöthen seyn würde, und zweitens daß die aus der Fäulniß der Thiere und Pflanzen entstehende brennbare Luft viel zu schwer sei, als daß sie so weit emporsteigen könne.

Gleichwohl hat sich ganz neuerlich der mehrerwähnte

Professor Parrot*) dieser frühern Erklärungsart des Nordlichts wieder angenommen, nur daß er statt der brennbaren Luft, die Kirwan aus der Fäulniß organischer Körper entstehen läßt, Wasserstoffgas annimmt, welches allerdings leichter als die atmosphärische Luft ist, und wovon sich, nach seiner Annahme, fortwährend ein ansehnlicher Vorrath in den höchsten Schichten der Atmosphäre befindet. Es muß vermöge der allgemeinen Strömung der Atmosphäre sich oberhalb von dem Aequator nach den Polen, und unterhalb von den Polen nach dem Aequator hinziehen. Für die Entzündung desselben läßt er die Sternschnuppen sorgen. Parrot bemerkt, daß das Heraufschießen des Lichts vom Horizonte einer fortschreitenden Entzündung völlig ähnlich sei. „Wer Phosphor in einer verschlossenen, mit Wasserstoff- oder Stickstoffgas gefüllten Glasröhre hat verdunsten lassen, und dann die geneigte Röhre unten öffnet, um durch das Eindringen der atmosphärischen Luft den Phosphordunst zu entzünden, und diese progressive (fortschreitende, allmählich immer mehr zunehmende) Entzündung im Dunkeln beobachtet hat, wird die Aehnlichkeit treffend, und nur in der Masse und Geschwindigkeit den Unterschied finden." Dennoch gesteht Parrot, daß, wenn auch durch diese Hypothese die Ursache des Nordlichts erklärt werde, gleichwohl die „Mechanik" desselben, besonders die der Bildung des Lichtkranzes und der farbigen Kuppel dadurch nicht erklärt werden könne. Da jedoch die Annahme eines beträchtlichen Vorrathes von Wasserstoff-Gas in

*) Grundriß ꝛc. S. 495 u. ff.

den obersten Schichten der Atmosphäre nach dem, was wir bereits oben (S. 27) von den Bestandtheilen derselben gesagt haben, ganz unstatthaft ist: so verliert auch dadurch diese Parrot'sche Hypothese ihre Haltbarkeit.

Andere Naturforscher haben das Nordlicht als eine bloß optische Erscheinung, d. h. als eine solche betrachtet, welche vom Lichte der Sonne und des Mondes herrühre, das die Schnee- und Eismassen am Pole in die Luft zurückwerfen. Mairan hat gegen diese Ansicht sehr richtig bemerkt, daß alsdann das Nordlicht der Dämmerung gleichen, immer sichtbar seyn und nach den Gesetzen derselben ab- und zunehmen müsse. Auch besitze die Luft in einer solchen Höhe, wie für viele Nordlichter angenommen werden müsse, keine so große Dichtigkeit mehr, daß sie noch Licht zurückwerfen könne u. s. w. Der Astronom Hell, der im Jahr 1769 bei seinem Aufenthalt zu Wardhuus am Nordkap, das Nordlicht zum Hauptgegenstande seiner Beobachtungen gemacht hat, sucht es durch Eistheilchen mit ebenen Flächen zu erklären, welche in den Polargegenden bis auf eine beträchtliche Höhe in der Atmosphäre schweben und das Licht der Sonne und des Mondes zurückwerfen sollten. Auch Hube *) ist dieser optischen Erklärungsart des Nordlichts zugethan. Nach ihm sind die langen emporschießenden Strahlen, die lodernden und wallenden Flammen, die hellen Bogen ꝛc. bloße Bilder, entstanden aus der Brechung und Zurückwerfung des Lichts in einer

*) Vollständiger und faßlicher Unterricht in der Naturlehre ꝛc. I. Bd. 60ster Brief, S. 467 u. f.

mit Eistheilchen erfüllten Luft. Er vergleicht jene Bogen mit den bekannten Höfen um die Sonne und den Mond, von welchen doch jedermann wisse, daß sie nichts Brennendes, sondern bloß etwas durch Brechung der Lichtstrahlen in der Atmosphäre Entstandenes seien. Hube macht ferner auf die großen und hellen Lichtstreifen aufmerksam, welche die Sonne häufig, vor großen Nordlichtern, in Westen zu zeigen pflege. Auch der sogenannte „Eisblink *) sei bekanntlich nichts weiter als das von den Eis- und Schneemassen des Eismeeres in die mit gefrornen Dünsten erfüllte Luft zurückgeworfene Licht. Endlich scheine oft, besonders im Winter, wenn es schneien will, der Himmel beim Untergange und Aufgange der Sonne zu brennen, es zeigen sich bei einer fernen Feuersbrunst Strahlen, die mit denen des Nordlichts die größte Aehnlichkeit haben. Außerdem lehre die Erfahrung, daß ein und dasselbe Nordlicht an verschiedenen Orten auf eben so verschiedene Art erscheine, und oft bei ganz klarem Himmel an dem einen Orte gesehen werde, an einem andern aber nur wenige Meilen davon entfernten, unsichtbar sei u. dgl. m. So viel diese Erklärungsart auch für sich haben möge, so bleibt es immer unbegreiflich, daß die gefrornen Dünste so hoch in der Atmosphäre schweben sollen, und daß man durch sie die Fixsterne noch zu erkennen vermöge.

Halley, der, wie wir aus dem zweiten Bande dieses Gemäldes der physischen Welt (S. 550 der neuen Auflage) wissen, zuerst auf eine befriedigende Erklärung

*) S. Gem. d. phys. Welt III. Bd. S. 429 d. n. Aufl.

des Erdmagnetismus und besonders der Abweichungen der Magnetnadel dachte, scheint auch zuerst den merkwürdigen Zusammenhang des Nordlichts mit den Bewegungen der Magnetnadel wahrgenommen zu haben. Er leitete das Nordlicht des Jahres 1716 von einem magnetischen Ausflusse am Nordpol ab, welcher bei seinem Aufsteigen dicht und sichtbar sei, gegen den Aequator hin sich zerstreue, und alsdann sich wieder sammle, um in den Südpol einzudringen. Diese magnetische Flüssigkeit sollte sich in dem Zwischenraume aufhalten, welcher, ebenfalls nach Halleys Hypothese, zwischen dem Kerne und der Rinde der Erde vorhanden sei. Was ihn auf diese Erklärungsart führte, war, daß der Bogen jenes Nordlichts vom Jahre 1716 eine westliche Abweichung vom wahren Mitternachtspunkte hatte, die der damaligen Abweichung der Magnetnadel fast gleich war. Merkwürdig ist allerdings dieser Zusammenhang des Nordlichts mit dem Magnetismus der Erde, auf den in der neuesten Zeit Biot, Dalton und Arago wieder aufmerksam gemacht haben. Nach Dalton scheint der höchste Punkt des von jedem Orte aus gesehenen Bogens in dem magnetischen Meridiane dieses Ortes zu liegen, und man ersieht aus ältern Beobachtungen von Maraldi, daß zu seiner Zeit dieses ebenfalls der Fall war, ungeachtet die Richtung des magnetischen Meridians sich seitdem ungemein verändert hat. Auch Arago zu Paris beobachtete bei dem Nordlicht am 1. Febr. 1817 die nämliche merkwürdige Uebereinstimmung. Eben so hat die Lage des Punktes, wo die Lichtbündel zusammentreffen, ein beständiges Verhältniß zu der Richtung der magneti=

schen Kräfte; denn er entspricht an jedem Orte der Richtung der aus diesen Kräften sich ergebenden Mittelkraft. Arago vergleicht diese Erscheinung mit der beim Regenbogen, wo auch jeder Beobachter seinen besondern Regenbogen sieht, und schließt daraus, daß das Nordlicht eine von einer bestimmten Stellung abhängige Erscheinung seyn müsse, weil widrigenfalls, da die Richtung der magnetischen Meridiane an verschiedenen Orten verschieden ist, und sie nicht, wie die geographischen Mittagslinien in Einem Punkte zusammenlaufen, es unmöglich seyn würde, daß jedem Beobachter sich ein und der nämliche Gegenstand nach der Richtung seines eigenthümlichen magnetischen Meridians darböte *). Wir werden weiter unter Biots eigene Hypothese zur Erklärung des Nordlichts mittheilen.

Mairans Meinung, daß das Nordlicht eine mit dem Thierkreis-Lichte (Zodiakal-Lichte) verwandte Erscheinung seyn und durch den Einfluß der Sonnen-Atmosphäre entstehen möge, ist schon im I. Bande dieses Werkes (S. 237 der neuen Auflage) erwähnt worden. Sie hat zu wenig für sich, als daß sie bei dem jetzigen Stande der Wissenschaft noch eine besondere Aufmerksamkeit verdiente. Ohnehin ist das Daseyn einer Sonnen-Atmosphäre selbst, wenigstens von einer solchen Ausdehnung, daß sie bis an die Erde reichte, noch gar nicht erwiesen.

Es war zu erwarten, daß, nachdem man endlich den Blitz als eine von der Elektricität herrührende Lufterscheinung kennen gelernt hatte, man auch die Elektricität

*) Biots Anfangsgründe rc. II. Bd. S. 809 u. ff.

bei der Erklärung des Nordlichts anwenden würde. In der That bemerkte man bald eine nicht geringe Aehnlichkeit zwischen dem elektrischen Leuchten in verdünnter Luft und den Strahlen des Nordlichts. Bringt man nämlich eine luftleere Glaskugel oder Glasröhre gegen den geladenen Conductor einer Elektrisir-Maschine, so erscheint der innere luftleere Raum mit einem strahlenden Lichte erfüllt, auf ähnliche Art, wie man das Nordlicht erscheinen sieht. Dieser Versuch ist zuerst von Canton angestellt worden, und dieser hielt dafür, daß das Nordlicht ein Uebergang der Elektricität aus positiven Wolken in negative, durch die obersten Gegenden der Atmosphäre seyn möge. Eberhardt machte darauf aufmerksam, daß die Sonnenstrahlen, welche die Polarluft nur in sehr schiefer Richtung treffen, dieselbe nicht hinlänglich erwärmen können, zumal um die Zeit der Nachtgleichen, wo die Sonne nur wenig über den Horizont emporragt. Er nahm nun an, daß die Luft dadurch bloß erschüttert, und so in einen elektrischen Zustand versetzt werde, der sich in den Polar-Gegenden, wegen der beständigen Kälte und Trockenheit der Luft, vorzüglich stark zeigen müsse. Lichtenberg hielt die Erde in Bezug auf die Elektricität für einen dem Turmalin ähnlichen Körper (s. oben S. 112) und glaubte, das Ausströmen der durch die Erwärmung der Sonne in ihm hervorgebrachten Elektricität, an seinen beiden Polen, sei es, was wir als Nord- und Südlichter wahrnehmen.

Lampadius hält das Nordlicht gleichfalls für elektrischen Ursprungs, und erklärt seine Entstehung fast auf die nämliche Art wie Franklin. In den obern Gegenden des Luftkreises nämlich strömt die emporgestiegene erwärmte Luft der heißen und gemäßigten Zonen unaufhörlich nach den Polargegenden und führt auch eine Menge Elektricität mit sich dorthin. In den warmen Ländern wird derjenige Theil der Elektricität, welcher durch Regen u. dgl. entsteht, sehr leicht von der Erde abgeleitet; in der kalten Zone dagegen sind sowohl Erde als Wasser fast das ganze Jahr hindurch mit Eis bedeckt, welches ein schlechter Leiter für die Elektricität ist. Hierzu kommt die große und anhaltende Trockenheit der Atmosphäre, welche vom Herbste bis zum Frühlinge in den Polargegenden herrscht und eine starke Anhäufung der Elektricität außerordentlich begünstigt. Diese muß zuletzt in die höchsten Gegenden der Atmosphäre emporsteigen, und sich also vom Pole aus in Richtungen, welche wie die Mittagslinien aus einander laufen, wieder nach dem Aequator wenden. In der gemäßigten Zone wird die Luft wieder ein besserer Leiter und das Nordlicht fängt nun an hier zu verschwinden. Je weiter von den Polen nach dem Aequator zu die Trockenheit der Luft geht, desto weiter steigen die Polarlichter herauf. Im Sommer sind sie weniger bemerkbar, weil das Eis um diese Zeit wärmer und ein besserer Leiter ist. Franklin erklärt nun auch den dunkeln Kreis aus der verdichteten Polarluft, und weil die auseinander laufenden Strahlen in der Nähe der Leiter wieder zusammenlaufen müssen, so werden ihm auch daraus die mannichfachen Gestalten der Lichtstrahlen begreiflich. Die im Scheitelpunkte entstehende sogenannte Krone wird nach Franklin durch positiv-elektrische Stellen hervorgebracht.

Man muß gestehen, daß diese Ansicht ungemein viel für sich hat, und daß sie die meisten Erscheinungen des Nordlichts erklärt. Lampadius bemerkt freilich, daß dabei „der Magnetismus noch außer dem Spiel sei.“ Allein wir haben schon im II. Bande (S. 541 der neuen Auflage), als wir von den Erscheinungen der Magnetnadel sprachen, bemerkt, daß die Bewegungen derselben unter andern auch zur Zeit heftiger Gewitter in Unordnung gerathen, und daß alsdann Veränderungen in der Abweichung der Nadel von einigen Minuten bis zu einigen Graden Statt finden können. Dieß deutet auf einen Zusammenhang zwischen den magnetischen und den elektrischen Erscheinungen hin. Als Wolfart vor einigen Jahren behauptete, daß er die Magnetnadel in dem Kästchen durch Streichen mit dem Finger auf der Glasplatte in Bewegung setzen könne, zeigte Kieser, daß hier nur elektrische Einwirkungen auf die Nadel Statt gefunden haben, welche durch das Reiben auf der Glasplatte hervorgebracht worden seien. Dieser innige Zusammenhang der Elektricität mit dem Magnetismus der Erde ist überdieß durch die neue schöne Entdeckung Oersted's noch auf eine andere Art so überraschend dargethan worden, daß sich nunmehr eine Verbindung der magnetischen Erscheinungen des Nordlichts mit einer elektrischen Erklärungsart desselben recht gut begreifen läßt, wenn auch das Wie noch nicht dargethan werden kann *).

*) Wenn man nämlich den Schließungsdraht einer galvanischen Säule in wagrechter Lage so über eine frei spielende Magnetnadel bringt, daß er ihr parallel ist: so weicht diese sogleich

Hube *) weist auf die starke Elektricität hin, welche sich oft bei Nordlichtern in der Atmosphäre zeigt; auf das Zischen und Prasseln, welches besonders in den Ländern des hohen Nordens gehört werde; ferner auf die wirklichen Blitze, welche man bei großen Nordlichtern oft in dem erleuchteten Theile des Himmels gesehen habe. Was besonders mächtig einer elektrischen Erklärungsart des Nordlichts das Wort redet, sind manche Gewitter, die zuletzt in Nordlichter übergehen. Hube versichert, dergleichen mehre beobachtet zu haben. Hieher gehört vor Allem das merkwürdige Gewitter, welches am 13. Mai 1787 zu Ronneburg (im Altenburgischen) beobachtet wurde, und welches ein Herr Oertel **) folgendermaßen beschrieb: „Am 13. Mai 1787 zog über Ronneburg gegen Abend ein Gewitter aus Westen nach Osten, und fing erst zu blitzen an, nachdem es schon über das Zenith hin tiefer an den Horizont gerückt war. Gleich hinter demselben wurde der Himmel wieder hell, und es zogen nur noch einige ganz kleine Flocken von schwarzen Wolken nach. Aus den Gewitterwolken, welche sich etwa 40° hoch über dem Horizonte aufgethürmt hatten, sah man, besonders aus den obersten Schichten, zu drei verschiedenen Malen, den Blitz 4 bis 5° hoch am blauen Himmel, wo nicht eine Spur

beträchtlich nach Westen, und wenn der Draht unter die Nadel gebracht wird, nach Osten ab. Man sehe darüber Näheres im II. Bande dieses Werkes, S. 541 u. ff. der neuen Auflage.

*) Vollständiger und faßlicher Unterricht etc.

**) Gothaisches Magazin etc. Bd. V., St. 3., S. 137 u. f. — bei Fischer, a. a. O.

von Wolken war, aufwärts fahren, nach welchen Blitzen kein Donner gehört wurde, obgleich die tiefer am Horizonte zugleich sichtbaren Blitze von entfernterem Donner begleitet wurden. Etwa 15 Minuten darauf zeigten sich rothe Strahlen, welche hinter den Gewitterwolken hervorschossen. Nachdem die Nacht mehr herannahete, erschien ein 4 bis 5 ° breiter Gürtel über das Zenith hin bis an den westlichen Horizont, welcher bald breiter, bald schmäler, abgerissener, oder dichter den Himmel röthete, und sich nach einigen Stunden wieder verlor. Dieser Gürtel bezeichnete genau den Weg, welchen das Gewitter genommen hatte."

Auch Lampadius *) legt auf das so eben beschriebene Gewitter großen Werth, und bemerkt noch zum Schluß seiner Ansichten über das Nordlicht, daß es unstreitig auch Nordlichter bei Tage geben müsse, die natürlich unsichtbar bleiben. Auch gedenkt er der Meinung Einiger, daß die Form mancher Strichgewölke von einer strahligen Bewegung der Luftelektricität abhangen möge.

Wir wollen am Schlusse dieses Abschnittes noch die neuste Meinung des berühmten französischen Naturforschers, Biot **) mittheilen.

Dieser nimmt an, daß das Nordlicht aus wirklichen Wolken besteht, zusammengesetzt aus sehr leichten, staubähnlichen Stoffen, die ziemlich lange in der Luft schweben, zufällig leuchtend werden können, empfindlich gegen den

*) Atmosphärologie, S. 82.

**) In der eben angeführten Abhandlung: Ueber das Nordlicht.

Erdmagnetismus sind, und in diesem Zustande sich von selbst zu Säulen gestalten, welche sich, den wirklichen Magnetnadeln gleich, gegen die Pole wenden. Da wir unter allen irdischen Stoffen bis jetzt nur einige Metalle als solche kennen, welche des Magnetismus fähig sind: so hält es Biot für wahrscheinlich, daß jene Säulen oder Wolken des Nordlichts, wenigstens dem größten Theile nach, aus außerordentlich feinen Metalltheilchen bestehen, und zieht daraus noch folgenden Schluß: „Bekanntlich sind alle Metalle vortreffliche Elektricitätsleiter. Nun sind die verschiedenen Schichten, woraus unsere Atmosphäre besteht, gewöhnlich mit sehr ungleicher Menge von Elektricität geschwängert. Denn wenn man beim heitersten Himmel einen Drachen aufsteigen läßt, woran ein metallischer Faden ist, so erhält man am Ende dieses Fadens Zeichen von gewöhnlicher Glas-Elektricität (+ E.). Ist man hingegen in einem Luftball und läßt unter dem Schiffchen einen Draht in die niedrigern Schichten hinablaufen, so giebt, wie Herr Gay-Lussac und ich es beobachtet haben, das obere Ende des Drahtes Zeichen von Harz-Elektricität (— E.). Wenn nun hiernach Säulen, die zum Theil aus metallischen Stoffen bestehen, senkrecht in der Atmosphäre hangen, wie dieß bei den Säulen des Nordlichts der Fall ist, wenn dieselben über den Polgegenden schweben: so wird die Elektricität der am Gipfel und am Fuße der Säulen liegenden Luftschichten in jeder solchen Säule einen mehr oder weniger vollkommenen Leiter finden; und wenn das Streben dieser Elektricität nach gleichförmiger Verbreitung stärker ist, als der Widerstand der unvollkommenen Leitungssäulen, so wird sie längs diesen Säulen ausströmen und ihre Bahn erleuchten, wie wir dieß gewöhnlich bei unterbrochnen Leitern sehen. Geschieht dieses Ausströmen in den hohen Gegenden der Atmosphäre, wo die Luft, vermöge ihrer Dünnheit, der Bewegung der Elektricität wenig Widerstand leistet: so erfolgt es still und mit allen den Lichterscheinungen, die man im luftleeren Raum der Glasröhren bemerkt. Erstreckt es sich aber bis zu den niedern Luftschichten: so muß es hier nothwendig das bekannte Zischen und Prasseln verursachen. Da endlich das Nordlicht nur durch diese zufälligen Ursachen zu einer sichtbaren Erscheinung wird: so kann es in der Luft vorhanden seyn und auf die Magnetnadel wirken, ohne sichtbar zu seyn. Vielleicht glänzen auch nur gewisse Theile davon und das Uebrige bleibt dunkel, während unter andern Umständen, wo die Durchbrechung des elektrischen Gleichgewichts plötzlich auf allen Punkten erfolgt, die ganze Säulenreihe des Meteors in einem Augenblicke erleuchtet seyn wird."

Außerdem nimmt Biot noch entzündliche Stoffe als Bestandtheile jener Wolkensäulen an, und erklärt daraus die zum Schluß des vorigen Abschnitts erwähnten leuchtenden Wolken, welche, nach seiner eigenen Beobachtung 1817, sich vom Mittelpunkte des Meteors losreißen, sich in der Luft fortbewegen, zuweilen Lichtstrahlen wie Raketen von sich werfen u. s. w.

Aber woher kommen alle diese Stoffe, und besonders die feinen Metalltheilchen?

Biot antwortet: „Untersucht man die natürliche

Beschaffenheit der Gegenden um den Herd des Nordlichts, (d. h. den magnetischen Nordpol, welchen Biot dafür annimmt): so sieht man, daß diese Gegenden von jeher und noch jetzt den fürchterlichsten vulkanischen Ausbrüchen preisgegeben sind. Noch immer thätige Vulkane brennen im Schooße des Eises rund um diese Polarzone, auf den Aleutischen Inseln, in Island, auf Kamtschatka. Wie oft haben sie nicht das ganze Island erschüttert! Lies't man die Beschreibung solcher vulkanischen Ausbrüche, wie sie von Augenzeugen gegeben wird: so bemerkt man darin mit Erstaunen eine Menge der größten Aehnlichkeiten mit unserer beschriebenen Naturerscheinung. Fortwährende elektrische Entladungen, große in die Luft geschleuderte Feuergarben, brennende Kugeln, die zu einer unermeßlichen Höhe hinaufsteigen, dort zerplatzen und mit schrecklichem Getöse ihre Stücke umherwerfen, besonders Wolken vulkanischen Staubes, die nicht allein diese unglückliche Insel einhüllen, das Tageslicht in Finsterniß verwandeln, und die Felder mit brennendem Regen überdecken, sondern auch sich weit in die Luft ausbreiten, mit dem Hagel und Gewitter sich vermischen und in einer Entfernung von 100 bis 200 Stunden auf den Shetlands- und Orkadischen Inseln niederfallen. . . . . . So weit wirkende Ausbrüche, die aus so tiefen Abgründen hervorgehen, daß sie unter der Erdrinde von einem Ende zum andern in Verbindung zu stehen scheinen: sollten diese nicht, wenn sie lange anhalten, über den Schlünden, durch die sie hervorbrechen, starke Luftzüge und wirkliche aufsteigende Winde erzeugen, welche die vulkanische Asche weit über die gewöhnliche Wolkenhöhe hinauftreiben? Und wenn nun der gröbste Staub zuerst herabfällt: kann dann nicht der feinste, oder vielleicht gar die Dünste, welche ihn begleiten, weit länger in der Luft verweilen, und so durch die Winde unermeßliche Strecken weit über Meere und Länder fortgeführt werden?"

„Reisende in Island erwähnen einer Art trocknen Nebels, der die vulkanischen Ausbrüche häufig begleitet. Dieser Nebel, durch den die Sonne nur röthlich scheint, besteht aus so feinen Theilchen, daß er durch die kleinsten Spalten, und mit der Luft, ja selbst wie Luft in die sorgfältigst verschlossenen Behältnisse eindringt. Seine schwefelige und metallische Natur ist gar nicht zu bezweifeln; denn er reizt die Augen, den Mund und die Nasenlöcher derjenigen Thiere schmerzhaft, die ihn einathmen, und wird als schwarzes Pulver ausgehustet. Hat ein solcher Dunst nicht alle physische Eigenschaften, sich weit in der Luft zu verbreiten? Und wäre es nicht möglich, daß er alle Erscheinungen des Nordlichts hervorbrächte, indem er den Gesetzen des Erdmagnetismus gehorchte, und als Luftelektricitäts-Leiter der nördlichen Gegenden diente?"

Biot findet eine Bestätigung seiner Annahme in dem sogenannten Höhen- oder Heerrauche, welcher im Sommer 1783 ganz Europa bedeckte, und auf welchen wir weiter unten bei der Lehre vom Nebel, noch ein Mal zurückkommen werden. „Man hat sich," — fährt Biot fort — „durch entscheidende Versuche überzeugt, daß dieser Nebel nicht aus feuchten Dünsten, sondern aus trockenen bestand. Er roch stinkend und schwefelig, und reizte die Organe der Thiere. Man bemerkte mit Erstaunen, daß starke Winde von Nordwest ihn dicker statt dünner machten. Uebereinstimmende Nachrichten zeigten, daß er sich über ganz Europa und über das Mittelländische Meer ausbreitete. Auf dem Atlantischen Meere, 100 Stunden von der Küste, hörte er auf, und in Amerika wurde er nicht beobachtet; ein Beweis, daß die Umwälzung der Erde auf ihn Einfluß hatte, und er eine irdische Erscheinung war. Das Jahr 1783 zeichnete sich bekanntlich durch fürchterliche vulkanische Ausbrüche aus. Calabrien und das ganze Festland von Europa, von Island bis an den Aetna, wurde erschüttert. Nun erschien aber, nach den Denkschriften der französischen Akademie, dieser trockne Nebel zuerst am 17. Juni in den südlichen Provinzen von Frankreich, und dauerte daselbst ununterbrochen bis zum 22. Juli, wo er endlich durch starke Gewitter niedergeschlagen wurde. Es waren aber in den ersten Tagen des Juni in Island die fürchterlichsten Erschütterungen, deren man sich je dort erinnert *). Die Erde fing den 1. Juni an zu zittern; den 8. begann der Rauch von mehren Bergen sich wie Säulen zu erheben; eine Menge von Kratern fingen zugleich an, auszuwerfen, und hüllten die ganze Gegend in dicke Nacht, die nur zuweilen durch Blitze, Donner, Feuerkugeln und Ströme brennender Lava erhellt wurde. Gerade um diese Zeit fing der trockne Nebel an, im nördlichen Europa zu er-

*) Man sehe den II. Band dieses Werkes, S. 138 u. ff. der neuen Auflage, wo wir dieses Erdbeben und diese vulkanischen Ausbrüche auf Island umständlich erzählt haben.

scheinen, und verbreitete sich nach und nach in die mehr südlichen Gegenden. Hiernach ist es nun doch wohl wahrscheinlich, wenigstens, daß dieser Nebel aus den feinsten Theilchen vulkanischen Staubes, oder, wenn man will, aus gasartigen Entbindungen bestand, welche durch die Nordwinde damals bis in unsere Gegenden geführt wurden, und hier mit geschwächter Kraft alle Wirkungen des trocknen Nebels auf Island erzeugten. Es würde also diesem Nebel weiter nichts fehlen, als die phosphorische Eigenschaft, um gänzlich die Merkmale zu besitzen, welche wir an den leuchtenden Wolken des Nordlichts gefunden haben. Nun hat man aber wirklich bemerkt, daß er des Nachts einen sehr merklichen Schein verbreitete, und alle Beobachter, namentlich Mairan und Van Swinden haben bemerkt, daß ihm fast jedes Mal eine in der Luft, besonders nahe am Horizont, verbreitete Phosphorescenz (ein phosphorartiges Leuchten) vorherging. Dieses Zusammentreffen wäre sehr merkwürdig, wenn es nicht bloß zufällig ist."

Wenn Biots Hypothese seine Richtigkeit hätte, so müßten auch die Südlichter auf diese Weise entstehen. Ob dort eben so viele Vulkane vorhanden seyn mögen, wie um den Norpol herum, ist unbekannt. Daß jedoch das neuentdeckte Südpolland (Neu-Süd-Shetland) allerdings vulkanische Gebirgsarten aufzuweisen habe, ist im III. Bande dieses Werkes S. 531 der neuen Auflage gesagt worden.

XII.

Von der Feuchtigkeit und Trockenheit der Luft.

Es ist schon im dritten Bande dieses Werkes, S. 51 u. ff. der neuen Auflage, gesagt worden, daß die Luft fortwährend und überall, nur zu einer Zeit mehr, zur andern weniger, mit Dünsten angefüllt ist. „Kalte Körper“ — heißt es daselbst — „laufen an, wie man zu sagen pflegt, wenn sie in eine wärmere Luft gebracht werden, d. h. sie werden von einer dünnen Lage Wasser überzogen, welches vorher in der wärmern Luft als Dunst enthalten war, und sich nun wieder in tropfbar flüssiger Gestalt an dem kalten Körper absetzt. Das Nämliche ist der Fall, wenn die von außen erkälteten Fensterscheiben auf der innern wärmern Seite anlaufen oder schwitzen“ u. s. w. Wir haben auch bereits oben zu Anfange dieses Bandes gesagt, daß die Lufthülle der Erdkugel eben von diesen Dünsten, die sie in sich aufnimmt, den Namen Dunstkreis oder Dunstkugel (Atmosphäre) erhalten habe.

Es sind hauptsächlich wässerige Dünste, welche vom Erdboden in die Luft aufsteigen und sich hier unter verschiedenen Gestalten darstellen, die unter den Namen von Nebel, Wolken, Thau, Reif, Regen, Schnee, Hagel und Wasserhosen bekannt sind. Man nennt sie insgesammt wässerige Lufterscheinungen (Wasser-Meteore, Hydrometeore). Sie sind zu wichtig für uns, als daß wir sie nicht einer genauern Betrachtung unterwerfen sollten.

Vor allen Dingen müssen wir jedoch von der Ausdunstung der irdischen Körper und insbesondere des Wassers reden.

Man versteht im Allgemeinen unter Dünsten alle fremde mit der Luft vermischte Körpertheilchen, welche so fein sind, daß sie gar nicht, oder nur in Gestalt eines Rauches oder Nebels gesehen werden können. Ein Körper dunstet aus, wenn er nach und nach entweder ganz oder zum Theil in Dünste verwandelt wird.

Daß alles Wasser ausdunstet, lehrt die tägliche Erfahrung. Wenn man Wasser in einem Gefäße der freien Luft aussetzt, so vermindert es sich nach und nach; vorausgesetzt, daß es nicht durch Regen, Thau u. s. w. neuen Zuwachs erhält. Wenn der Erdboden nach einem Regengusse noch so sehr durchnäßt worden ist, so wird er doch nach und nach wieder trocken. Dieß geschieht nicht bloß dadurch, daß das Wasser in den Erdboden eindringt, sondern auch durch die Verdunstung. Eben so wird das Trocknen anderer Körper, z. B. der im Freien aufgehängten Wäsche, durch die Verdunstung hervorgebracht. Auch das Eis dunstet, selbst bei der größten Kälte aus. Hängt man ein Stück Eis in freier Luft an einer Wage auf, so findet man, daß es, der heftigsten Kälte ungeachtet, von Tage zu Tage leichter wird, und daß sich folglich von ihm beständig kleine Theilchen absondern, und in die Luft übergehen.

In der Regel sind die von dem Wasser oder Eise aufsteigenden Dünste gänzlich unsichtbar und unmerklich. Nur alsdann werden sie sichtbar, wenn das Wasser beträchtlich wärmer ist als die darüber befindliche Luftschicht. Man sieht dieß an kalten Herbstmorgen sehr deutlich an Flüssen und an Bächen; sie rauchen und dampfen. Das Wasser ist nämlich zu dieser Zeit wärmer als die Luft und daher werden die Dünste sichtbar. Wenn wir an einem recht warmen Frühlingstage, an welchem aber der Erdboden noch viele Winterfeuchtigkeit in sich enthält, über die Felder hinblicken, so erscheint die darüber befindliche Luft, zunächst an der Erde, in einer zitternden oder wallenden Bewegung. Es sind die Dünste, welche aus dem Erdboden mit durch die Wärme beschleunigter Schnelligkeit emporsteigen.

Noch deutlicher bemerkt man diese sichtbare Verdunstung des Wassers und anderer Flüssigkeiten, wenn sie zum S i e d e n oder K o ch e n gebracht werden. Was sich dabei überhaupt Alles beobachten läßt, ist schon im III. Bande, S. 23 u. ff. der neuen Auflage, gesagt worden. Das Wasser fängt (an der Oberfläche des Meers, wo der gewöhnliche Barometerstand etwa 28 Pariser Zoll ist) bei einer Wärme von 80° Reaumur oder 212° Fahrenheit an zu sieden. Schon vorher, ehe das Wasser diesen Hitzgrad erreicht, steigen große und kleine Blasen in demselben auf, die meisten von der Stelle, welche am stärksten erhitzt wird. Einige davon steigen bis zur Oberfläche, wo sie theils zerplatzen, theils herumschwimmen; andere hängen sich an den Wänden des Gefäßes an. Je größer die Hitze wird, desto häufiger und größer werden diese Blasen, desto schneller steigen sie empor; das Wasser wird dadurch getrübt, und man sagt nun, daß es w a l l e.

Hat endlich die Temperatur den Siedepunkt (80° R.) erreicht, so bleibt sie auf dieser Stufe stehen, mag man auch das Feuer noch so sehr verstärken. Das Nämliche beobachtet man auch bei andern Flüssigkeiten, nur daß der Siedepunkt nicht bei allen einerlei ist. So siedet z. B. Blausäure schon bei 21° R., Quecksilber dagegen erst bei 282°.

Von den erwähnten aufsteigenden Blasen sind die ersten Luftblasen, weil in jedem Wasser Luft enthalten zu seyn pflegt, die sich durch Wärme ausdehnt, absondert und, da sie leichter ist als Wasser, in Blasengestalt emporsteigt. Die spätern häufigern Blasen sind Dämpfe, oder Wassertheilchen, welche sich mit dem Ueberschuß der über 80° R. vorhandenen Wärme verbinden und dadurch zu einer ausdehnsamen (expansiblen) Flüssigkeit werden. Die Dämpfe befinden sich in einem Mittelzustande zwischen den tropfbaren und den nichttropfbaren Flüssigkeiten, oder zwischen Wasser und Luft, und unterscheiden sich von der Letztern dadurch, daß sie durch Abkühlung oder Zusammenpressen in einen kleinen Raum wieder tropfbar-flüssig werden, was mit den Gasarten nicht der Fall ist. Den Beweis davon geben die Tropfen, welche sich an dem Deckel anhängen, mit dem siedendes Wasser, Kaffeh, Thee rc. zugedeckt wird. Da der Deckel eine niedrigere Temperatur hat, als die kochende Flüssigkeit, so wird den Dämpfen dadurch ein Theil ihres Wärmestoffes entzogen, und die Wassertheilchen fließen hierauf in Tropfen zusammen. In Zimmern, wo viel gekocht wird, in Waschhäusern rc. ist daher ein Uebermaß von Feuchtigkeit in der Luft vorhanden, das sich durch Schwitzen der Wände und Fenster u. dergl. zu erkennen giebt.

Wir haben gleichfalls schon im III. Bande a. a. O. bemerkt, daß der Druck der Atmosphäre ein Hinderniß des Siedens ist, und folglich Einfluß auf den Siedepunkt der Flüssigkeiten hat. Je geringer nämlich dieser Druck ist, desto niedriger braucht auch der Wärmegrad zu seyn, welcher die Flüssigkeit zum Sieden bringt. Je größer aber dieser Druck ist, desto heißer kann diese nämliche Flüssigkeit werden, ehe sie siedet. Auf dem St. Bernhard in den Schweizer-Alpen siedet daher das Wasser schon bei $74\frac{8}{10}$° R.; bei einer Barometer-Höhe von $10\frac{1}{2}$ Pariser Zoll würde es schon mit 60° R. sieden. Aether siedet unter dem Recipienten der Luftpumpe, nach gehöriger Verdünnung der Luft, bei der gewöhnlichen Temperatur unserer Wohnzimmer, sogar bei 0° R.

In einem verschlossenen Gefäße, aus welchem also die Dämpfe der kochenden Flüssigkeit nicht entweichen können, üben diese selbst einen solchen Druck aus, daß das Sieden dadurch verhindert wird. Das Wasser kann also darin einen viel höhern Grad von Hitze annehmen, und die Spannkraft (Elasticität) der Dämpfe kann so groß werden, daß sie selbst die Wände des Gefäßes zersprengen. Auf jener größern Erhitzung des Wassers beruht die Erfindung des Papinischen Topfes, welcher luftdicht verschlossen werden, und worin man folglich das Wasser bis zu einem Grade erhitzen kann, daß sich Körper darin erweichen (Knochen z. B. in Gallerte verwandeln) lassen, die bei der gewöhnlichen Siedehitze vom Wasser nicht angegriffen werden. Eben so ist auf die große Spannkraft eingeschlossener Dämpfe die so äußerst nützliche *) Erfindung der Dampfmaschinen (der Dampfwagen, Dampfboote u. dergl.) gegründet worden. Die Haupttheile einer solchen Dampfmaschine sind 1. der Kessel, in welchem das Wasser in Dämpfe verwandelt wird; 2. der Stiefel, in welchem der Dampf als bewegende Kraft wirkt; 3. der Kolben, oder der durch den Dampf in Bewegung gesetzte Körper, und 4. der Verdichter (Condensator) oder Zersetzer, ein Behältniß, in welchem die Dämpfe wieder zersetzt, d. h. in tropfbar-flüssiges Wasser verwandelt werden. Diese Haupttheile der Dampfmaschine stehen durch verschiedene Leitungs- (oder Communications-) Röhren mit einander in Verbindung, und diese Verbindung kann durch Hähne und Klappen (Ventile) nach Erforderniß bald aufgehoben, bald wieder hergestellt werden. Das Auf- und Zudrehen dieser Hähne und Klappen geschieht, sobald die Maschine einmal im Gange ist, durch gewisse Vorrichtungen, welche man die Steurung nennt **).

Die Erscheinungen des an der Luft verdunstenden Wassers beweisen, daß sich dasselbe bei jedem Wärmegrade in eine ausdehnsame Flüssigkeit verwandeln lasse, und daß es nicht nöthig habe, vorher zum Sieden gebracht

*) Für Nord-Amerika war die Erfindung der Dampfboote so wichtig und folgenreich, als es einst für Europa die Erfindung des Schießpulvers und der Buchdruckerkunst war.

**) Neumann, a. a. O. II. Th. S. 183.

zu werden. Dünste und Dämpfe sind durchaus nicht ihrem Wesen nach, sondern bloß dadurch verschieden, daß jene allmählich entstehen und meist unsichtbar bleiben, diese aber schneller erzeugt und sichtbar werden. Der Bildung der Dünste ist der Druck der Atmosphäre eben so hinderlich als der Bildung der Dämpfe, und Wasser verdunstet z. B. unter der luftleeren Glocke der Luftpumpe weit schneller als in freier Luft.

Daß die Verdunstung auf die nämliche Art wie die Verdampfung durch Wärme entsteht, welche sich mit den Wassertheilchen verbindet, beweist die Erkältung, welche durch sie hervorgebracht wird. Wenn man z. B. die Kugel an einem Thermometer mit Weingeist befeuchtet, so sinkt das Quecksilber während der Verdunstung desselben, oder während des Trocknens der Kugel. Benetzt man die Hand mit warmem Wasser und läßt sie hierauf an der freien Luft trocknen, so entsteht ein Gefühl von Kälte auf derselben. Die Kälte, die man oft nach einem starken Schweiße auf der Haut empfindet, entsteht durch ein schnelles Trocknen der Haut. Auch die verschiedenen Mittel, deren man sich, besonders in heißen Ländern, bedient, um das Getränke abzukühlen, beweisen sämmtlich, daß durch die unmerkliche Ausdunstung des Wassers, wenn sie schnell genug ist, eine merkliche Kälte erzeugt wird. So kann man z. B. Wasser, Wein, u. dergl. ziemlich stark abkühlen, wenn man die Flaschen, worin sie enthalten sind, mit nassen Lappen oder Tüchern umwickelt. In Spanien und andern Ländern hat man eigene aus einem schwammichten Thone verfertigte Gefäße, welche von der Flüssigkeit immer etwas durchsickern lassen, so daß die Oberfläche einer ununterbrochenen Verdunstung ausgesetzt wird. Auch die ledernen Schläuche in Spanien und Portugal, worin man den Wein aufzubewahren pflegt, dienen durch die Verdunstung, welche sie auf der Oberfläche unterhalten, zur Abkühlung dieses Getränkes. Eben so kann man eine Flasche Wasser dadurch abkühlen, oder kühl erhalten, daß man sie in feuchte Erde vergräbt, und über derselben ein schnell loderndes Feuer anzündet, um sie schnell zu trocknen.

De Saussure hat gefunden, daß durch die Verdunstung auch die Spann- oder Federkraft (Elasticität) der Luft vermehrt wird. Er brachte ein Barometer unter einer Glasglocke an, und ließ unter derselben einen nassen Lappen trocknen. Die Ränder der Glocke waren sorgfältig verklebt, und also jede Gemeinschaft der innern Luft mit der äußern unterbrochen. Während der Lappen trocknete, stieg das Barometer und zwar so lange, bis sich an den innern Wänden der Glocke ein feiner Thau zu zeigen anfing. Dieses Steigen des Barometers mußte, da die äußere Luft nicht auf dasselbe wirken konnte, bloß den aus dem feuchten Lappen in die ihn umgebende Luft unter der Glocke gestiegenen Dünsten zugeschrieben werden. Die Wärme der äußern Luft war während dieses Versuches immer die nämliche geblieben; ein Beweis, daß das Steigen des Barometers nicht etwa durch einen Einfluß dieser Wärme, wodurch die innere Luft elastischer geworden wäre, entstehen konnte. Auch bewies es ein zugleich unter der Glocke aufgehängtes Thermometer, welches während der Trocknung des Lappens fiel, zum Beweise, daß die innere Luft durch die Verdunstung erkältet war.

In der Regel bleibt die Luft bei der unmerklichen Verdunstung der Erde und des Wassers durchsichtig. Die stärksten Beweise davon sehen wir im Sommer, wo die Atmosphäre gerade, wenn sie am heitersten ist, die meisten Dünste aufnimmt und am schnellsten trocknet. In heißen Ländern bemerkt man diese Erscheinung noch viel anhaltender und in weit höherem Grade. Nur die untersten Luftschichten verlieren durch die Ausdunstung der Erdoberfläche etwas von ihrer Durchsichtigkeit. Man sieht dieß an dem gewöhnlichen Lichte der Sonne, des Mondes und der Sterne, wenn sie auf- und untergehen. Die Lichtstrahlen müssen nämlich hier durch die untersten Schichten der Atmosphäre gehen, ehe sie zu unserem Auge gelangen. Auch scheinen ferne Gegenstände am Horizonte bei anhaltend heiterm und warmem Wetter sehr undeutlich, oder werden ganz unsichtbar. Man pflegt aus diesem dunstigen Aussehen des Horizonts an einem warmen Sommermorgen auf anhaltend schöne Witterung zu schließen. Von den Spitzen hoher Berge sieht man, auch beim heitersten Wetter, die Sterne deutlicher und mit einem lebhaftern Lichte funkeln als von unten. In heißen Ländern ist die Undurchsichtigkeit der untern Luftschichten viel größer als bei uns. In Arabien z. B. kann man, selbst bei dem heitersten Wetter, sogar die Sterne der zweiten Größe nicht eher am Himmel wahrnehmen, als bis sie 3 oder 4 Grade über den Horizont heraufgestiegen sind. Das Funkeln der Sterne erster Größe, solange sie noch nicht über 25° heraufgerückt sind, ist dort viel schwächer als bei uns; eben so das Licht der Sonne und des Mondes beim Auf- und Untergange.

Was die Stärke der Ausdunstung betrifft, so ist sie im Allgemeinen um so ansehnlicher, je größer die Oberfläche ist, die eine Flüssigkeit oder ein feuchter Körper der Luft darbietet. Darauf beruht das Verfahren der Wäscherinnen, welche die nasse Wäsche nicht zusammenwickeln, sondern sie an der Luft ausbreiten. Eine gleiche Menge Wasser verdunstet viel schneller, wenn man sie auf einen Teller gießt, als wenn man sie in einem engen Gefäße an die Luft stellt. Eben deßhalb verdunstet auch Wasser am schnellsten, wenn es in Tropfen zertheilt wird. Jeder einzelne Tropfen bietet nämlich der Luft eine größere Oberfläche an, und die Gesammtoberfläche der nämlichen Wassermenge ist durch diese Zertheilung in Tropfen ansehnlich vermehrt worden. Hierauf beruht die Erfindung des sogenannten Gradirens schwacher Salzsohlen. Das Salzwasser wird in besonders dazu eingerichteten Gebäuden von der Höhe nach der Tiefe herabgeflößt, und dabei in Tropfen verwandelt. Durch die starke Verdunstung, welche hierdurch entsteht, vermindert sich die Menge des eigentlichen Wassers (da nur dieses verdunstet) und das Uebrigbleibende wird reicher an Salz.

Auch die Wärme vermehrt die Ausdunstung. Im Sommer trocknet der Erdboden nach einem Regen schneller als im Herbste. Wasser in einem Gefäße auf den warmen Ofen gebracht, verdunstet schneller, als wenn man es ans Fenster setzt. Im Winter wird die Wäsche zum Trocknen in warmen Zimmern aufgehängt.

Ferner wird durch die Bewegung der Luft, oder durch Wind, auch durch schnelle Bewegung des zu trocknenden Körpers, die Ausdunstung und Trocknung vermehrt. Wir sehen dieß sehr deutlich nach lange anhaltendem Regen- und Schneewetter, besonders im Herbste und Winter. Bleibt es nach dem Aufhören des Regens windstill, so dauert es viele Tage, ehe der Erdboden wieder trocken wird. Aber ein eintretender anhaltender Sturmwind trocknet oft schon binnen 24 Stunden oder über eine Nacht die Wege wenigstens so weit aus, daß man trocknen Fußes wieder ausgehen kann. Die Ursache davon ist, daß in einer trocknen Luft die Ausdunstung gleichfalls weit schneller von Statten geht, als in einer feuchten. Durch den Wind aber werden beständig neue Luftschichten herbei- und die mit den vorhandenen Dünsten beladenen Schichten hinweggeführt. Eben daher sind in unsern Gegenden die Ostwinde, welche uns lauter trockne Luftschichten bringen, so austrocknend. Es ist daher oft ein geringer Umstand hinreichend, die Ausdunstung zu verzögern oder zu beschleunigen. So dunstet das Wasser in einem vorher verschloßnen Zimmer, unter übrigens gleichen Umständen, stärker aus, oder Wäsche trocknet schneller, wenn man ein Fenster öffnet und eine Zeitlang offen stehen läßt. Etwas Geschriebenes trocknet schneller, wenn man es anhaucht; es wirkt hier vermehrte Wärme und Bewegung der Luft zugleich.

Daß die Größe der jährlichen Ausdunstung auf

der gesammten Erd-Oberfläche, oder die Menge der während eines Jahres von der Erde in die Luft emporsteigenden Dünste, sich nicht bestimmen lasse, ist schon im III. Bande dieses Werkes (S. 57 der neuen Aufl.) gesagt worden. Bloß in Beziehung auf einzelne Länder dürfte es annäherungsweise möglich seyn. Wir haben eben daselbst angeführt, daß Dalton die Größe der jährlichen Ausdunstung von England und Wales (einer Oberfläche von 46450 engl. Geviertmeilen) auf ungefähr $2\frac{3}{4}$ Billionen Körper- (Kubik-) Fuß geschätzt habe. Man hat eigene Werkzeuge und Vorrichtungen, um die Größe der Ausdunstung für irgend einen Zeitraum zu bestimmen. Diese Dunst- oder Ausdunstungs-Messer (Atmometer) sind von verschiedener Art, je nachdem sie die Verdunstung des bloßen Wassers oder des Erdreichs bestimmen sollen. Die einfachsten sind Gefäße mit Wasser, welche man an die freie Luft stellt. Die Menge des verdunstenden Wassers wird entweder dem Raume nach (mittelst einer dabei angebrachten Skale) oder dem Gewichte nach bestimmt. Es muß natürlich verhindert werden, daß kein Regen, Schnee ꝛc. dazu komme. Dobson in Liverpool bediente sich, um die Menge der Ausdunstung und des gefallenen Regens zugleich zu messen, eines walzenförmigen (cylindrischen) Gefäßes von 12 Zoll Durchmesser, füllte es bis zu einer genau bestimmten Höhe fast ganz mit Wasser an, und je nachdem dasselbe im Gefäße stieg oder fiel, nahm er davon oder goß zu, bis diese Höhe wieder hergestellt war. Sowohl die in einem ganzen Jahre abgenommene als auch die während dieses Zeitraums hinzugegossene Wassermenge schrieb er sorgfältig, jede besonders, auf, und verglich sie mit der Menge des Regens, welche in diesem Jahre überhaupt gefallen war. Er fand, daß die Ausdunstungsmenge im ganzen Jahre $36\frac{78}{100}$, und die des Regens $37\frac{48}{100}$ englische Zoll betrug.

Zur Bestimmung der Ausdunstung, welche von urbarer, mit Pflanzen bewachsener Erde entsteht, gebrauchte Dalton ebenfalls ein walzenförmiges Gefäß von 10 Zoll Durchmesser und 3 Fuß Tiefe. Am Boden war eine Röhre angebracht, welche das sich durchseihende Wasser in eine Flasche abführte. Dieses Gefäß wurde so in die Erde versenkt, daß man nur von der Seite der Röhre zukommen konnte, um von Zeit zu Zeit die Flasche abzunehmen und das darin befindliche Wasser zu messen. Der Boden wurde mit einer Schicht kleiner Kieselsteine und groben Sandes bedeckt, und der übrige Raum des Gefäßes mit Erde gefüllt. Auf diese Erde wurde soviel Wasser gegossen, bis es in die Flasche floß und die Erde vollkommen gesättigt war. Neben dieser Vorrichtung stellte Dalton auch einen Regenmesser von gleichem Durchmesser auf. Im ersten Jahre blieb die Erde des Dunstmessers kahl, im zweiten und dritten Jahre aber war sie mit Gras bewachsen, und es zeigte sich, daß diese Veränderung in der Oberfläche des Erdreichs keinen bedeutenden Unterschied in der Ausdunstungsmenge hervorbrachte. Die Regenmenge nach Verfluß dieser drei Jahre betrug im Mittel jährlich $33\frac{56}{100}$ Zoll. Die mittlere Menge des in die Flasche abgeflossenen Wassers aber betrug für eben diesen Zeitraum nur $8\frac{402}{1000}$ Zoll. Folglich war das Fehlende $= 25\frac{158}{1000}$ Zoll, durch die Verdunstung verloren gegangen.

Da, wie wir gesehen haben, die Größe und Menge der Ausdunstung nicht zu allen Zeiten einerlei ist, so muß auch der Feuchtigkeitsgrad der Luft in verschiedenen Zeiten und an verschiedenen Orten verschieden seyn. Zur Bestimmung dieses Feuchtigkeitsgrades oder des Wassergehaltes der Atmosphäre hat man ebenfalls eigene Werkzeuge und Vorrichtungen erfunden, welche man Hygrometer (Feuchtigkeits- oder Feuchtemesser), auch Hygroskope (Feuchtigkeits- oder Feuchtebeobachter) nennt. Diese Erfindung gründet sich darauf, daß gewisse Körper eine besondere Anziehungskraft oder Verwandtschaft zu den in der Luft befindlichen Wasserdünsten haben. Wir sehen dieß z. B. am Kochsalze, welches man bekanntlich keiner feuchten Luft aussetzen darf, weil es die Feuchtigkeit an sich zieht und zuletzt zerfließt. Auch das Papier gehört unter diese Art von Körpern. Wenn im Sommer anhaltendes Regenwetter und feuchte Luft herrscht, so trocknet alles Geschriebene viel schwerer; nicht bloß wegen der Schwäche der Ausdunstung, sondern auch wegen der Feuchtigkeit des Papiers. Eben so zieht trocknes Holz die Feuchtigkeit der Luft an, und nimmt dadurch an Ausdehnung zu. Fenster und Thüren lassen sich oft bei feuchtem Wetter nur mit Mühe zumachen; sie sind verquollen, wie man's im gemeinen Leben nennt. Andere Körper dieser Art sind thierische Häutchen, Darmsaiten, Haare, Fischbein, Elfenbein ꝛc.

Man hat verschiedene Arten von Feuchtemessern (Hygrometern) erfunden, von welchem das Saussursche am allgemeinsten in Gebrauch gekommen ist. Der Haupttheil desselben ist ein weiches, blondes, nicht krauses, Menschenhaar, welches vorher, um von aller Fettigkeit befreit zu werden, in einer schwachen Lauge gekocht worden ist. Man befestigt es hierauf mit einem Ende an einer Art von Rahmen, und mit dem andern an dem Umfange einer äußerst beweglichen kleinen Rolle, an welcher sich zugleich ein Fädchen mit einem kleinen, nur einige Gran wiegenden Gewichte befindet. Durch den Zug des Letztern wird das Haar angespannt. Wenn sich nun das Haar durch die aus der Luft angezogene Feuchtigkeit verlängert, so sinkt das Gewichtchen; wenn aber das Haar durch Trockenwerden sich verkürzt, so steigt es. In beiden Fällen wird die kleine Rolle gedreht. An der Axe derselben ist ein Zeiger angebracht, der sich folglich zugleich mit der Rolle bewegt und an einem davor angebrachten in eine beliebige Anzahl gleicher Theile (Grade), z. B. 100, eingetheilten Kreisbogen die Grade der Trockenheit und Feuchtigkeit der Luft anzeigt. Der Punkt 0 zeigt den Punkt der größten Trockenheit, der Punkt 100 den der größten Feuchtigkeit an. Was jedoch dieses Saussursche Hygrometer, so wie alle übrigen aus dem Thier- und Pflanzenreiche, in längerer oder kürzerer Zeit unbrauchbar macht, ist der Umstand, daß alle dazu verwendeten Körper nach und nach ihre hygroskopischen Eigenschaften verlieren, oder, mit andern Worten, so vollständig austrocknen, daß sie gegen die

Feuchtigkeit der Luft fast ganz unempfindlich werden. Dergleichen Hygrometer müssen daher immer wieder von neuem verfertigt werden. Unter den in der neusten Zeit erfundenen vollkommnern Werkzeugen dieser Art ist das verbesserte Daniellsche am meisten in Gebrauch gekommen. Das Wesen desselben besteht in zwei gläsernen durch eine luftleer gemachte Röhre mit einander verbundenen Kugeln, wovon die eine ungefähr zur Hälfte mit Schwefeläther gefüllt ist und ein kleines Thermometer enthält, die andere luftleere aber mit einem Stückchen Musselin überzogen ist. An der hölzernen Säule des die horizontale Verbindungsröhre der Kugeln tragenden Gestells ist ebenfalls ein Thermometer angebracht, welches die Temperatur der äußern Luft anzeigt. Will man nun das Instrument gebrauchen, so gießt man aus einem zum Apparate gehörigen Fläschchen einige Tropfen Schwefeläther auf den Musselin der zweiten Kugel. Dadurch wird in dieser eine beträchtliche Kälte erzeugt und die Kugel füllt sich mit den vom Schwefeläther der ersten Kugel aufsteigenden Dünsten. Durch diese wird wieder die Letztere so bedeutend erkältet, daß sich die in der umgebenden Luft enthaltene Feuchtigkeit sogleich auf ihrer Oberfläche niederschlägt. In diesem Augenblicke beobachtet man den Stand beider Thermometer; der Unterschied zwischen beiden Ständen zeigt den Feuchtigkeitszustand der Atmosphäre an *).

*) Umständlicheres über diesen Gegenstand findet der, weitere und wissenschaftliche Belehrung suchende, Leser bei Gehler, V. Band, 1ste Abth. Art. Hygrometer, S. 592 bis 662.

XIII.

Von den wässerigen Lufterscheinungen; insbesondere vom Nebel.

Die in der Luft vorhandenen Wasserdünste bleiben durchsichtig und unsichtbar, so lange sie ausdehnsam und folglich wirkliche Dünste sind. Sobald sie aber anfangen, in tropfbar = flüssiges Wasser überzugehen, so werden sie sichtbar. Die ersten Erscheinungen, welche dieser Uebergang hervorbringt, sind der **Nebel** und die **Wolken**.

Der **Nebel** ist von den Wolken nicht wesentlich verschieden. Wolken, die auf dem Erdboden liegen, sind Nebel, die in die höhern Luftgegenden emporgestiegen sind oder sich daselbst gebildet haben, heißen Wolken.

Was den Nebel bildet, sind unzählige äußerst kleine Wasserbläschen, wie **Saussure** durch das Vergrößerungsglas entdeckt hat. Das Eigengewicht jedes einzelnen solchen Bläschens ist zu gering, als daß es den Widerstand der es umgebenden Luft überwinden und sogleich bei seiner Entstehung zu Boden sinken könnte. Es bleibt daher in der Luft hangen. Daß diese Bläschen sich nicht zu wirklichen Regentropfen, oder zu größern Wassermassen vereinigen, wird durch die dazwischen befindliche Luft, vielleicht auch durch elektrische Abstoßung verhindert. Mehr davon weiter unten, wo wir von den verschiedenen Erklärungsarten der wässerigen Lufterscheinungen umständlicher handeln werden.

Sowohl die Ausdehnung als die Dichtigkeit der Ne=

bel sind sehr verschieden. Die kleinsten Nebel sind diejenigen, welche wir an kalten Frühlings- und Herbstmorgen über Bächen und Flüssen, Seen, Sümpfen, Morästen und Teichen bemerken. Unmittelbar in der Nähe dieser Orte ist die Luft ganz hell. Es sind die unmittelbaren Ausdunstungen dieser Gewässer, welche, wie im vorigen Abschnitte gezeigt worden, durch den Unterschied der Temperatur zwischen der Luft und dem Wasser verdichtet und sichtbar werden.

In Gebirgsgegenden sieht man oft, nach einem starken Regenwetter, sehr kleine Nebelmassen an einzelnen Stellen des Bodens, besonders in Waldungen, entstehen. Sie sind gleichfalls nichts weiter als der an diesem Orte selbst entstehende Wasserdampf. Man sagt alsdann, der Berg rauche. Von größerer Ausdehnung dagegen, und oft sich über weite Länderstrecken verbreitend, sind die Frühlings- und Herbstnebel mancher Jahre, welche in diesen beiden Jahrszeiten, besonders im März und Oktober, mit jedem Morgen vor Sonnenaufgang sich regelmäßig einstellen und erst im Verlauf des Vormittags, beim Höhersteigen der Sonne, sich verlieren. Es ist bekannt, daß auf das Fallen solcher Nebel der heiterste und angenehmste Tag zu folgen pflegt. Insbesondere pflegen bei uns die herrlichen Oktobertage (im gemeinen Leben der Alteweiber-Sommer genannt) durch solche Morgennebel angekündigt zu werden. Auf das Steigen des Nebels folgt meist trüber Himmel und kurze Zeit darauf Regen. Daß aber hundert Tage nach jedem Märznebel ein Landregen eintrete, ist ein Mährchen.

Aber nicht bloß im Frühling und Herbst entstehen Nebel, sondern auch in den beiden andern Jahreszeiten, obschon im Sommer verhältnißmäßig am seltensten. Es kommt hierbei viel auf die Lage des Landes und die Beschaffenheit des Bodens an. In kältern Ländern, und solchen, die am Meere liegen, z. B. England, Holland, Norwegen rc. sind auch im Sommer starke Nebel nichts Seltenes. Eben dieß ist der Fall in sehr hohen Gebirgen, zumal wenn sie stark bewaldet sind, z. B. in den Alpen, Pyrenäen, Karpathen rc. Auf den Eismeeren, in der Nähe vieler und großer schwimmender Eismassen, giebt es zu allen Jahreszeiten viel Nebel. Auch an heitern, sehr kalten Wintertagen, wo die Erde mit Schnee bedeckt ist, sehen wir die untersten Luftschichten mit einem, obschon weniger dichten Nebel, dem sogenannten Frostnebel, erfüllt.

Die Höhe, bis zu welcher sich große Nebel vom Erdboden an erstrecken, ist ebenfalls verschieden. Zuweilen ruht er nur in den niedrigsten Luftschichten auf dem Erdboden, und es genügt oft, sich auf die Spitzen der Berge oder auch nur auf Kirchthürme zu begeben, um sich in der reinsten Atmosphäre zu befinden. Prachtvoll ist nicht selten das Schauspiel, wenn man von so hohen Punkten herab den Nebel über eine ganze weite Strecke verbreitet, und einzelne Gegenstände, Berge, hohe Gebäude, Baumgruppen, sich daraus wie Inseln aus einem Meere emporheben sieht. Noch herrlicher ist der Anblick, wenn einzelne Nebelmassen zerreißen, und das Auge nun durch die Oeffnung plötzlich einen Blick auf ferne Gegenstände werfen kann. Die Berichte von Reisenden, welche die Spitzen hoher Berge erstiegen haben, sind voll von Schilderungen dieses herrlichen Naturschauspiels *).

Von der verschiedenen Dichtigkeit der Nebel haben wir schon vorhin Erwähnung gethan. Unter die merkwürdigsten dicken Nebel gehört der, welcher am 8. November 1775 zu Hamburg fiel. Man konnte die Gegenstände schon in einer Entfernung von vier Schritten nicht mehr erkennen. Pferde und Wagen rannten zusammen und in den breitesten Straßen wurden Menschen überfahren. Die Einwohner getrauten sich nicht, ihre Häuser zu verlassen, und die Bauern konnten die Stadtthore nicht finden. Noch um Mittag mußte man in den Zimmern Licht brennen. Nachmittags um zwei Uhr war zwar bei der Börse und am Hafen heller Sonnenschein, aber in andern Gegenden der Stadt wurde der Nebel dafür um desto dichter. Erst um fünf Uhr Abends stieg er in die Höhe und bildete eine lange und schwarze Wolke. In der folgenden Nacht fiel ein starker Regen **).

Aehnliches erzählten öffentliche Blätter von dem starken Nebel, welcher am 24. Oktober 1809, Abends zu Klagenfurt fiel. Keine Fackel, vielweniger eine Straßenlampe, vermochte die schreckliche Finsterniß, auch nur auf einen Umkreis von wenigen Schritten zu erhellen, und es geschah durch das Zusammenrennen der Menschen,

*) Wir haben eine Probe davon bei der Beschreibung des Aetna in Sizilien im zweiten Bande dieses Werkes S. 117 der neuen Aufl. gegeben.

**) Kant, a. a. O. S. 53.

Pferde und Wagen manches Unglück. — Auch in Paris fielen in den Jahren 1767 oder 1768 solche starke Nebel. In London sind sie gar nichts Seltenes und werden meist durch die ungeheure Masse von Steinkohlendampf hervorgebracht, welcher sich in der feuchten Luft nicht verbreiten und zertheilen kann.

Manche Nebel haben einen ganz eignen, oft stechenden, brenzlichten Geruch, welcher von andern nichtwässerigen Ausdunstungen, die sich dem Nebel beimischen, herrühren muß. Denn der Nebel an sich besteht wie alle übrige wässerige Niederschläge der Atmosphäre, aus reinem Wasser. Jener Geruch gleicht dem, welcher bei der Entstehung des elektrischen Funkens empfunden wird, auch wohl dem Geruche des Wasserstoff-Gases. Dergleichen Nebel sind Menschen und Thieren ungesund, und auch auf die Pflanzen äußern sie einen nachtheiligen Einfluß.

Von dem trocknen Nebel, dem sogenannten Höhenrauch (auch Heerrauch, Sonnenrauch, Landrauch, Heiderauch genannt), ist schon oben im XI. Abschnitte, bei Gelegenheit der Biot'schen Erklärungsart des Nordlichtes, geredet worden. Der merkwürdigste Nebel dieser Art war der vom Jahre 1783. Er wurde durch ganz Europa beobachtet, und war an manchen Orten so stark, daß man Gegenstände, die nur eine Viertelstunde entfernt waren, entweder gar nicht, oder nur undeutlich sehen konnte. Die Sonne erschien durch diesen Nebel roth und ohne Glanz, so daß man selbst am Mittag sie mit freiem Auge betrachten konnte;

gegen die Zeit des Auf- und Untergangs verbarg sie sich ganz im Nebel. In Kopenhagen ward er am frühesten beobachtet, nämlich am 24. Mai. In Rochelle sah man ihn am 6. und 7. Juni, nachher verschwand er und kam erst am 18. Juni wieder zum Vorschein. Ueberhaupt war die Mitte dieses Monats der Zeitpunkt, wo er sich in allen Gegenden fast auf Ein Mal zeigte. An manchen Orten trat er nach vorausgegangenem heiterem Wetter ein, an andern nach einem Gewitter, oder nach anhaltendem Regenwetter. Er erstreckte sich, wie gesagt, über ganz Europa, und sogar bis nach Afrika und Syrien. Auch über einen Theil des Atlantischen Meeres dehnte er sich an 50 bis 100 Meilen weit von den europäischen Küsten aus. Ein von Norwegen nach Holland fahrender Schiffer, der am 19. Juni von dort abreis'te und am 2. Juli hier ankam, sah sich vom 25. bis 30. Juni vom dicksten Nebel umgeben. Zu manchen Zeiten hat man diesen Höhenrauch auf den Alpen bis zu 10,000 Fuß hinauf beobachtet. Weder Stürme noch Regen konnten ihn vertreiben. Als es am 20. Juni in Franeker in Ostfriesland so heftig regnete, daß in einer halben Stunde 20 Linien hoch Wasser fiel, dauerte er fort. Nur nach Gewittern will man eine Abnahme desselben bemerkt haben. Die Winde waren meist nördlich, aber an vielen Orten herrschte während seiner ganzen Dauer Windstille, mit welcher eine große Trockenheit verbunden war. Die größte Dicke dieses Nebels fällt in das letzte Drittel des Juni, von da an ward er dünner, kehrte im Anfang des Juli noch ein Mal mit der vorigen

Stärke zurück und verschwand nach allmählichem Abnehmen gegen das Ende dieses Monats gänzlich. In Paris geschah dieß am 21. Juli nach einem kleinen Gewitterregen; auch an mehren andern Orten machte ein Gewitter seinem Daseyn ein Ende. In Havre de Grace zeigte er sich am 31. Juli stärker als vorher, aber um 8 Uhr brach die Sonne durch und zerstreute ihn gänzlich. In Narbonne verschwand er bei einem vom 24. bis zum 26. Juli wehenden kalten Nordwinde.

Woher dieser trockne Nebel entstanden seyn möge, ist nicht mit Bestimmtheit ausgemacht worden. Der Biot'schen Meinung, daß ihn die Ausbrüche der Isländischen Vulkane, und die Erdbrände, welche im Sommer 1783 auf Island Statt fanden, hervorgebracht haben, ist schon oben gedacht worden. Andere haben geglaubt, er sei durch das Erdbeben entstanden, welches eben damals Calabrien verwüstet hatte. Doch widerspricht dieser Meinung der Umstand, daß er vom nördlichen Europa ausging. Brandes, dem wir in seinen, schon oben angeführten, Beiträgen zur Witterungskunde, S. 172 bis 179, eine recht fleißige und umsichtige Zusammenstellung aller Beobachtungen über diesen merkwürdigen Nebel verdanken, findet es nicht unglaublich, daß gleichzeitig mit jenen Erdbeben und Erdbränden auch in dem übrigen Europa ein rauchartiger vulkanischer Dunst aus der Erde hervorgebrochen seyn möge. In mehren Gegenden scheinen auch andere örtliche Umstände auf die Bildung und den Verlauf dieses Nebels Einfluß gehabt zu haben.

Was seine Beschaffenheit betrifft, so will man an einigen Orten, z. B. in Gröningen und Friesland, bemerkt haben, daß er das der Luft ausgesetzte Kupfer angreife. Auch soll er eben daselbst Husten erregend und anderwärts den Augen empfindlich gewesen seyn. Daß an manchen Orten die Blätter der Bäume gelb wurden und abfielen, das Gras verdorrte, und Felder und Wiesen einen traurigen Anblick darboten, dürfte wohl als eine bloße Folge der anhaltenden Hitze und Dürre zu betrachten und nicht dem Nebel zuzuschreiben seyn. Wir haben in dem dürren Sommer 1822 das Nämliche beobachtet. Merkwürdiger dagegen war der unangenehme Geschmack des bei Narbonne in den Nächten vom 26. bis 28. Juni gefallenen Thaues, so wie der eisenhaltige Niederschlag, den der Nebel im Neapolitanischen an den Blättern absetzte. Aus Des Vasquiers Beobachtungen über seinen Einfluß auf die Farben der frischgefärbten Cattune ließ sich vermuthen, daß er etwas von schwefelsaurem Gas enthalten müsse.

Nicht minder merkwürdig war die elektrische Beschaffenheit dieses Höhenrauches von 1783. Die häufigen, sowohl während seiner Dauer eintretenden, als sein Ende herbeiführenden Gewitter waren ungewöhnlich heftig. Bei einigen bemerkte man an manchen Orten mehr als 100 Schläge, und Toaldo gedenkt eines Blitzes, der in immer neuen Ausbrüchen 11 Minuten lang gedauert habe, so wie mehrer Blitze, von denen ein Gebäude zu gleicher Zeit getroffen worden sei. Die auffallendste Nachricht von den Gewittern jenes Sommers ist indeß die, welche Brandes aus den Neuen Schriften der Berliner Naturforschenden Freunde (III. Bd. S. 141) mittheilt. Zu Bramley in Kent entstand in der Nacht vom 20. auf den 21. Juli ein starkes Gewitter, das zwar keinen Schaden that; aber der Nebel selbst, welcher seit einem Monate angehalten hatte, ward vom Blitze entzündet, und erschien wie eine helle Flamme, doch ohne Geräusch. Nach dem Aufhören des Donners sah man diese Flamme weiß, und so hell, daß man dabei lesen konnte. Die Insekten, mit welchen bis dahin die Bäume bedeckt gewesen, waren am folgenden Morgen verschwunden.

In geringerem Grade wird der Höhenrauch fast alle Jahre in heißen Sommern bald eine kürzere, bald längere Zeit, besonders des Morgens bei Sonnenaufgang bemerkt; er ist die Ursache, daß man alsdann ferne Gegenstände nur undeutlich oder gar nicht wahrnimmt. Wir haben schon im vorigen Abschnitte davon gesprochen. Lampadius sagt *), daß er solche trockne Nebel nicht selten im Sommer, wie z. B. 1804, einige Stunden vor Gewittern, die dann allezeit sehr heftig waren, bemerkt habe.

Parrot **) hält die trockenen Nebel für „concrete Substanzen" (feste Stoffe), welche sich entweder aus der Luft niederschlagen oder (was viel wahrscheinlicher sei) als flüchtige Dünste sich von der Erd-Oberfläche erhoben haben. „Ein Beispiel solcher in den Gasen schwebender undurchsichtiger Niederschläge" — sagt er — „liefert

*) A. a. O. S. 135.

**) A. a. O. S. 427 in der Anmerkung.

uns die Zersetzung des Wassers durch glühendes Eisen, besonders wenn sie mit Heftigkeit geschieht. Das Gas tritt aus der Zersetzungsröhre halb undurchsichtig und milchfarbig, und behält, auch unter geringer Temperatur, diesen Zustand sehr lange, wenn es nicht häufig mit Wasser gewaschen wird."

Wenn der Nebel bei einer Temperatur niederfällt, die geringer ist als 0° Reaum., so entsteht dadurch der Nebelreif. Die Wassertheilchen gefrieren und legen sich als feiner Staub, häufiger aber federartig krystallisirt, an die Körper an. Der letztere Umstand deutet auf Elektricität hin, welche bei der Bildung dieses Nebelreifes Statt findet. Die Krystall-Formen sind verschieden, je nachdem der Körper, auf dem der Reif sich ansetzt, ein guter oder schlechter Leiter der Elektricität ist.

Ist die unterste Schicht der Luft, zunächst am Erdboden, oder auch der Körper, auf den der Nebel fällt, kälter als die obere oder die umgebende Luft, so entsteht der Eis bildende oder glatteisende Nebel, welcher mit dem durch Regen hervorgebrachten Glatteise nicht zu verwechseln ist. Die Dampfbläschen des Nebels zersetzen sich beim Auffallen und das Wasser gefriert sogleich zu Eis. Auf diese Weise werden nicht selten Bäume, Schiffsmasten, Segelstangen, Tauwerk u. dgl. nach und nach dergestalt mit Eise überzogen, daß ganze große Klumpen herabfallen, und jene Gegenstände auch wohl unter dem Drucke der Last zerbrechen. Ein entzückendes Schauspiel gewährt ein mit dünnem Nebel-Glatteis überzogener Baum, wenn die Strahlen der aufgehenden Sonne darauf fallen und sich in den einzelnen kleinen Massen und gefrornen Tropfen auf tausendfache Weise brechen.

XIV.

Von den Wolken.

Was die Nebel in den untersten Schichten der Luft, an der Oberfläche der Erde, sind, das sind die Wolken in höhern Schichten. Sie bestehen ebenfalls aus sehr kleinen Dunstbläschen, welche ihre eigenthümliche geringe Schwere verhindert, in der Luft zu Boden zu sinken, und welche wahrscheinlich durch elektrische Abstoßung auseinander gehalten, und so verhindert werden, in Tropfen zusammenzufließen. Wenn dieß Letztere dennoch geschieht, so hören sie auf, Wolken zu bilden, und verwandeln sich in Regen.

Die Höhe der Wolken ist sehr verschieden. Manche sind nur einige Hundert Fuß hoch, und in Gebirgsgegenden trifft sichs häufig, daß man beim Besteigen der Berge mitten durch eine Wolke gehen muß. Besonders Gewitterwolken haben eine unbedeutende Höhe. Auf dem Brocken oder auf der Schneekoppe z. B. sieht man zuweilen Gewitter zu seinen Füßen, während man oben auf der Spitze des Berges klaren Himmel und Sonnenschein hat. Dagegen erheben sich zu andern Zeiten die Wolken bis zu einer Höhe von 30000 Fuß, und noch höher. Bouguer und v. Humboldt haben auf dem Chimborasso noch sogenannte Lämmerwolken über sich gesehen, die an 700 bis 800 Klafter über dem Gipfel des Berges schweben mochten. Manche Naturforscher haben versucht, die Höhe der Wolken geometrisch zu messen, was indeß mit großen Schwierigkeiten verknüpft ist. Da sich nämlich der Ort und die Gestalt der Wolken unaufhörlich ändern, so können zwei von einander entfernte Beobachter — welche zu dieser Art Messung erfodert werden — nicht immer versichert seyn, daß sie in einem und dem nämlichen Augenblicke auch einerlei Punkt der Wolke beobachten und messen. Jakob Bernouilli machte einen Versuch, die Höhe der Wolken durch die Zeit zu bestimmen, welche von Sonnenuntergang bis zu dem Augenblicke verstreicht, in welchem die, von der Erleuchtung durch die letzten Sonnenstrahlen herrührende, rothe Farbe der Wolken verschwindet. Die Erfahrung lehrt nämlich, daß die Strahlen der untergehenden Sonne zuerst die niedrigsten Oerter verlassen, also Wiesen und Felder, hierauf die Gipfel der Gebäude, nachher die Spitzen hoher Berge, und am spätesten die Wolken, von welchen wieder die am westlichen Himmel befindlichen länger glänzen als die östlichen. Eine Wolke muß also um so höher in der Luft schweben, je länger sie nach Sonnenuntergang beleuchtet wird. Allein auch dieses Verfahren Bernouilli's konnte keine große Bestimmtheit gewähren, indem der Weg, welchen die letzten Sonnenstrahlen durch die Luft nehmen, wegen des verschiedenen Zustandes ihrer Schichten, gleichfalls sehr veränderlich seyn muß. Ueber die Höhe einzelner Gattungen von Wolken soll weiterhin noch Einiges vorkommen.

Auch die Größe der Wolken ist sehr verschieden.

Manche mögen im Durchmesser nur wenige Fuß betragen, zumal wenn sie erst im Entstehen begriffen sind; andere haben eine Ausdehnung von mehr als einer Meile. Die Größe einer kleinen Wolke läßt sich aus der Größe ihres Schattens auf der Erde bestimmen, weil dieser, wegen der großen Entfernung der Sonne von der Wolke, mit der Letztern einerlei Länge und Breite hat. Auf Bergreisen, wo man durch einzelne Wolken zu gehen genöthigt war, hat man die Dicke derselben von etlichen Hundert bis zu tausend Schuhen gefunden.

Man ist sogar auf den Gedanken gekommen, das Gewicht der Wolken zu bestimmen. Fischer *) erzählt von einem solchen Versuche, den Wolf gemacht hat. Zu Ulm war am 12. August 1718 auf einem eigens dazu abgesteckten Platze von 40 Fuß Länge und eben so viel Breite 21¼ Linien hoch Regen gefallen. Wird die Größe dieses Platzes, welche 1600 Flächenfuß, oder 33,177,600 Flächenlinien betrug, mit 21¼ multiplicirt, so kommen = 705,024,000 Körperlinien heraus, oder die Menge des Wassers, welche es aus der über dem Platze stehenden Wolke geregnet hatte. Nach dem zehntheiligen Maße würden dieß aber 408 Millionen Körperlinien oder 408 Körperfuß betragen. Rechnet man das Gewicht von einem Körperfuß Wasser zu 64 Pfund, so wäre das ganze Gewicht der über jenem Platze befindlichen Wolke 26,112 Pfund gewesen. Man sieht indeß leicht, auf was für un-

*) Physikalisches Wörterbuch ꝛc. Art. Wolken, im Vten Bande, S. 693. Die Zahl der Flächenlinien ist indeß daselbst durch einen Druckfehler falsch angegeben.

sichern Voraussetzungen diese ganze Rechnung beruht, und wie wenig zuverlässig sie demnach ist.

Anziehendere Betrachtungen bieten die Gestalten der Wolken dar. Schon dem oberflächlichen Beobachter erscheinen dieselben unendlich mannichfaltig. Gleichwohl bemerkt man, bei genauerer Betrachtung, gewisse Formen, die einzelnen Wolken vorzugsweise eigen zu seyn scheinen. Schon Lampadius macht in seiner Atmosphärologie, S. 130 u. f. auf den Unterschied zwischen Strichwolken, Lämmerwolken, unbegränzten und begränzten Wolken, Flugwolken mit wagrechter Grundfläche u. dergl. aufmerksam. Noch genauer hat in der neuesten Zeit ein englischer Naturforscher, Lucas Howard *), die Gestalt der Wolken zu bestimmen, und die dem ersten Anblicke nach so unendliche Mannichfaltigkeit derselben auf bestimmte Grundformen zurückzuführen versucht. Er nimmt drei solcher Grundgestalten an, die er mit lateinischen Namen benennt, nämlich:

1. den Cirrus, oder die Federwolke;
2. den Cumulus, oder die Haufenwolke, und
3. den Stratus, oder die Schichtwolke.

Außer diesen nimmt Howard noch zwei Mittelgestalten und zwei zusammengesetzte Gestalten an, so daß in Allem sieben Hauptgestalten zum Vorschein kommen. Die zwei Mittelgestalten sind

*) Brandes Beiträge rc. rc. S. 286 u. ff. — Parrot's Grundriß rc. S. 424 u. f. — Neumann's Lehrbuch rc. II. Th. S. 671 u. f.

4. der Cirro-Cumulus, oder die federige Haufenwolke, und

5. der Cirro-Stratus, oder die federige Schichtwolke. Die zwei zusammengesetzten sind

6. der Cumulo-Stratus, oder die geschichtete Haufenwolke (Brandes nennt sie richtiger die gethürmte Haufenwolke), und

7. der Nimbus, oder die Regenwolke.

Wir haben zur Veranschaulichung dieser Howard'schen Wolkengestalten auf Tab. II. und III. Abbildungen derselben mitgetheilt. Auf Tab. II. zeigen sich bei a verschiedene Formen von Federwolken; bei b federige Haufenwolken (sogenannte Schäfchen oder Lämmerwolken); bei c eine, nicht sehr entfernt stehende, federige Schichtwolke; bei d ebenfalls eine, aber sehr entfernt am Horizont stehende federige Schichtwolke; bei e (in der Mitte des Bildes) zwei kleine, erst im Entstehen begriffene Haufenwolken; bei f eine größere ausgebildete Haufenwolke; auf Tab. III. bei g verschiedene Formen federiger Schichtwolken, wie sie zwischen Regenschauern erscheinen; bei h gethürmte Haufenwolken, und bei i eine gethürmte Haufenwolke, die in die Regenwolke übergeht.

Es wird nöthig seyn, bei jeder dieser verschiedenen Wolkengattungen ein wenig zu verweilen.

Der Cirrus hat diesen Namen von seiner Aehnlichkeit mit einer Haarlocke (dieß bedeutet eben das lateinische Wort). Die teutsche Benennung Federwolke beruht auf der Aehnlichkeit mit einer Flaumfeder. Diese Wolke besteht aus zarten Streifen, die in verschiedenen Richtungen mit einander verbunden sind. Gewöhnlich ist sie nach anhaltend heiterm Wetter die erste, welche auf dem blauen Himmelsgrunde erscheint. Den Anfang macht entweder ein kleiner flockenartiger Punkt, oder einzelne zarte Fäden. Diese verlängern und verdicken sich allmählich, und nach Art der Pflanzen oder der Krystallisationen setzen sich seitwärts neue Aeste an den Hauptstamm an. Oder es zeigen sich parallele Fäden, welche von andern ähnlichen in rechten oder schiefen Winkeln durchkreuzt werden, so daß sich ein zartes, durchsichtiges, schleierartiges Gewebe bildet. Zu andern Zeiten gehen sich schlängelnde und durchkreuzende Fasern von dem Hauptstamm aus, und bilden gleichsam Federfahnen, Haarlocken u. dgl. Auch bildet sich zuweilen ein dichter Kern, von welchem kurze Fasern nach allen Richtungen hin auslaufen. Manche Federwolken zeigen an ihrem einen Ende ganz eigne in einem Bogen zurückgekrümmte Streifen; sie sehen aus wie ein mit dem Finger ausgewischter Tuschfleck u. s. w. Auf unserer Kupfertafel Nr. II. sind mehre dieser verschiedenen Formen der Federwolken dargestellt.

Brandes macht auf den merkwürdigen Umstand aufmerksam, daß nicht selten die zu gleicher Zeit am Himmel stehenden Federwolken sich fast ganz einander gleichen, so daß alle zu einer der eben beschriebenen Atmosphäre gehören, oder daß wenigstens eine Hauptform zu einer gewissen Zeit am Himmel vorherrschend ist. Auch zeigt sich eine bedeutende Verschiedenheit in den Formen der Federwolken darin, daß die Fäden, woraus sie bestehen, zu der einen Zeit ganz rein und begränzt sind, zu der andern sich mehr verwaschen zeigen. Thomas Forster *) glaubt, daß die deutlich begränzten Fäden nur bei recht trockner Luft, die verwaschenen aber bei feuchter Statt finden. Auch geht die letztere Form gern bald in die dichtere Form der federigen Schichtwolke über.

Manche Formen der Federwolken scheinen vorzüglich den höhern Luftgegenden eigen zu seyn. Von den Gipfeln der höchsten Berge aus scheinen viele Federwolken noch eben so entfernt, als auf den Ebenen. Sie sind es, welche noch des Abends lange nach Sonnenuntergang mit den glänzendsten Farben prangen, während die dichtern, tiefer stehenden Wolken längst in den tiefsten Schatten versunken sind. Dalton hat ihre Höhe zu 3 bis 5 englischen Meilen (½ bis 1 teutsche) bestimmt. Vorzüglich die kleinen scharfbegränzten scheinen sich in so beträchtlichen Höhen, wo die Luft am trockensten ist, aufzuhalten. Brandes ist zu glauben geneigt, daß die verwaschenen Fäden, welche gern in dichtere Wolkenarten übergehen, sich vielleicht in minder hohen Gegenden der Atmosphäre bilden. Forster behauptet, daß die lockenähnlich herabhangenden Wolken und noch mehr die sogenannten Windbäume eine geringe Höhe haben, was auch ihr oft sehr schnelles Fortziehen am Himmel nicht unwahrscheinlich macht. Die herabhangenden und aufwärts gehenden Streifen bei den Federwolken mögen sehr häufig nur das Ergebniß einer

*) Researches upon atmospherical Phenomena etc. bei Brandes, a. a. O.

Gesichtstäuschung seyn. Brandes glaubt, daß alle Federwolken eine wagrechte Ausdehnung haben, und sucht dieß durch mehre Beobachtungen zu bestätigen, von welchen wir hier einige mit seinen eigenen Worten mittheilen.

„Bei Westwind stand eine Federwolke aus wellenförmigen, wenig divergirenden (nach verschiedenen Richtungen aus einander laufenden) Fäden in Südwest aufrecht, so daß die Spitzen der Fäden gegen mein Zenith (Scheitelpunkt) gerichtet waren, und der dichtere Theil der Wolke unten stand. Der Westwind führte die Wolke südlich neben mir vorbei, und ihre scheinbare Lage wurde desto mehr geneigt, immer mehr horizontal (wagrecht), je weiter sie nach Osten fortging. Offenbar hatte diese Wolke eine mit den Spitzen nach Nordost, also bei ihrer anfänglichen Stellung gerade gegen mich zu gerichtete horizontale Lage, und schien mir folglich, wie jede horizontale, gegen einen Standpunkt hin gerichtete, höher als ich stehende Linie, gegen mein Zenith (Scheitelpunkt) zu zu gehen. So wie sie neben mir vorbeizog, erhielt meine Gesichtslinie eine immer mehr auf die Längenrichtung der Wolke senkrechte Lage, und sie erschien mir daher je mehr und mehr in ihrer wahren horizontalen Stellung.“

„Bei einer andern Beobachtung stand eine Federwolke mit ihrem aus langen Fäden bestehenden Haupttheile horizontal etwa in 10 Grad *) Höhe. Nach beiden

*) Die Höhe der Wolken ist hier nach Art der Sternenhöhe bestimmt, so daß man sich den Raum vom Horizonte bis zum Scheitelpunkte als den vierten Theil eines um den ganzen Himmel gehenden Kreises, oder 90 Grad, zu denken hat. Jene Höhe ist also der neunte Theil des zwischen dem Scheitelpunkte und dem Horizonte

Seiten liefen feine Fäden, die ungefähr der Faser einer Feder glichen, unter spitzen Winkeln gegen den Haupttheil geneigt, so daß die an derselben Seite liegenden Fäden unter sich parallel (gleichlaufend) waren, von jenem Hauptstamme abwärts; die an der obern Seite waren länger und machten einen größern Winkel mit jenem Hauptstamme, als die an der untern Seite. — Wahrscheinlich lagen diese ablaufenden Fäden in einer horizontalen Ebene, und mochten an beiden Seiten gleich lang seyn; aber die scheinbar hinunterwärts gehenden lagen an der von mir abgekehrten Seite, und mußten also kürzer und enger an den Hauptstamm angelegt erscheinen, als die gegen mein Zenith zu gerichteten, welche mir näher lagen."

„Ein anderes Mal" — fährt Brandes fort — „sah ich den ganzen nördlichen und nordwestlichen Horizont mit fadenähnlichen Wolken besetzt, die sich bis zu 10 oder 20 Grad Höhe erstreckten. Sie gingen aufwärts und waren nur wenig wellenartig gekrümmt. Aber obgleich sie aufwärts gerichtet schienen, so waren sie doch fast sicher horizontal und unter sich parallel, und von Nordwest nach Südost gerichtet; denn nur die in Nordwest stehenden gingen gerade aufwärts, statt daß die mehr nördlich und die mehr westlich stehenden eine desto mehr vom Zenith abgewandte Richtung hatten, je weiter sie von Nordwest abstanden; und zwar wichen die gleich weit von der verticalen (senkrechten) Richtung ab, welche gleich weit von Nordwest entfernt waren. Fäden, welche horizontal von

befindlichen Raumes. (Siehe den Isten Band dieses Werkes, S. 18 der neuen Auflage.

Nordwest nach Südost liefen, mußten sich genau eben so zeigen, indem die gegen meinen Standpunkt zu gerichteten, als vertical (senkrecht), die neben mir vorbeilaufenden desto weiter von der Vertikale abweichend erscheinen mußten, je weiter sie von jenen, auf meinen Standpunkt zu laufenden, entfernt lagen. Diese Fäden konnten, wenn sie auch nur 10,000 bis 12,000 Fuß hoch standen, nicht weniger als eine Meile lang seyn."

Indessen will Brandes durch diese Beobachtungen nur zeigen, daß die Hauptrichtung der Federwolken wagrecht ist, und er räumt ein, daß die in allerlei Richtungen laufenden Spitzen zuweilen ein wenig aufwärts, zuweilen niederwärts gekehrt seyn, und daß zuweilen auch längere Fäden aufwärts gehen mögen. „Bei einer Beobachtung" — sagt er nämlich — „sah ich an Wolken, die dem Horizonte nahe, also so standen, daß ich beinahe ihren vertikalen Querschnitt zu sehen glauben durfte, feine, aufwärts ablaufende Fäden, die freilich allerdings sehr lange, gegen mich zu gerichtete horizontale Fäden seyn konnten, vielleicht aber auch vertikal gerichtet waren. Die Wolke stand in 5 Grad Höhe; sie war horizontal und hatte Fäden von etwa ½ Grad scheinbarer Länge, oberwärts ablaufend. Nehme ich an, daß diese Wolke 12000 Fuß hoch stand, so konnte sie etwa 140,000 Fuß, gegen 6 Meilen, von mir entfernt seyn, und jene aufwärts gehenden Fäden waren also entweder vertikale Fäden von etwa 1000 bis 1200 Fuß Länge, oder es waren horizontale, gegen mich zu gerichtete Fäden von etwa 14000 Fuß Länge; — welches von beiden Statt fand, läßt sich nicht entscheiden. Diese Beobachtungen scheinen mir deßwegen von einiger Wichtigkeit, weil es mir vorkommt, als könnten wir die Bestimmung dieser Wolken eben so wenig, als die Art ihrer Entstehung recht erkennen, wenn wir nicht darüber gewiß sind, ob sie bloß verschiedene Stellen derselben horizontalen Luftschicht in Verbindung setzen, oder ob sie sich aus einer horizontalen Luftschicht in eine andere erstrecken."

Die Haufenwolke (der Cumulus) zeigt sich bei ihrem ersten Entstehen als ein kleines unregelmäßiges Wölkchen in mäßiger Höhe über dem Horizont. (Man sehe Tab. II. Fig e.) Allmählich vergrößert sich dieses an der obern Seite zu einer halbkugelförmigen Masse, deren ebene Grundfläche mit dem Horizont parallel läuft. Mehre solche Wölkchen vereinigen sich hierauf, als ob sie sich gegenseitig anzögen, zu einer größern Masse, und bilden nun, sich immer nach oben zu vergrößernd, eine förmliche Haufenwolke, deren Grundfläche fortwährend mit dem Horizonte parallel bleibt (Tab. II. Fig. f.). Besonders häufig erscheinen dergleichen Haufenwolken im Sommer bei heißem Wetter, und sie haben nicht immer Regen und Gewitter zur Folge, sondern oft nehmen sie nur bis zu dem Zeitpunkte der größten Tageshitze, also bis 2 oder 3 Uhr Nachmittags, zu, und vermindern sich hierauf allmählich, um kurz nach Sonnenuntergange gänzlich zu verschwinden. Am folgenden Morgen beginnt dieses Spiel von neuem, und dauert oft mehre Tage nach einander so fort.

Die Höhe der Haufenwolken pflegt nicht sehr bedeutend zu seyn; man sieht die Gipfel mäßig hoher Berge nicht selten mit dergleichen Wolken bedeckt. Besonders das erste Entstehen einer Haufenwolke scheint in den untern Luftschichten vor sich zu gehen. Sie ist auf der von der Sonne beschienenen Seite glänzend weiß, an der untern ebnen Horizontalfläche aber dunkel. In den letzten Abendstunden durchläuft ihr Farbenwechsel oft die prachtvollsten Abstufungen.

Die Schichtwolke (der Stratus) ist die niedrigste von allen Wolkengattungen, indem sie sich dicht auf der Erde oder dem Wasser bildet. Sie ist einerlei mit dem flachen, schwebenden Nebel, welcher an ruhigen Abenden sich von den Thälern, Seen und Flüssen bis zu höher gelegenen Gegenden ausbreitet. Am Morgen pflegt sie zu verschwinden, oder sich in die obere Luft zu erheben, wo sie dann in die Haufenwolke übergeht. Sie erscheint besonders häufig in Herbstnächten, und wenn die Sonne am Morgen durch solche Schichtwolken hervorbricht, pflegt man es für den Vorboten eines heitern Tages anzusehen. Man sehe, was im vorigen Abschnitte, bei den Nebeln, in Bezug auf diesen Punkt gesagt worden ist.

Daß die federige Haufenwolke (der Cirro-Cumulus) und die federige Schichtwolke (der Cirro-Stratus) durch Uebergänge aus der Federwolke entstehen, zeigt sich sowohl bei ihrem ersten Ursprunge, als ihrem weiteren Fortgange. Brandes vergleicht dieses Uebergehen, namentlich bei der federigen Schichtwolke, mit dem Gerinnen, und sagt, es sei ihm dabei immer so vorgekommen, als ob die Fäden der Federwolke in kurze Stücken zerrissen wären, deren jedes sich in eine breitere Form und verdichteter zusammengezogen hätte. Howard vergleicht sie mit den Eisblumen an den Fensterscheiben. Ihre faserige Bildung verschwindet beim Aufthauen, aber die kleinen Tröpfchen liegen noch in eben der Ordnung, durch welche die Lage der Faser vorher bestimmt wurde. Eben so behalten auch hier die kleinen Wolkenfleckchen zuerst noch eben die Anordnung, welche sie in der Federwolke hatten. Nach Forsters Beobachtungen schießen von den faserigen Theilen der Federwolke zuerst seitwärts Querstreifen aus, deren Durchschnittspunkte mit jenen sich verdichten und eine scheibenartige Form annehmen. Indem von diesen Mittelpunkten noch andere faserige Strahlen ausgehen, zeigt sich ein Uebergang zur federigen Haufenwolke, die nun entweder sich völlig ausbildet, oder wieder zur Federwolke wird, oder auch in die federige Schichtwolke übergeht. Zuweilen erfolgen diese Veränderungen so schnell, daß man die dabei Statt findende Stufenfolge nicht genau beobachten kann.

Oft beginnt die Umänderung der Federwolke in die federige Haufenwolke oder in die Kugelgestalt nur an dem einen Ende, und geht nach und nach zu dem andern durch, so daß die Wolke während dieser Verwandlung einem Flachsbündel ähnlich sieht, welches an einem Ende nicht fest gebunden ist und herum fliegt. Alle Federwolken derselben Gruppe, oft auch alle die, welche man gleichzeitig am Himmel sehen kann, befolgen nach Howard's Beobachtung das nämliche Gesetz bei diesen Veränderungen.

Die sogenannten Schäfchen, mit welchem Namen man im gemeinen Leben die kleinen runden, glänzenden, in regelmäßige Reihen geordneten, federigen Haufenwolken belegt, werden allgemein für Vorboten einer warmen und heiteren Witterung angesehen, und man freut sich ihrer daher, zumal im Frühling, noch mehr, als man es nach Brandes treffender Bemerkung außerdem schon um des lieblichen Anblicks willen thun würde. Viele deutliche Schichten solcher Lämmerwolken (wie man sie auch wohl nennt) schweben zuweilen in verschiedenen Höhen und scheinen, so weit das Auge sie in der blauen Ferne zu verfolgen vermag, aus immer kleinern und kleinern Wölkchen zu bestehen. Vorübergehend zeigen sie sich auch in einzelnen Zwischenräumen bei warmen Regen und im Winter. Zu manchen Zeiten, zumal nach anhaltendem Regenwetter, erscheinen parallellaufende Reihen von Federwolken in den niedrigern Luftschichten und der ganze Himmel ist dann gitterförmig damit überzogen. Allmählich erheben sie sich in die höhern Luftschichten und sind alsdann gleichfalls Vorboten heiterer und warmer Tage.

Die federige Schichtwolke unterscheidet sich von der federigen Haufenwolke durch die flache Form, die Ausbreitung in sehr dünne Lagen und den schnellern Wechsel ihrer Gestalten, wobei sie sich bald verdichtet, bald verschwindet; auch hat sie nicht wie die federige Haufenwolke die Neigung, sich in Reihen zu ordnen. Ganz anders sieht sie aus, wenn sie über uns, als wenn sie weit von uns entfernt am Horizonte steht. Im ersten Falle besteht sie entweder aus getrennten Flocken von verschiedener Größe und Dichte, welche, wenn sie nicht durch andere

Wolken beschattet werden, einen weißen Glanz haben. Am meisten erscheint die federige Schichtwolke auf diese Art, wenn wir sie aus der Federwolke, nach Brandes Vergleichung, wie durch Gerinnung entstehen sehen. Es zeigen sich dann nicht selten ganze Lagen wellenförmig gekrümmter Streifen; die einzelnen zerrissenen Wolkenstücke liegen oft unordentlich über den ganzen Himmel; sie gehen gern in verdichtetere Wolkenmassen über und es entsteht daraus der ganz bedeckte, graue Himmel, der sich endlich wie eine große Schicht von ausgebreiteten Haufenwolken darstellt, und in stillen, anhaltenden Regen übergeht. Zu andern Zeiten erscheinen die über uns stehenden federigen Schichtwolken als ein bloßer Nebel, durch den wir die Sonne, den Mond und die Sterne, obwohl in einem mattern und — wie man sagt — wässerigen Lichte erblicken; oder sie bedecken den ganzen Himmel als eine Wolkenlage von ungleicher Dicke, wodurch dieser ein buntes Ansehen erhält, indem graue und glänzende Wölkchen in dieser ganz weißen Bedeckung des Himmels liegen. Dieß ist vorzugsweise der Zeitpunkt, wo man jene Höfe und Ringe um die Sonne und den Mond, so wie die sogenannten Nebensonnen und Nebenmonde erblickt, von welchen wir in einem spätern Abschnitte handeln werden. Man hält diesen Zustand des Himmels im Allgemeinen für eine Vorbedeutung regnerischer Witterung, und er zeigt sich auch meist bei fallendem Barometer; dahingegen die federigen Haufenwolken, zumal die Schäfchen, meist mit Steigen des Barometers verbunden sind.

Häufig sieht man in Gebirgsgegenden die federige

Schichtwolke um die höhern Bergkuppen und Rücken schweben. Im Winter senkt sie sich auch in die Ebenen herab, und erscheint dann als ein nasser, anhaltender Nebel, dessen Tropfen aber zu fein sind, als daß sie mit bloßen Augen gesehen werden könnten.

XV.

Fortsetzung des Vorigen.

Wir wollen nun auch den zweiten Fall betrachten, wo nämlich die federigen Schichtwolken nicht über uns, sondern seitwärts am Himmel, in der Nähe des Horizontes erscheinen. Da wir sie hier von der Seite erblicken, so müssen sie uns als dichte, dunkle Wolkenstreifen erscheinen, welche die Sonne und den Mond nach Verhältniß entweder gänzlich bedecken, oder sie gleichsam in mehre Stücken zerschneiden. Diese tiefer stehenden federigen Schichtwolken sind es vornehmlich, welche zur Zeit des Sonnenuntergangs das schöne Schauspiel der Abendröthe gewähren, indem die Sonne sie durch den Wiederschein von der untern Seite dieser flachen Wolkenflöckchen mit gelbem, rothem oder purpurnem Lichte färbt. Obschon sich oft gegen Abend nur am westlichen Himmel einzelne Massen dieses zarten und leuchtenden Gewölkes darstellen, während an andern Stellen des Himmels minder glänzende Wolkenstreifen dieser Art stehen: so ist es doch, nach Brandes Dafürhalten, nicht unwahrscheinlich, daß alsdann zuweilen auch über uns, im Scheitelpunkte, feine federige Schichtwolken stehen mögen, die aber zu dünn sind, als daß sie da, wo wir gerade durch sie hindurchsehen oder unsere Gesichtslinie senkrecht auf sie trifft, von uns bemerkt werden könnten. Daß die am Horizont als lange, bald dunkle, bald gefärbte Streifen erscheinenden Schichtwolken an beiden Enden meistentheils ein zugespitztes Ansehen haben, kann zuweilen davon herrühren, daß die Dicke der Schicht nach den Enden hin wirklich geringer wird; gewöhnlich aber ist es wohl nur eine perspektivische Täuschung und kommt davon her, daß wir die hoch schwebende, breite und dünne Schicht doch immer noch von der untern Seite, also nicht völlig im senkrechten Queerschnitte, sehen, und daß uns also die runde Form derselben als eine Ellipse erscheint.

Wolkenstreifen dieser Art, die wir in gleichlaufender Richtung über einander erblicken, müssen deßwegen nicht gerade senkrecht über einander stehen, sondern sie können auch wagrecht nebeneinander stehen, so daß ein sehr weiter leerer Raum zwischen ihnen befindlich ist. Dieses Uebereinanderstehen der Streifen ist also gleichfalls nur eine Gesichtstäuschung. Brandes hat, um eine Uebersicht von den verschiedenen Entfernungen der am Horizonte stehenden Wolken, unter sich und vom Beobachter zu geben, eine Tafel darüber verfertigt. Hoch über der Erde stehende Wolken sind nämlich, wenn wir sie am Horizonte sehen, viel weiter von uns entfernt, als man zu glauben pflegt. Hohe Wolkenstreifen, die uns nur 3 Grad Höhe über dem Horizonte zu haben scheinen, können daher über eine sehr weite Gegend ausgedehnt seyn. Wir theilen die erwähnte Uebersicht von Brandes hier mit.

Eine Wolke von 2000 Fuß wirklicher senkrechter Höhe über der Erde ist bei 30° scheinbarer Höhe vom Beobachter entfernt . . . ⅙ teutsche Meile,

bei 10°	scheinbarer Höhe . .	½	—
— 5°	— . .	1	—
— 3°	— . .	1⅝	—
— 2°	— . .	2½	—
— 1°	— . .	5	—
im Horizont	. . . .	12	—

Eine Wolke von 5000 Fuß wirklicher senkrechter Höhe, ist bei 30° scheinbarer Höhe vom Beobachter entfernt um . . . . . ⅜ teutsche Meile,

bei 10°	scheinbarer Höhe . .	1¼	—
— 5°	— . .	2½	—
— 3°	— . .	4	—
— 2°	— . .	5¾	—
— 1°	— . .	9½	—
im Horizont	. . . .	20¼	—

Für eine Wolke von 10,000 Fuß Höhe kommt auf 30° scheinbare Höhe eine Entfernung von ¾ teutsche Meile,

auf 10°	. . . . .	2½	—
— 5°	. . . . .	5	—
— 3°	. . . . .	7¾	—
— 2°	. . . . .	10½	—
— 1°	. . . . .	16¼	—
im Horizont	. . . .	27½	—

Für 15,000 Fuß Höhe kommen

auf 30° . . . . . . $1\frac{1}{3}$ teutsche Meile,
— 10° . . . . . . $3\frac{3}{8}$ —
— 5° . . . . . . $7\frac{1}{4}$ —
— 3° . . . . . . 11 —
— 2° . . . . . . 15 —
— 1° . . . . . . $21\frac{3}{4}$ —
im Horizont . . . . . $33\frac{1}{2}$ —

Für 20,000 Fuß Höhe endlich kommen

auf 30° . . . . . . $1\frac{1}{3}$ teutsche Meile,
— 10° . . . . . . 5 —
— 5° . . . . . . $9\frac{1}{2}$ —
— 3° . . . . . . $14\frac{1}{2}$ —
— 2° . . . . . . $22\frac{1}{2}$ —
— 1° . . . . . . $26\frac{1}{3}$ —
im Horizont . . . . . 39 —

Unter die Klasse der federigen Schichtwolken gehören auch zuweilen die dunkeln Wolken, welche die Sonne bei ihrem Untergange verdecken und, nach dem Ausdrucke des gemeinen Mannes in Nordteutschland, eine Bank bilden. Man weissagt nicht mit Unrecht trübes Wetter und Regen, wenn die Sonne hinter einer solchen Bank untergeht. Hat diese nämlich eine Höhe auch nur von 2 Grad, so ist der Himmel in den von uns um 12 oder mehr Meilen westlich gelegenen Gegenden gewiß auf 15 Meilen und darüber ganz oder größtentheils mit federigen Schichtwolken bedeckt, und es hangt von den Umständen, vom Winde u. dgl. ab, ob diese so weit ausgedehnte Bedeckung des Himmels sich auch bis zu uns fortpflanzen werde. Lampadius Beobachtungen einer solchen Wolkenbank am 6. Aug. 1814 *) haben gezeigt, daß sie wirklich nichts weiter als ein, in den westlich gelegenen Gegenden bedeckter Himmel war. Denn in Bofzen bei Göttingen war dieser Tag wolkig und regnerisch, in Freiberg aber blieb die Luft heiter und der erwartete Regen kam dieß Mal nicht. Am 15. Aug. sah Lampadius wieder eine Wolkenbank am westlichen Horizont, während es in Bofzen, wo es früher bedeckt gewesen, sternhell war. Hier mochte also jene Wolkendecke zwischen Freiberg und Göttingen liegen, ohne bis nach Bofzen zu reichen.

Auch die langen schmalen Wolkenstreifen, die sich oft über den ganzen Himmel ausdehnen, und welche Lampadius (Atmosphärologie S. 130) Strichwolken nennt, müssen zuweilen unter die federigen Schichtwolken gerechnet werden; obschon sie zu andern Zeiten auch eigentliche Federwolken seyn können. Nicht selten erblickt man mehre zu gleicher Zeit am Himmel, und sie scheinen von einerlei Punkte des Horizonts auszugehen und in dem entgegengesetzten wieder zusammenzulaufen. Dieß ist jedoch nur eine Gesichtstäuschung, indem diese Wolkenstreifen wirklich in paralleler Richtung neben einander hinlaufen, und nur wegen der größern Entfernung am Horizonte sich zu vereinigen scheinen. Lampadius sagt, die beiden Enden der Axe eines solchen Sphäroids aus Wolkenstreifen liegen in Norden und Süden. Dieß ist jedoch, wie Brandes ganz richtig erinnert, nicht immer der Fall. Zu manchen Zeiten fallen

*) Beiträge zur Atmosphärologie ꝛc. bei Brandes, a. a. O. S. 310.

die Vereinigungspunkte der Streifen auch nach Nord- und Südosten, wie die Beobachtung zu Sagan in Schlesien, vom 15. April 1793 zeigt; der höchste Punkt des damals gesehenen Streifens dieser Art lag in Nordosten in 30° Höhe. Brandes beobachtete am 22. Aug. 1819 einen solchen aus feinen Federwolken zusammengesetzten Bogen, welcher sich von Osten nach Westen erstreckte, während der Wind aus Norden kam. Die einzelnen Federwolken, aus denen der Streifen bestand, waren von Norden nach Süden gerichtet. Brandes glaubt, daß die Länge solcher Streifen sehr ansehnlich seyn müsse; denn wenn ihre wirkliche Höhe auch nur auf 5000 bis 6000 Fuß, und die scheinbare der beiden Enden am Horizonte zu 1° angenommen wird, so folgt daraus eine Länge des Streifens von 20 Meilen. Merkwürdig ist eine Erscheinung dieser Art, die Göthe bei Girgenti in Sicilien beobachtete *). Ein schmaler Bogen aus lichtem Gewölk, welcher mit dem einen Fuße auf Sicilien aufstehend, sich hoch am blauen, sonst ganz reinen Himmel hinwölbte, schien mit dem andern Ende in Süden auf dem Meere zu ruhen. Man versicherte, der Boden stehe gerade in der Richtung nach Malta und diese Erscheinung sei nichts Seltenes. Wahrscheinlich machte der Streifen die Verbindung zwischen den Atmosphären beider Orte.

Oft erscheint die federige Schichtwolke als Vorbote oder gleichsam als erster Anfang der dicken Herbstnebel, die vielleicht selbst als eine solche Wolke anzusehen sind.

*) Aus meinem Leben rc. 2te Abtheilung, 2ter Theil, S. 272.

Zu andern Zeiten bilden sich Anfangs ganz feine federige Schichtwolken; auf diese folgt bald eine dicke, den ganzen Himmel bedeckende Lage von Wolken dieser Art, und zuletzt ein dichter Nebel. Wahrscheinlich ist dieß nichts weiter, als ein bloßes Herabsenken der Wolken aus den höhern Luftschichten in die Tiefe, oder auch die Wolkenbildung selbst pflanzt sich stufenweise von oben nach unten fort.

Wir betrachten nunmehr die geschichtete oder gethürmte Haufenwolke (den Cumulo - Stratus). Ihre Entstehung ist folgende. Während die Hauptwolke nach oben hin schnell anwächst, hängen sich zuweilen kleine Federwolken, oder zartwollige Flockenlagen von verschiedener Gestalt und Bildung oben an und ruhen daselbst, wie auf einem Berge. Diese Flocken bilden nicht selten eine förmliche federige Schichtwolke, und die Theile, aus denen sie besteht, werden durch Strömungen in der obern Luft nach der Haufenwolke hingetrieben, die oft derjenigen ganz entgegengesetzt sind, welche die Haufenwolke treibt. Die untere Fläche der Letztern pflegt meist eine nur mäßige Höhe über der Erde zu haben, und sich immer tiefer herab zu senken, jemehr die obere Ausbildung zur gethürmten Haufenwolke vorwärts schreitet. Jenes schnelle Zunehmen und Aufthürmen deutet gewöhnlich, zumal an heißen Sommertagen und besonders, wenn es unter dem Winde geschieht und dieser sich legt, auf einen nahen Ausbruch von Regen. Zuweilen verschwinden aber auch die größten gethürmten Haufenwolken gegen Abend eben so wieder, als die einfachen Haufenwolken. Häufig bricht die Haufenwolke in ihrem Anwachsen durch die federige Schichtwolke, welche sich oben angelegt hatte, und erscheint wieder über derselben, doch mit sichtbarer Veränderung in der Anhäufung, indem der obere Theil nunmehr senkrechten, ja selbst überhangenden Felsenmassen ähnlich geworden ist. Wächst die federige Schichtwolke zu schnell an, als daß die Haufenwolke sie verschlingen könnte, so breitet die Letztere sich auf eine Weile nach den Seiten hin aus, und hängt sich so an die höhere Wolkenmasse. Hat eine federige Haufenwolke schon früher die höhere Stelle eingenommen, so kann eine unten aufsteigende einfache Haufenwolke durch gegenseitige Anziehung sich mit ihr vereinigen und daraus ebenfalls eine gethürmte Haufenwolke entstehen. Manche Haufenwolken scheinen unter gewissen Umständen gleichsam von innen heraus zu wachsen, und sie vergrößern sich an ihrem obern Ende so unverhältnißmäßig, daß sie das Ansehen eines Pilzes erhalten.

Gewöhnlich ist mit der Erscheinung gethürmter Haufenwolken ein umzogener Himmel verbunden, aber sie gehen, wie schon vorhin bemerkt wurde, nicht immer in Regenwolken über. Am häufigsten erscheinen sie bei einem mittlern Stande des Barometers, bei dem sogenannten „Veränderlich“ und bei Westwind, der mit Nordwest und Südwest abwechselt. In Hinsicht auf die Temperatur der Luft zeigt die gethürmte Haufenwolke kein bestimmtes Gesetz. Man sieht sie eben so oft bei Schnee als bei Gewittersturm aufsteigen. Sie pflegt indeß häufiger ein Vorbote des Gewitters zu seyn, doch mit besondern Nebenerscheinungen. Während der ängstlichen Stille und Schwüle, die dem ersten Ausbruche eines Gewitters vorauszugehen pflegt, kann man sie an verschiedenen Punkten des Horizonts schnell zu einer ungeheuern Größe anschwellen sehen. Die mannichfaltigen Formen aller dieser Wolken gewähren ein sehr anziehendes, zuweilen sogar erhabenes Schauspiel.

Wenn die bisher beschriebenen Wolkengattungen, besonders die Haufenwolke, die Federwolke und die federige Schichtwolke sich mit einander vereinigen, so pflegt meist daraus die Regenwolke (der Nimbus) zu entstehen, welcher auch häufig die gethürmte Haufenwolke vorausgeht. Doch ist es nicht immer Regen, was aus der Regenwolke herabfällt, sondern nach Beschaffenheit auch Schnee und Hagel. Die beste Ansicht von einer Regenwolke hat man, wenn man sie noch in der Entfernung, von der Seite betrachtet. Das dichte Dunkel, welches die herabfallende Regenmasse bildet, verliert sich oben in eine federartige Wolke, die sich meistentheils in eine zusammenhangende Schicht bis auf eine große Entfernung rings um den Regen ausbreitet, so daß, während der Letztere noch am Horizonte stundenweit von uns entfernt ist, der dünne Saum der Wolke schon unsern Scheitelpunkt erreicht hat. Ist der Regen vorüber, so bemerkt man die nämlichen Erscheinungen in dem Theile der Wolke, welcher dem Regen nachfolgt. Bei anhaltend regnerischer Witterung bietet sich Gelegenheit dar, diese Beobachtung an verschiedenen auf einander folgenden Regengüssen, oder auch zu gleicher Zeit an mehren, von verschiedenen Seiten herkommenden, zu wiederholen.

Unter der eigentlichen Regenwolke zeigen sich nicht selten, besonders bei Gewittern, eine Menge kleiner, weißer Wolken, die der Hauptwolke neue Nahrung zuzuführen scheinen. Es sind unvollkommen ausgebildete Haufenwolken, die oft ganz deutlich von der größern Regenwolke angezogen werden, und ihr, während sie sich langsam fortbewegt, sogar oft aus entgegengesetzter Richtung, rasch entgegenkommen. Da diese kleinen Wolken kurz nach ihrem Entstehen unter der großen Wolke verschwinden, so scheinen sie mit dieser völlig zusammenzufließen. Brandes glaubt an solchen Wolken dieser Art, welche niedrig genug standen, bemerkt zu haben, daß an ihrer obern Seite sich spitzige fadenartige Streifen bildeten, mit welchen sie sich in die große Wolke ausgossen. Auch größere Haufenwolken ziehen oft zu der Regenwolke hin und scheinen ihr neue Nahrung zu bringen.

Brandes erwähnt noch einer andern Beobachtung, die er an den höher am Himmel stehenden, noch nicht in Regen übergegangenen, gethürmten Haufenwolken gemacht hat. Es scheint, sagt er, als ob auf dem grauen Grunde der Wolke, rundlich geformte, an Farbe wenig verschiedene Vorragungen herabhingen, deren weitere Bestimmung und Beschaffenheit er indeß nicht anzugeben weiß. Eben so zeigen sich zuweilen dicke, Regen drohende Wolken am Horizont, deren unten scharf abgeschnittener, fast vollkommen wagrechter Rand gleichwohl an einigen Stellen ein dunkleres Ansehen erhält und hier etwas mehr nach der Erde herabhangt, so daß es den Anschein hat, als ob der im Ganzen wagrecht ausgedehnte Schlauch hier am meisten belastet wäre und durchzubrechen drohte. Wahrscheinlich versteht Lampadius unter dieser Art Wolken die nämlichen, welche er (Atmosphärologie, S. 131 bei G.) „Wolken mit hängendem Grunde oder sich stark senkender Basis" nennt, und von denen er behauptet, daß sie in das Meteor der Wasserhosen übergehen. Brandes bemerkt dagegen, daß die Erscheinung der Letztern hiervon noch wesentlich verschieden sei. Aus Nachrichten, die ihm zuweilen von Gegenden her zugekommen sind, wo solche Wolken standen, schließt er, daß sie wirklich an diesen niederhangenden Stellen zum Ausbruche gekommen waren, und ungewöhnlich heftige Platzregen hervorgebracht hatten.

Wenn sich nach dem Aufhören eines Regengusses die Wolkenmasse trennt, so erblickt man oben gewöhnlich federige Schichtwolken, während die zerrissenen Ueberreste der Regenwolke unten fortziehen, und zuletzt nicht selten eben so zergehen und verdunsten, wie es beim Verschwinden der Haufenwolke an heitern Abenden zu sehen ist. Nach Howards Bemerkung entsteht bei diesem Brechen der Wolkenschichten oft auch eine Vermehrung der ganzen Wolkenmasse. Es ballen sich nämlich die untern Wolken wieder in Haufenwolken zusammen, und erheben sich, während die obern Lagen die Form der federigen Schichtwolke wieder annehmen; so daß also ungefähr das Entgegengesetzte von dem erfolgt, was beim Anfang des Regens, oder bei der Entstehung der Regenwolke vor sich ging.

Die reine Regenwolke zieht meistentheils mit dem Winde, und wegen ihres schnellen Vorüberziehens wird es oft schwer, sie zu beobachten. Der Wind ist auch die Ursache von dem gewöhnlichen schiefen Herabfallen der Regentropfen, indem er entweder auf diese unmittelbar einwirkt, oder sie durch die Bewegung der Wolke von ihrer senkrechten Bahn ablenkt.

Die gethürmte Haufenwolke scheint oft durch eine plötzliche Veränderung ihres elektrischen Zustandes in die Regenwolke überzugehen. Forster hat, indem er die Fortschritte eines Gewitters durch eine lange Reihe dieser Wolken am Horizonte verfolgte, bemerkt, daß die Wolken, welche aufgehört hatten zu blitzen, diese Veränderung in ihrem obern Theile erfahren hatten, und Regen herabgossen; indeß andere, welche zu blitzen fortfuhren oder weiter entfernt waren, ihre aufgethürmte runde Form noch länger behielten.

Am Schlusse dieser Betrachtungen über die Wolken müssen wir noch auf eine Erscheinung bei denselben zurückkommen, welche wir zu Anfange des vorigen Abschnittes nur im Vorbeigehen erwähnt haben, nämlich das Schweben derselben in der Luft. Diese Erscheinung ist von den Naturforschern noch nicht befriedigend erklärt. Was die eigenthümliche geringe Schwere der Dunstbläschen betrifft, so mag diese wohl in den untern Luftschichten hinreichen, sie schwebend zu erhalten; aber in den höhern Bezirken der Atmosphäre ist die Luft selbst so dünn und folglich auch so leicht und wenig Widerstand darbietend, daß die Schwere der Bläschen schwerlich so gering angenommen werden kann, um sie in diesen Luftschichten schwimmend zu erhalten. Und dennoch erblicken wir daselbst eine Menge Wolken und zum Theil von ansehnlicher Größe. Gay-Lussac *) hat zur Erklärung dieser Erscheinung angenommen, daß von der Erd-Oberfläche beständig wärmere Luft aufsteige, deren Bewegung das Gewicht der Dunstbläschen überwinde und sie nach oben hinaufführe, bis die Geschwindigkeit und Kraft des aufwärts gehenden Luftstroms und die Schwere der Bläschen einander das Gleichgewicht halten. Er beruft sich dabei auf die Erscheinungen, welche man an den Seifenblasen wahrnimmt. Bläst man Seifenblasen, sagt er, in einem Zimmer, so werden dieselben, ihre Hülle mag auch noch so dünn seyn, nie emporsteigen, sondern niederfallen, sobald sie ihrem eignen Gewicht überlassen sind. Dieses wird auch alsdann der Fall seyn, wenn die Seifenblasen nicht mit aus der Lunge kommenden Luft gefüllt wurden, welche der beigemischten Kohlensäure halber dichter als die atmosphärische Luft ist. Werden hingegen die Seifenblasen im Freien und über einem erwärmten Boden geblasen, so sieht man sie zu mehr oder minder bedeutender Höhe emporsteigen, und öfters auch früher zerplatzen, als sie diejenige erreicht haben, zu der sie gelangen könnten, wenn ihre Hülle nicht stets durch die sie zersetzende Luft verdünnt würde. Aus diesem Versuche erhellet also deutlich, daß eine aufsteigende wärmere Strömung von der Oberfläche des Erdbodens ausgeht, welche die Seifenblase vor sich her treibt, bis jene entweder durch Ausdehnung oder durch Beimischung von kälterer Luft

*) Annales de Chimie etc. September 1822 (Tom XXI.) S. 59 u. ff.

geschwächt ist und ihre Strebkraft mit der Schwere der Seifenblase im Gleichgewicht steht. Dadurch erklärt sichs, warum die Letztere sich im Zimmer, dessen Temperatur gleichförmig ist, nicht emporheben kann. Auf dieselbe Art verhält es sich nun auch mit den Dunstbläschen der Wolken.

So viel diese Erklärungsart auf den ersten Anblick für sich hat, so ist doch von Berzelius *) eine wichtige Einwendung dagegen gemacht worden. Er sagt nämlich: Wenn durch die beständig aufwärts gehenden wärmern Strömungen der Luft nicht zuletzt ein luftleerer Raum an der Erd-Oberfläche entstehen soll: so muß es andererseits niederwärts gehende Strömungen von kälterer Luft geben, welche jene wieder ersetzen. Diese abwärts gehenden Ströme würden aber unstreitig die Dunstbläschen der Atmosphäre zu Boden drücken, wenn ihr Schweben in der höhern Luft einzig den aufwärtsgehenden Strömungen zugeschrieben werden müßte. Es lehrt aber die Erfahrung, daß auch in der kalten Jahreszeit, wo keine Ströme von wärmerer Luft als von der Erde aufwärts gehend angenommen werden können, doch bisweilen ganze Wochen nach einander Wolken in den höhern Luftbezirken über uns schweben, ohne daß Regen oder klarer Himmel sich einstellte. Eben so finden wir auch zur Nachtzeit, wo doch die wärmere aufwärts gehende Strömung, wenn sie Statt findet, geringer als am Tage seyn oder ganz aufhören muß, sehr häufig den Himmel mit Wolken bedeckt. Berzelius selbst getraut sich übrigens nicht, eine eigne Erklärungsart der räthsel-

*) Jahresbericht rc. rc. Dritter Jahrgang, S. 66.

haften Erscheinung aufzustellen. Er giebt zwar zu, daß eine Bewegung in der Luft die Ursache sei, welche der Schwere der Dunstbläschen das Gleichgewicht hält; aber von welcher Art dieselbe seyn und wodurch sie hervorgebracht werden möge, dieß rechnet er unter die noch unerforschten Grundursachen, welche die Unregelmäßigkeiten in dem Verhalten der Atmosphäre überhaupt hervorbringen.

Eine nicht zu übersehende und mit der vorigen in Verbindung stehende Erklärungsart des Schwebens der Wolken ist noch diejenige, welche Fresnel *) gegeben hat. Dieser nimmt an, daß in der Wolkenmasse, indem dieselbe nicht nur an der obern Seite von der Sonne bestrahlt wird, sondern auch an der untern Wärmestrahlen von der Erde empfängt, eine höhere Temperatur entsteht, als in der oberhalb und unterhalb von ihnen befindlichen klaren Luft. Dadurch werde nun die Luft im Innern der Wolkenmasse, d. h. diejenige, welche die Dunstbläschen umgiebt, mehr ausgedehnt und erhalte das Bestreben, nach oben aus der Wolke herauszuströmen. Zugleich werde sie von kälterer Luft ersetzt, welche auf dieselbe Weise erwärmt wird, so daß durch diesen beständig unterhaltenen Luftstrom die Dunstbläschen getragen werden. Es fragt sich jedoch, ob ein Luftstrom dieser Art auch in solchen Wolkenmassen entstehen könne, welche andere höhere Wolken über sich haben, und also von oben her nicht von der Sonne beschienen werden können.

*) Annales de Chimie etc. a. a. O. S. 263.

XVI.

Vom Regen.

Wenn die Dunstbläschen der Wolken sich in tropfbarflüssiges Wasser verwandeln, so kann dieses seiner Eigenschwere wegen, die größer als die der Luft ist, sich nicht darin schwebend erhalten, sondern es fällt zur Erde herab. Wir nennen diese Erscheinung Regen. Unter die Eigenthümlichkeiten desselben gehört, daß er in Tropfen oder in kleinen kugelförmigen Massen herabfällt. Alle Flüssigkeiten haben nämlich das Eigene, daß wenn sie sich in einem Mittel bewegen, dem sie entweder gar nicht oder doch nur wenig anhangen (abhäriren*)), sie diese Tropfengestalt annehmen. Dieser Mangel an Abhäsion findet nun zwischen dem Wasser und der Luft Statt, und wir können diese Tropfenbildung schon im Kleinen beobachten, wenn wir ein Gefäß mit Wasser von einer Höhe herab, z. B. aus einem Fenster auf den Boden gießen. Es kommt in Tropfengestalt zur Erde. Aehnliches sehen wir bei Wasserfällen, Springbrunnen rc. So zertheilt sich

*) Unter der Abhäsion oder dem Anhangen versteht man in der Naturkunde diejenige Erscheinung, wo flüssige Körper bei der Berührung mit festen an diesen hangen bleiben. Taucht man z. B. einen Finger ins Wasser, so wird dieser naß, wie man zu sagen pflegt. Es reißen sich bei der Berührung Wassertheilchen los und hangen sich an den Finger an (abhäriren). Die Wassertheilchen werden in diesem Falle von dem Finger stärker angezogen, als sie sich unter einander selbst anziehen. Eben dieß geschieht, wenn ich Holz, Leder, Leinwand rc. ins Wasser tauche. An Fett oder Oel aber abhärirt das Wasser

auch das Quecksilber in Tropfen, wenn es über eine Masse fließt, der es nicht anhangt (adhärirt), wie z. B. über Holz oder Glas. Kommen zwei oder mehre Tropfen von der nämlichen Flüssigkeit oder von zwei gleichartigen zusammen, so vereinigen sie sich in einen einzigen.

Die Größe der Regentropfen ist sehr verschieden. Wir finden sie bei uns von der größten ans Unsichtbare gränzenden Feinheit bis zum Durchmesser von ¼ Zoll. Zwischen den Wendekreisen fallen bei Gewittern Regentropfen von 1 Zoll im Durchmesser. In tiefern Gegenden fallen im Allgemeinen größere Regentropfen als auf beträchtlichen Höhen. Dieses mag zum Theil davon herrühren, daß mehre Tropfen in Einen zusammenfließen; anderntheils scheint es aber auch, daß die Regentropfen beim Herabfallen sich durch die Feuchtigkeit vergrößern, welche sie aus den untern Luftschichten an sich ziehen. Einen Beweis dafür liefern, wenigstens für Paris, die Versuche, welche man mit Regenmessern gemacht hat, die in verschiednen Höhen aufgestellt waren. Die untern enthielten mehr Wasser als die obern. Wir werden weiterhin auf diesen Gegenstand zurückkommen.

nicht; ein darein getauchtes Talglicht z. B. bleibt nach dem Herausziehen trocken. Ein anderes Beispiel von Adhäsion liefert das Quecksilber. Man kann in ein damit angefülltes Gefäß die Hand, auch Holz, Stein, Glas, Papier rc. eintauchen, und alle diese Körper bleiben nach dem Herausziehen trocken; es findet also zwischen ihnen und dem Quecksilber kein Anhangen Statt, aber wohl ist dieß der Fall mit Gold, Silber, Blei, Zinn rc., welche vom Quecksilber auf ähnliche Art naß gemacht oder überzogen werden, wie der Finger vom Wasser.

Nur selten geschieht das Herabfallen der Regentropfen senkrecht; am meisten fallen sie in schiefer Richtung, was theils von der Bewegung der Wolken selbst, theils vom Winde herrührt. Auch ist die Geschwindigkeit, mit welcher die Tropfen fallen, geringer, als man es bei der Höhe der Wolken, nach den Gesetzen des Falles, erwarten sollte. Sowohl der Widerstand als die Bewegung der Luft sind die Ursachen davon.

Man unterscheidet nach der Größe der Tropfen und des Flächenraums, über welchen sich der Regen verbreitet, mehre Arten desselben.

Der Staubregen besteht aus den feinsten Tröpfchen, und fällt aus einer ruhigen Wolkenschicht, bei eben so ruhiger Luft und langsamer Tropfenbildung. In Gebirgen entsteht er häufig unmittelbar aus den die Bergspitzen und Wälder berührenden Wolken. Landregen pflegen oft in Staubregen überzugehen, worauf gemeiniglich eine gänzliche Ausheiterung des Himmels und schönes Wetter folgt.

Die Landregen fallen in größern Tropfen nieder und verbreiten sich gemeiniglich über ganze große Landstrecken (daher der Name), zuweilen von 100 und mehr Flächen- (Quadrat-) Meilen. Auch halten sie eine längere Zeit, oft viele Tage nach einander, an. Ein sehr langsam beginnender, mit Windstille und bei ganz gleichförmig bedecktem Himmel eintretender Regen pflegt meist in einen lange anhaltenden Landregen überzugehen. Aber ein Vorurtheil ist es, daß das sogenannte Blasenregnen einen Regen von drei Tagen bedeute. Die auf den

Pfützen während des Regens sich zeigenden Blasen entstehen durch die dem Wasser beigemengte Luft, und durch die Heftigkeit, mit welcher die Tropfen hinein fallen. Man bemerkt beim Landregen mehre Wolkenschichten, wenigstens zwei über einander, von welchen die unterste oft von heftigem Winde getrieben wird.

Von den Landregen sind die Strichregen zu unterscheiden, welche gewissermaßen als kleine Gewitter zu betrachten sind, die sich bloß durch Wasser, ohne Blitz und Donner entladen. Sie sind am häufigsten im Frühlinge und Herbste, wo die Wärme nicht groß genug ist, um die Ausbildung eines vollständigen Gewitters zu bewirken. An einzelnen Punkten des Horizonts zeigt sich zuerst einiges Strichgewölk; dieses geht bald in Haufenwolken und diese in Regenwolken über. Mit dem Niederschlage entsteht zugleich Wind, welcher die Wolke schnell forttreibt, und nach einer Viertel- oder halben Stunde ist die Luft so heiter und trocken wie zuvor. Die Strichregen sind immer stark elektrisch und kommen in unsern Gegenden meistens aus Westen, Nordwesten und Südwesten.

Die Guß- oder Platzregen sind mehr dem Sommer eigen, und unterscheiden sich von den andern Regengattungen durch die Größe der Tropfen und die Menge derselben, welche in einer bestimmten Zeit herabfallen. Ein solcher Regen von der Dauer einer halben Stunde liefert nicht selten eine unglaubliche Menge Wassers. Zuweilen gehen sie in Wolkenbrüche über, worunter man einen solchen heftigen Platzregen versteht, bei welchem das Wasser nicht mehr tropfen=, sondern gleichsam stromweise oder in zusammenhangender Masse herabfällt. Die Guß= oder Platzregen kommen entweder in Begleitung des Gewitters, wo sie dann mit den Gewitterregen einerlei sind, oder ohne Gewitter vor, wo sie aber dennoch vom gemeinen Manne, und zwar nicht mit Unrecht „stille Gewitter" genannt werden. Auch Lampadius erklärt die Letztern für Gewitter in sehr feuchter Luft, wo die elektrische Flüssigkeit sich nicht bis zu Blitz und Donner anhäufen kann, sondern sogleich mitten in der Entwickelung durch den wässerigen Niederschlag der Erde zugeführt wird. In manchen Sommern haben wir sehr lange anhaltende und weit verbreitete Gußregen, welche dann zugleich Landregen sind. In der heißen Zone besteht die sogenannte Regenzeit bloß aus solchen anhaltenden Gußregen. Sie beginnen und endigen dort mit Gewittern *).

Was die Menge des Regens betrifft, so ist sie nach den Ländern und Orten, so wie nach den Jahren und Jahreszeiten sehr verschieden. Es giebt Länder, wie z. B. Persien und Aegypten, wo es fast gar nicht regnet, und wo der Boden nur durch den reichlich fallenden Thau befeuchtet, oder durch Ueberschwemmungen der Flüsse, wie z. B. in Aegypten durch den Nil, befruchtet wird. In unserm Europa regnet es dagegen zu allen Zeiten des Jahres, obwohl verhältnißmäßig im Winter am wenigsten, weil hier statt des Regens Schnee fällt. Im Allgemeinen lassen sich im mittlern Europa der Mai oder Juni

*) Lampadius Atmosphärologie rc. S. 143 u. ff.

so wie der September und Oktober als diejenigen Monate bezeichnen, wo der meiste und anhaltendste Regen fällt. Zwischen den Wendekreisen, wo es nur zwei Jahreszeiten, eine nasse und eine trockne giebt (s. oben), vertritt die nasse oder die Regenzeit die Stelle des Winters, fällt aber im Allgemeinen mit dem höchsten Stande der Sonne, also mit dem astronomischen Sommer zusammen. Sie beginnt mit der Annäherung der Sonne an den Scheitelpunkt und endigt, so wie sie sich wieder von demselben entfernt. Ohne diesen gleichzeitig mit dem höchsten Stande der Sonne eintretenden bedeckten Himmel und Regen würde die Hitze an manchen Orten unerträglich oder wenigstens noch weit lästiger seyn, als sie ohnehin ist.

Ganz eigen sind die Erscheinungen, welche die Regenzeit in den Tropenländern darbietet. Der Anfang derselben ist an manchen Orten, wie z. B. auf der Küste von Guinea im westlichen Afrika, sehr ungesund. Der von der Sonne monatelang bis zu einem unglaublichen Grade erhitzte Erdboden scheint nun auf Ein Mal zu kochen und heiße, übelriechende Dünste verbreiten sich *). Flüsse und Ströme, die während der dürren Jahreszeit ganz ausgetrocknet waren, schwellen nun auf Ein Mal bis zur Ueberschwemmung an. Am Orenoko in Süd-Amerika z. B. wird alsdann durch solche Ueberschwemmungen eine Landschaft von 400 Geviertmeilen unter Wasser gesetzt. „Die Savanen" — sagt v. Humboldt **) —

*) Kant, a. a. O. S. 57.

**) Reisen in die Aequ. Geg. rc. III. Theil, S. 338 u. ff.

werden in diesem Becken mit 12 bis 14 Fuß Wasser bedeckt, und stellen in der Regenzeit das Bild eines großen Sees dar. Die Dörfer und Maiereien, welche auf den höhern Standpunkten erbaut sind, heben sich kaum 2 oder 3 Fuß über die Wasserfläche. . . . . . . Die Pferde, welche in den Savanen wild leben, und beim Eintritt der Regenzeit nicht schnell genug die Plateaux oder erhöhten Ebenen erreichen, gehen bei Hunderten zu Grunde. Man sieht die Stuten mit ihren Füllen einen Theil des Tages schwimmen, um sich von Pflanzen zu nähren, die nur mit ihren Spitzen über das Wasser emporreichen. . . . . .“

Um die Menge des Regens zu bestimmen, welcher während einer gewissen Zeit an einem Orte fällt, haben die Naturforscher ein eigenes Werkzeug oder Regenmaß erfunden, dessen wir schon im XII. Abschnitt, bei der Lehre von der Ausdunstung, Erwähnung gethan haben. Es wird dadurch die Menge des fallenden Regens so bestimmt, daß man sie durch die Höhe ausdrückt, bis zu welcher das Wasser die Fläche bedecken würde, wenn es sich gleichförmig über dieselbe verbreitete und nicht durch Einsaugung des Bodens, Abfluß oder Verdunstung wieder verloren ginge. Erst seit der Mitte des vorigen Jahrhunderts hat man angefangen, Beobachtungen hierüber zu sammeln, und so unvollständig diese auch seyn mögen, so hat sich doch daraus ergeben, daß die Menge des Regenwassers in verschiedenen Ländern gleichfalls sehr verschieden ist. Um einen ungefähren Ueberschlag des auf den ganzen Erdboden während eines Jahres im

Durchschnitt herabfallenden Wassers zu machen, dazu fehlt es noch viel zu sehr an Beobachtungen, obschon Bergmann dasselbe (Schnee, Hagel und Thau mitgerechnet) zu 1016 geographischen Körper= (Cubik=) Meilen annimmt. Zu Paris hat ein Durchschnitt von 50 Jahren 20 Zoll jährlich gegeben. Lampadius *), De la Metherie **) und Wargentin ***) haben Uebersichten von einer Menge anderer Orte geliefert, welche wir hier in einer Zusammenstellung mittheilen.

Die Menge des jährlich fallenden Regenwassers beträgt

in Upsal	14	Pariser	Zoll	5 Lin.
— Petersburg	16	—	—	= —
— Wittenberg	17	rheinl.	—	
— Paris	20	Paris.	—	
— Berlin	20	rheinl.	—	
— London	21	Paris.	—	2 Lin.
— Bristol	21	—	—	4 —
— Edinburg	22	rheinl.	—	
— Utrecht	23	Paris.	—	2 —
— Haarlem	23	—	—	2 —
— Abo	24	—	—	3 —
— Bologna	24	—	—	
— Ulm	26	—	—	
— Haag	26	—	—	6 Lin.

*) A. a. O. S. 137.

**) Theorie der Erde. Aus dem Franz. II. Th. S. 271 u. f. — bei Fischer, Art. Regen.

***) Von der ungleichen Menge des Regenwassers an verschiedenen Orten, s. Schwedische Abhandl. 25. Bd. S. 3 u. ff. — bei Kant, a. a. O. S. 56.

in Delft	27	Parif.	Zoll	
— Algier	27	—	—	6 Lin.
— Leiden	28	—	—	4 —
— Rom	28	—	—	6 —
— Franecker	28	—	—	6 —
— Upminster	29	engl.	—	
— Plymouth	30	—	—	
— Madeira	31	—	—	
— Zürch	32	Parif.	—	
— Middelburg	33	rheinl.	—	
— Padua	33	Parif.	—	
— Pisa	34	—	—	
— London *)	35	engl.	—	
— Neapel	35	Parif.	—	
— Lyon	37	—	—	
— Dortrecht	38	—	—	4 Lin.
— Bern	39	—	—	10 —
— Lancaster	41	engl.	—	
— St. Lucie	42	Parif.	—	
— Vicenza	42	—	—	3 Lin.
— Leogana auf St. Domingo	50	—	—	
— Charlestown	51	—	—	
— Udine	71	—	—	1 Lin.
— Tolmezzo (im Friaul)	82	—	—	8 —

*) Nach Lampadius. Die vorherige geringere Angabe ist nach De la Metherie.

in Bombay	87 Paris. Zoll	
— Tivoli (auf St. Domingo)	100 —	—
— Grenada	105 —	—
auf dem Cap von St. Domingo	132 —	—

Man sieht aus dieser Uebersicht, so unvollständig dieselbe auch ist, daß die Menge des jährlichen Regens in südlichern Breiten größer ist als in nördlichen. Cayenne (in Süd-Amerika unter 5° nördlicher Breite) scheint einer von denjenigen Orten zu seyn, wo es am meisten regnet. So fielen z. B. daselbst vom 1. bis 24. Febr. 1820 12 Fuß 7 Zoll (engl.) Regenwasser. In der Nacht vom 14. auf den 15. Febr. fielen von 8 Uhr Abends bis 6 Uhr Morgens, allein 10¼ Zoll, also fast die Hälfte dessen, was zu Paris in einem ganzen Jahre fällt.

Zuweilen treten auch in unserer gemäßigten Zone ungeheure Regengüsse ein, wodurch oft plötzlich die verheerendsten Ueberschwemmungen entstehen. Im November 1822 verkündigten öffentliche Blätter, daß in Genua am 25. Oktober eine Regenmasse von dreißig Zoll niedergefallen wäre. Man zweifelte allgemein an der Wahrheit dieser Angabe und vermuthete einen Druckfehler. Allein der Besitzer eines Weingartens daselbst, ein genauer Beobachter, machte bekannt, daß während jenes Regens zwei leere Wassereimer, einer von 24, der andere von 26 Zoll Höhe, welche nach der Weinlese im Freien stehen geblieben, ganz mit Wasser angefüllt worden wären, und zwar noch ziemlich lange vorher, ehe der Regen aufgehört hatte *).

Wir haben oben gesagt, daß zu Paris Versuche mit Regenmessern in verschiedenen Höhen angestellt worden, von denen die untern mehr Wasser enthielten, als die obern. Dergleichen Versuche werden seit dem Jahre 1817 unternommen. Man bedient sich dazu auf der königlichen Sternwarte zwei vollkommen gleicher Regenmesser, wovon der eine auf der obersten Terrasse des Gebäudes, der andere im Hofe aufgestellt ist. Obschon der Unterschied der Höhe zwischen diesen beiden Standorten nur ungefähr 86 Pariser Fuß beträgt: so sind doch die in beiden Gefäßen aufgesammelten Regen-Quantitäten sich niemals gleich; der untere Regenmesser enthält stets mehr als der obere. Ein Durchschnitt der Beobachtungen von 1817 bis 1822, also von sechs Jahren, giebt für das Gefäß im Hofe ungefähr $55\frac{1}{2}$, für das auf der obersten Terrasse 49 Centimeter, also für das unterste ein Siebentel mehr als für das oberste. Und doch ist hier der Unterschied der Höhe nur 86 Fuß **).

Die weiter oben mitgetheilten Angaben der jährlichen Regenmenge an verschiedenen Punkten der Erdfläche sind, wie gesagt, ein Durchschnitt aus Beobachtungen, welche eine längere oder kürzere Reihe von Jahren umfassen. Betrachtet man die einzelnen Jahre, so

*) Annuaire pour l'an 1824, etc. par le Bureau des Longitudes. Paris, 1824; man sehe Müllners Literaturblatt, 1824, Nr. 59.

**) Ebendaselbst.

zeigt sich darin, wie auch schon die gemeine Erfahrung, ohne Beihilfe des Regenmessers lehrt, daß darunter eine große Verschiedenheit obwaltet. Es fehlt zu sehr an genauen Beobachtungen aus frühern Zeiten, um bestimmen zu können, ob sich das Klima einzelner Länderstrekken in Beziehung auf Regenmenge, so wie auf andere Verhältnisse der Atmosphäre, geändert habe oder nicht. Die vollständigsten und regelmäßigsten Beobachtungen über jährliche Regenmenge hat man von Paris, wo sie bis auf das Jahr 1689 zurückgehen. Vergleicht man von diesem Jahre an die einzelnen Jahrzehende bis 1728, so ergiebt sich eine stufenweise Verminderung der jährlichen mittlern Regenmenge von $6\frac{3}{10}$ Zoll; denn von 1689 bis 1698 betrug sie $19\frac{1}{2}$, von 1719 aber bis 1728 nur $13\frac{1}{5}$ Zoll. In den folgenden 25 Jahren dagegen hat sie allmählich wieder zugenommen, indem sie von 1749 bis 1754 jährlich 19 Zoll betrug. Von 1755 an bis 1804 unterbrach man an der königlichen Sternwarte die Beobachtungen oder wenigstens die Bekanntmachung derselben. Als Ersatz für einen Theil dieser Lücke dienen diejenigen, welche Messier, ebenfalls zu Paris, von 1773 bis 1785 angestellt hat; sie zeigen jährlich $20\frac{1}{10}$ Zoll. Die spätern Beobachtungen an der Sternwarte geben von 1805 bis 1814 jährlich $17\frac{8}{10}$ und von 1815 bis 1822 $19\frac{7}{10}$ Zoll. Es ist also kein Grund für die Annahme vorhanden, daß das Klima von Paris gegenwärtig im Ganzen mehr oder weniger regnerisch sei als im Jahr 1689. Die Abweichungen scheinen sich im Laufe einer langen Reihe von Jahren wieder auszugleichen.

Ueber andere Gegenden besitzen wir minder vollständige Beobachtungen. Aus denen, welche Flaugergues zu Viviers (am Rhone, im Departement Ardeche, unter 44° 29' Breite) angestellt hat, ergiebt sich für den Zeitraum von 1778 bis 1817 eine Zunahme der Regenmenge. Sie betrug nämlich von 1778 bis 1787 jährlich $31\frac{1}{10}$, von 1808 aber bis 1817 $37\frac{4}{10}$ Zoll. Auch in Mailand hat von 1764 bis 1817 eine Zunahme Statt gefunden. Die Beobachtungen von 1764 bis 1790 zeigen nämlich einen jährlichen Durchschnitt von $33\frac{5}{10}$, die von 1791 bis 1817 aber von $37\frac{2}{10}$ Zoll. Cesaris erblickt darin einen Beweis von der Veränderung des Klimas zu Mailand, und schreibt sie den zahlreichen Bewässerungs-Kanälen zu, welche man von Jahr zu Jahr in den Ebenen der Lombardei gezogen hat, wodurch sich die jährliche Ausdunstung vermehrt habe. Wenn man jedoch die Zahlen der einzelnen Jahre genauer betrachtet, so scheint jener Schluß nicht begründet zu seyn. Die Menge des jährlichen Regens zu Mailand wechselte in dem Zeitraume von 1764 bis 1790 von 26 bis $47\frac{5}{10}$ Zoll, und in den Jahren 1791 bis 1817 von $24\frac{7}{10}$ bis $28\frac{9}{10}$ Zoll. Wenn man in Paris bloß die zwischen den Jahren 1719 und 1785 gemachten Beobachtungen gehabt hätte, so würde man nicht minder einseitig geschlossen haben, daß die mittlere jährliche Regenmenge in einem raschen Zunehmen begriffen sei; und doch wäre dieser Schluß sowohl durch frühere als spätere Beobachtungen widerlegt worden *).

*) Ebendas. Man sehe auch: Morgenblatt für gebildete Stände, 1825, Nr. 44.

Das Regenwasser ist, wie alles andere atmosphärische Wasser, kein vollkommen reines Wasser, obschon es reiner ist, als das Wasser der Quellen und Flüsse. Auch das reinste Regenwasser hat einen geringen Antheil von Salz- und Salpetersäure bei sich. In dem Wasser des häufigen Regens im Sommer 1821 soll Nickel und meteorisches Eisen enthalten gewesen seyn, was wir späterhin als Bestandtheile der Meteorsteine kennen lernen werden. Mancher Gewitterregen hat eine so große Menge von Elektricität bei sich, daß er im Finstern leuchtet. Die in der Nähe der Vulkane, und zur Zeit eines Ausbruches derselben niederfallenden Regen sind oft glühend heiß und, wegen der beigemischten Schwefelsäure, in hohem Grade ätzend *).

Es giebt auch sogenannte Wunderregen, nämlich Schwefelregen, Blutregen, Froschregen, Wurmregen ꝛc. Sie entstehen durch allerlei leichte Körperchen, Blumenstaub, Samenkörner, Insekten ꝛc., welche theils durch den Wind, theils durch die elektrische Anziehung der Gewitterwolken in die Höhe gehoben werden, sich mit dem Regenwasser vermischen und so wieder herabfallen. Indessen hat man auch Beispiele von wirklichen Schwefelregen. So waren am 16. Mai 1646 zu Kopenhagen nach einem heftigen Gewitterregen alle Straßen mit einem gelben Staube bedeckt, welcher an Farbe, Geruch und allen übrigen Eigenschaften vollkommen dem Schwefel glich. Ein ähnliches gelbes Pul-

*) Man sehe im II. Bande dieses Werkes die von den Vulkanen handelnden Abschnitte.

ver, welches am 19. Mai 1665 in Norwegen fiel, gab beim Brennen einen Geruch wie von Schwefel und Terpentingeist von sich. Man hat diesen Schwefel von Vulkanen herleiten wollen, welche ihn ausgeworfen haben. Nach Kopenhagen und Norwegen könnte er nur aus den isländischen gekommen seyn. Da sich indeß Schwefel als Bestandtheil in den Meteorsteinen vorfindet, so könnte er sich dort beim Regen wohl auch unabhängig von den Vulkanen gebildet und mit dem atmosphärischen Niederschlage vermischt haben. Anderer gelber Regen führt mit Unrecht den Namen Schwefelregen, da auch der emporgehobene Samenstaub der Haselstauden, Fichten, mehrer Moosarten u. dgl. im Stande ist, den Regen gelb zu färben.

Aber die Milch- und Blutregen haben nur von der Aehnlichkeit diesen Namen. Schon die Alten kannten sie. Es giebt eine Art kleiner Schmetterlinge, welche beim Ausschlüpfen aus der Puppe kleine rothe Flecken, wie Blutstropfen, auf dem Boden und an den Mauern zurücklassen, welche man leicht hat für rothe Regentropfen halten können. Zuweilen ist aber auch wirklich rother Regen gefallen, der seine Färbung von kleinen rothen Insekten erhalten hatte. Auch können aufgelöste rothe mineralische Stoffe, Mennige rc. z. B. in die Wolken empor gehoben worden seyn und sich mit dem Regen vermischt haben. Wenn die Asche der Vulkane sich mit dem Regen vermischt, so kann dieser auch verschiedene Farben dadurch erhalten. So erzählten öffentliche Blätter, daß beim letzten Ausbruche des Vesuvs am 22. und 23. Okt. 1822 die weißen Uniformen eines östreichischen Infanterie-Regiments, welches gerade bei Neapel im Freien war, von dem herniedergefallenen Regen rothbraun gefärbt worden wären.

Eben so ist der Milchregen durch aufgelöste weiße Mineraltheile, kleine Insekten ꝛc. zu erklären. Für den „unbegreiflichsten und unglaublichsten" aller gefärbten Regen erklärt Berzelius *) denjenigen, welcher zu Blankenberg in Flandern am 2. Nov. 1819 Nachmittags ½3 Uhr gefallen seyn soll. Es regnete zwar den ganzen Tag, aber bloß um diese Zeit war der Regen dunkelroth gefärbt, während er vor- und nachher farblos war. Das Wasser, welches am folgenden Tage in den Cisternen sich gesammelt fand, hatte eine schwach rosenrothe Farbe. Es wurde von den Chemikern Meyer und Stoop in Brügge untersucht, und zwar, wie es nach der Beschreibung scheint, mit aller Sorgfalt. Sie fanden, daß das Wasser salzsaures Kobald-Oxyd enthielt; daß es nach dem Verdunsten als sympathetische Tinte angewendet werden konnte, und daß das ausgefällte Kobald-Oxyd Glas blau färbte. Am 9. desselben Monats und Jahres fiel bei Montreal, in Canada, ein Regen schwarz wie Tinte, und zugleich wurde es finster, wie mitten in der Nacht. Bei der chemischen Untersuchung dieses Regens fand es sich, daß er mit Ruß oder fein zertheilter Kohle gemengt war, was man von einigen großen Waldbränden herleitete, die während der

*) Jahresbericht ꝛc. ꝛc. Erster Jahrgang, S. 92.

großen Trockenheit südlich vom Ohio ausgebrochen waren, und wovon der Ruß durch den Wind nach Canada geführt worden seyn konnte *).

Kant **) erzählt von einem Wachsregen, der einst in Königsberg niederfiel. Einer dortigen Wachsbleiche war alles feine, geschabte, durchs Wasser gelassene und zum Bleichen ausgesetzte Wachs in die Lüfte entführt worden. Der gemeine Mann fand diesen Regen sehr wohlthätig, da er dabei viel Wachs einsammeln konnte.

Bei den sogenannten Weizen= und Kornregen fallen ebenfalls nicht diese Getreidearten herab, sondern es sind, nach Musschenbroek, Taxussamen und Wespenlarven, die der Wind umhergestreut hat. In solchen Gegenden, wo das kleine Schellkraut (Ranunculus ficaria, chelidonium minus) häufig wächst, entblößt der Regen die feinen Wurzeln desselben, und man kann dann die herumgestreuten Zwiebelchen wohl für Getreidekörner angesehen haben, die mit dem Regen herabgefallen seien.

*) Ebendas., nach Annal. de Chimie et de Phys., T. XV. p. 427. Ich glaube, daß man Ursache habe, gegen manche Beweise nordamerikanischer Blätter mißtrauisch zu seyn. Es scheint, als ob man sich dort zuweilen einen Spaß mit dem Publikum mache, von der Art, wie wir dieß nicht selten in der Bäuerle'schen Allgemeinen Theaterzeitung finden, nur mit dem Unterschiede, daß der Herausgeber des letztern Blattes stillschweigend voraussetzt, die Leser seines, der bloßen Unterhaltung gewidmeten Blattes werden die Sache für nichts weiter nehmen, als was sie wirklich ist.

**) A. a. O. S. 60.

Manche andere Arten von Wunderregen, wie die Fleischregen u. a. mögen wohl unter die Mährchen des Volksaberglaubens gehören. Dasselbe dürfte vermuthlich auch mit dem Seidenregen der Fall seyn, den man im Okt. 1820 zu Pernambuco (in Brasilien) beobachtet haben will. Er soll sich über einen Strich von mehr als 15 Meilen im Durchmesser ausgebreitet, und man soll von der aus der Luft herabgefallenen Seide sehr viel gesammelt haben, um sie zu untersuchen *).

Der Aschenregen haben wir schon oben, und auch im zweiten Bande, bei der Beschreibung der Vulkane gedacht. Die Sandregen kommen in den Wüsten Arabiens und Afrikas vor und müssen dem Winde oder der elektrischen Anziehung zugeschrieben werden, wodurch diese leichte Masse in die Höhe gehoben worden. Sie verdienen eigentlich, da kein Wasser mit herabfällt, den Namen Regen gar nicht, so wenig als die Steinregen, von welchen wir weiter unten in eigenen Abschnitten, bei Gelegenheit der feurigen Lufterscheinungen, handeln werden.

XVII.

Von dem Schnee.

Wenn bei einem geringen Wärmegrade die Wassertheilchen einer Wolke gefrieren, so entsteht der Schnee. Dieses Gefrieren ist eine wirkliche Krystallisirung. Es

*) Berzelius, a. a. O.

entstehen bald kleinere bald größere Nadeln oder Flocken von einer regelmäßigen, gewöhnlich sternförmigen Gestalt. Die dünnen Eisnadeln legen sich nämlich unter Winkeln meist von 60, zuweilen auch von 30 und 120° an einander und bilden auf diese Art kleine Sterne, die besonders bei ruhigem Wetter sehr regelmäßig sind. Wenn mehre solcher Sternchen sich an einander hängen, so entstehen daraus größere Flocken, die bisweilen auf einen Zoll im Durchmesser haben können. Manche dieser größern Flocken haben beim Niederfallen ein zerstörtes Ansehen, was theils aus der unregelmäßigen Zusammenfügung der Nadeln, theils auch davon herrührt, daß sie in den untern wärmern Luftschichten schon zu schmelzen angefangen haben. Die sechs Hauptnadeln, aus welchen das Schneesternchen meistens besteht, sind wieder mit noch feinern Seitennadeln besetzt und erhalten dadurch ein gefiedertes Ansehen. Doch wird zu einer solchen regelmäßigen Schnee-Krystallisation ein beträchtlicher Grad von Kälte und windstilles Wetter erfodert. Auch diese kleinern Nadeln sitzen unter Winkeln von 60° und 120° an den Hauptnadeln. Da man auch bei der Entstehung der Eisnadeln in gefrierendem Wasser ein Bestreben wahrnimmt, sich unter Winkeln von 60° und 120° zu vereinigen, so kann man annehmen, daß die Entstehung des Schnees auf demselben Wege vor sich geht, wie die Entstehung des Eises *).

Um die Menge des gefallenen Schnees einigermaßen zu schätzen, fängt man ihn in Gefäßen auf, welche eine

*) Fischer, a. a. O. Art. Schnee.

viereckige Gestalt von bestimmter Grundfläche, z. B. von einem Geviertfuße, haben. Wird das Gefäß während einer Nacht z. B. auf 1 Fuß hoch mit Schnee angefüllt, so ist also 1 Cubikfuß Schnee auf einem Flächenraume von 1 Quadratfuß gefallen. Man läßt hierauf den aufgefangenen Schnee an einem mäßig warmen Orte schmelzen, und bestimmt dann die Menge des erhaltenen Wassers entweder nach dem Gewichte, oder nach dem Körperinhalte, mittelst eines mit einer Gradleiter versehenen Gefäßes von bestimmter Größe. Will man es recht genau haben, so muß auch noch das in Rechnung gebracht werden, was beim Umgießen des geschmolzenen Wassers durch Anhangen (Adhäsion) verloren gegangen seyn kann; eben so ist der Verlust durch die Verdunstung, während der Schmelzung des Schnees, in Anschlag zu bringen. Man kann auf diese Weise berechnen, wieviel Schnee in einer bestimmten Zeit auf einer bestimmten Landstrecke gefallen ist, und wieviel er Wasser gegeben haben dürfte *).

Die Menge des Wassers, welche von einer bestimmten Menge Schnee erhalten wird, ist nicht immer die nämliche. Zuweilen giebt eine 5 bis 6 Zoll hohe Schneelage, von der Sonne geschmolzen, 1 Zoll Wasser, zuweilen erhält man aus einer Lage von 12 Zoll Höhe nur so viel. Es hangt dieß natürlich von der Dichtigkeit des Schnees ab. Der grossflockige pflegt die geringste Dichtigkeit zu haben. Dichter ist er bei kalter Witterung und trockener Luft. Hiervon hangt auch das Liegenbleiben des Schnees ab. Mancher Schnee zerfließt, so wie er

*) Neumann, a. a. O. S. 676.

den Boden berührt, da dieser nämlich eine höhere Temperatur hat; oder er bleibt höchstens eine kurze Zeit liegen, schmilzt aber, so wie die Luft wärmer wird. In den nördlichen Ländern und in Gebirgsgegenden fällt zuweilen klafterhoher Schnee, der an einzelnen Stellen noch durch den Wind in größere Haufen zusammen getrieben wird. Ganze Gebäude werden auf diese Weise oft über Nacht eingeschneit, so daß die Bewohner am Morgen sich nur mit der größten Anstrengung herausarbeiten können. Engelhardt erzählt in seiner Erdbeschreibung des Königreichs Sachsen von mehren Dörfern im höchsten Erzgebirge, namentlich von Ober-Wiesenthal, es falle daselbst zuweilen ein solcher Schnee, daß die Bergleute, um in die Kirche zu kommen, einen förmlichen Stollen durch den sie bedeckenden Schneeberg anlegen und mit Bretern und Balken aussetzen müßten. Oft werden ganze Thäler vom Schnee ausgefüllt, so daß man z. B. in Schweden und Norwegen zur Winterszeit viele Reisen dadurch abkürzen kann und beträchtliche Umwege erspart.

Bei anhaltender Kälte sinkt der gefallene Schnee immer mehr zusammen, dunstet, besonders wenn bei heiterm Himmel die Sonnenstrahlen auf ihn wirken, stark aus und vermindert sich so allmählich. Die blendende Weiße des Schnees, welche zum Sprichwort geworden ist, zeigt sich meist nur an frischgefallenem Schnee und am reinsten bei kaltem Wetter und heiterm Himmel. Später verliert sie sich immer mehr, was der Auflösung und den sich aus der Luft ihm beimischenden Staubtheilen beizumessen ist.

Der Schnee ist ein sehr schlechter Wärmeleiter. Eine starke Schneebedeckung der Felder und Gärten dient also zur Beschützung der Pflanzen bei starkem Froste. Als im Mai und Juni 1785 an mehren Orten Teutschlands ein zu dieser Jahreszeit ungewöhnlicher tiefer Schnee fiel, der unter anderm das eben in der Blüthe stehende Korn mehre Zoll hoch bedeckte, blieben gleichwohl, trotz der zugleich mit eintretenden Kälte, die Blüthen vom Froste unversehrt, und die Aehren füllten sich, wie sonst, mit Körnern. An manchen Orten hatten die Landleute den Schnee mit Strohseilen von den Aehren abgestreift, aber zu ihrem großen Schaden; denn mit dem Schnee war zugleich die Blüthe abgestreift worden. Auch von Baumblüthen weiß man, daß sie durch große Kälte, welche noch im April und Mai einfiel, nicht gelitten haben, weil sie zugleich mit einer dicken Lage Schnee bedeckt waren. Nach den Beobachtungen, welche Guettard angestellt hat, behält der Schnee vier Fuß tief unter seiner Oberfläche beständig eine Temperatur von beiläufig 0° Reaum. Aus diesem Grunde läßt sichs auch erklären, wie Menschen, in tiefen Schnee begraben, durch Lauwinen z. B. verschüttet, gleichwohl tagelang am Leben bleiben können, wofern nur einiger Zugang von frischer Luft Statt findet. Verschneite Gebäude im Gebirge halten sich sehr warm. Die Eskimos bauen sich im Winter sehr regelmäßige und dauerhafte Wohnungen, bloß aus Schnee, die Fenster darin bestehen aus großen Eisstücken.

Der Schnee ist auch ein Mittel zur Wiederherstellung erfrorner Glieder, und anderer organischer Körper,

z. B. Aepfel, Birnen, Rüben u. s. w. Sie thauen allmählich auf, wenn sie eine Zeit lang damit bedeckt oder darin vergraben werden. Der Schnee zieht aus ihnen, wie man im gemeinen Leben sich auszudrücken pflegt, den Frost heraus. Wahrscheinlich ist es die langsame und gleichförmige Erwärmung des erfrornen Körpers, wodurch der Schnee hier wirkt. Auch das Reiben erfrorner Glieder mit Schnee dient, wenn es gleich Anfangs angewendet wird, zur Wiederherstellung derselben. Alle Reisende nach dem hohen Norden, namentlich unter den neuern Roß und Parry, führen davon Beispiele an. Sogar zur Wiederbelebung erfrorner Menschen ist Eingraben in Schnee eines der wirksamsten Mittel. Von den vielen hier zum Beweise dienenden Geschichten möge hier nur folgende aus Kant *) stehen. „Ein Edelmann, der auf dem Harz bei Braunschweig wohnte, reiste 1754 an einem kalten Wintertage und bemerkte bald, daß er seinen hinten auf dem Wagen stehenden Bedienten verloren hatte. Er kehrte sogleich um und fand ihn, leblos, auf der Erde ausgestreckt. Alle seine und des Kutschers Bemühungen, den armen Menschen ins Leben zu bringen, waren vergebens. Beide sahen sich daher, da sie den Leichnam im Wagen nicht füglich mitnehmen konnten, genöthiget, ihn in den Schnee zu vergraben, und wollten ihn dann auf der Rückreise durch seine Verwandten aufheben lassen. Aber wie erschraken sie, als sie nach drei Tagen wieder an diese Stelle kamen, und sahen, daß der Schneehaufen aus einander geworfen und keine Spur von einem

*) A. a. O. S. 64.

todten Körper mehr anzutreffen war. Sie glaubten schon, er sei von Wölfen (die es damals noch hier gab) gefressen worden, fanden aber zu ihrem großen Erstaunen den Bedienten im nächsten Dorfe lebendig. Man konnte nur soviel von ihm erfahren, daß er unter dem Schnee sehr gut geschlafen und bei seinem Erwachen nicht gewußt habe, wo er sich befinde. Er habe sich lange quälen müssen, um sich aus dem Schneehaufen heraus zu arbeiten."

Der Schnee hat auch, wie die Kälte überhaupt, die Eigenschaft, todte Körper lange Zeit vor Fäulniß zu schüzzen. Man hat auf Spitzbergen und Grönland, in Schweden rc. ganz frische, dem Ansehen nach erst kürzlich ums Leben gekommene Leichname gefunden, die gleichwohl, wie sich aus der Kleidertracht und andern Merkmahlen schließen ließ, 30 ja 100 Jahre lang unter dem Schnee gelegen haben mochten *). In den Gletschern der Alpen findet man ebenfalls zuweilen dergleichen frisch erhaltene Leichname. Unter dem Gletscher am Grimsel z. B. kam einst der Leichnam eines Knaben zum Vorschein, welcher hier vor 80 Jahren versunken war. Er war so frisch, als wenn er erst vor wenigen Tagen das Leben verloren gehabt hätte. Wir führen dieses Beispiel hier aus dem IIten Bande unsers Gemäldes der physischen Welt an, wo wir von S. 209 bis 239 die Schneeberge und Gletscher der Schweiz, so wie die Lauwinen, betrachtet haben, auf welche wir hier zur Vervollständigung der Lehre von den Erscheinungen, welche der Schnee auf der Oberfläche der Erde darbietet, den Leser verweisen.

*) Kant, a. a. O. S. 64.

Zu bemerken ist, daß der Schnee, wenn er in eine dichte Masse zusammengeballt worden, einen merklichen Grad von Schnell- oder Prallkraft (Elasticität) blicken läßt. Kant erzählt von Versuchen, welche in dieser Hinsicht mit einem spitzigen, leichten und glatten Messer angestellt wurden, das man in einen sehr harten Schneeball von 4 Fuß im Durchmesser stecken wollte. Es sprang 4 bis 5 Fuß zurück, sobald man die Hand davon losließ.

Die Alten glaubten, es schneie nur auf dem Lande, aber nicht auf dem Meere. Diese Meinung ist jedoch irrig, und es schneit z. B. auf der Nordsee oft sehr anhaltend und stark. Auf den Eismeeren versteht sich dieß ohnehin von selbst, und wir haben im IIten Bande gezeigt, wie der Schnee zur Bildung und Vermehrung des Meereises beitrage. Indessen ist es allerdings richtig, daß im Allgemeinen, unter gleichen Breiten, auf dem festen Lande mehr Schnee fällt, als auf dem Meere, besonders in den höher gelegenen Gegenden. Der Grund davon ist nicht schwer einzusehen, wenn man sich an das erinnert, was oben im Vten Abschnitte von der Temperatur der Luft gesagt worden ist.

Lampadius *) unterscheidet folgende verschiedene Arten des Schnees.

Der Staubschnee, der mit dem Staubregen verglichen werden kann, ist der feinste Schnee und besteht aus äußerst feinen Nadeln, die nur durchs Vergrößerungsglas erkannt werden können. Es gehört zu seiner Bil-

*) Atmosphärologie ꝛc. S. 160 u. ff.

dung ein sehr hoher Grad von Kälte und er wird auch nur im hohen Norden, namentlich in Lappland, Nordamerika und Sibirien gesehen. Bei einiger Luftbewegung durchdringt er die engsten Ritzen der Gebäude. Er fällt oft in solcher Dichtigkeit, daß er gleich einem starken Nebel die nächsten Gegenstände unsichtbar macht; auch greift er die Augen sehr an.

Von diesem ist der feine Nadelschnee zu unterscheiden, der auch bei uns im Winter, bei einer Kälte von 3 und mehr Graden, und wenn es zugleich aus Norden und Osten sehr windig ist, nicht selten fällt. Es sind die zerstückelten Nadeln der oben erwähnten regelmäßigen Figuren von ziemlicher Sprödigkeit. Bei ruhigem Wetter und einer Kälte von einigen Graden fallen auch vollständig erhaltene Schneesterne von der mannichfaltigsten Art, wie sie eben beschrieben worden, herab; besonders bemerkt man dieselben im Anfange eines lange Dauer versprechenden Schneewetters, wo zuerst nur einzeln dergleichen Sterne herabfallen, die aber allmählich immer häufiger kommen und dichter werden.

Was den Flockenschnee betrifft, so unterscheidet Lampadius einen klein-, mittel- und großflockigen Schnee. Die Flocken unterscheiden sich, wie schon gesagt, dadurch von den Sternen, daß in ihnen einzelne Nadeln oder auch mehre Sterne und Bruchstücke von Sternen, ziemlich unregelmäßig zusammenhangen. Der Flockenschnee entsteht meistens bei einer Temperatur in der Nähe des Reaumurschen Gefrierpunktes und ist daher etwas weich. Große Flocken verkünden Thauwetter. Lampadius glaubt, daß die mehrsten Flocken überhaupt wohl schon aus Tropfen bestehen und gleich in den ersten Sekunden nach dem Zusammenlaufen derselben aus den Wolkenbläschen entstehen mögen.

Der Wasserschnee, der sogleich beim Niederfallen zerschmilzt, fällt, wenn die obern und untern Luftschichten eine ziemlich gleiche Wärme in der Nähe des Gefrierpunktes haben. Das Reaumursche Thermometer kann in der untern Luft schon einige Grade über 0 zeigen, und es fällt, wofern nur die Luft feucht ist, immer noch Wasserschnee.

Wie beim Regen, den wir in Land-, Strich- und Gewitterregen abgetheilt haben, findet auch eine solche Verschiedenheit beim Schnee Statt. Es gibt sich weit verbreitende Schneewetter (meist nur im Anfange und in der Mitte des Winters), Schneeschauer (besonders im April), und (jedoch nur selten) Schneegewitter. Das Schneegestöber entsteht, wenn ein frischgefallener oder noch fallender Schnee durch heftige Sturmwinde emporgehoben und umhergetrieben wird. Die hellste Luft wird dadurch verdunkelt, Schneegebirge (Schneelehnen, Windwehen) zusammengetrieben und der Reisende geräth in Gefahr, unter dem Schnee vergraben zu werden. Lampadius hat durch Beobachtungen auf dem 140 Fuß hohen Petersthurme zu Freiberg gefunden, daß der Schnee bei dem hellsten Wetter über 200 Fuß hoch gehoben wird.

Das Aufthauen des Schnees ist nicht, wie Mairan behauptet, einer im Frühlinge aus dem Erdboden aufsteigenden Wärme zuzuschreiben, sondern es entsteht durch eine Erhöhung der Temperatur in der Atmosphäre, die entweder durch die Sonnenstrahlen hervorgebracht, oder durch warme Winde aus angränzenden wärmern Ländern herbeigeführt wird. Das Thauwetter nimmt um so schneller zu, wenn ein warmer Regen sich damit verbindet, Wir haben zwar im IIten Bande (S. 210) gesagt, daß der Null- oder Gefrierpunkt des Reaumurschen Thermometers der Temperatur des gefrierenden Wassers oder des schmelzenden (aufthauenden) Schnees entspreche. Dieß ist jedoch nur im Allgemeinen der Fall, und es giebt von jener Regel Ausnahmen, die von der übrigen Beschaffenheit der Luft, vom Boden rc. abhangen. Wenn z. B. die Luft sehr trocken ist, so kann das Thermometer selbst im Schatten 5 bis 6° über Null zeigen, und der Schnee schmilzt doch nicht. Die Verdunstung entzieht hier dem Schnee so viel Wasser, daß er nicht zum Fließen kommen kann. Dagegen thaut es bei sehr feuchter Luft nicht selten schon, wenn das Thermometer noch ½° unter Null steht. In der Schweiz bestreuen die Bauern den Schnee in ihren Gärten im Frühlinge mit dunkler Erde, weil alles Dunkle schneller erwärmt, und der Schnee dadurch schneller zum Schmelzen gebracht wird.

Eine ganz besondere Naturmerkwürdigkeit ist der rothe Schnee, welcher sich zuweilen in den Alpen der Schweiz und Tyrols vorfindet und neuerlich auch in Nord-Amerika an den Küsten des Baffins-Meeres gesehen worden ist. Den Untersuchungen zu Folge, welche Saussure mit dem auf den Alpen gefundenen rothen

Schnee angestellt hat, verrieth derselbe einen organischen Ursprung. Im Jahre 1821 hat Peschier in Genf*) den rothen Schnee der Alpen von vier verschiednen Stellen untersucht und gefunden, daß das rothe Pulver, welches nach dem Schmelzen des Schnees zurückblieb aus Kieselerde, Eisen-Oxyd, Thonerde und einem organischen Stoffe bestand, von welchem Letztern ein Theil auflöslich, der andere unauflöslich war. Berzelius bemerkt darüber: „Diese färbenden Stoffe würden sich leicht durch einen vom Wind emporgehobenen Staub erklären lassen, wenn sie entweder bloß organisch oder bloß unorganisch wären; aber die Mischung beider macht eine Vermuthung, woher sie kommen, unmöglich." Im Baffins-Meere wurde der rothe Schnee von dem englischen Seefahrer Roß auf seiner Reise im Jahre 1818 entdeckt **). Ungefähr unter 76° Breite und 68° westl. Länge von Greenwich zeigte sich dieser merkwürdige Anblick. Die Farbe war dunkel-carmoisinroth. Mehre Vermuthungen wurden über die Ursachen dieser Erscheinung angegeben; so viel war ausgemacht, daß sie nicht vom Kothe der Vögel herrühren konnte; denn man sah Tausende derselben von allerlei Arten sich auf den Schnee und das Eis setzen, ohne daß sie diese Wirkung hervorgebracht hätten. Als Roß einige Leute an die Küste abschickte, um etwas von dem rothen Schnee zu holen, fan-

*) Berzelius, a. a. O. S. 92.

**) S. Entdeckungsreise rc., um Baffins-Bay auszuforschen rc. Teutsch von Nemnich. Mit Karten und Kupff. Leipzig, 1820. S. 75 u. ff.

den sie, daß er stellenweise, selbst am Abhange der Felsen, 10 bis 12 Fuß tief von dem färbenden Stoff durchbrungen war, und sich wahrscheinlich schon lange in dieser Lage befunden habe. Der Schnee ward unverzüglich mit Hilfe eines 110 Mal vergrößernden Mikroskopes untersucht, und der rothe Stoff schien aus gleich großen Theilchen in der Gestalt sehr kleiner runder Samenkörnchen zu bestehen; auf einigen Körnern sah man auch einen kleinen dunkeln Fleck. Die allgemeine Vermuthung der Offiziere, die ihn durchs Mikroskop betrachteten, ging dahin, es sei ein pflanzliches Erzeugniß (vegetabilisches Produkt) und diese Meinung gewann dadurch an Stärke, daß der Schnee an den Seiten von ungefähr 600 Fuß hohen Hügeln lag, auf deren Gipfeln man Gewächse von gelblichgrünen und rothbraunen Farben wahrnahm. Diese Klippen dehnten sich acht (engl.) Meilen weit aus; hinter ihnen sah man in beträchtlicher Ferne hohe Gebirge, aber der Schnee, welcher sie bedeckte, war nicht farbig. Am Abend ließ Roß etwas von dem Schnee auflösen und auf Flaschen ziehen, wo dann das Wasser wie trüber Portwein aussah. In wenigen Stunden kam ein Bodensatz zum Vorschein, der mit dem Mikroskop untersucht wurde. Einiges davon ward zerstoßen, und zeigte sich durch und durch roth. Auf dem Papiere gab es eine Farbe, wie das indianische Roth. Es ward in einem dreifachen Zustande aufbewahrt, nämlich aufgelöst und auf Flaschen gefüllt, und der Bodensatz zum Theil auf Flaschen, zum Theil getrocknet. Ein Erzeugniß des Meeres konnte es darum nicht seyn, weil man es an mehren Stellen wenigstens sechs (engl.) Meilen vom Meere sah; immer aber war es auf dem Gipfel oder nahe am Fuße eines Berges. Nach Roß's Zurückkunft nach England stellte der Chemiker Wollaston Versuche mit diesem rothen Stoffe an, und war ebenfalls geneigt, ihn für pflanzlichen Ursprungs zu halten, obschon er keine entscheidende Meinung darüber auszusprechen wagte, weil es an hinlänglicher Kenntniß von den Erzeugnissen des Fundorts fehlte *). Er fand, daß er aus Kügelchen von $\frac{1}{1000}$ bis $\frac{1}{3000}$ Zoll Durchmesser bestand. Wollaston vermuthete, daß die Bekleidung derselben farbenlos seyn und daß die Röthe gänzlich zum Inhalte gehören möge, welcher von einer ölartigen Natur, und nicht in Wasser, sondern in rectificirtem Weingeiste auflöslich zu seyn schien. Sehr vergrößert und hinlänglich beleuchtet, zeigte jedes dieser Kügelchen inwendig Unterabtheilungen von acht oder zehn Zellen. Sie konnten ohne Verlust der Farbe durch die Hitze des kochenden Wassers getrocknet werden. Durch zerstörende Destillirung gaben sie ein mit Ammonium verbundenes stinkendes Oel.

Chladni erklärt den Färbestoff dieses rothen Schnees für meteorisch, d. h. für aus der Luft herabgefallen.

*) Ebend. im Anhange S. 154 u. ff.

XVIII.

Vom Hagel, Glatteis, Thau und Reif.

Zur Zeit eines Gewitters fallen zuweilen größere oder kleinere Eiskörner aus der Luft herab, welche man **Hagel** oder **Schloßen** zu nennen pflegt. Gewöhnlich sind die Wolken, welche mit Hagel drohen, schon von weitem durch ihr aschfarbiges Ansehen zu erkennen, welches mehr oder weniger ins Helle spielt. Auch hört man in der Luft ein heftiges Rauschen. Hagelwetter im Winter sind sehr selten und kommen auch hier nur in Begleitung von Gewittern vor. Noch weit seltner ist der Hagel zur Nachtzeit, so daß es scheint, als ob das Sonnenlicht zu seiner Entstehung mit nöthig wäre. Im Innern des Hagelkorns findet sich ein Kern von Schnee, um welchen das Eis sich nach und nach schalenförmig angelegt zu haben scheint. Manche Hagelkörner haben statt dieses Schneekernes im Innern kleine Bläschen oder hohle Zwischenräume. Zu bemerken ist, daß die Hagelkörner auf hohen Bergen meist kleiner sind, als in der Tiefe; wahrscheinlich wachsen sie also noch während ihres Herabfallens, indem sich die wässerigen Theile der untern Luftschichten an sie anlegen und gefrieren. Von der eigentlichen Entstehung des Hagels kann erst weiter unten die Rede seyn.

Die Größe und Schwere der einzelnen Hagelkörner ist bekanntlich sehr verschieden. Es fallen deren zuweilen, die mehre Lothe, ja Pfunde wiegen, und an Größe Hühner- und Gänseeiern gleich kommen. Zuweilen hat man, bei sehr heftigen Gewittern (wie z. B. im Sommer 1817 in Baiern) ganze große Eisklumpen, viele Pfunde schwer, aus der Luft herabfallen sehen. Wahrscheinlich waren dieß eine Menge zusammengebackner Hagelkörner. Lampadius erzählt aber auch von einzelnen großen Hagelkörnern, an denen er keine Spur von Zusammensinterung gefunden zu haben versichert, und die also gleich mit Einem Schlage in dieser Größe entstanden seyn müssen. Die Form der Hagelkörner ist meist rundlich, was von ihrem Herabfallen durch die Luft herrühren mag; ursprünglich haben sie, als wahre Eiskrystalle, eine eckige Gestalt. Der französische Naturforscher Bosc d' Antic fand am 13ten Juli 1788 Hagelstücke mit keilförmig hervorspringenden Ecken über 6 Linien lang, an welchen man deutlich die Enden vierseitiger, an ihren Seitenflächen verbundener Pyramiden erkannte. Einzelne sehr große Hagelkörner erschienen als vollkommene Achtflache (Oktaëder), unter welchen das schönste 14 Linien lang und 4 Linien breit war. Der Winkel an der Spitze der Pyramide maß 35° und der an der Vereinigung beider Pyramiden 135°. Bei diesem nämlichen Gewitter am 13. Juli 1788 fielen Eisklumpen von zehn Pfund Schwere aus der Luft herab. Diese sind indeß wohl nur durch Vereinigung mehrer Körner während des Herabfallens entstanden. Cotte erfuhr durch genaue darüber eingezogene Nachrichten, daß die größten einzelnen Hagelkörner nicht mehr als ein Pfund und einige Unzen gewogen hatten.

Die verheerenden Wirkungen des Hagels sind bekannt. Nicht nur die Getraidefelder werden oft auf das schrecklichste zu Grunde gerichtet und dadurch der Landmann nicht selten der Früchte seines ganzjährigen Fleißes beraubt, sondern auch Thiere und Menschen können durch große Hagelkörner schwer beschädigt, ja wohl gar getödtet werden. Durch das große Hagelwetter, welches sich am Sonnabende vor Pfingsten im Jahre 1807 von Halle an der Saale bis nach Prag verbreitete, wurden an mehren Orten, z. B. in Dresden, binnen einer halben Stunde viele Tausend Fensterscheiben zerschlagen. An schattigen Orten blieben die fußhoch aufgeschichteten Hagelkörner mehre Tage liegen.

Die sogenannten Graupeln sind nicht etwa kleinere Hagelkörner oder Schloßen, sondern nach Lampadius *) bloß zusammengefrorne Schneeflocken. Sie gehen zuweilen in Schnee, zuweilen in Regen über. Manchmal fallen auch Regen und Graupeln durch einander. Graupelwetter treten am meisten in den Frühlingsmonaten März und April ein.

Das sogenannte Glatteis entsteht in ebenen Ländern zur Winterszeit, meist bei eintretendem Thauwetter, wenn zwar die Luft schon erwärmt, aber der Erdboden oder der ihn bedeckende Schnee noch immer bedeutend kalt ist. Die fallenden Regentropfen gefrieren alsdann, so wie sie den Boden berühren, oder es fallen, wenn auch die untern Luftschichten noch merklich kalt sind, schon einige kleine, in Eis verwandelte Regentropfen mit herab. In Hochgebirgen, z. B. auf den Alpengletschern, sind diese Glatteis=Regen selbst im hohen Sommer nichts Seltenes.

*) Atmosphärologie rc. S. 158.

Was wir bisher kennen gelernt haben, waren sichtbare Niederschläge des atmosphärischen Wassers. Es bleibt uns noch übrig, jenes unsichtbaren zu erwähnen, welcher unter dem Namen Thau bekannt ist. Wir erblicken nämlich sehr oft nach Untergang der Sonne und vor Aufgang derselben Wassertropfen an Pflanzen und andern der freien Luft ausgesetzten Körpern, ohne daß wir dergleichen, etwa wie den Regen, aus der Luft hätten herabfallen sehen. Besonders in den Sommermonaten und bei heiterm und stillem Wetter nehmen wir den Thau wahr; oft ersetzt er, während einer anhaltenden Dürre, den Regen. Man hält es für Vorzeichen eines heitern und warmen Tages, wenn es des Morgens stark gethaut hat. Zuweilen bemerkt man bei heiterm Wetter schon vor Sonnen-Untergange den Thau an solchem Grase, welches im Schatten steht; aber erst nach völligem Verschwinden der Sonne und gegen die Mitte oder das Ende der Dämmerung sieht man ihn in Gestalt größerer Tropfen an den Gegenständen hangen. Während der Nacht thaut es bei heiterm Himmel unaufhörlich fort, wovon sich Wells (dem wir überhaupt die neusten und richtigsten Ansichten über den Thau verdanken *) dadurch überzeugte, daß er von Stunde zu Stunde kleine Wollflocken auslegte und sie jedes Mal nach Verlauf der Stunde bethaut fand. Wird der Himmel dagegen nach

*) An Essay on Dew and several appearances connected with it; by Will. Charl. Wells, M. D. (Versuch über den Thau und einige andere damit verbundene Erscheinungen) London, 1815 — bei Brandes a. a. O. S. 386 u. ff. und Neumann, a. a. O. S. 679 u. f.

einem heitern und thaureichen Abende dick überzogen, so erfolgt nicht nur keine Vermehrung des Thaues, sondern er trocknet vielmehr zum Theil ab. Auch durch starken Wind wird der Thau verringert. Es fällt ferner, unter sonst gleichen Umständen, mehr Thau, wenn die Luft feuchter ist, als nach lange anhaltender trockner Witterung; eben so thaut es stärker im Frühling und im Herbste, wo der Unterschied zwischen der Temperatur des Tages und der Nacht größer ist als im Sommer. Wenn der Thau sehr stark fällt, so sieht man oft dicht über dem Erdboden einen dünnen Nebel. Je weiter man sich übrigens von der Erde in die Luft erhebt, desto geringer findet man die Menge des Thaues. Hängt man z. B. mehre Körperchen in verschiedenen Höhen in die Luft, so werden die untern oft eine Stunde früher vom Thaue feucht als die obern.

Am reichlichsten fällt der Thau in den heißen Ländern zwischen den Wendekreisen, und er ist dort während der dürren Jahreszeit ein reichlicher Ersatz des mangelnden Regens. Er fällt dort oft bei der Nacht so stark, daß die im Freien übernachtenden Karawanen, wie von einem feinen und dichten Regen, ganz durchnäßt werden.

Glatte Körper, auf welchen sich der Thau anlegt, zeigen nach Wells Versuchen genau dieselben Erscheinungen, welche man an solchen Körpern bemerkt, die einem Wasserdampfe von ungefähr gleicher Temperatur ausgesetzt werden. Die Oberfläche verliert nämlich zuerst ihren Glanz durch einen dünn aufgelegten Dunst; nimmt das Thauen zu, so rinnt dieser Dunst in unregelmäßige, flache, zuerst kleine, dann allmählich sich vergrößernde und in einander laufende Tropfen zusammen, welche oft so zunehmen, daß sie an der Oberfläche herablaufen.

Die Körper werden mit desto weniger Thau belegt, je weniger sie einem freien Himmel ausgesetzt sind, oder je weniger man an der Stelle, wo sie sich befinden, eines freien Anblickes des Himmels genießt. Wells befestigte zwei Wollflocken an einem Brete, den einen an der obern, den andern an der untern Seite, und es zeigte sich, daß jener Flocken in verschiedenen Nächten 14, 19, 11 und 20 Gran, dieser dagegen in der nämlichen Zeit nur 4, 6, 2 und 4 Gran an Gewicht zugenommen hatte. Eben so fand man an einem Wollflöckchen, das unter einem Pappdache auf dem Grase lag, nur 2 Gran Thau, während in der nämlichen Zeit ein auf dem freien Grase liegendes 16 Gran an Gewicht zunahm.

Ein zweiter Umstand, der sich aus Wells Versuchen und Betrachtungen ergab, war, daß jeder dem Bethauen ausgesetzte Körper auf einem größern, ziemlich viel Oberfläche habenden, liegen muß. Wollflocken, die z. B. frei in der Luft aufgehängt wurden, nahmen nicht so viel Thau an, als solche, welche unter übrigens gleichen Umständen auf einem Brete lagen.

Auch von der Beschaffenheit des Körpers, worauf die Wollflocken gelegt wurden, hing die Menge des Thaues ab, welche sie empfingen. Einer dieser auf Gras gelegten Flocken nahm 16 Gran, ein anderer in einem mit Sand bedeckten Fußsteige 9 Gran, ein dritter auf einem unbewachsenen Beete von Gartenerde 8 Gran Thau in der nämlichen Nacht auf. Daß diese größere Thaumenge des ersten Wollflocken nicht etwa bloß von einer Mittheilung der Feuchtigkeit des Grases herrührte, bewies der Umstand, daß der nämliche Wollflocken in einer Porzellanschale aufs Gras gesetzt, fast eben so viel Thau erhielt, als wenn er unmittelbar auf dem Grase gelegen hatte.

Musschenbroek's Versuche und Beobachtungen haben gelehrt, daß sich nicht alle Körper gleich stark und schnell mit Thau belegen. Glas und Porzellan z. B. wurden bethaut, während polirtes Metall und Steine, die dicht daneben lagen, trocken blieben. Unter verschiedenen Lederarten wurden rother und gelber Saffian, so wie noch nicht bearbeitete Kalbsfelle am meisten bethaut; blaues und schwarzes Leder am wenigsten. Als Du Fay neben eine Metallplatte eine eben so große Glasplatte stellte, zeigte es sich, daß Erstere nicht, wohl aber Letztere bethaut wurde. Legte er über die Fuge, welche sich zwischen den neben einander gestellten Platten befand, eine Glasplatte, so legte sich viel Thau auf das Stück über dem Glase, wenig oder nichts auf das andere Stück über der Metallplatte u. s. w.

Unter Wells wichtigste und mühsamste Beobachtungen in Betreff des Thauens gehören diejenigen, welche er über die Abkühlung der Körper, während sie bethaut werden, angestellt hat. Alle Körper, welche Thau annehmen, sind kälter als die sie umgebende Luft. Das Gras z. B. ist, während es bethaut wird, kälter als die nur einen Zoll hoch darüber sich befindende Luftschicht; in

4 Fuß Höhe über dem Boden beträgt der Unterschied zwischen der Luft- und Graswärme nicht selten bis 12 Grad Fahrenheit, und selbst noch mehr. Diese stärkere Abkühlung des Grases bemerkt man an Stellen, die freien Himmel haben, aber von der Sonne nicht mehr beschienen werden, schon Nachmittags, bald nach dem Zeitpunkte der größten Tageshitze oder von 4 Uhr an; eben so dauert eine größere Kälte des Grases im Vergleich mit der Luft auch nach Sonnenaufgang an von der Sonne nicht beschienenen Plätzen fort, so bald diese nur dem freien Himmel ausgesetzt sind.

Vorsichtig gesammelter Thau, dem sich noch keine aufgelösten Bestandtheile der Körper, auf die er gefallen, beigemischt haben, gleicht dem reinen Regenwasser. Bei einigen Versuchen, welche Lampadius *) mit dem Thau von den Blättern der Alchemilla vulgaris vornahm, fand er dem Maße nach in 100 Theilchen Thau 2 Theile kohlensaures Gas. Der Thau erhält dieses Gas durch seinen langsamen Niederschlag in der Luft, wo die Wassertheilchen mehr Kohlensäure aufnehmen können, als selbst der Regen. Andere Chemiker haben Spuren von Kochsalz und Salpetersäure im Thauwasser gefunden, was von aufgelösten Stoffen der Körper herrühren mag, auf die er gefallen ist. Der gemeine Mann schreibt dem Thau hier und da Heilkräfte zu. In Indien soll im September und Oktober ein sauerer Thau fallen, den das Volk auf Musselin auffängt und als stärkendes Arzneimitel anwendet. Henshaw drückte frisch gefallenen

*) Atmosphärologie rc. S. 121.

Maithau durch ein leinenes Tuch, und fand ihn nicht völlig durchsichtig, sondern von einer harnähnlichen Farbe. Er setzte ihn in gläsernen Gefäßen der Sonne aus, ohne an ihm eine Fäulniß zu bemerken, welche indeß früher als beim Regenwasser in hölzernen Gefäßen erfolgte. Später dickte er den Thau ein, unterwarf das erdichte Ueberbleibsel einer Destillation mit heftigem Feuer und erhielt davon eine Mischung aus Salz und Schwefel. Musschenbroek bewahrte 24 Jahre Thauwasser in einer gläsernen Flasche auf und ließ es alle Winter frieren, ohne daß es an Reinigkeit und Klarheit verloren, noch Geschmack und Geruch verändert hätte.

Der sogenannte Honig= und Mehlthau ist kein Niederschlag aus der Luft, sondern wird von den Pflanzen, auf denen man ihn findet, selbst hervorgebracht. Es ist ein Irrthum des gemeinen Volkes, wenn es glaubt, die beim Sonnenschein fallenden Regentropfen seien der Mehlthau oder bringen ihn hervor. Lampadius sah bei ganz heiterm Himmel äußerst kleine klebrige Tröpfchen von Linden herabfallen, welche auf den untern Blättern, auf die sie fielen, nach einiger Zeit einen gelblichen zerfressenen Fleck zurückließen. Lampadius bemerkt dabei sehr richtig, daß wenn dergleichen Thau aus der Luft falle, er alle Gegenstände, und nicht bloß einzelne Pflanzengattungen treffen müsse. Insbesondere versteht man unter Honigthau jene klebrichten Säfte, welche sich im Sommer häufig an der Oberfläche vieler Pflanzen zeigen. Er wird zum Theil von den Pflanzen selbst ausgeschwitzt; zum Theil rührt er auch von Insekten her.

Leche *) z. B. fand bei der Untersuchung des Honigthaues, daß die Blattläuse aus zwei auf dem Hinterleibe hörnerartig emporstehenden Körpern ein süßes Wasser von sich geben, das dann auf den Blättern und Zweigen eintrocknet, und einen klebrichten Ueberzug hervorbringt, welchem die Bienen, Ameisen rc. gern nachgehen. Auf manchen Pflanzen entstehen aus jener klebrichten Masse, die sie selbst ausschwitzen, unzählige kleine Insekten, die wie ein weißer mehlähnlicher Staub die Pflanzen bedecken, und dasjenige sind, was man ebendeßhalb insbesondere Mehlthau nennt. Unter Rost versteht man die schon erwähnten röthlichen und braunen, zerfressenen Flecke auf den Baumblättern.

Der Reif ist von zweierlei Art. Im Herbste und Frühlinge ist es gefrorner Thau. Wenn zu dieser Zeit die Temperatur der Luft und der Oberfläche der Körper an kalten Morgen bis zum Gefrierpunkte herabsinkt: so gefriert der wässerige Niederschlag aus der Luft und man sieht, anstatt des sonst gewöhnlichen Thaues, die Pflanzen, Bäume, Dächer der Gebäude rc. mit Reif überzogen.

Eine andere Art Reif entsteht im Winter, und zwar zu allen Tageszeiten, wenn die in der Luft schwebenden Feuchtigkeiten sich, ohne förmlichen Uebergang in Schnee, an den der freien Luft ausgesetzten kalten Oberflächen der Körper, besonders der Bäume, anhängen. Auf der Windseite pflegt er in größerer Menge vorhanden zu

*) Geschichte des Honigthaues, in den schwedischen Abhandlungen, 1762, S. 89.

seyn*). Der sogenannte Rauhreif, von welchem wir bei sehr strenger Kälte Menschen und Vieh, besonders um Mund, Nase und Ohren bedeckt sehen, entsteht aus den Ausdünstungen des Körpers, welche, so wie sie an die freie Luft heraustreten, sich sogleich wieder als kleine Eis- oder Schneekrystalle, besonders an den kalten Haaren anhängen, weil diese kälter sind als die Haut, wo sie sogleich wieder schmelzen.

Auch das Gefrieren der Fenster im Winter gehört unter die Erscheinungen des Reifes. Die wässerigen Dünste eines Zimmers, welche sich zu andern Jahreszeiten als bloßer Schweiß an die Fensterscheiben hängen, werden, wenn diese Letztern von der äußern Luft bis zum oder unter den Gefrierpunkt erkältet sind, in Schnee- und Eiskrystalle verwandelt, welche die Scheiben und Rahmen der Fenster überziehen. Bekannt sind die zweig- und blumenartigen Gestalten dieses Fensterreifes, welche durch die Krystallisirung entstehen. Bei scharfer Untersuchung einzelner Theilchen dieses Fensterreifes (so wie auch jedes andern Reifes) zeigen sich nach Mairan's Beobachtungen in der Zusammenfügung der einzelnen Eisnädelchen dieselben Winkel von 60° und 120°, welche wir oben beim Schnee gefunden haben. Am ersten pflegen die Fensterscheiben der Wohn- und Schlafstuben zu gefrieren, weil hier die meisten Ausdunstungen vorhanden sind. Die Fenster unbewohnter Gemächer gefrieren daher oft im strengsten Winter nicht, es wäre denn durch Dünste, die sich von außen anlegen.

*) Die Franzosen haben für den Reif der ersten Art die Benennung gélée blanche; für die zweite givre oder frimas.

Auf ähnliche Art wie mit dem Reif, verhält es sich auch mit dem sogenannten Ausschlagen der Kälte, welches nach lange angehaltener sehr kalter Witterung beim endlichen Beginn des Aufthauens an Gebäuden, besonders an steinernen Mauern und Eisen wahrgenommen wird. Die Flächen dieser Gegenstände sind alsdann wie mit einer weißen Rinde überzogen. Gewöhnlich erklärt man sich dieß so, daß beim Erwärmen der Luft die in den Körpern steckende Kälte ebenfalls herauszubringen suche, und bezeichnet es eben deßhalb mit dem Ausdrucke: die Kälte schlägt heraus. Aber dieß ist nicht richtig, obschon die Kälte dieser Körper die Ursache davon ist. Da nämlich beim Anfang des Thauwetters die Luft zuerst erwärmt wird, während die festen Körper, namentlich Steine und Metalle, noch eine Zeit lang ihre kalte Temperatur behalten, so schlagen sich die wässerigen Dünste der Luft an jenen Körpern nieder und gefrieren zugleich.

XIX.

Vom Gewitter und von den Wasserhosen.

Das Gewitter gehört unter die zusammengesetzten Naturerscheinungen. Die Hauptsache dabei ist das mehrmals wiederholte Blitzen und Donnern, welches durch die Entladung der Elektricität zwischen den Gewitterwolken unter sich und dem Erdboden entsteht. Außerdem pflegt das Gewitter noch von Regen, auch wohl von Hagel und mehr oder weniger heftigem Sturm begleitet zu seyn, welcher Letztere ihm vorangeht und nach dem vollen Ausbruche desselben wieder aufzuhören pflegt.

Die meisten Gewitter ereignen sich im Sommer, und zwar häufiger des Nachmittags und Abends, als am Vormittage und am Morgen. In der Regel geht eine schwüle, drückende Hitze bei wolkenlosem Himmel voraus. Nicht nur Menschen, sondern auch Thiere und Pflanzen erschlaffen. Personen von reizbaren und schwachen Nerven empfinden nicht selten eine ganz eigne Bangigkeit, die nicht immer mit der Furcht vor dem Einschlagen oder Tödten des Blitzes zu verwechseln ist. Erst nach dem Ausbruche des Gewitters, und mit dem Beginn des heftigen Regens, vermindert sich oder verschwindet diese Bangigkeit. Am Himmel haben sich unterdessen, Anfangs am Horizonte, eine Menge einfacher Haufenwolken gebildet, die bald in dunkle und dichte gethürmte übergehen. Die Vergrößerung dieser Wolken scheint aus ihnen selbst, von innen heraus, zu erfolgen, und die Gewitterwolken zeichnen sich vor andern Regenwolken vorzüglich durch ihre ganz eigne Beleuchtung aus, indem ihre Farbe an einigen Stellen dunkelgrau ist und ins Bläulichte übergeht, während gleich daneben glänzende, ins Gelbliche spielende Theile wahrgenommen werden, und an einzelnen Stellen sich Oeffnungen bilden, die eine Ansicht des dahinter liegenden blauen Himmels gewähren. Doch findet dieß Letztere nur im Anfange oder bei kleinen Gewittern Statt, denn bei größern Gewittern und wenn sie zum vollen Ausbruche gekommen sind, ist der ganze Himmel mit Wolken überzogen. Bei der Bewegung, welche die Gewitterwolken annehmen, scheinen sie nicht dem in der Atmosphäre herrschenden Winde, sondern einem solchen zu folgen, welcher aus ihnen selbst entsteht, und es ist daher nichts Seltenes, Gewitterwolken am Himmel sich vereinigen zu sehen, deren jede von ganz entgegengesetzten Enden des Horizonts herangezogen kommt. Auch hat man bemerkt, daß die Gewitter jedes Jahr eine gewisse Hauptrichtung beobachten und z. B. das eine Jahr meistens aus Südwesten, das andere aus Südosten u. s. w. kommen. Gewöhnlich entscheidet das erste Gewitter im Anfange des Sommers über diese Richtung, und die meisten folgenden pflegen von daher zu kommen, woher dieses kam. Lampadius glaubt die Ursache davon in der Art, wie die herrschenden Winde ihren Strich halten, suchen zu müssen.

Während jener Aufthürmung der dunkeln Gewitterwolken herrscht noch eine große Windstille, und es zeigen sich zuweilen jetzt schon kleinere Blitze als Vorläufer von größern. Je langsamer diese Gewitterbildung vor sich geht, je zahlreicher die einzelnen Wolken von allen Punkten des Horizonts herbeiziehen, je länger diese Vorspiele dauern, und je anhaltender und stärker die vorausgegangene Hitze war, desto heftiger pflegt das nun ausbrechende Gewitter zu seyn. Auch das Rollen des Donners hört man bei so langsam heranziehenden Gewittern schon von weitem, und wohl eine Stunde vor dem wirklichen Ausbruche desselben. Zuweilen aber auch beginnt das Gewitter gleich mit einem heftigen Blitze, der von einem fürchterlichen Donnerschlage begleitet wird. Parrot glaubt, daß in diesem Falle die ersten Blitze in den höhern, uns unsichtbaren Gegenden der Gewitterwolken entstanden, oder daß das Gewitter an einem andern Orte entsprungen sei, wo es die ersten Blitze geliefert und dann sich nach unserer Gegend in Bewegung gesetzt habe. Der Regen beginnt mit einzelnen großen Tropfen, die sich aber schnell vermehren. Mit jeder elektrischen Entladung nimmt der Regen merklich zu, und nicht selten fließt er in Strömen, als Platzregen herab; zuweilen geht der Gewitterregen auch in einen Wolkenbruch über. Ist Hagel mit dem Gewitter verbunden, so fällt er gleich im Anfange desselben, oft ganz allein, oft mit dem Regen vermischt. Manche zu Anfang niederfallende große Regentropfen scheinen geschmolzene Hagelkörner zu seyn. Die Hagelwolke kündigt sich, wie schon weiter oben bemerkt worden, durch ein eigenes Geräusch und eine grauweißliche Farbe der Gewitterwolken an.

Allmählich verzieht sich das Gewölke, nimmt eine gleichförmigere Gestalt und die gewöhnliche graue Wolkenfarbe an, und das eigentliche Gewitter, d. h. das Blitzen, Donnern und Regen, nimmt ab und hört endlich ganz auf. Die Strahlen der Sonne brechen hervor und bilden in den nach dem Horizonte hin ziehenden, ihr sich gegenüber stellenden Gewitterwolken den prachtvollen Regenbogen. Die ganze Natur ist erquickt. Die Luft hat sich um 5 bis 6 Grad Reaum. abgekühlt; die Spalten des durch die Hitze vorher ausgedorrt gewesenen Erdbodens haben sich geschlossen, die Blätter der Pflanzen erheben sich und prangen in frischem Grün; aus den Blu=

men duften balsamische Gerüche, obschon ihnen — wie Jean Paul irgendwo sagt — „gleich erschrocken gewesenen Kindern noch die hellen Thränen in den Augen stehen." Auch die Thiere haben neue Lebenskraft erhalten und „der Mensch, der diese herrlichen Wirkungen des Gewitters anstaunt, erfreut sich selbst des Gefühls neu erwachter Stärke und dankt dem Schöpfer für diese Wohlthaten" *).

Die stärksten Gewitter sind diejenigen, welche sich anderwärts gebildet haben und zu uns schon in voller Thätigkeit angezogen kommen. Große Gewitter dieser Art durchziehen zuweilen in einem Zeitraume von 24 Stunden eine Strecke von 60, 80, ja wohl 100 teutschen Meilen. Wahrscheinlich sind es nicht immer die nämlichen Gewitterwolken, welche am letzten Orte donnern und blitzen, sondern das vorwärts rückende Gewitter erzeugt an den Orten, wohin es kommt, wieder neue elektrische Wolken in der dazu vorbereiteten Atmosphäre dieser Orte. Solche große und sich weit verbreitende Gewitter nehmen auch eine Breite von einer bis zwei Meilen ein. Gefährlicher sind die Gewitter bei niedrigem als bei hohem Barometerstande. Am fürchterlichsten sind die bei niedrigem Barometerstande sich fast auf der Erde fortwälzenden Gewitter, dergleichen in Gebirgsgegenden häufig vorkommen. Aber es ist ungegründet, daß Gewitter bei mondhellen Nächten, oder welche, wie man im gemeinen Leben zu sagen pflegt, „über den Mond gehen," fürchterlicher seyn sollen, als andere. Nächtliche Gewitter ma-

*) Parrot, a. a. O. S. 434.

chen überhaupt einen heftigern Eindruck, und das plötzliche Aufreißen des dunkeln Himmels durch den Blitz setzt mehr in Furcht, als dieß bei Taggewittern der Fall zu seyn pflegt.

Manche Gewitter nehmen kaum eine Breite von 100 Klafter ein und ziehen kaum eine oder zwei Meilen weit fort, wo sie sich schon wieder auflösen. Einzelne Wolken, als Abfall von entfernten Gewittern, kommen oft über den Horizont, und verbreiten dann Kälte und Wind, auch wohl Regen. Man glaubt im gemeinen Leben, daß Gewitter, die des Nachmittags wütheten, zuweilen bei der Nacht wiederkehren. Dieß ist aber irrig; es sind neue Gewitter, die in diesem Falle zur Nachtzeit entstehen, und es zeigt dieß eine besondere Neigung der Luft zur Gewitterbildung an.

Auf hohen Bergen, in Teutschland z. B. schon auf der Schneekoppe und dem Brocken, sieht man nicht selten Gewitter unter sich. Es regnet, donnert und blitzt dann in der Tiefe, während man auf dem Gipfel des Berges sich des hellsten Sonnenscheines erfreut. Die gewöhnliche Höhe der Gewitter über Ebenen ist nach Lampadius zwischen 1500 und 3000 Klafter. Es giebt besondere Punkte und Gegenden, besonders in Gebirgsländern, wo Gewitter in ihrem Zuge auf Ein Mal aufgehalten oder nach einer andern Richtung abgelenkt werden. Es scheint hier durch Gebirgsrücken, einzelne hohe Berge und Waldungen, eine besondere Anziehung oder Abstoßung auf die Wolken zu wirken. Man nennt dergleichen Punkte Wetterscheiden.

In Hinsicht der Gegend, aus welcher die Gewitter kommen, bemerkt Lampadius, in Bezug auf die Gegend von Freiberg im Königreiche Sachsen, Folgendes: „Die Gewitter aus Süden sind bei uns äußerst blitzreich, gewöhnlich ohne sonderlichen Sturm, von großer Ausbreitung mit vielem Regen. Die West-Gewitter geben sehr viel Wasser, heftigen Sturm und seltener häufige Blitze. Sie ziehen aber oft tief und dunkel mit hoher Ausbreitung. Die Nordwest- und Nord-Gewitter hageln am häufigsten, nicht immer mit Sturm. Sie gehen oft in Landregen über. Am schönsten nehmen sich die Gewitter aus Osten mit ihren sehr hohen, oben blendend weißen, den Schneegebirgen ähnlichen Wolken aus. Sie ziehen fast immer hoch, hageln sehr oft, ziehen langsam mit wenig Sturm und sind selten von großer Ausdehnung in die Breite.“

Wir beschließen die Beschreibung der wässerigen Lufterscheinungen mit der Wasserhose (Wassertrombe, Seehose), welche für den Seefahrer und Küstenbewohner nicht nur eines der anziehendsten und prachtvollsten, sondern auch nicht selten eines der furchtbarsten Natur-Schauspiele ist.

Die bei einer Wasserhose vorkommenden Erscheinungen sind, mit mehr oder weniger Abänderungen, im Allgemeinen folgende. Man bemerkt bei einer zu Gewittern oder Strichregen geneigten Luft dicke Wolkenmassen oder gethürmte in Regenwolken übergehende Haufenwolken; oft ist auch nur eine einzelne solche Wolke vorhanden. Sie gehen sehr niedrig und endlich beginnt an einer oder mehren Stellen eine besondere Masse in Form eines zugespitzten Sackes oder Schlauches, oder auch, wenn man will, einer Trompete, sich mit einer wagrecht wirbelnden Bewegung auf das Meer herabzusenken. Von der Aehnlichkeit dieser Wolkenmasse mit dem Beine einer Hose oder mit einer Trompete sind eben die Benennungen Wasserhosen und Wassertromben entstanden. Das breite Ende hangt oben an den Wolken, das schmale senkt sich nach unten. In dem Maße, als dieser Schlauch sich der Meeresfläche nähert, geräth das Wasser in eine kräuselnde Bewegung und endlich erhebt sich eine ähnliche Wassersäule ebenfalls in schraubenförmig wirbelnder Bewegung vom Meere selbst in die Höhe, deren Spitze sich mit der Spitze der aus der Wolke herabhangenden Säule vereinigt. Das Meteor ist nun vollständig; die ganze Wassermasse steht aber dabei keineswegs still, sondern bewegt sich mit Schnelligkeit nach der Richtung des Windes vorwärts. Alles was in seinen Bereich geräth, reißt es mit unwiderstehlicher Schnelligkeit mit sich fort. Die größten Schiffe gehen dabei zu Grunde. Trifft die Wasserhose auf das dem Meere nahe gelegene Land, so werden Pflanzen, Gesträuche und Bäume ausgerissen und in der Luft mit fortgeführt; das Erdreich wird aufgewühlt und wirbelnd emporgehoben, Häuser sogar zerstört. Im Sommer 1822 wurde Londner Blättern zufolge an der westafrikanischen Küste bei Sierra Leona ein mit 400 Negersklaven beladenes Schiff nebst 16 Matrosen von einer Wasserhose so gänzlich zu Grunde gerichtet, daß nur 7 Matrosen entkommen konnten. Im November 1818 hatte nahe bei Smyrna, in der Gegend von Tschesme, an der Westküste von Kleinasien, eine Wasserhose eine Menge Häuser zerstört, Bäume entwurzelt, und außerdem noch 13 Menschen und 50 Stück Vieh ins Meer geschleudert *).

Zuweilen erscheinen mehre Wasserhosen zugleich. Sieber sah deren auf seiner Reise nach der Insel Candia (Kreta), im Jahre 1817, im Adriatischen Meere, ungefähr bei Cattaro, wohl zwanzig auf Ein Mal. Voraus ging ein eigner unbestimmter Wind, der die Segel bald von vorn bald von rückwärts aufblähte, sich abwechselnd verlor und wiederkam, und kleine Regenschauer mitbrachte. Der Horizont war ringsherum „wie im Zwielichte," und schweres düsteres Gewölk, an seinem Umfange mit scharfem Rande wie abgeschnitten, senkte sich immer tiefer und schien wie aufgehängt über dem Schiffe zu schweben. Es war gegen Mittag und doch ungemein finster, als auf Ein Mal sich aus den Wolken eine Spitze nach der andern, „wie ein herabhangender Dolch" und jede von verschiedener Größe, Dicke und Länge, zu bilden anfing. Wo diese scharfen Wolkenspitzen tiefer herabreichten, da gerieth das Wasser in Bewegung, ein Dampf schien zuerst vom Meere aufzusteigen, der sich plötzlich kreisförmig aufwärts zu drehen begann, ungefähr wie ein Wirbelwind den Staub aufzutreiben pflegt. Dieser Wirbel, anfänglich durchsichtig, dann massiv (solid), wurde nach unten zu breiter, je höher er stieg. Durch Fernröhre sah man, wie das Wasser auf der Oberfläche kochte und

*) Gilberts Annalen der Physik ꝛc. 1823. 1. St.

schäumte, und sich, immer noch mehr Wasser aus der Tiefe an sich reißend, mit einer unglaublichen Schnelligkeit schraubenförmig in die Höhe bewegte. In eben dem Maße verdickte sich auch die schwarze Wolkenspitze und beide Massen, die obere und untere, vereinigten sich endlich wie zwei mit den Spitzen einander zugewendete Kegel. Es herrschte während dieser Zeit die größte Windstille und das Schiff, dem sich keine dieser Wasserhosen näherte, litt nicht den mindesten Schaden. In weniger als einer halben Stunde hatte sich ein Wind erhoben; die Wasserhosen, welche sich nur zum Theil vollständig gebildet hatten, fingen an, sich allmählich wieder aufzulösen, bis zuletzt auch das schwere und finstere Gewölke zerriß, aus einander floß, und bei einem heftigen Regen vom Winde schnell weiter geführt wurde *).

Eine ganz eigne Merkwürdigkeit bei der Erscheinung der Wasserhosen ist der Umstand, daß die von der Wolke sich herunterziehende langgedehnte Wassermasse und die Säule, welche sie mit dem von unten auf emporsteigenden Wasser bildet, inwendig hohl ist und also einer Röhre gleicht, in welcher man ganz deutlich das Meerwasser (oder vielmehr, wie wir weiter unten sehen werden, den Wasserdunst) aufsteigen sieht, auf die Art, wie der Rauch in einer Feueresse sich emporhebt. Das Kräuseln des Meerwassers und die säulenartige Emporhebung desselben dauert noch eine lange Zeit fort, wenn sich auch die Wasser=

*) Reise nach der Insel Kreta im griechischen Archipelagus im Jahre 1817 von F. W. Sieber I. Band, mit Kupff. und Karten. Leipzig und Sorau, 1823.

hose schon aufgelös't hat und die Wolke längst fortgezogen ist. Oft kommt eine zweite, dritte und vierte Wolke, und bildet an derselben Stelle eine neue Wasserhose. Man hat auch gesehen, daß eine Wasserhose binnen einer Viertel- oder halben Stunde mehrmals zerbrochen und wieder entstanden ist.

Fast alle Seereisen sind voll von Beschreibungen merkwürdiger Wasserhosen, die man beobachtet hat. Prof. Wolke aus Petersburg sah eine sehr auffallende Erscheinung dieser Art am 5. Aug. 1796 im Finnischen Meerbusen, wo er von seinem Schiffe aus sechs Wasserhosen zu gleicher Zeit erblickte, deren eine mit ihrem Fuße über das Schiff hinrauschte, ohne jedoch demselben Schaden zuzufügen. Sie benäßte aber Alles mit Regentropfen so groß wie Kirschen und ließ einen elektrischen Geruch zurück. Noch viele andere kleinere und größere Wassermassen tanzten um die Hose, welche an 25 Fuß Durchmesser hatte, her, erhoben sich zugespitzt 12 bis 16 Fuß hoch und sanken, während andere stiegen, wieder herunter. Eine leichte Wolke von Dünsten schwebte über den tanzenden Spitzsäulen und um sie herum, und es schien dem Beobachter, als wenn das Wasser in der walzenförmigen Hose sich wie Schrauben auf einer Seite herab, auf der andern hinauf wände *).

Noch genauer ist der Bericht von einer Wasserhose, welchen der schottische Capitän Napier bekannt gemacht und Gilbert **) im Auszuge mitgetheilt hat. Hr. Na-

*) Gilbert, a. a. O. — Parrot, S. 436.
**) A. a. O.

pier befand sich auf dem englischen Schiffe Erne, am 6. September 1814, unter 30° 47' nördlicher Breite und 62° 40' westlicher Länge (von Greenwich), also in der Nähe der Bermudischen Inseln bei Amerika. „Das Barometer" — erzählt Napier — „stand Mittags auf $30\frac{1}{10}$ engl. Zoll und das Thermometer auf 81° Fahr. ($21\frac{7}{9}$° Reaum.). Es war sehr schwül und die Luft war dunstig, selbst dick an einigen Stellen; gegen Süden hingen schwarze Wolken niedrig am Himmel, und es herrschte ein veränderlicher Wind, dann und wann mit einigen Tropfen Regen. Um halb 2 Uhr Nachmittags, als bei einem Winde, der zwischen Westnordwest und Nordnordost veränderlich war, das Schiff nach Südosten steuerte, bemerkte man, daß sich ungefähr 3 Kabeltaulängen vom Steuerborde (d. h. 360 Klafter rechts vom Schiffe) eine außerordentliche Art von Wirbelwind bilde. Er hob das Wasser in cylindrischer (walzenförmiger) Gestalt empor, von einem Durchmesser, der dem Anscheine nach dem eines Wasserfasses gleich war, und, wie es schien, in dem Zustande von Dunst oder Rauch. So zog er in südlicher Richtung nach dem schwer herabhangenden Gewölk mit schneller Schraubenbewegung hin, indem die emporgehobene Wassersäule an Höhe und Umfang zunahm, bis sie mit dem Ende einer Wolke in Berührung kam, welches vielmehr herabstieg, um mit der Säule zusammenzutreffen." (Diese Wasserhose erhielt also ihre erste Entstehung im Meere selbst, statt daß bei andern die herabhangende Wolkenröhre das Emporsteigen des Wassers zu veranlassen scheint.)

„Etwa eine Seemeile vom Schiffe blieb die Wasserhose einige Minuten lang an derselben Stelle unverrückt stehen. An ihrem Fuße kochte und dampfte das Wasser, und rauschend und zischend entlud sie eine ungeheure Säule Wasser in die über ihr hangenden Wolken, wobei sie selbst in einer schnellen schraubenförmigen Bewegung war, und immerfort bald sich bog, bald wieder gerade streckte, je nachdem es die veränderlichen Winde mit sich brachten, welche nun abwechselnd aus allen Strichen des Compasses bliesen. Bald darauf kehrte sie in gerade entgegengesetzter Richtung als der des Windes, welcher an der Stelle, wo das Schiff war, herrschte, nach Norden zurück, und ging gerade auf den Steuerbord-Baum des Schiffes los. Der Lauf des Schiffes wurde zwar nach Osten zu verändert, in der Hoffnung, sie werde hinter dem Schiffe vorbeigehen. Sie nahete sich aber mit einer solchen Schnelligkeit, daß wir uns gedrungen sahen, zu dem in solchen Fällen üblichen Mittel zu schreiten und Kanonen gegen sie abzufeuern, um sie unschädlich zu machen. Nachdem mehre Schüsse geschehen waren, und besonders einer in dem Abstande von einem Drittel ihrer Basis gerade durch sie hindurch gegangen war, erschien sie eine Minute lang, wie in zwei Stücke wagrecht durchschnitten, und die beiden Theile schwankten hin und her, in verschiedenen Richtungen, als würden sie von entgegengesetzten Winden bewegt, bis sie sich zuletzt wieder vereinigten. Einige Zeit darauf zerstreute sich das Ganze in eine ungeheuer schwarze Wolke, aus der es in großen schweren Tropfen auf das Verdeck des Schiffes regnete, bis die Wolke ganz erschöpft war."

„Zu der Zeit, als der Kanonenschuß, oder vielmehr die durch mehre Kanonenschüsse in der Luft hervorgebrachte Erschütterung, die Wasserhose in zwei Theile trennte, war ihr Fuß bedeutend weniger als eine halbe Seemeile von dem Schiffe entfernt, und bedeckte eine kleine Fläche Wasser, welche von dem einen Rande der kochenden Stelle bis zum entgegengesetzten volle 300 Fuß im Durchmesser hatte. Wo die Hose am dünnsten war, etwa in $\frac{2}{3}$ ihrer Länge aufwärts, schien sie ungefähr 6 Fuß im Durchmesser zu haben" (was Gilbert für zweifelhaft oder einen Druckfehler hält), „die scheinbare Höhe des Halses der Wolke, in welche die Hose das Wasser auslud, betrug 40 Grad, die Wolke selbst aber erstreckte sich über den Scheitelpunkt des Schiffes hinaus und ringsumher in bedeutende Weite. Nehmen wir an, sie sei damals $\frac{1}{3}$ Seemeile, das ist 2050 Fuß, vom Schiffe entfernt gewesen, so giebt dieses eine senkrechte Höhe von 1720 Fuß (oder nahe $\frac{1}{3}$ englische Meile). Das Wasser an der Basis kochte mit einem weißen Rauche, wovon ein Theil nach außen bis zu einem gewissen Umfange gestoßen wurde, ein andrer Theil als dicker, dunkler Dampf aufstieg, der sich allmählich, so wie er höher hinauf nach den Wolken zu kam, in dünne Streifen abtheilte, bis Alles zerstreut war und ein heftiger Regenguß ausbrach. Die Wolken kamen allmählich immer tiefer nach der Oberfläche des Meeres herab, bevor sie völlig geschwängert waren und bersteten, zogen sich in großen dunkeln Massen über einen großen Theil des westlichen Himmels hin, und waren gerade über unserm Scheitel sehr dick und dunkel."

„Kurz zuvor, ehe die Wasserhose berstete, wurden zwei andere nach Süden zu gesehen; sie waren jedoch kleiner und dauerten nur eine kurze Zeit. Als die Gefahr vorbei war, sahe Kapitän Napier nach dem Barometer und Thermometer; jenes stand noch auf $30\frac{1}{10}$ Zoll, hatte aber eine sehr convexe (erhobene, gewölbte) Oberfläche, welche zwei Stunden früher nicht bemerkt worden war; dieses zeigte 80° Fahr., war also seit Mittag um 1° gestiegen. Der Wind blies, so lange die Wasserhose bestand, und der darauf folgende Regen dauerte (etwa ½ Stunde), abwechselnd aus allen Strichen der Windrose, wobei er mehrentheils in entgegengesetzte Richtungen übersprang, und immer sehr schwach und nur auf Augenblicke so stark war, als ein frischer Wind. Von Blitz und Donner ließ sich nichts wahrnehmen, und das Wasser, welches aus der Wolke herabfiel und auf dem Schiffe aufgefangen wurde, war reines, süßes Wasser."

Obschon bei dieser hier umständlich beschriebenen Wasserhose weder Blitz noch Donner bemerkt wurde, so hat man doch bei andern Erscheinungen dieser Art allerdings dergleichen wahrgenommen. Wenigstens zeigen sich, auch wenn es zu keinem förmlichen Gewitter kommt, Spuren vom Daseyn der Elektricität. Schon die oben erwähnte, von Wolke auf der Ostsee beobachtete Wasserhose ließ, gleich Gewitterwolken, ungewöhnlich große Regentropfen fallen und einen elektrischen Geruch zurück. Parrot will die Wasserhose als ein in einen engen Raum zusammengedrängtes Gewitter angesehen wissen. Die unter der Gewitterwolke befindliche Wasserfläche scheint ihm den Ausbruch des förmlichen Gewitters zu verhindern. Auch Lampadius sagt, daß es bei der Erscheinung von Wasserhosen oft blitze, und daß bald darauf oder auch zu gleicher Zeit nicht bloß Regen, sondern auch wohl Graupeln fallen.

Es muß noch bemerkt werden, daß das in der hohlen Röhre emporsteigende Wasser kein wirkliches, tropfbares, Wasser, sondern bloß Wasserdunst ist. Michaud in Nizza, der im Jahre 1780 Gelegenheit hatte, vier der prachtvollsten Wasserhosen vom Ufer aus ganz gefahrlos zu beobachten, erwähnt ausdrücklich, daß die emporsteigende Masse einerlei mit den Dunstmassen gewesen sei, welche Wolken und Nebel hervorbringen *).

Die nämliche Erscheinung, welche sich auf dem Meere als Wasserhose zeigt, kommt auch, obwohl viel seltener als dort, auf dem festen Lande vor, und erscheint als ein heftiger, nur auf einen sehr schmalen Raum eingeschränkter Sturmwind, der Alles mit sich in die Höhe reißt und fortführt. Man nennt die Erscheinung in diesem Falle Windhose oder Landtrombe. Lampadius beschreibt ein solches Naturschauspiel, welches am 23. April 1800 im sächsischen Erzgebirge, unter andern bei dem Städtchen Haynichen, beobachtet wurde. „Nachdem bereits" — erzählt er **) — „seit

*) Fischer a. a. O. Art. Wasserhose.

**) Atmosphärologie rc. S. 168. Das Barometer stand an diesem Tage niedrig, Nachmittags um 3 Uhr 26 Zoll 7¹/₁₀ Lidem Mittag in dem Umkreise der genannten Gegend mehre, jedoch nicht sehr starke Gewitter, zum Theil mit Hagel begleitet, von Westen nach Osten vorübergezogen waren, bildete sich plötzlich (zwischen 4 und 5 Uhr Nachmittags) eine sehr finstere Wolke, ungefähr wie es schien ¼ Stunden unter Haynichen, nordostwärts, in deren Mitte sich ein langer, schlauchähnlicher, weißer Nebelstrahl zu bilden anfing, an Größe immer zunahm, und sich abwechselnd bald zur Erde neigte, bald sich wieder der schwarzen Wolke näherte. Dieses geschah unter stetem schnellem Fortschwimmen der erwähnten Wolke. Nach wenigen Minuten näherte sich die Spitze dieses Schlauchs ganz der Erde und strich mit unglaublicher Schnelligkeit, von Staub und Verwüstung begleitet, von Südwest nach Ost an der Oberfläche der Erde fort. In 7 bis 8 Minuten berührte dieser Wirbel eine Strecke fast von einer teutschen Meile in einer gleichförmigen Breite von 60 Schritten. Alle sich ihm entgegenstemmende erhabene Gegenstände wurden zerrissen und umher geschleudert, indeß, was äußerst merkwürdig ist" (und auch bei den Wasserhosen auf dem Meere vorkommt) „außerhalb dieser Breite eine Windstille herrschte. Man denke sich das Erstaunen einer Bauerfrau in Dittersdorf, welche durch das Fenster in der Wohnstube ihres Hauses die Scheune neben demselben mit dem größten Geprassel einstürzen sieht, indem sie sich an ihrem Beobachtungsorte ganz ruhig und ohne Erschütterung befindet! . . . . . . Südwestlich, auf den Feldern des Dor-

nien, bei einer Wärme von 18½° Reaumur. Der Wind hatte sich an diesem Tage um den ganzen Horizont gedreht.

ses Arnsdorf, fällt der Wirbel gegen die Erde nieder und fängt zuerst an, die Dächer der Gebäude dieses Ortes zu zerstören. Nun senkt er sich tiefer und zieht in derselben Richtung auf das Dorf Dittersdorf los, und zertrümmert zuerst das vor 6 Jahren ganz neu erbaute Philippsche Gut. Die Scheune wird in Stücken umhergeworfen, die Stallgebäude werden verrückt, und das große Wohngebäude bis auf den letzten Flügel gänzlich zertrümmert. Jedoch wird auch dieser um 3 Ellen verschoben. Das Dach wird nebst dem Boden voll Getreide in den nächsten Teich geschleudert, indem das Mauerwerk zerrissen wird und die Gewölbe einstürzen. Nur einzig die gewölbte Küche erhielt sich, und hier fristet die Vorsehung der Familie des Hausbesitzers das Leben. Mehre Kühe werden erschlagen, andere halb zerdrückt und sonst beschädigt, und erfüllen mit ängstlichem Brüllen die Luft, indessen das Federvieh durch den heftigen Wirbel getödtet mit fortgerissen wird. An diesen Thieren bemerkte man keine Spur einer Versengung."

„Auf dem nächstgelegenen Gute reißt diese ungeheure Kraft drei Seitengebäude und zwei einzeln gelegene Häuser nieder. In dem einen werden zwei alte Eheleute unter den Trümmern verschüttet. Sie erhalten jedoch ihr Leben, aber der Mann wird am Kopfe sehr beschädigt und der Frau ein Schenkel zerbrochen. Immer weiter fliegt nun die wirbelnde Bewegung und setzt ihren Lauf zuerst queer durch den angränzenden kurfürstlichen Wald fort. In der Breite von 60 Schritten wird dort kein Baum und kein Strauch verschont. Abgebrochen, ausgerissen, und zum Theil weit umhergeschleudert werden diese starken Gewächse, und in einem Augenblicke eine Allee durch den Wald geschlagen. Mehre dieser Bäume waren fast ganz abgeschält und zwar bis an ihre Spitzen. Um sich einen Begriff von jener Kraft zu machen, bedenke man, daß starke Bäume mehre hundert Schritte aus dem Walde über den Strigisfluß fortgeschleudert wurden. Noch immer verheerend zieht dieser Strom auf das Dorf Etzdorf bei dem Städtchen Roßwein, und vollendet seine Verwüstungen mit der Zerstörung von vier Bauergütern und einem Halbhufengute. Mehre dieser Häuser wurden gänzlich nieder und umher geworfen, von andern wieder die Dächer abgedeckt, Wände und andere Theile der Häuser verschoben und umhergeschleudert. Eichen und Linden, wie alle andere Bäume auf dem Zuge in diesem Dorfe, wurden ausgerissen und zerbrochen. Doch auch hier kam, weil viele Einwohner auf dem Felde beschäftigt waren, glücklicherweise Niemand ums Leben. Einige Personen wurden zwar unter den Trümmern verschüttet und beschädigt, aber dennoch gerettet. Endlich veränderte sich die wirbelnde Bewegung, und die Dampf- und Wolkensäule zerstreute sich zwischen Etzdorf und Roßwein. Zwischen Dittersdorf und Etzdorf wurde ein Knecht nebst zwei Pferden gegen 60 Schritte weit in den Hohlweg geschleudert. Er liegt einige Minuten ohne Bewußtseyn, und erstaunt beim Erwachen über die Spuren der Verwüstung um ihn her, so wie über seine Pferde, welche keuchend in einiger Entfernung im Strauchwerk verwickelt liegen."

Daß bei dieser Windhose Elektricität im Spiele war, geht nicht nur aus dem gleich Anfangs beschriebnen Zustande der Atmosphäre, sondern auch daraus hervor, daß aus dem fortziehenden Schlauche von Zeit zu Zeit Blitze, obwohl ohne Donner, hervorschossen, und daß mehre Personen nach Endigung der Erscheinung einen schwefelartigen Geruch empfunden zu haben versicherten.

Auch in Böhmen hatte man im Jahr 1818, im Monat Mai, das Schauspiel einer verheerenden Windhose, deren Beschreibung wir hier aus dem Berichte entlehnen, welchen der als Sternkundiger und Naturforscher gleich achtungswürdige Hr. Prof. Hallaschka im Juni desselben Jahres durch die Prager Zeitung mittheilte.

Von der Hälfte des April bis in den Mai hatte eine ununterbrochene, in dieser Jahreszeit seltene Hitze geherrscht. Am 10. Mai gegen 4 Uhr Abends sah man zu Gistebnitz im Taborer Kreise, bei völlig heiterm Himmel gegen Osten Gewitterwolken aufsteigen, welche nach und nach den ganzen östlichen und westlichen Himmel einhüllten. Die West- und Nordseite des Horizonts blieb heiter und die Hitze war beträchtlich. Gegen 5 Uhr wurde der Westwind heftiger und wechselte schneller mit dem Ostwinde, so daß bald ein heftiger Kampf zwischen beiden Winden bemerkt wurde, welches auch die niedergedrückten Saaten bewiesen. Während dieses Kampfes bildete sich in den immer schwärzer werdenden Wolken, welche zugleich von Blitzen durchkreuzt wurden, gegen die Ostseite des Horizonts eine, Anfangs lichte, dann dunkle und undurchsichtige Säule, die im Durchmesser 20 und mehr Klafter hielt, und sich wirbelnd von der Erde bis an die tief herabgesunkenen Wolken empor hob.

Diese Windhose nun wüthete fürchterlich in den Feldern, nahm Steine, Sand und Erde theils mit sich fort, theils schleuderte sie solche wieder von sich, und rückte unter einem dumpfen Geräusche gegen Osten fort. Durch die Brechung und Zurückwerfung der von Westen auf diese Staubsäule kommenden Sonnenstrahlen erhielt sie das Ansehen einer Feuersäule, von welcher auch die Wolken geröthet wurden. Da zu gleicher Zeit auch Donnerschläge sich hören ließen, so eilten die Bewohner der benachbarten Ortschaften mit ihren Feuerspritzen herbei.

Eine Viertelstunde weit von den Krziwoschiner Feldern, wo eigentlich das schreckliche Schauspiel begann, setzte sich die Feuersäule auf ein Blachfeld und wüthete von neuem. Mit unbeschreiblicher Geschwindigkeit bewegte sie sich bald wagrecht, bald senkrecht im Kreise, sprühte feurige Strahlen und wühlte in der Erde, die sie emporriß, und mit welcher sie Steine von mehren Pfunden, gleich Raketen zischend in die Wolken schleuderte. Dieses Toben hatte 15 Minuten angehalten, als sich in der Mitte der Windhose von oben herab ein silberweißer Streif in Gestalt eines Trichters bildete, dessen Spitze gegen die Erde gerichtet war. Dieser Streif zog sich mehre Male zurück, und verschwand endlich ganz.

Nach dieser fast drei Viertelstunden dauernden Erscheinung setzte sich die Windhose von neuem in Bewegung, während im Hintergrunde derselben der prächtigste Regenbogen sichtbar wurde und gleichsam eine Brücke über die riesenhafte Säule bildete. Zu gleicher Zeit fuhren aus den theils schwarzen, theils von der feurigen Säule gerötheten Wolken heftige Blitze in Begleitung starker Donnerschläge hervor. Langsam zog sich nunmehr das einem feuerspeienden Berge nicht unähnliche Phänomen gegen den Galgenberg bei Gistebnitz, von welchem die Beobachter durch einen Sand- und Steinregen vertrieben wurden. Hier verwandelte sich die Feuersäule in eine Staubwolke, die über den Galgenberg weg nach Gistebnitz zog, wo sie Dächer abtrug, Obstbäume theils brach, theils mit den Wurzeln aus der Erde riß, und im Vorbeistreichen das Laub an den Bäumen versengte. Nun setzte ein Regen von Sand, Erdklumpen, Baumästen, Staub, Getraide, Holz, Schindeln und Steinen die Bewohner von Gistebnitz in den größten Schrecken, der durch das immer noch fortdauernde Blitzen, Donnern und Hageln aufs höchste gesteigert wurde. Hagelkörner von der größten Art, ja sogar ganze Eisklumpen von 2 bis 3 Pfund Schwere stürzten herab und zerschlugen alle Dächer und Fenster.

In Prag sah man zu der nämlichen Zeit gegen Osten hin furchtbar schwarze Wolken, welche ein verheerendes Gewitter drohten, das aber nicht herankam. Es trat hierauf ein starkes Fallen des Barometers so wie des Thermometers ein, so daß das Letztere am 21. Mai bei Sonnenaufgang nur 3° (Reaum.) Wärme zeigte.

Ein neüeres Beispiel solcher verheerenden Windhosen auf dem festen Lande ereignete sich, öffentlichen Blättern zu Folge, am 25. Oktbr. 1820 in Schlesien.

Auf einer Bleiche zu Arnsdorf lagen 100 Schock weiße Leinwand ausgebreitet. Man hatte sie so eben begossen und die Leute saßen bei Tische, als nach 12 Uhr ein Sturmwind hereinbrach, der so dicke Staubwolken aufwirbelte, daß sich das Tageslicht in dicke Finsterniß verwandelte. Er drückte die Fenster des Bleichhauses ein, warf die Flügelthüren unter fürchterlichem Krachen ein, hob alle andere Thüren im Gebäude aus ihren Angeln, und warf einen großen Leiterwagen, der vor der Thüre stand, so um, daß die Räder zu oberst gekehrt waren. Die Leinwand wurde emporgehoben, und in mehre Knäuel aufgewickelt, und der größte derselben in gerader Richtung mehr als 40 Fuß über das bedeutend hohe Bleichhaus weggeführt, und 150 Schritte weit in Gräben und in Strauchwerk geschleudert. Man hatte mehre Stunden zu thun, um die ganze in einander gefitzte Masse wieder zu entwirren. Sie bestand aus 27 Schocken, wovon jedes naß 23 Pfund wog, und in der Mitte des Knäuels steckte ein 7 Fuß langer, 2½ Zoll dicker und 11 Zoll breiter Pfosten, der zum Steg über einen nicht weit entfernten Graben gedient hatte. Der Wirbelwind hatte ihn zugleich mit der Leinwand in die Luft geführt, diese um ihn wie um eine Rolle gewickelt und so die ganze Masse, die ohne den Pfosten 4 Centner 93 Pfund wog, über das Haus weggeführt. Alles dieses war übrigens in Zeit von zwei Minuten geschehen.

Parrot meint, bei der Beschreibung aller Windhosen auf dem festen Lande zeige sich stets, daß ein Landsee oder ein Fluß in ihrem Wirkungskreise gewesen sei.

(Haynichen und Roßwein liegen allerdings nahe an der Freiberger Mulde und südöstlich von Giftebnitz fließt die Luschnitz.) Man habe übrigens kein Beispiel von Wasserhosen im Gebirge.

Horner *) behauptet ausdrücklich, daß die Landtromben einerlei Ursprung mit den Wasserhosen haben; sie seien aber deßwegen viel heftiger und zerstörender, weil auf dem Meere durch das Entgegenkommen des Wassers das Gleichgewicht der Elektricität erhalten oder hergestellt, und dadurch die Wirkung geschwächt werde.

XX.

Verschiedene Erklärungsarten der wässerigen Lufterscheinungen.

Die wässerigen Lufterscheinungen sind bis diesen Augenblick noch nicht vollständig und genügend erklärt worden. Wir begnügen uns eine gedrängte Uebersicht der verschiedenen Hypothesen darüber mitzutheilen. Der Hauptpunkt, um welchen sich Alles hier dreht, ist die Lehre von der Ausdunstung und vom Niederschlage des Wassers in der Atmosphäre. Von den hierüber vorhandenen Hypothesen der Naturforscher sind

*) In einem Vortrage über die Wasserhosen, welchen er im Jahr 1821 der physikalischen Gesellschaft in Zürich gehalten hat. S. Gilbert's Annalen der Physik, 1823 1. Stück.

es vorzüglich drei, welche Anhänger gefunden haben, nämlich:

1) diejenige, welche annimmt, daß der Wärmestoff die Hauptrolle bei der Ausdunstung spiele, indem er sich mit den wässerigen Theilen verbinde und sie in Dampfgestalt fortführe, so daß also Ausdunstung und Verdampfung dem Wesen nach einerlei und nur dem Grade nach verschieden seien;

2) diejenige, welche bei der Ausdunstung eine Auflösung des Wassers in der Luft annimmt, aus welcher es beim Thau, Regen, rc. wieder entlassen oder niedergeschlagen werde; und

3) diejenige, nach welcher das durch den Wärmestoff als Dampf in die Luft geführte Wasser sich in Luft verwandelt, die dann unter gewissen Umständen wieder in Wasser übergeht.

Was die erste dieser drei Hypothesen betrifft, so ist sie nach den neuern Forschungen der Physiker, namentlich seit den Entdeckungen und den Fortschritten der neuern Chemie, für unhaltbar anerkannt worden. Es ist allerdings nicht zu läugnen, daß der Wärmestoff bei der Verdunstung des Wassers auf der Erd-Oberfläche mitwirke, aber er ist nicht die Hauptursache derselben. Wir werden uns daher auch nicht dabei aufhalten und bloß bei Darlegung der zweiten und dritten Hypothese die Gränzen, welche dem Einflusse des Wärmestoffes auf die Verdunstung angewiesen sind, genauer betrachten. Jene, welche man auch das Auflösungssystem nennt, ist vorzüglich durch Le Roi, De Saussure und Hube ausgebildet, neuerdings aber durch Parrot bedeutend verändert und dadurch, wie es uns scheint, nur um so vollkommener und haltbarer geworden. Die dritte Hypothese, oder das Verwandlungssystem, ist ein Eigenthum De Lucs, der dasselbe 1786 zuerst bekannt gemacht, 1810 aber umgearbeitet und nach zum Theil ganz neuen Ansichten dargestellt hat.

Wir beschäftigen uns zuvörderst mit dem Auflösungssystem.

Le Roi *) führt zum Beweise, daß das Wasser bei der Ausdunstung wirklich in der Luft aufgelös't werde, einen Versuch an, der sich leicht machen läßt. Man werfe nämlich an einem heitern Sommertage in ein recht trokkenes, leeres Glas ein Stück Eis, und man wird in kurzer Zeit bemerken, daß das Glas davon trübe wird, und daß sich an den äußern Wänden desselben eine unzählige Menge kleiner Wassertropfen zeigen. Diese Letztern können nirgends anderswoher als aus der umgebenden Luft gekommen seyn. Da aber, der Voraussetzung zu Folge, vollkommen heitere und trockene Luft war, so muß jenes Wasser darin aufgelös't gewesen seyn. In bloßer Dampfgestalt darin vorhanden, würde es die Luft getrübt haben. Le Roi behauptet ferner, daß diese Auflösung des Wassers in der Luft sich ganz auf dieselbe Art verhalte, wie die Auflösung der Salze im Wasser. Es hat

*) Mémoire sur l'élévation et la suspension de l'eau dans l'air; in den Mémoires de l' Académie franç. Paris, 1751, S. 481 — bei Fischer, Art. Ausdünstung.

nämlich auf diese die Wärme einen großen Einfluß. In warmem Wasser lös't sich mehr auf als in kaltem, und wenn eine bestimmte Menge kalten Wassers schon gesättigt ist, d. h. wenn sie schon so viel Salz aufgelöst hat, daß sie kein neues mehr aufnehmen kann, sondern dieses nunmehr unaufgelös't darin liegen bleibt: so darf man nur das Wasser erwärmen, und sogleich wird es noch mehr Salz auflösen. Wird dagegen diese nämliche Menge warmen Wassers, wenn sie gesättigt ist, erkältet, so schlägt sich sogleich ein Theil des aufgelös'ten Salzes wieder nieder, nämlich so viel, als bloß durch den Temperatur-Unterschied mehr aufgelös't worden war. Eben so verhält sichs nun auch, nach Le Roi, mit der Auflösung des Wassers in der Luft. Je wärmer diese werde, desto mehr Wasser löse sie auf, und wenn sie sich wieder erkälte, so schlage sich auch ein Theil des aufgelös'ten Wassers nieder, welcher dann als Wolken, Nebel, Regen, Thau ꝛc. sichtbar werde. Ueberhaupt könne die Luft bei einem gewissen Grade der Wärme nur eine bestimmte Menge Wassers in sich aufgelös't enthalten. Le Roi nennt dieß den Sättigungsgrad der Luft.

De Saussure *) nimmt zuvörderst einen Einfluß des Wärmestoffes bei der ersten Bildung der Wasserdünste an. Die Luft habe hierbei nichts zu thun, vielmehr sei sie durch ihren Druck dieser Dampferzeugung hinderlich.

*) Essais sur l'hygrométrie. Neufchatel, 1783, 8. Teutsch von J. D. T. unter dem Titel: Versuch über die Hygrometrie durch H. B. De Saussure. Leipzig, 1784, 8.

im luftleeren Raume könne schon durch die bloße Wärme der Hand Dampf hervorgebracht werden. Aber der in die Luft emporsteigende Dampf bleibe nun nicht als solcher darin schweben, sondern werde von derselben aufgelös't. Zum Beweise dessen macht er, wie Le Roi, auf die vollkommene Durchsichtigkeit und Trockenheit einer mit Dünsten gesättigten Luft, auf das Verschwinden der Dünste durch die Wärme, auf ihr plötzliches Erscheinen durch die Kälte und endlich auf ihre innige Verbindung mit der Luft, ungeachtet des Unterschiedes in der Dichtigkeit beider Körper, aufmerksam.

Hube *) hat sich als den größten und stärksten Vertheidiger der Auflösungs-Theorie gezeigt. „Die unmerkliche Ausdunstung des Wassers" — sagt er — „ist eine wahre Auflösung desselben in der Luft, und nicht bloß eine mechanische Vermischung. Denn wäre das Wasser mit der Luft nur mechanisch vermischt, so müßte es sich durch seine große eigenthümliche Schwere, welche die eigenthümliche Schwere der untern reinen Luft an tausendmale übertrifft, sogleich von der Luft absondern und niederfallen, sobald diese in Ruhe käme. Aber wenn man eine Flasche mit feuchter Luft füllt, ... so wird man nie bemerken, wenn gleich die Flasche noch so lange vollkommen ruhig stehen bleibt, daß das Wasser darin sich von der Luft durch seine Schwere absonderte. Also ist das Wasser in der Luft aufgelös't, und nicht bloß mechanisch

*) Ueber die Ausdünstung ꝛc. Vollständiger und faßlicher Unterricht in der Naturlehre ꝛc. S. oben. — Auch bei Fischer, a. a. O.

mit ihr vermischt, weil es überhaupt . . . . . . ein wesentliches Zeichen der Auflösung ist, wenn zwei flüssige Materien" (Stoffe, Körper) „von ungleicher Schwere sich nicht absondern, ungeachtet sie in Ruhe sind. Zwar werden sich oft an die Wände der Flasche inwendig Wassertropfen hängen, besonders wenn die Flasche kalt wird; allein eben diese Erscheinung beweis't, daß das Wasser unter einer ähnlichen Gestalt niederfallen und den Boden der Flasche bedecken müßte, wenn es nicht in der Luft der Flasche aufgelös't wäre, und die Tropfen an den Wänden der Flasche sind offenbar nicht durch die Schwere des Wassers, sondern durch die Ziehkraft des Glases abgesondert worden; denn es ist bekannt, daß das Glas das Wasser stark anzieht. Wird also die Kraft der Anziehung der Luft durch die Kälte immer mehr geschwächt *), so muß nothwendig zuletzt das Wasser, welches die Wände der Flasche berührt, stärker von diesen als von der Luft angezogen werden u. s. w. Daß diese Erklärung richtig ist, ... sieht man augenscheinlich daher, weil die Wassertropfen wieder verschwinden, und die Wände trokken werden, wenn man die Flasche erwärmt. . . . . . ."

Ferner weist Hube **) auf die Kälte hin, welche bei der Ausdunstung hervorgebracht wird; sie ist ihm gleichfalls ein Beweis, daß das Wasser in der Luft wirklich aufgelös't werde. Denn bei allen Auflösungen verändere sich die Wärme um desto mehr, je schneller sie vor

*) Hube hat früher bemerkt, daß sehr viele Auflösungsmittel durch die Temperatur verändert werden.

**) Ueber die Ausdünstung rc. I. Buch, S. 40 u. ff.

sich gehen. Wenn man dagegen die unter einer verschlossenen Glocke befindliche Luft durch Laugensalze austrockne, so werde sie, wie ein unter der Glocke angebrachtes Thermometer zeige, merklich erwärmt. Die Absonderung des Wassers aus der Luft sei also ein wahrer Niederschlag, welcher eine früher erfolgte Auflösung voraussetze.

Ein sehr großes Gewicht legt Hube auch auf den Umstand, daß die Luft häufig nach tage- und wochenlanger Ausdunstung der Erd-Oberfläche dennoch nicht trübe werde. In den heißen Ländern sei die Ausdunstung außerordentlich stark, und dennoch bleibe daselbst der Himmel viele Monate nach einander heiter. Dieß könne nicht anders als durch eine Auflösung des Wassers in der Luft erklärt werden. Denn wenn die Wasserdünste mit der Luft bloß vermischt wären und nur durch ihre eigenthümliche geringere Schwere in der Atmosphäre emporstiegen, so müßten sie sich nothwendig in den höhern Gegenden derselben anhäufen und so den Himmel verdunkeln. Es wäre alsdann ganz unmöglich, daß wir, besonders im Sommer, wo die Ausdunstung am stärksten ist, nur einige Tage nach einander klares Wetter haben könnten. Auch müßte, wenn die durch ihre Leichtigkeit emporsteigenden Wasserdünste sich nicht in der Luft auflös'ten, die obere Luft stets viel feuchter seyn, als die untere. Die Erfahrung lehre aber unwidersprechlich das Gegentheil. Denn schon bei einem geringen Unterschiede der Höhe sei die obere Luft merklich trockner als die untere. Diese größere Feuchtigkeit der untersten Luftschichten lasse sich aber recht gut durch die Auflösungstheorie erklären, indem diese Schichten, welche den Erdboden und das Wasser unmittelbar berührten, auch deßhalb viel schneller gesättigt werden müßten, so wie ganz auf dieselbe Art, bei der Auflösung des Zuckers im Wasser, das untere Wasser süßer schmecke als das obere.

Auch die, schon im XII. Abschnitte auseinander gesetzte, Beförderung des Verdunstens durch eine größere Oberfläche des Wassers, durch den Wind u. s. w. sind nach Hube Beweise für die Auflösung desselben in der Luft. Denn je größer die Luftmasse sei, mit welcher das Wasser in Berührung gebracht werde, desto mehr müsse diese auflösen können. Durch den Wind würden immer neue, trockne, noch ungesättigte Luftschichten herbeigeführt, die also mehr Wasser in sich aufnehmen könnten, als die bei Windstille stehen bleibenden Schichten, welche bereits eine Menge Wasser aufgelös't enthalten. Aus dem nämlichen Grunde werde auch, bei übrigens sich gleich bleibender Wärme, die Ausdunstung in einem verschlossenen Gefäße allmählich immer schwächer.

Durch alle diese und noch viele andere Erfahrungen, Beobachtungen und Versuche, welche wir hier nicht weiter mittheilen können, sucht also Hube die Auflösung des Wassers in der Luft zu beweisen. Er unterscheidet übrigens noch zwei wesentlich verschiedene Arten der Ausdunstung, welche er die Ausdunstung der ersten Art und die Ausdunstung der zweiten Art nennt *).

*) A. a. O. S. 97 u. ff.

Die erste Art der Ausdunstung ist ihm diejenige, bei welcher ein feuchter Körper trocknet, und die Luft wird dadurch ausgedehnter oder elastischer, ohne jedoch eigenthümlich leichter oder schwerer zu werden. Gewöhnlich beginnt mit dieser ersten Art der Verdunstungs-Prozeß an irgend einer feuchten Oberfläche und sie geht schnell vor sich. De Saussure hat hierüber viele Versuche unter verschlossenen Glasglocken angestellt, und gefunden, daß jeder Gran verdunsteter Feuchtigkeit die Federkraft (Elasticität) der Luft ungefähr gleich stark vermehre, ihre wahre Feuchtigkeit mag größer oder kleiner seyn. Nach seinen Berechnungen wird die eingeschlossene Luft durch jeden Gran aufgelös'ter Feuchtigkeit noch um ein Geringes elastischer, als wenn man ihr einen Gran reine Luft zugegeben und sie dadurch verdichtet hätte, so daß diese Luft, wenn sie sich frei ausdehnen könnte, etwas eigenthümlich leichter seyn würde, als sie vor der Auflösung des Wassers war. Es macht aber die Verminderung der eigentlichen Schwere der Luft selbst bei der größten Menge von Dünsten, welche sie aufnehmen kann, nur etwa den vierhundertsten Theil dieser Schwere aus. Hube schließt also hieraus, daß jeder Gran Wasser so auseinander getrieben werde, als ob er sich selbst in einen Gran Luft verwandle und sich also in einen ungefähr 800 bis 900 Mal größern Raum ausdehne.

Die Ausdunstung der zweiten Art geht langsam von Statten, und die Luft dehnt sich hier durch die Auflösung des Wassers viel weniger, oft auch gar nicht aus, nimmt aber dagegen an Gewicht zu oder wird eigenthümlich schwerer. Wenn man an einem heißen, klaren Sommertage ein Gefäß mit Wasser an einen ruhigen, verschlossenen Ort in die Sonne stellt, so geht Anfangs die Verdunstung rasch vor sich, oder das Wasser verdunstet auf die erste Art. Allmählich aber häufen sich, wegen der Ruhe der Luft, und wegen der durch die Sonne bewirkten immer größern Erhitzung des Wassers, die Dünste und Wassertheilchen in der zunächst das Wasser berührenden Luftschicht so sehr an, daß diese an Auflösungskraft zu verlieren beginnt und daher nun die Ausdunstung der zweiten Art beginnt. Bisweilen bemerkt man auf der Oberfläche des Wassers ein halbdurchsichtiges Häutchen; bläs't man es weg, so beginnt sogleich wieder die Ausdunstung der ersten Art, bis sich wieder ein neues Häutchen gebildet hat.

Bei der Ausdunstung der ersten Art lös't eingeschlossene Luft bei 10° Reaum. Wärme etwa den 75sten Theil ihres Gewichtes an Wasser auf; und ihre Federkraft wird nach De Saussure's Versuchen dadurch um $\frac{1}{54}$ verstärkt. Hingegen kann alsdann die darauf folgende Ausdunstung der zweiten Art noch sehr lange Zeit fortdauern, und die eingeschlossene Luft kann, ohne ihre Federkraft zu vermehren, noch bis gegen ein Drittel ihres Gewichtes an Wasser aufnehmen.

Eben so unterscheidet Hube auch eine doppelte Art von Niederschlag des in der Atmosphäre aufgelös'ten Wassers *). Bei der ersten Art des Nieder-

*) A. a. O. S. 158 u. ff.

schlags, welche alsdann Statt findet, wenn das Wasser auf die erste Art verdunstet war, verliert die Luft gerade so viel an Federkraft, als sie vorher durch die Auflösung gewonnen hatte; bei dem Niederschlage der zweiten Art dagegen, welcher nach der Auflösung der zweiten Art eintritt, verliert sie an ihrem eigenthümlichen Gewicht, behält aber ihre Federkraft. Auch wird durch Niederschläge der ersten Art Wärme hervorgebracht, durch die der zweiten Art nicht.

Hube gebraucht die Annahme dieser zweifachen Art des Niederschlags zur Erklärung der wässerigen Lufterscheinungen. So ist ihm z. B. der Thau ein Niederschlag der zweiten Art, weil er keine Wärme hervorbringt; er bestehe aus noch unaufgelös'ten Dünsten der niedersten Luftschichten. Auch der Nebel setze eine Auflösung der zweiten Art voraus, daher es auch komme, daß die Nebel in heißen Gegenden seltener seien und nach den Polen hin immer häufiger werden. Bevor ein Nebel entstehen könne, müsse die Luft bis auf eine beträchtliche Höhe fast mit Dünsten gesättigt seyn, und der Nebel sei also der Ueberschuß, der sich nicht mehr auflöse, oder sich aus der Auflösung durch Erkältung abscheide. Zur Erklärung der Nebel hält er übrigens noch die Elektricität für nothwendig. Die Nebel haben + E.

Auch bei der Erklärung der Wolken nimmt Hube die Elektricität zu Hilfe. Sie besitzen aber — E, und in größerer Menge, als der Nebel + E besitzt. Diese Elektricität nehme in dem Maße zu, als die Bläschen des Nebels und der Wolken einander näher rücken, daher finde man gewöhnlich die stärkste Elektricität in dichten Nebeln und in dichten dunkeln Wolken. Sobald die Wolkenbläschen ihre Elektricität verlieren, so fließen sie zusammen und bilden tropfbarflüssiges Wasser, welches nunmehr als Regen herabfällt. Da die Wolken oft in einer so großen Höhe über der Erde entstehen, so können sie unmöglich alle, wie die Nebel, bloß durch Erkältung der Atmosphäre erzeugt werden. Denn der Wechsel der Temperatur wird immer geringer, je höher man in der Luft emporsteigt, und ist in den höchsten Luftschichten ganz unmerklich *). Wenn aber oben, in einiger Entfernung von der Erdfläche, die Luft feuchter ist als unten an der Erde, so können allerdings in derselben durch Erkältung Wolken entstehen, während die untere Luft ganz durchsichtig bleibt. Und diese Wolken, oder Nebel der untern Luft, müssen nicht bloß am Anfange der Nacht, sondern, so wie die gemeinen Nebel, oft auch mitten in der Nacht, oder auch erst gegen den Morgen erzeugt werden, weil die Erkältung der Atmosphäre die ganze Nacht hindurch bis zum Sonnenaufgang zunimmt.

Auch nimmt Hube noch zur Erklärung vieler Wolkenbildungen gewisse feuchte Luftmassen an, welche sich schnell von der Erde emporheben, und in den obern Luftschichten durch Erkältung die aufgelös'ten Dünste fahren lassen. Diese feuchten Luftmassen bestehen aus brennbarer Luft (Wasserstoffgas), welche, obgleich mit Dünsten der zweiten Art beladen, dennoch wegen ihrer specifischen Leichtigkeit schnell in der Atmosphäre emporsteigen. Hube

*) A. a. O. S. 256 u. ff.

glaubt, daß die Entwickelung dieser brennbaren Luft unter andern auch durch die Elektricität befördert werde. Denn wenn man auf der Spitze eines hohen Berges stehe, so sehe man, während sich unten an ihm ein Gewitter zusammenziehe, unzählige große und dicke Wolkenflocken aus den Thälern aufsteigen, und diese tragen sehr viel dazu bei, daß die Gewitterwolken sich so schnell vergrößern. Indessen verwandeln sich nicht alle aufsteigende brennbare Luftmassen in Wolken, sondern nur diejenigen, welche vieles Wasser auf die zweite Art aufgelös't haben, unten an der Erde beträchtlich erwärmt worden sind, und schnell genug aufsteigen, um stark genug erkältet zu werden, ehe sie noch ihre Dünste an die benachbarte trockne Luft abgeben können. Zwischen den Wendekreisen steigt dergleichen brennbare mit Dünsten geschwängerte Luft noch viel häufiger auf als bei uns, und dennoch bleibt dort der Himmel viele Monate hinter einander heiter, weil das Wasser nur auf die erste Art auszudunsten pflegt.

Die aufsteigenden leichtern Luftmassen fangen erst einige Stunden nach Sonnenaufgang an, sich in Wolken zu verwandeln. In der Nacht, so wie des Morgens und Abends, sind sie schon auf der Erde kalt, noch ehe sie sich erheben, und es kann daher die Erkältung in der obern Luft ihre Dünste nicht niederschlagen. Zuweilen kann ein heftiges Feuer auf der Erde die untere Luft auf eine ansehnliche Höhe treiben, einen beträchtlichen Strom in der Atmosphäre von unten nach oben hervorbringen, und dadurch die Entstehung von Wolken veranlassen. Auf diese Art erklärt Hube die heftigen Regengüsse bei den Ausbrüchen feuerspeiender Berge.

Die Wolken in den höhern Schichten der Atmosphäre, namentlich die sogenannten Lämmerwolken (Howard's federige Haufenwolken), so wie die federigen Schichtwolken, entstehen größtentheils auf elektrischem Wege. Wenn sich aber in der untern Atmosphäre durch Elektrisirung von oben Wolken erzeugen, so sieht man sie zuerst an den Spitzen hoher Berge als kleine Flocken schweben. An den Bergspitzen ist nämlich die Luft immer feuchter, als in den davon entferntern, gleich hohen Gegenden der Atmosphäre; hier sondern sich am ersten und leichtesten Dünste ab, und hier hört auch die Auflösung am spätesten auf. Daher bleiben die Gipfel der Berge noch immer mit Wolken bedeckt, wenn der Himmel um sie her sich schon allenthalben aufgeklärt hat. Man sieht daraus, warum hohe Berge als Wetterpropheten dienen können.

Was den Regen betrifft, so wird auch dieser nicht ohne Scharfsinn durch die Auflösungs-Theorie erklärt. Ehe wir hier die Erklärungsart Hube's folgen lassen, wollen wir zuvörderst De Saussure's Meinung darüber, so wie über Nebel und Wolken, mittheilen.

Nach diesem Naturforscher *) wird der reine elastische Dampf (welcher ein durch Wärmestoff in Dampfgestalt verwandeltes Wasser ist) von der Luft aufgelös't, und es entsteht dadurch aufgelös'ter elastischer

*) Essais sur l'hygrométrie. Essai III, — bei Fischer, Art. Dämpfe und Regen.

Wasserdampf. Wenn nun eine Luftschicht mit dergleichen Dampf übersättigt ist, so schlägt sich der Ueberschuß in kleinen Tröpfchen nieder, welche die erste Veranlassung zum Regen geben, oder sie bilden kleine Bläschen, aus deren Anhäufung der Nebel und die Wolken entstehen. Diese Bläschen entstehen nie anders als in völlig gesättigter Luft, worin der Feuchtemesser (das Hygrometer) die größte Feuchtigkeit zeigt. Bisweilen lösen sie sich wieder auf, wenn durch Wärme oder andere Ursachen die Ziehkraft der Luft wieder zunimmt. Nicht selten entstehen dergleichen Bläschen in ganz heiterer Luft augenblicklich und bilden eine Wolke. Für die Ursache davon sieht De Saussure die Elektricität an. Er hält überhaupt die elastischen Dämpfe für einen sehr guten und stets thätigen Elektricitätsleiter zwischen der Erde und den obern Luftgegenden, und erklärt daher auch den Blitz und Donner bei den Ausbrüchen der feuerspeienden Berge, die Bildung des Hagels, die Entstehung der Wasserhosen ꝛc.

Ueber die Vertheilung der Dünste hat De Saussure folgende Ansicht. Ist die Luft sehr trocken, so werden bei Sonnenaufgang eine gewisse Menge Dünste aus der Erde von der Luft aufgelös't. Die dadurch erweiterte und durch die Sonnenwärme ausgedehnte Luftsäule breitet sich nach Westen hin aus, steigt aber auch zugleich in die Höhe und führt durch einen „vertikalen Wind" die Dünste mit sich empor. Der leere Raum wird von der Nordseite her durch kältere und dichtere Luftmassen ersetzt. Dieß dauert so lange fort, bis die Luft mit Feuchtigkeit gesättigt ist. In der völlig gesättigten Luft aber verwandeln sich die von der Erde aufsteigenden Dünste in Bläschen, und es bildet sich nunmehr ein leichter Nebel auf der Oberfläche der Erde. Da sich indessen die Luft auch erwärmt, so werden die Bläschen bald darin aufgelös't und steigen mit dem ferner erzeugten elastischen Dampf durch den „vertikalen Wind" in die obern Luftgegenden. Hier trifft die aufgestiegene Luft kältere Schichten an, und es wird daher ein Theil der mit emporgestiegenen aufgelös'ten Dünste wieder niedergeschlagen, wodurch Wolken und bei stärkerer Verdichtung Regen entstehen, und die Erde so die aufgelös'te Feuchtigkeit zurück erhält. Die Erkältung ist also auch bei De Saussure die Hauptursache der atmosphärischen wässerigen Niederschläge. Die Elektricität gebraucht er bloß zur Erklärung der Bläschen und ihres Beharrens in Wolken- oder Nebelgestalt.

Hube räumt jedoch der Elektricität einen bedeutenden Einfluß auch bei der Entstehung des Regens ein *). Die Wolken verlieren ihre Elektricität nicht nur bei der Berührung mit den Bergen, sondern auch schon in einer gewissen Entfernung von der Erde, indem die Luft selbst immer ein wenig leitend ist. Sobald dieser Verlust an Elektricität beträchtlich genug ist, so fließen die Bläschen der Wolken so stark zusammen, daß sie in Tropfen herunterfallen. Dieser Einfluß der Elektricität auf die Bildung des Regens offenbart sich besonders bei Gewittern,

*) Vollständiger und faßlicher Unterricht ꝛc. Bd. II. S. 223, 241 u. ff. — bei Fischer, Art. Regen.

Wenn diese auch ohne Regen anfangen, so stellt er sich doch gewiß nach den ersten heftigen Blitzen und Donnerschlägen ein, und man bemerkt ein plötzliches Zunehmen des Regens nicht selten nach jedem neuen heftigen Blitze. Die mit den Gewittern verbundenen Regengüsse pflegen überhaupt unter die heftigsten zu gehören.

Eine allmähliche Trübung der Atmosphäre erfolgt oft schon bei Tage, aber es fängt erst in der Nacht an zu regnen. Hube erklärt dieß leicht daraus, daß die Wolken des Abends tiefer herab sinken, und daß die untere Luft bei der Nacht feuchter, folglich auch leitender ist als bei Tage.

Es regnet nicht selten nach starken Gewittern mehre Tage nach einander; wahrscheinlich, glaubt Hube, weil die Luft die von dem Gewitter erhaltene Elektricität nicht sogleich ganz verliert, also auch nachher noch eine Zeit lang eine geschwächte Ziehkraft behält. Oft bemerkt man auch, daß es, nachdem es geregnet hat, nicht kälter, wohl gar wärmer oder schwül wird. Es muß alsdann die Ziehkraft der Luft durch die mitgetheilte Elektricität noch fortwährend geschwächt bleiben, weil entweder neue Niederschlagungen in der Luft vorgehen, welche stets Wärme erzeugen, oder auch weil unser Körper nicht auf die erste Art trocknet oder ausdunstet. Es lehrt aber die Erfahrung, daß es in diesem Falle bald wieder zu regnen anfängt. Kühlt sich hingegen die Luft nach dem Regen ab, so ist dieß ein Zeichen, daß die Luft ihre ursprüngliche Elektricität wieder in voller Stärke erhalten hat, und daß Alles in ihr nunmehr auf die erste Art trocknet, also durch die Trocknung Kälte erzeugt wird. Daher pflegt der Himmel unter diesen Umständen sich, oft sogar bei Nacht, ganz aufzuklären, wenn nämlich die obere Luft trocken genug ist, um die ihrer Elektricität beraubten Wolken aufzulösen.

Wie groß der Einfluß der Elektricität auf das Auflösungsvermögen (oder die Ziehkraft) der Atmosphäre sei, glaubt Hube am besten aus der Abwechslung der Jahreszeiten im heißen Erdstriche beweisen zu können. Es regnet hier Monate lang, und meistens sehr heftig; wenn aber diese Regengüsse aufhören und der Himmel sich aufklärt, so erhält die Atmosphäre plötzlich eine so große Ziehkraft, daß sie viele Monate nach einander das Wasser auf die erste Art auflös't und man während dieser Zeit fast gar keine Wolke am Himmel sieht. Wäre hier die Verminderung der wahren Feuchtigkeit der Atmosphäre durch den Regen die einzige, oder wenigstens die vornehmste Ursache ihrer vermehrten Ziehkraft: so könnte kein Regen lange anhalten, sondern trübes und gutes Wetter müßten das ganze Jahr über abwechseln u. s. w.

XXI.

Fortsetzung des Vorigen.

De Luc, dessen System wir jetzt nach der kurzen Uebersicht, welche Parrot davon giebt *), darlegen wollen, hat seine Hypothese von einer wirklichen Verwandlung des Wassers in Luft, und umgekehrt der Luft in Wasser im Jahr 1810 in einer besondern Abhandlung auseinandergesetzt. An sich selbst betrachtet, scheint eine solche Verwandlung gar nicht unmöglich, wenigstens läßt sich durch Versuche eine Verwandlung der Luft in Wasser bewirken. Es ist eine bekannte Thatsache, daß wenn man ein Gemisch von reinem Wasserstoff-Gas und reinem Sauerstoff-Gas macht, und dieses durch den elektrischen Funken entzündet, sogleich Wasserdunst entsteht, welcher, bei hinlänglichem Druck, auch zu tropfbarflüssigem Wasser wird. Der Wasserstoff und der Sauerstoff trennen sich hier durch Einwirkung der Elektricität, von ihrem Wärmestoff, durch den sie zur luftförmigen Flüssigkeit geworden sind, und verbinden sich zu einem neuen Körper, nämlich dem Wasser.

De Luc nimmt zur Erklärung seiner Hypothese von der Verwandlung des Wassers in Luft, die Mitwirkung der Elektricität, welche sich bei der Ausdunstung entwickelt, und noch einer ganz eigenthümlichen feinen, unwägbaren, Flüssigkeit an, welche zugleich mit der Elektricität entbunden wird, strahlend ist wie das Licht, die Körper in einem Augenblicke

*) Grundriß rc. S. 438 u. ff.

durchdringt, überall und allezeit in der Atmosphäre vorhanden ist und selbst der elektrischen Flüssigkeit ihre Ausdehnsamkeit mittheilt. Um nun aber auch die Rückverwandlung der Luft in Wasser zu erklären, muß De Luc noch eine zweite feine elastische unwägbare Flüssigkeit zu Hilfe nehmen; diese verbindet sich mit jener ersten Flüssigkeit und mit der Elektricität, wodurch das Wasser in Luft verwandelt worden ist, und bewirkt dadurch die entgegengesetzte Verwandlung. Die Annahme dieser zwei besondern feinen Flüssigkeiten rechtfertigt De Luc mit der Annahme anderer ähnlicher hypothetischer unwägbarer Stoffe, wie des Wärmestoffs, und der magnetischen Flüssigkeit, deren Daseyn sich gleichfalls nicht beweisen lasse.

Außerdem gründet De Luc seine Erklärungsart der wässerigen Lufterscheinungen hauptsächlich auf folgende Erfahrungssätze, welche ihm sowohl seine als De Saussure's Beobachtungen geliefert haben.

a) Eine Wolke ist nichts anders, als ein dichter Nebel, der nur schwache Grade von Elektricität anzeigt. Gleichwohl entstehen aus einer solchen Wolke, wenn sie den feuchten Boden eines Berges berührt, heftige elektrische Ausbrüche, oder Blitz und Donner. Die Wolke kann folglich nicht als eine schon mit Elektricität geladene Masse angesehen werden; sondern die Elektricität erzeugt sich erst im Augenblicke des Ausbruchs durch irgend eine chemische Thätigkeit.

2) Der Donner ist nicht Wiederhall einer einzigen Explosion, sondern eine Folge vieler schnell auf einander

folgenden Explosionen, welche Zeichen von Zersetzungen und Wiederzusammensetzungen der Luft sind. Einige dieser Operationen zersetzen die Luft selbst, andere sind bloße Folgen dieser Zersetzungen.

3) Eine bestimmte Luftmenge kann bei einem bestimmten Wärmegrade auch nur eine bestimmte Wassermenge aufnehmen, welche durch nichts überschritten werden kann. Nach De Saussure's Versuchen z. B. beträgt die Wassermenge, welche 1 Körper= (Kubik=) Fuß atmosphärischer Luft bei 27'' Barometerhöhe und 14° + Reaum. aufnehmen kann, 11 Gran an Gewicht.

4) Obgleich der Wasserdampf, als eine specifisch leichtere Flüssigkeit, in der Atmosphäre immer höher hinaufsteigen sollte: so zeigen dennoch die Feuchtemesser (Hygrometer) immer weniger Feuchtigkeit an, je höher man sich mit ihnen in der Atmosphäre erhebt. Es muß also der Wasserdunst in diesen Höhen entweder in der Luft aufgelös't oder in wahre Luft verwandelt werden. Folgende Thatsache läßt daran beinahe nicht zweifeln. Es hatte nämlich der Professor Robertson bei einer am 11. Aug. 1802 zu Hamburg veranstalteten Luftfahrt eine Flasche voll Quecksilber mitgenommen, und dasselbe in einer Höhe von ungefähr 8500 Fuß ausgeleert, wodurch die Flasche mit der daselbst befindlichen Luft angefüllt worden war. Robertson verschloß sie sorgfältig und diese Luft wurde später von zwei Chemikern, Pfaff und Schmeißer, gemeinschaftlich untersucht. Nachdem sie die Flasche unter Wasser durch ein am Halse eingefeiltes Loch geöffnet hatten, drang so viel Wasser hin=

ein, daß gerade der dritte Theil ihres Raumes damit angefüllt und die Luft in der Flasche also nunmehr in einen um $\frac{2}{3}$ kleinern Raum zusammengedrängt wurde. Vorher hatte man die Flasche durch Eis so weit abgekühlt, als ihre Temperatur oben in der Luft gewesen war, nämlich bis auf 1° unter Null. Bei dieser Zusammenziehung zeigte sich nicht die geringste abgesonderte Feuchtigkeit, auch nicht bei vermehrtem Drucke. Als man einen Theil dieser Luft in Rücksicht auf seinen Gehalt an Sauerstoff prüfte, ergab es sich, daß sie unter gleichem Drucke und Wärmegrade 2 Hunderttheile (Prozente) weniger an Lebensluft enthielt, als die untere. Der nach Abscheidung des Sauerstoffes übrig gebliebene Theil der untersuchten Luftmenge war reines Stickgas, ohne irgend einen merklichen Antheil von Wasserstoff- oder kohlensaurem Gas. Auch durch hygroskopische Körper ließ sich keine merkliche Feuchtigkeit aus dieser Luft absondern *).

5) Nach Sonnenuntergang und kurz vorher nimmt die Feuchtigkeit der Luft viel stärker zu, als nach der Abnahme der Temperatur zu erwarten wäre, und nach Sonnenaufgang, während der ersten Stunden des Tages, nimmt die Trockenheit der Luft schneller zu, als nach der Erhöhung der Temperatur zu erwarten wäre.

6) Bei gewöhnlichem Wetter steigt die Luft-Elektricität von Sonnenaufgang an bis Nachmittag. Wenn nachher das Hygrometer eine Zunahme der Feuchtigkeit an-

*) Voigt's Magazin 2c. Band VI. S. 224 — bei Fischer, 8ter Theil oder 2ter Suppl. Bd. Göttingen, 1823. Art. Ausdünstung, S. 157.

zeigte, so nahm die Elektricität ab, und wurde 0, als der Thau fiel.

7) Auf hohen Bergen ist die Luft nicht selten sehr rein, und die Feuchtemesser zeigen nicht mehr als 2 bis 3 Gran Wasser in der Luft an. Dennoch bilden sich in dieser Höhe kleine Wolken, ohne daß man Veränderungen in der Temperatur und der Feuchtigkeit der Luft wahrnähme. Diese Umstände ändern sich nicht, auch wenn die Wolke sich vergrößert, bis die Wolke den Beobachter und seine Instrumente erreicht, da denn das Hygrometer schnell bis zur größten Feuchtigkeit hinrückt. Verschwindet die Wolke an dieser Stelle durch Wiederauflösung oder durch einen Wind, so kommt das Hygrometer wieder auf seinen vorigen Stand zurück. Dergleichen in reiner Luft schnell erzeugte Wolken liefern nicht nur oft Regen, sondern auch Blitz, Donner, Hagel und Sturmwinde.

Soviel von den Thatsachen und Erscheinungen, auf welche De Luc seine Hypothese gründet. Wir müssen nun auch seine Erklärung der wässerigen Lufterscheinungen diesen Ansichten zufolge mittheilen.

Bei heiterer Witterung sieht man bei Sonnenuntergang den Thau erscheinen. Es hört nämlich um diese Zeit die Bildung der elektrischen Flüssigkeit in der Atmosphäre auf. Der Wasserdunst, welcher aufzusteigen fortfährt, verändert daher seine Natur nicht, d. h. er verwandelt sich nicht mehr in Luft, sondern bleibt als Dunst in der Luft schweben. Da nun auch zugleich die Wärme der Atmosphäre abnimmt, während die Menge des Wasserdunstes immer noch zunimmt, so schlägt sich endlich das

Wasser in tropfbarer Gestalt nieder. Nimmt die Wärme nach dem Untergang der Sonne sehr schnell ab, so sieht man den Wasserdampf auf Wiesen und Feldern sich zu Nebel verdichten, wie dieß besonders im Herbste der Fall ist. Thau und Nebel sind also, nach De Luc, noch unverwandelter Wasserdampf, oder solcher, welcher noch vor seiner Verwandlung in Luft verdichtet und niedergeschlagen wird.

Anders dagegen ist es mit den Wolken und dem Regen. Diese entstehen durch Zersetzung der Luft und sind also eine Rückverwandlung der Luft in Wasser. Diese wird, wie schon vorhin bemerkt, mittelst einer eigenen feinen und ausdehnsamen Flüssigkeit zu Stande gebracht, deren Verwandtschaft mit denjenigen Stoffen, welche den Wasserdampf in atmosphärische Luft verwandelt haben, diese Letztere zersetzen. Die Theilchen des Wasserdampfes, welche statt der Lufttheilchen in irgend einer Luftschicht zum Vorschein kommen, schlagen sich, wenn ihrer zu viel werden, als daß sie in dem von ihnen eingenommenen Raume bestehen könnten, zuerst in Bläschengestalt nieder, wodurch die Wolken entstehen. Dauert die Zersetzung der Luft in derselben Schicht noch länger fort, so müssen dieser Bläschen endlich so viel werden, daß sie sich in Tropfen verwandeln, und es entsteht Regen.

Gewöhnlich verbindet sich die freie ausdehnsame Flüssigkeit, wodurch eine bestimmte Masse Luft zersetzt wird, mit den Bestandtheilen der elektrischen Flüssigkeit, welche in eben dieser Luftmasse enthalten war, und es entsteht daraus eine neue Zusammensetzung, in welcher die elektrische Flüssigkeit ihre besondern Eigenschaften nicht äußern kann. Das Ergebniß davon ist eben deshalb bloßer Regen, ohne oder mit nur sehr schwachen Zeichen von Elektricität. Wird aber eine bestimmte Masse von atmosphärischer Luft durch den Zutritt der angenommenen feinen Flüssigkeit so zersetzt, daß die elektrische Flüssigkeit sich genau mit derjenigen Menge von Stoffen, wodurch sie ihre eigenthümliche Beschaffenheit erhält, verbinden kann: so ergießt sie sich plötzlich als Blitz in die Luft. Die bewundernswürdige Erscheinung des Donners entsteht ohne Zweifel durch auf einander folgende Verpuffungen (Detonationen) und ist (wie beim Losbrennen des Schießpulvers) eine Wirkung von Ausbrüchen einer besondern ausdehnsamen Flüssigkeit, welche durch das Zersetzen der atmosphärischen Luft plötzlich gebildet wird.

Noch mehr werden solche plötzliche Luftzersetzungen und gleichzeitige Zusammensetzungen anderer Stoffe in den elektrischen Wolken durch das Entstehen des Hagels bestätigt. Unter gewissen Umständen muß in jenen Wolken plötzlich so viel freier Wärmestoff in chemische Verbindung treten, daß die Temperatur in den höhern Theilen der Wolken bis tief unter den Gefrierpunkt sinkt. Dort bilden sich die ersten Körner festen Wassers, und diese sind so kalt, daß alle Wasserbläschen, mit denen sie beim Herabfallen durch tiefere Wolken in Berührung kommen, augenblicklich mit ihnen zusammenfrieren. Daraus erklärt sich, warum die Hagelkörner aus übereinander liegenden Schichten bestehen, in deren Mitte sich ein undurchsichtiger, verhärtetem Schnee ähnlicher, Kern befindet *).

Da durch solche Luftzersetzungen und Wasserverwandlungen die Masse der Atmosphäre sich unaufhörlich verändern muß, so muß sich auch ihr Druck verändern, und das Steigen und Fallen des Barometers ist daher als eine Folge jener chemischen Thätigkeiten, aber nicht als Vorbedeutung derselben, zu betrachten. Diese Veränderungen des Barometerstandes müssen dem zu Folge nicht bloß unmittelbar in der Gegend, wo jene Zersetzungen ꝛc. Statt finden, sondern auch in den angränzenden Gegenden, und zwar nicht selten auf eine scheinbar entgegengesetzte Art zu bemerken seyn.

Der aufmerksame Leser wird gefunden haben, daß diese hier vorgetragene De Luc'sche Erklärungsart der Ausdunstung und der wässerigen Lufterscheinungen sich keinesweges durch Einfachheit empfiehlt, und daß die Annahme zwei neuer, unwägbarer und ausdehnsamer feiner Flüssigkeiten etwas sehr Willkürliches ist und durch gar keine anderweitige Erfahrung bewiesen werden kann.

Der scharfsinnige Parrot ist bei seiner Erklärungsart der wässerigen Lufterscheinungen wieder zur Auflösungs-Theorie zurückgekehrt, hat aber dadurch, daß er das Sauerstoff-Gas in der atmosphärischen Luft als die Ursache der Auflösung des Wassers in Luft betrachtet, eine ganz neue, ihm eigenthümliche

*) S. De Luc's Abhandlung in Gilbert's Annalen der Physik. Neue Folge, XI. Bandes 2tes Stück — bei Parrot, a. a. O. S. 441 u. ff.

Ansicht aufgestellt, welche sich von allen bisherigen Hypothesen über diesen Gegenstand durch ihre Einfachheit auszeichnet und alle rein-wässerigen sowohl als wässerig-elektrischen Lufterscheinungen befriedigend erklärt.

Wir theilen Parrot's Erklärungsart hier nach seiner, so viel uns wenigstens bekannt ist, neusten Darstellung derselben in dem mehrerwähnten Grundriß der Physik der Erde ꝛc. mit *).

Er stellt den Satz auf: Das Sauerstoff-Gas der atmosphärischen Luft vermag das Wasser aufzulösen und in den Gaszustand zu versetzen, und so zu binden, daß es nicht nach Verhältniß seiner vorhandenen Menge aufs Hygrometer wirke.

Mit Uebergehung mehrer für diese Behauptung sprechenden Thatsachen hebt er vorzüglich nachstehenden Grund heraus. De Saussure hat, wie wir bereits oben bemerkt haben, die Menge von Wasser, welche ein Körperfuß atmosphärischer Luft bei 27″ Barometerhöhe und 14° + Reaum. aufnehmen kann, zu 11 Gran (Grains) angegeben. Nach einer von Gilbert bei De Saussure's Berechnung angebrachten Verbesserung, beträgt diese Wassermenge noch ein wenig mehr, nämlich $12\frac{28}{100}$ Gran. Da der Körperfuß Luft, deren sich De Saussure zu diesem Versuche bediente, 684 Gran wog, so sind diese

*) Die erste Nachricht davon gab Parrot in Voigt's Magazin der Naturkunde ꝛc. Bd. III. S. I. Weimar, 1801 S. 1 u. ff. — bei Fischer, a. a. O. VIster Theil, oder 1ster Suppl. Bd. Art. Ausdünstung. S. 34 u. ff.

$12\frac{28}{100}$ Gran davon etwa der 56ste Theil, oder die Wassermenge, wodurch die atmosphärische Luft unter obigen Umständen gesättigt wird, macht ungefähr den 56sten Theil des Gewichts der Letztern aus. Parrot zeigt nun durch Rechnung, daß ein Körperfuß Luft durch diese nämliche Wassermenge, wenn sie sich in Dampf verwandelt, um etwa den 38sten Theil seines Umfanges mehr ausgedehnt werde. Allein De Saussure hat unmittelbar durch barometrische Beobachtungen gefunden, daß diese Vermehrung der Ausdehnung nur $\frac{1}{84}$ betrage. Folglich können jene $12\frac{28}{100}$ Gran Wasser nicht als Dampf in der angegebenen Luftmasse vorhanden seyn, sondern es muß zwischen Luft und Wasser eine chemische Verwandtschaft Statt finden, wodurch das Eigengewicht des Gemisches größer wird, als das mittlere Eigengewicht der Luft und des Dampfes.

Indem Parrot ferner sich auf die, auch von uns oben angeführten sieben Sätze beruft, auf welche De Luc unter andern sein meteorologisches Lehrgebäude stützt, stellt er noch folgende neun andere Erfahrungssätze zur Begründung seiner Ansichten auf.

1) De Saussure hat durch Versuche bewiesen, daß wenn Wasser in einem heißen isolirten Gefäße, durch welches das Wasser nicht zersetzt wird, verdunstet, das Gefäß — E erhält; woraus folgt, daß die Dünste das + E binden.

2) Elektrische Entladungen bewirken nach Van Marums Versuchen eine Vereinigung des reinen Sauerstoff-Gases mit dem Wasser, ohne die Natur des übrigbleibenden Gases zu ändern.

3) Die aus einer Säule atmosphärischer Luft während eines starken und anhaltenden Regens herabfallende Wassermenge ist bei weitem größer als diejenige, welche vorher darin enthalten gewesen seyn kann.

4) Die in der atmosphärischen Luft enthaltene Wassermenge kann auch nicht von den größern Veränderungen des Barometers Rechenschaft geben. Denn gesetzt auch, die Luft wäre völlig mit Wasser gesättigt, so würde dennoch der gänzliche Niederschlag desselben die Ausdehnung der Luftmasse nur um $\frac{1}{34}$ und also den Barometerstand nur etwa um $\frac{1}{2}$ Zoll vermindern. Es müssen also, sowohl bei den plötzlichen als auch bei den allmählichen Veränderungen des Barometers noch andere Wirkungen eintreten, als die Auflösung und Niederschlagung des Wassers.

5) Die Pflanzenwelt liefert bei Tage das Sauerstoffgas, bei Nacht Kohlensäure. Das Meer haucht bei Tage Sauerstoffgas aus und verschluckt es bei Nacht wieder. Wenigstens ist die vom Wasser abwechselnd ausströmende und eingesogene Luft an Sauerstoff reicher als die atmosphärische.

6) Es giebt zweierlei wesentlich von einander verschiedene Ausdunstungen und Niederschläge des Wassers; die eine mittelst des Wärmestoffes, die andere mittelst des Sauerstoffes. Dasjenige Wasser, welches durch Wärmezunahme verdunstet, nennt Parrot physischen Dunst, und seinen Niederschlag, welcher durch Wärmeabnahme entsteht, physischen Niederschlag. Dasjenige Wasser aber, welches vom Sauerstoffgas aufgelös't und in Gas verwandelt worden ist,

nennt er chemischen Dunst, und seinen Niederschlag chemischen Niederschlag.

7) So wie überhaupt alle Auflösungen durch eine vermehrte Wärme befördert und kräftiger gemacht werden, so ist auch die chemische Ausdunstung größer bei einer höhern und kleiner bei einer niedrigern Temperatur. Aber selbst die uns bekannte niedrigste Temperatur ist nicht im Stande, alles Wasser aus seiner Verbindung mit dem Sauerstoffe niederzuschlagen; sondern auch die kälteste Luft ist, wie die Ausdunstung des Eises lehrt, noch im Stande Wasser aufzulösen.

8) Aus diesem Grunde stimmt auch der Gang der Feuchtemesser (Hygrometer) keinesweges mit der Ab- und Zunahme der absoluten in der Luft befindlichen Wassermenge überein, wie durch De Luc's und De Saussure's Versuche bewiesen worden ist. Die hygrometrischen Körper wirken bloß durch Flächenanziehung auf das Wasser, und entziehen es dem Wärmestoffe nur, wenn die Sättigung für den vorhandenen Temperaturgrad eingetreten ist. Im reinen Wasserdampfe von 80° Reaum. zeigt das Hygrometer den höchsten Grad der Trockenheit an.

9) Der Luftdruck hat Einfluß sowohl auf die Ausdunstung als auf den Niederschlag des Wassers. Es ist eine allgemeine Bemerkung, daß wenn man die Luft unter der Glocke einer Luftpumpe verdünnt, das Hygrometer zur Trockenheit übergeht. „Aber diese Erscheinung" — sagt Parrot — „muß zergliedert werden, wenn sie uns nicht irre führen soll. Einerseits wird durch die Verdünnung die Temperatur vermindert, und so sollte die Luft,

in Rücksicht sowohl auf den chemischen als auf den physischen Dunst, an Capacität *) verlieren und folglich das Wasser fallen lassen. Andrerseits wird der Druck, unter welchem der Dunst vorher stand, vermindert, und die Capacität für den physischen Dunst nimmt zu. Da das Hygrometer nun eine größere Trockenheit zeigt, so sollte man daraus schließen, daß der letztere Umstand über den erstern die Oberhand behält. Allein man muß nicht vergessen, daß diese Erscheinung nur in einem kleinen Raume Statt hat, dessen Oberfläche verhältnißmäßig sehr groß ist, und dem Wärmestoffe den Zutritt zu der in dieser Hinsicht kleinen Luftmasse sehr erleichtert. Ist aber die Verminderung der Ausdehnung (Elasticität) in dem Raume einer ganzen Wolke geschehen: so kann der Wärmestoff nicht mehr durch die verhältnißmäßig kleine Oberfläche diesen Raum so schnell von außen durchdringen; und da außerdem hier nicht, wie unter der Glocke der Luftpumpe, eine der Verdünnung verhältnißmäßige Menge von Dunst entzogen wird: so muß das Gegentheil entstehen, und wir haben bei jeder Verdünnung der Atmosphäre in der Wolkenregion einen Niederschlag zu erwarten; daher auf das Fallen des Barometers in der Regel trübes Wetter und Regen folgen. Wir haben zwar noch kein bestimmtes Maß für die durch Dilatation (Ausdehnung, Erweiterung) der Luft erzeugte Kälte; aber wir können von der durch Condensation (Verdichtung) erzeugten Wärme auf jene schließen, und der Versuch des durch

*) So heißt das Vermögen der Körper, eine bestimmte Menge von Theilen eines andern Körpers in sich aufzunehmen.

ein heftiges Gebläse gebildeten Schnees beweiset, daß sie weit unter den Frostpunkt steigen kann."

Wir wollen nun im folgenden Abschnitte die weitere Ausführung dieser Parrot'schen Ansichten und seine darauf gegründete Erklärung der wässerigen Lufterscheinungen mittheilen.

XXII.

Fortsetzung des Vorigen.

Es herrscht in dem Zustande des Luftkreises in Rücksicht auf Ausdunstung, Feuchtigkeitsmenge und Niederschlag eine beständige Abwechslung. Von der Erd-Oberfläche steigen unaufhörlich, nach Verhältniß der Temperatur, mehr oder weniger physische Dünste in die Luft. Da nun diese, sowohl über dem Lande, gleich an der Erdfläche, als auch in einer geringen Höhe über dem Meere, kälter ist als die Erde oder das Meer selbst: so sollte man glauben, jene physischen Dünste müßten sich sogleich niederschlagen und in der Atmosphäre als Nebelbläschen schweben, und es müßten folglich die untersten Luftschichten immerwährend trübe seyn. Allein das Sauerstoff-Gas lös't jene physischen Dünste auf, bildet mit ihnen eine ausdehnsame Flüssigkeit, welche leichter ist als die reine Luft, und bewirkt auf diese Weise, daß das Wasser nach den obern Luftschichten emporsteigt. Bei diesem Steigen gelangt die Mischung in immer kältere

Gegenden, wo das Auflösungsvermögen des Sauerstoff=Gases geschwächt wird und daher einen chemischen Niederschlag verursachen kann. Allein da zugleich der Druck der Luft in diesen Höhen immer mehr abnimmt, so kann sich auch das niedergeschlagene Wasser zum Theil wieder ausdehnen. Die Folge davon ist gleichwohl, daß immer ein wenig niedergeschlagenes Wasser in der Atmosphäre vorhanden ist, daher auch die Luft sich nie im Zustande vollkommener Klarheit befindet und die Hygrometer nie den höchsten Punkt der Trockenheit anzeigen. Parrot vermuthet, daß aus dieser beständigen Abwechslung von Auflösung und Niederschlag, welche an verschiedenen Orten sehr ungleich seyn müsse, die großen theilweisen Veränderungen in der Richtung des Windes zu erklären seien.

Das Hygrometer zeigt also, wie gesagt, stets und überall einige Feuchtigkeit in der Luft an. Man darf aber daraus nicht schließen, daß das Sauerstoff=Gas der Atmosphäre stets und überall mit Wasser gesättigt sei. Das Hygrometer zeigt nichts weiter, als das noch nicht aufgelös'te Wasser an, und es würde, wenn kein physischer Dunst nachfolgte, die vorhandene Menge desselben in kurzer Zeit aufgelös't und dadurch das Hygrometer bald auf den höchsten Trockenheitspunkt geführt werden.

Da die Temperatur der Luft von der Erd=Oberfläche an nach oben hinauf schneller abnimmt als der Druck der Atmosphäre: so muß es überall eine Höhe geben, wo die Luft nicht mehr im Stande ist, das Wasser im Auflösungs=

und Dampfzustande zu erhalten und wo folglich ein Niederschlag eintreten muß. Dieß ist die Wolkengegend (Wolkenregion), welche daher nach Maßgabe der Temperatur bald höher bald tiefer stehen kann. Bloß in dieser Wolkengegend, und auch nur zur Zeit der Wolkenbildung, räumt Parrot eine vergleichungsweise (relative) Sättigung des Sauerstoff-Gases ein. Das Nämliche behauptet er von den Nebeln, wenn sie sich in tiefern Luftschichten bilden. Es hangt daher die Entstehung dieser zwei Arten von wässerigen Lufterscheinungen bloß von dem Verhältniß der vorhandenen Menge des Sauerstoff-Gases zu der Menge des aufzulösenden Wassers und zu der Temperatur ab. Wenn durch den geringen Grad der Letztern das Auflösungsvermögen der Luft geschwächt wird und kein neues Sauerstoff-Gas hinzukommt: so wird die Wolke entstehen. Kommt aber neues Sauerstoff-Gas hinzu und wird dadurch die Auflösungskraft der Luft erhöht: so wird diese Wolkenbildung unterbleiben, oder die Wolke wird, falls sie schon begonnen hätte, wieder verschwinden. Das Sauerstoff-Gas aber wird durch die Wirkung des Sonnenlichts auf die grünen Pflanzentheile entbunden, und steigt, so lange die Sonnenstrahlen auf die Pflanzen wirken und im Verhältniß der Stärke (Intensität) dieser Wirkung, fortwährend mit einem Antheil aufgelös'ten Wassers in die Höhe.

Daß die Wolken, ohne herabzusinken, sich oft sehr lange Zeit in der Atmosphäre erhalten können, erklärt Parrot durch Hinweisung auf die Natur ihrer Bildung. Es sind Bläschen aus Wasserdampf mit einer Wasserhülle.

Da nun der Wasserdampf unter gleichem Druck und gleicher Temperatur nur etwa $\frac{6}{10}$ oder $\frac{7}{10}$ Mal so viel wiegt als die atmosphärische Luft: so behält jedes solches Dunstbläschen ein Uebergewicht von etwa $\frac{3}{10}$ bis $\frac{4}{10}$, um seine Wasserhülle tragen und sich mit der es umgebenden Luft ins Gleichgewicht setzen zu können *).

Parrot weis't auf die Nebel hin, um die Art, wie die Natur bei der Bildung der Wolken verfährt, in der Nähe zu betrachten.

Sowohl diejenigen Nebel, welche kurz vor Sonnenuntergang entstehen, als diejenigen, welche man kurz nach Sonnenaufgang sich bilden sieht, haben das Eigne, daß sie den Boden nicht berühren, da hingegen die bei der Nacht entstehenden Nebel unmittelbar am Boden anfangen. Ohne Zweifel ist die mit dem Untergange der Sonne eintretende Verminderung der Temperatur die Hauptursache ihrer Entstehung. Die Luft erkaltet schneller als der Boden, und dieser liefert also mehr Dunst als die Luft auflösen kann. Allein, so lange die Sonne noch die Pflanzen bescheint, entwickelt sich immer noch Sauerstoff-Gas, obwohl in geringerer Menge als vorher, weil die Pflanzen an Kohlensäure erschöpft sind. Dieses wenige Sauerstoff-Gas ist indeß vermögend, bis zu einer kleinen Höhe von wenigen Fußen den Wasserdampf aufzulösen, besonders da in dieser Nähe am Boden die Luft noch merklich wärmer ist, als einige Fuß höher. Sobald aber die Mischung

*) Eine andere Erklärungsart des Hangens der Wolken in der Atmosphäre, welche Gay-Lussac versucht hat, sehe man oben S. 221 u. ff.

höher hinaufsteigt, so verliert sie durch die abnehmende Wärme von ihrem Auflösungsvermögen und es erfolgt ein (chemischer) Niederschlag. Nach dem Untergange der Sonne hört die Entwickelung des Sauerstoff=Gases gänzlich auf und es verschwindet nun auch der durchsichtige Luftraum am Boden. Hierzu kommt noch, daß nunmehr die Pflanzen kohlensaures und Stickgas aushauchen, welche beiden Stoffe, ihrer Verwandtschaft zum Sauerstoffe wegen, die Menge desselben und zugleich seine Auflösungskraft vermindern.

Mit dem Aufgange der Sonne beginnt die Entwickelung des Sauerstoffes aus den Pflanzen von neuem, und es lösen sich nun zuerst die untersten Schichten des Nebels auf, wodurch der durchsichtige Streifen über Wiesen und Wäldern hervorgebracht wird. Oft bewirkt die nunmehr in dem Nebel erzeugte Wärme eine Ausdehnung (Dilatation) desselben und zwingt ihn zum Steigen in die obern Gegenden der Luft, wo er dann später Wolken oder Regen liefert. Ist aber diese Wärmebildung im Innern des Nebels gering, und dagegen die Entwickelung des Sauerstoff=Gases groß: so lös't sich der Nebel von unten auf und verschwindet, ohne zu steigen.

Auf Sümpfen und andern seichten Gewässern sieht man oft vor und bei dem Sonnenuntergange kleine Nebelmassen von nur wenigen Fußen im Umfange und auch nur einige Fuß oder gar Zoll von einander entfernt, sich bilden. Sie erweitern sich allmählich, und laufen nach 20 oder 30 Minuten in einander. Parrot hält es für unmöglich, anzunehmen, daß die Temperatur in so kleinen wagrechten Entfernungen so verschieden sei, als zu dieser Nebelbildung erforderlich wäre. Unstreitig rühren sie von einer besondern Gasart her, welche sich gerade an diesen Stellen aus den Wasserpflanzen entwickelt, sich mit dem Sauerstoff-Gas der atmosphärischen Luft vereinigt und dessen Auflösungsvermögen schwächt.

Was den Thau betrifft, so unterscheidet Parrot zweierlei Arten desselben: eine, welcher ein Nebel vorangeht, und eine ohne Nebel. Jene ist der völlige Niederschlag dieses Nebels, diese entsteht unmittelbar durch die fortgesetzte Ausdunstung der Erde, welches die zur Nachtzeit mit Glasglocken bedeckten Pflanzen beweisen, die am Morgen eben so und oft noch stärker von Thau benetzt gefunden werden, als die Pflanzen in freier Luft. Dieser von der Erde aufsteigende, mit Kohlensäure verbundene Dunst kann nicht aufgelös't werden, sondern muß sich sogleich niederschlagen.

Der Reif entsteht im Freien weder ohne Nebel, noch unmittelbar durch die Ausdunstung der Erd-Oberfläche. Da die atmosphärische Luft vermöge ihres Sauerstoff-Gehaltes auch bei Temperaturen unter dem Frierpunkte Wasser aufgelös't enthalten kann, und diese Fähigkeit mit der Temperatur ab- und zunimmt: so muß die Luft so oft sich trüben, als nach ihrer Sättigung für eine gewisse Temperatur eine niedrigere Temperatur erfolgt. Ist sie aber nicht gesättigt gewesen, so erfolgt keine Trübung und folglich auch kein Reif. Dieser erscheint daher vorzüglich im Herbste bei dem ersten Froste und im

Frühlinge, wenn schon warme Tage eintreten, denen aber noch kalte Nächte folgen.

Auch die Entstehung des Regens ist jetzt, nach dem, was über die Bildung der Wolken gesagt worden, nicht mehr schwer zu erklären. Wenn die Ursachen, woraus die Wolken entstanden, fortdauern, wenn also die Wärme noch mehr abnimmt oder die Dünste in der Wolkengegend sich vermehren, ohne daß zugleich eine Vermehrung des Sauerstoff-Gases erfolgt: so muß der Niederschlag zunehmen, d. h. der in den Wolkenbläschen enthaltene Dunst muß sich vollends niederschlagen und Tropfen bilden. Es regnet daher in mittlern Breiten im Herbste und im Frühlinge am meisten; im Herbste, weil die Temperatur abnimmt, und mit dem Absterben der Pflanzenwelt auch viel weniger Sauerstoff-Gas erzeugt wird; im Frühlinge, weil die von Feuchtigkeit strotzende Erde bei der Wiederkehr der Wärme stark ausdunstet, und das Wiederaufwachen des Pflanzenlebens noch nicht weit genug vorgerückt ist, als daß eine zur Auflösung der Dünste hinlängliche Menge von Sauerstoff-Gas geliefert werden könnte.

Obschon der Niederschlag in den kältern, also in der Regel in den höhern Theilen der Wolke beginnt: so müssen dennoch die feinen, zuerst herabfallenden Tropfen auch die Dunstbläschen der niedern Gegenden, durch welche sie fallen, erkälten, sie gleichfalls in tropfbarflüssiges Wasser verwandeln, und sich durch Zusammenfließen mit ihnen vergrößern, und diese Vergrößerung muß bis in die untersten Schichten der Atmosphäre herab fortdauern.

Der Schnee ist ein Reif in den Wolken, und verdankt, gleich dem Fensterreif, seine Krystallform der Elektricität.

Auch das Gewitter erklärt Parrot sehr befriedigend nach seiner Auflösungslehre. Wenn die Ausdunstung der Erdfläche, die Entwickelung des Sauerstoff-Gases und die Auflösung des Wasserdampfes mehre Frühlings- oder Sommertage nach einander thätig gewesen ist: so sammelt sich in der Wolkenregion eine große Menge von Wasserdunst an. Daß derselbe noch immer aufgelös't sei, beweis't die Klarheit des Himmels und das Hygrometer, welches nur einen geringen Grad von Feuchtigkeit anzeigt. Bei längerer Fortdauer dieser Thätigkeiten und des trocknen Zustandes der Luft beginnt es den Pflanzen an dem nöthigen Wasser zu fehlen, und es wird folglich zuletzt weniger Sauerstoff-Gas entbunden, als zur Auflösung des Dunstes erfoderlich ist. Die Luftschichten in der Wolkengegend müssen also zur Sättigung kommen.

Indem sich der Dunst entwickelt, hinterläßt er in dem Gefäße, d. h. hier in der Erd-Oberfläche, — E, welches sich weiter vertheilt und so verschwindet. Was mit dem Dunste aufsteigt, muß daher + E seyn, welches Parrot für einerlei mit dem Wärmestoffe hält. Es ist aber nicht thätig, sondern gebunden, d. h. als Wärmestoff zur Dunstbildung verbraucht, und was die Elektrometer davon anzeigen, ist nur ein Ueberschuß, oder wird vielmehr erst durch einen kleinen unmerklichen Niederschlag erzeugt. Die Wolken sind also zwar gewitterschwanger, aber die Elektricität, welche sie erst im Gewitter liefern, ist noch nicht gebildet. Sie entsteht erst bei dem Niederschlage, wo dann der gebundene Wärmestoff frei wird. Freilich sind uns die Bedingungen, unter welchen dieser gebundene Wärmestoff bei seinem Freiwerden bald als freier Wärmestoff, bald als positive Elektricität erscheint, noch unbekannt. Da indeß nach Parrot der elektrische Zustand nur ein Uebergangszustand des Wärme- und Lichtstoffes ist: so scheint es ihm, daß durch eine schnelle Zersetzung positive Elektricität, durch eine langsame dagegen bloß freier Wärmestoff entstehe.

Das Gewitter unterscheidet sich von dem gewöhnlichen Regen auch dadurch, daß sein Anfang auf einen sehr kleinen Raum eingeschränkt ist, in welchem der Niederschlag rasch vor sich geht und sich schnell verbreitet. Es entsteht gleich Anfangs eine dichte Wolke. Beim gewöhnlichen Regen dagegen erfolgt in der Wolkengegend zuerst nur eine schwache, und über einen größern Raum ausgebreitete Trübung, welche nur allmählich an Dichtigkeit zunimmt.

Die Ursache zum Anfange des Gewitters muß also eine örtliche seyn, und Parrot glaubt nicht, sie in der Luft selbst suchen zu dürfen, da das, was sich hier von Ursachen zu Niederschlägen vorfindet, entweder nur Uebersättigung oder Erkaltung sei, Beides aber nicht auf einen so kleinen Raum eingeschränkt seyn könne. Indem er noch die Bemerkung hinzufügt, daß die Gewitter in der Regel bei Windstille entstehen, und daß der Wind überhaupt der Gewitterbildung hinderlich ist, wird es ihm um so wahrscheinlicher, daß die erste Ursache des Gewitters an der Erdfläche zu suchen sei. Er macht zu dem Ende auf die chemischen Thätigkeiten (Prozesse) aufmerksam, durch welche gas- und dunstförmige Stoffe entwickelt werden, die das Sauerstoff-Gas in der Atmosphäre binden und seine Verbindung mit dem aufgelös'ten Wasser aufheben. Dergleichen sind besonders die Faulungs- und die unvollkommenen Entzündungs-Prozesse. Jene finden vorzüglich bei anhaltend heißem Wetter Statt, und liefern Kohlenstoff-, Schwefel-, phosphorhaltiges Wasserstoff-Gas, reines Wasserstoff-Gas und Ammonium, deren Gemisch, wenn noch Wasserdampf hinzukommt, eigenthümlich leichter als die atmosphärische Luft seyn und folglich in dieser emporsteigen muß. Auch im Meere, besonders in der Nähe der Küsten und bei Untiefen, fehlt es nicht an Gelegenheiten zu örtlicher Entwickelung solcher Gase durch Fäulniß so vieler Pflanzen und Thiere.

Wenn nun durch eine solche örtliche Ursache das Sauerstoff-Gas in einem, wenn auch noch so kleinen, Raume der Wolkengegend plötzlich gebunden und eben so plötzlich das von ihm aufgelös'te Wasser niedergeschlagen wird, so ist der Anfang zu einem Gewitter gemacht. Der wässerige Niederschlag ist positiv-elektrisch, und die kleine Wolke entladet sich Anfangs durch kleine, uns unsichtbare Funken. Diese elektrischen Entladungen zersetzen plötzlich Sauerstoff-Gas, wodurch dessen Wärmestoff frei wird. Zugleich ist eine nicht minder große Menge von Wärmestoff durch die Bildung des wässerigen

Niederschlages frei geworden. Hierdurch entsteht also neue Elektricität, welche von neuem Sauerstoff zersetzt wird, und neuen Dunst erzeugt u. s. w.

Wie es sich mit diesen elektrischen Ausbrüchen in allen Beziehungen verhält, wissen wir allerdings nicht vollständig anzugeben. Nur so viel ist gewiß, daß sie in der Atmosphäre selbst geschehen, und daß nur die heftigsten Blitze die Erdfläche erreichen. Der Leiter, auf welchen der Blitz losfährt, muß also in der Atmosphäre selbst anzutreffen seyn. Wir wissen, daß die Luft nie ganz frei von Niederschlag ist, welcher abwechselnd hier entsteht, dort wieder verschwindet. Sie besteht also aus abwechselnden, mehr oder minder feuchten, kleinern und größern Massen, welches auch der oft gebrochene Weg oder das Zickzack des Blitzes genugsam andeutet. Die trockenern Schichten sind dann gleichsam als Isolatoren zwischen der geladenen Wolke und den feuchtern Massen zu betrachten, welche verhindern, daß sich jene nicht still und allmählich entlade.

Es ist vorhin gezeigt worden, wie durch die ersten elektrischen Entladungen, mit welchen das Gewitter beginnt, plötzliche Zersetzungen des Sauerstoff-Gases verursacht und durch das Freiwerden großer Mengen von Wärmestoff neue Mengen von Elektricität erzeugt werden. Die Gewitterwolke trägt also den Grund zu ihrer Vergrößerung in sich selbst, und diese muß so lange zunehmen, bis alle diese vereinten Thätigkeiten zu der Größe gelangen, welche eben unser Staunen erregt. Die Dauer des Gewitters und die Menge des gelieferten Wassers würden indessen viel geringer seyn, als sie wirklich sind, wenn sich die ganze Erscheinung nur auf den Raum der Gewitterwolke beschränkte. Allein durch die Zersetzungen des Wasserdunstes und des Sauerstoff-Gases entstehen große leere Räume, welche die benachbarten Theile der Atmosphäre von allen Seiten dahin ziehen, und eben dieses Zusammenstürzen der Luftschichten in diesen leeren Räumen ist es, was den Schall des **Donners** erzeugt. Das leichtere Stickgas entweicht von dem Schauplatze dieser Zersetzungen in die Höhe und befördert das Hinströmen der umgebenden Luft, welche immer neue Stoffe zur Zersetzung herbeibringt und somit die Stärke der ganzen Thätigkeit vermehrt. Das Wasser also, welches als Regen aus einer Gewitterwolke von einer Körper- (Kubik-) Meile Ausdehnung herabfließt, ist das Wasser einer Luftmasse von vielleicht 20 und mehr solcher Meilen.

Es erscheint selten nur Ein Gewitter, sondern meistens zwei, drei, auch wohl mehr, in einiger Entfernung von einander. Je mehr sich jedes einzelne ausdehnt, desto näher muß es dem andern kommen; und zuletzt fließen alle diese kleinern Gewitter in Ein großes zusammen, welches über einen Länderraum von vielen Flächenmeilen seine Blitze und Regengüsse ausschüttet.

Durch die heftige Ausdehnung der Luft innerhalb des Schauplatzes, wo das Gewitter entsteht, wird eine bedeutende Verminderung der Temperatur hervorgebracht. Fällt diese unter den Frostpunkt herab, so entsteht der **Hagel**, welcher innerhalb der Wolke seine ganze Größe erreichen muß, indem seine größere Elektricität die benachbarten Waſſertheilchen von allen Seiten anzieht, die nun um ſo leichter an ihn anfrieren, je näher ſie an ſich ſchon dem Gefrieren ſind.

Hat endlich, nachdem das Spiel lange genug gedauert hat, die Luft einer ganzen Gegend ihren Waſſerdunſt abgegeben, und hat ſich durch die elektriſchen Ausbrüche eine an Sauerſtoff ärmere Luftſchicht um die Wolke her gelagert: ſo muß der Prozeß aufhören. Einer der vielen durch das Gewitter entſtandenen Winde behält meiſtens die Oberhand, führt die übrig gebliebene Wolke in eine andere Gegend und läßt den Schauplatz des Gewitters nun rein und hell.

In Betreff der letzten Hauptfrage: Was aus dem zerſetzten Sauerſtoff-Gas werde? geſteht Parrot, daß ſie die Naturlehre bis jetzt noch nicht genügend zu beantworten wiſſe. Nur ſoviel ſei gewiß, daß elektriſche Entladungen das Sauerſtoff-Gas verdichten und mit dem Waſſerſtoff verbinden; folglich müſſe der Gewitterregen ſtark mit dieſem Gas geſchwängert ſeyn. Obſchon es noch nicht im Regenwaſſer beſtimmt dargeſtellt worden ſei, ſo zeigen ſich doch Spuren davon in der wieder auflebenden Pflanzenwelt nach dem Gewitter. Ein Gewitterregen erquickt bekanntlich die Gewächſe ungleich mehr als jedes andere Waſſer. Auch behauptet Parrot, durch Verſuche gefunden zu haben, daß Metalle ſich im Waſſer von Gewitterregen ſtärker oxydiren (d. h. mit Sauerſtoff verbinden) als im reinen (deſtillirten) Regenwaſſer.

XXIII.

Beschluß des Vorigen.

Wir theilen in diesem Abschnitte noch die Meinungen einiger andern neuern Naturforscher, namentlich Forsters, Howards, Wells und Brandes, über die Entstehung der wässerigen Lufterscheinungen, als Anhang zu den vorigen Abschnitten mit.

Die Erscheinung der Haufenwolke an heitern Sommertagen, ihr Wachsen bis zur heißesten Tageszeit und ihr allmähliches Verschwinden bis kurz nach Sonnenuntergang, ist schon oben beschrieben worden. Brandes *) findet es einleuchtend, daß die bei der Tageswärme aufsteigenden Dämpfe, indem sie zu den höhern Gegenden der Atmosphäre gelangen, diese so dem Sättigungspunkte nahe bringen können, daß es nur einer geringen Veranlassung bedarf, um Niederschläge zu bewirken. Worin aber dieser, nur an einzelnen Stellen wirkende Anlaß bestehe, sei noch ungewiß. Oft möge eine bloße örtliche Abkühlung dazu hinreichen, und es ist, nach Brandes, nicht unwahrscheinlich, daß namentlich das über Bergen früher als über der benachbarten Ebene Statt findende Entstehen der Wolken hieraus zu erklären sei. „Der Zobtenberg" — fährt er fort — „der nur vier Meilen von Breslau entfernt ist, bietet uns zuweilen Gelegenheit dar, die Art, wie die über ihm schwebende Wolke sich bilde, genau zu beobachten; ich will eine solche Beobachtung hier anführen. Am 9. November 1816 gegen Mittag bemerkte ich eine

*) Beiträge rc. S. 315 u. ff.

über dem Gipfel des Zobtenberges schwebende Wolke, die ungeachtet des Ostwindes nicht von dort wegzog. Bei etwas längerer Aufmerksamkeit bemerkte ich, daß sie immer an der Ostseite neuen Zuwachs erhielt, daß diese neugebildeten Theile der Wolke gegen den Gipfel hin, und über ihn weg, fortzogen, aber sobald sie ein wenig über ihn hinaus waren, dünner wurden und ganz verschwanden. Die Wolke schien daher zu ruhen, obgleich jeder ihrer Theile vom Winde fortgetrieben ward, und nur genauere Aufmerksamkeit auf die, bald etwas dichter und ausgedehnter bald etwas sparsamer gebildeten Dunstmassen, die sich über den Berg wegzogen, konnte mich vergewissern, daß diese stets erneuerte Wolkenbildung auf die eben beschriebene Art Statt finde. Die Wolke, welche eine unregelmäßige Haufenwolke war, stand etwa mit ihrer untern Seite 500 Fuß über dem Gipfel des Berges; die Höhe der Wolkenmasse, die etwa halb so hoch als der Zobtenberg selbst erschien, mochte 1000 Fuß betragen. Offenbar war hier die so hoch über der Ebene liegende Luftschichte mit vielen Wasserdämpfen beladen, die in der offenen Gegend über der Ebene sich in einer hinreichend warmen Luft befanden, um durchsichtig zu bleiben, aber in der Nähe des, wahrscheinlich kältern, Berggipfels als niedergeschlagene Dünste sichtbar wurden. So wie der Wind nun neue Dämpfe hintrieb, so wurden sie niedergeschlagen, und wenn er sie über die kalte Gegend hinausführte, so kehrten sie wieder in ihren durchsichtigen Zustand zurück. Etwas später entstanden auch in andern Gegenden mehre Haufenwolken, woraus man also schließen durfte, daß die Nähe des Berges die schon eintretende Disposition (Geneigtheit) zu Bildung solcher Wolken früher zur Reife brachte."

Auch Howard *) vermuthet, daß die an heitern Tagen vorkommenden Haufenwolken größtentheils einer örtlichen Abkühlung der Luft zuzuschreiben seien. Die untere wagrechte, wie abgeschnittene, Grundfläche dieser Wolken, rührt daher, daß sie auf einer wärmern Luftschicht ruht, welche gerade noch im Stande ist, die Feuchtigkeit in dem Zustande der Durchsichtigkeit oder Auflösung zu erhalten. Brandes glaubt, daß jene Abkühlungen nur mitwirkende Ursachen zur Entstehung der Wolken, aber nicht als Hauptursache anzusehen seien. Für diese letztere hält er die Elektricität. Daß diese Wolken elektrisch sind, zeigt sich, wie er sagt, nicht nur bei ihrer vollendeten Ausbildung im Gewitter, sondern auch schon früher, durch ihren Einfluß auf das Elektrometer, vorzüglich auf den elektrischen Drachen. Man findet die auf der Erde ruhenden Nebel stärker elektrisch als die heitere Luft, und Volta bemerkt, daß die höher in der isolirenden Luft schwebenden Wolken die einmal erhaltene Elektricität noch mehr unverringert behalten müssen. Auch die wagrechte Grundfläche der Haufenwolken scheint von der Elektricität herzurühren, indem sie von der Erde und den untern Luftschichten abgestoßen wird. Brandes

*) Bei Brandes, a. a. O. S. 317. Man sehe auch: Untersuchung über die Wolken und andere Erscheinungen in der Atmosphäre von Th. Forster rc. 2te Ausg. Aus dem Engl. Leipz. 1819.

will bemerkt haben, daß an schwülen Tagen, wo Gewitter zu erwarten sind, die scharf abgeschnittene Grundfläche auffallender sei als zu andern Zeiten. Die wichtigste Bestätigung jedoch für die Einwirkung der Elektricität auf die Bildung der Haufenwolken findet er in Volta's Beobachtung, daß die Haufenwolken sich gern wieder da bilden, wo sie sich den Tag vorher gebildet hatten, und wo die Luft noch elektrisirt ist. Volta bemerkte sehr oft ein täglich erneuertes Entstehen von Gewitterwolken in den Thälern und Bergschluchten, wo sie am Tage vorher gestanden hatten, und seine Beobachtung zeigte, daß nicht etwa örtliche Umstände das eine oder das andere Thal zur Wolkenbildung geschickter machten, sondern daß irgend ein Thal, wenn sich einmal eine Gewitterwolke darin gelagert hatte und ohne völlige Entladung verschwunden war, an jedem folgenden Tage zu neuen Wolkenbildungen vorzüglich geschickt schien. Hier nämlich, in der von gestern her elektrisirten und oft auch stark abgekühlten Luft, bildete sich der erste Keim der Wolke; hier wurde sie allmählich dichter und kam oft auch hier zur völligen Ausbildung und zum Ausbruche des Gewitters.

Das Verschwinden der Wolken gegen Abend und vorzüglich nach Sonnenuntergang erklärt Brandes durch die zuerst von De Luc gemachte Beobachtung, daß die obern Luftschichten, welche immer trockner sind, sich Abends, wo die untere Luft sich verdichtet und ihre Feuchtigkeit fallen läßt, weiter herabsenken. Sind also um diese Zeit Haufenwolken vorhanden, so müssen sie sich aufzulösen anfangen, wenn jene trocknere Luftschicht ihren Gipfel berührt. Die auf einander gethürmten Wolkenmassen werden abgeflächter, die Wolken werden dünner und gehen endlich in eine Art von federiger Schichtwolke über, die aber auch nicht lange besteht, sondern, immer dünner werdend, endlich ganz am sternhellen Himmel verschwindet. Aehnliches hat Brandes auch nach anhaltend trüber Witterung an der Haufenwolke bemerkt, wenn ein trockner Ostwind entsteht und heitres Wetter bringt.

Auch zur Entstehung der übrigen Wolkengattungen trägt nach Howard, Forster und Brandes die Elektricität sehr Vieles bei. Wir können jedoch nicht länger dabei verweilen, und theilen daher nur noch Einiges von den Meinungen dieser Naturforscher über den Regen, das Gewitter, den Hagel und den Thau mit.

Für eine Hauptbedingung des Regens hält Brandes das gleichzeitige Entstehen und Auf-einander-einwirken zweier Wolkenschichten, deren Entfernung von einander bald größer bald kleiner seyn kann. Und wenn auch gerade dieses Vorhandenseyn zweier Wolkenschichten nicht immer zum Ausbruche des Regens unumgänglich nöthig seyn sollte: so hängt doch die Fortdauer desselben davon ab. „Nicht so sehr die einzelnen dicken Regenschauer" — sagt Brandes — „die wir heranziehen sehen, sind es, die uns mehrtägigen Regen vermuthen lassen, sondern diesen erwarten wir dann vorzüglich, wenn eine höhere Wolkenschicht den Himmel oberhalb der dicken Wolken ganz oder zum Theil verdeckt, oder wenigstens ihm ein weißliches Ansehen giebt."

Was die bei dem Gewitter sich äussernden Naturthätigkeiten betrifft: so findet Brandes auch hier es wahrscheinlich, daß, während oben in der Luft jene großen Wassererzeugungen Statt finden, und sich oberwärts die Wolkenmasse immer weiter ausbreitet, auch von unten her ein immer neuer Zufluß von Dampf und Luft eintreten müsse, weßhalb wir die kleinen und größern Haufenwolken, indem sie unter der Regenwolke anlangen, gleichsam von ihr aufgesogen, aus den Augen verlieren. Etwas Aehnliches möge auch früher schon Statt finden und Ursache der schwülen gewöhnlich so drückenden Stille seyn. Gleichwohl scheint, ungeachtet dieses großen chemischen Prozesses, keine Veränderung in den Eigenschaften der Luft vorzugehen, was man doch nach der Abscheidung einer so beträchtlichen Menge von Wasser und Elektricität vermuthen sollte.

Um das Auffallende dieser ganzen Erscheinung zu erklären, stellt Brandes eine Vergleichung derselben mit der Wasserzersetzung durch die Voltaische Säule an. Hier sehen wir an der negativen Seite (dem Kupferpole) eine unaufhörliche Entbindung von Wasserstoff-Gas, und sind daher geneigt zu fragen, wo denn hier der andere Bestandtheil des Wassers, der Sauerstoff, bleibe. Das umgebende Wasser fährt gleichwohl während dieses ganzen Vorganges fort, alle chemische und physische Eigenschaften, die es früher besaß, ganz unverändert zu zeigen, und die Erscheinung würde höchst dunkel seyn, wenn die positive Seite (der Zinkpol), wo sich Sauerstoff entbindet, ewig vor unsern Augen verborgen wäre. Ungefähr so, glaubt Brandes, verhält es sich auch mit der Wolken- und Gewitterbildung. Hier entsteht Wasser an dem einen Ende der Kette; das andere Ende aber ist uns verborgen und wir wissen nicht, was dort vorgeht. Bei der Wasserzersetzung durch die galvanische Säule bleibt das Wasser darum unverändert, weil das erste Theilchen zwar seinen Wasserstoff abgiebt, aber ihn sogleich vom zweiten wieder empfängt, so wie dieses ihn vom dritten, und so fort durch die ganze Kette, zurückerhält, so daß erst beim letzten Theilchen am positiven Pole der Säule der frei gewordene Sauerstoff hervortritt. Etwas Aehnliches könnte wohl auch beim Regen und Gewitter Statt finden. Brandes glaubt, daß das uns verborgne, in der Atmosphäre gar nicht wahrnehmbare Ende der Kette uns ganz nahe liege, und daß vielleicht unser eigener Körper mit dazu gehöre, ohne daß wir es deutlich bemerkten. Ueberhaupt habe bis jetzt noch nicht erforscht werden können, ob nicht Erde, Pflanzen und Thiere während jener großen Erscheinungen ihr Verhältniß zu der sie umgebenden Luft ändern. „Wenn ich die Absicht hätte," — fährt Brandes fort — „diesen hingeworfenen Gedanken zu einer Hypothese auszubilden: so könnte ich an die Einwirkung der Berge auf die Wolken, an die Behauptung, daß das Klima der Länder sich verändere und namentlich der Regen minder reichlich, nicht so in plötzlichen Regenschauern herabströme, nachdem die Wälder umgehauen sind, und der Boden urbar gemacht ist, erinnern; ich könnte die unruhigen Bewegungen des Wettersees in Schweden, welche Ungewittern vorhergehen *), die Erdbeben, die man zuweilen als mit Gewittern und Orkanen gleichzeitig angegeben hat, das Erlöschen der Grubenlichter in den Bergwerken bei bevorstehenden Ungewittern, und ähnliche Erscheinungen mehr anführen. Und ist nicht die Schwüle selbst, die wir vor Gewittern empfinden, eine Einwirkung, die nicht der (durch das Thermometer wahrnehmbaren) Hitze allein kann zugeschrieben werden? Behauptet man nicht, daß kein Begießen das Gedeihen der Pflanzen so sehr befördere, als der Regen und zumal der Gewitterregen? Und könnte man also nicht vermuthen, daß beim Gewitter ein den Pflanzen heilsamer, den Menschen und Thieren drückender und oft sogar schädlicher Prozeß Statt finde?" **)

In Bezug auf den Donner findet Brandes die

*) Der Beja-See in Portugal, der Staffordshirer-See in England, und der Bergsee auf Domingo, kündigen ein bevorstehendes Gewitter durch ein eignes heftiges Getöse in ihrer Tiefe an. Man s. den III. Bd. dieses Werkes, S. 205.

**) Ich sollte nicht glauben, daß bei dem Einflusse des Gewitters auf die Thiere und Pflanzen ein solcher Unterschied zu machen sei. So lange sich Menschen und Thiere beängstigt fühlen, ist das Gewitter noch nicht ausgebrochen, und alsdann stehen auch die Pflanzen noch welkend und nach Feuchtigkeit schmachtend da. Der Einfluß des Gewitters vor seinem Ausbruche oder während seiner Bildung ist also für Pflanzen und Thiere gleich drückend. Sobald aber das Gewitter zum Ausbruche kommt und der Regen in Strömen herabstürzt, so erholen sich nicht nur die Pflanzen, sondern auch der Mensch und das Thier fühlen sich neu belebt, und die frühere Aengstlichkeit schwindet immer mehr. Das Ganze dieser Erscheinung ist übrigens, nach Brandes genialer Ansicht, sehr leicht zu erklären.

Bemerkung wichtig, daß er anders ist bei den auf- oder seitwärts, als bei den zur Erde herabfahrenden Blitzen. Er glaubt auch beobachtet zu haben, daß die Blitze, welche er für hinter den Wolken entstehend ansah (die also an sich selbst nicht sichtbar werden, sondern bloß die Wolken erleuchten), gar keinen Donner gaben, während die als Funken aus derselben Wolke hervorschlagenden Blitze mit lautem Donner begleitet waren. Zu bemerken ist noch der Unterschied zwischen dem rollenden, allmählich beginnenden und langsam verschwindenden Donner, und dem meist auf einschlagende Blitze folgenden kurzen Donner, der zuweilen einem Kanonenschusse gleicht, zuweilen auch mit einem bloßen Knattern oder Prasseln beginnt. Zur Erklärung dieser Verschiedenheit des Donners führt Brandes eine Stelle aus des italiänischen Naturforschers Bellani Abhandlung über Gewitter und Hagel an. Dieser sagt nämlich, man unterscheide beim Donner den ersten Knall, welcher durch den die Wolken zertheilenden Blitz bewirkt wird, von dem Rollen des Donners, und in Uebereinstimmung damit unterscheide man auch den als Funken aus der Wolke hervorbrechenden Blitz von dem mindern lebhaftern Lichte, welches sich gleich darauf matter und mehr ausgebreitet durch die ganze Wolke erstreckt. Jener Funke sei der durch Luft und Dampf gewaltsam hindurch brechende elektrische Strahl; dieses hingegen sei eine im Fortgange des Blitzes entstehende Mittheilung der Elektricität an die umgebenden Luft- oder Dunsttheile. Bei einem Schlage, der gerade gegen die Erde zu gehe, treffe der Blitz auf wenigere Dunstmassen, an welche eine solche Mittheilung Statt finde; dagegen sei die Entladung mit jenem matten Nachleuchten und mit einem dauernden Rollen des Donners nur dann begleitet, wenn der Blitz wagrecht, oder aufwärts gegen andere Wolkenmassen zufährt.

Brandes stimmt dieser Erklärungsart bei und fügt noch seine Vermuthung hinzu, daß das Rollen des Donners auf wiederholte plötzliche Entladungen (Explosionen) hindeuten möge. Liege nun bei einem herabwärts schlagenden Blitze der Ort jeder folgenden Entladung dem Beobachter näher, so gelange der durch die ersten Entladungen erregte Schall, welcher langsamer als der Blitz fortgeht, gleichzeitig mit dem durch die letzten Entladungen bewirkten Schalle (vielleicht noch später) zum Ohre; der Schall ist also kurz, ohne Nachhall und Rollen. Geht dagegen der Blitz aufwärts, so gelangen die später und zugleich in größerer Entfernung entstandenen Donnerknalle, vorzüglich wegen ihrer immer größern Entfernung, später zu unserm Ohre, und ein Blitz, dessen ganze Wirkung nur eine Sekunde dauert, aber vielleicht sich durch 6000 Fuß weit in einer ziemlich geraden, von uns abwärts gerichteten Linie fort erstreckte, müßte einen 7 Sekunden langen Donner geben *).

Auch Helwig's Erklärung des langen, rollenden Donners ist der Aufmerksamkeit nicht unwerth. Er ge=

*) Der Schall durchläuft nämlich in einer Sekunde im Durchschnitt ungefähr 1040 Pariser Fuß. Veränderungen in den physischen und chemischen Eigenschaften der Luft, so wie ihre Ruhe oder Bewegung, können die Fortpflanzung des Schalls bald beschleunigen, bald verzögern.

rieth bei seinen Beobachtungen über den gebrochenen, einem Zickzack gleichenden Weg des Blitzes auf die Vermuthung, daß bei jedem Abspringen desselben von seiner vorigen Richtung auch ein neuer Donnerknall entstehen möge *).

Brandes kommt bei dieser Gelegenheit auch auf das sogenannte Wetterleuchten. Er hält die gewöhnliche Erklärungsart desselben, daß es nämlich der Wiederschein sehr entfernter Gewitter am Horizonte sei, nicht für unwahrscheinlich, sagt aber doch, daß er das Wetterleuchten oft bei ganz heiterem Himmel gesehen habe, wo die Luft gar nicht so aussah, als ob in 20 Meilen Entfernung ein Gewitter seyn könnte. Er glaubt also, daß das Wetterleuchten auch bei ganz heiterm Himmel entstehen könne und führt zur Bestätigung dieser Vermuthung Folgendes an. Als er im August 1817, an einem schönen hellen Abende, und bei einer Witterung, wo man wohl Wetterleuchten zu erwarten pflegt, Beobachtungen über Sternschnuppen anstellte, sah er hoch am Himmel ein plötzliches, nur einen Augenblick dauerndes Licht, das fast an derselben Stelle erlosch, wo es entstanden war. Dieser schnelle Blitz aus heiterm Himmel, meint Brandes, konnte in größerer Entfernung gar wohl als Wetterleuchten erscheinen. Aehnliche Lichterscheinungen versichert er auch zu andern Zeiten gesehen zu haben. Sie unterscheiden sich von den gewöhnlichen Sternschnuppen dadurch, daß sie mehr einer großen, schnell erlöschenden Flamme

*) Gilbert's Annalen rc. XXI. Bd. S. 139 — bei Brandes, a. a. O. S. 353.

(obgleich auch dieß nicht die rechte Bezeichnung sei) gleichen, während jene als Funken, oder als fortziehende kleine Kugeln erscheinen.

In Bezug auf den Hagel ist Brandes nicht ungeneigt, der Meinung Volta's beizutreten. Dieser behauptet, daß die Bildung des Hagels schon lange vor dem Herabfallen desselben in der Gewitterwolke beginne, und daß dadurch die oft so außerordentliche Größe der Hagelkörner entstehe, welche durch ein bloßes Anfrieren von Dünsten, die sich beim Herunterfallen der Hagelkörner mit ihnen vereinigen, nicht zu erklären sei. Volta glaubt, das Geräusch, welches man schon vor der Ankunft des Hagelwetters hört, entstehe durch ein Hin- und Herwerfen der Hagelkörner in der Wolke selbst. Es entsteht hier freilich die Frage: Wie können solche Eisklumpen so lange in der Luft hangen bleiben? Volta sucht sie dadurch zu beantworten, daß er zwei entgegengesetzt elektrisirte Wolkenschichten über einander annimmt, zwischen welchen also die Schnee- und Hagelkörner hin- und hergeworfen werden, indem jede Schicht sie abwechselnd anzieht und wieder abstößt. Während nämlich die obere Seite der untern Wolke die Hagelkörner aufwärts abstößt, und wenn sie herabfallen, sie abermals in die Höhe wirft, vergrößert sich nun der Hagel, und nimmt so lange zu, als jene abstoßende Kraft stark genug ist, sein Herabstürzen zu verhindern.

Unter den Vorzeichen von Gewittern erwähnt Brandes auch eines bisher nur wenig bekannten oder beachteten, nämlich einer großen Wärme in den höhern

Luftschichten. Er versichert bei seinen Beobachtungen über die Strahlenbrechung bei schwüler Gewitterluft sehr häufig eine so starke Brechung, nämlich eine oberwärts erhabne (convexe) Krümmung der Lichtstrahlen gefunden zu haben, daß nur ein starker Unterschied in der Temperatur der untern und obern Luftschichten sie zu erklären vermöge. Er hat oft bei nicht mehr als 18 Fuß Höhe die Wärme schon um $1\frac{1}{2}$ Grad Reaum. größer gefunden als in 4 Fuß Höhe. Daß eine ähnliche Wärme in der Höhe, vor Gewittern, über dem Meere noch in stärkerm Grade vorhanden sei, beweisen ihm die Erscheinungen der (von uns weiter unten zu behandelnden) Luftspiegelung. Die vervielfältigten Bilder der Gegenstände, welche die Spiegelung oberwärts zeigt, können nur dann entstehen, wenn die Luft in der Höhe eine viel geringere Dichtigkeit hat, als die gewöhnliche, und diese könne wohl nur durch große Wärme hervorgebracht werden. Wie groß die Wärme in der obern Luft werden kann, davon erzählt La Peyrouse ein Beispiel. Als er sich am 26. Mai 1787 nach einem sehr schönen Tage zwischen Japan und Korea befand, zeigten die oben auf den Masten stehenden Wachen an, daß sie glühend heiße Dünste fühlten, die vorübergingen, aber nach Zwischenräumen von einer halben Minute sich folgten. Die hinaufgeschickten Offiziere fanden diese Beobachtung völlig richtig und bemerkten, daß das Thermometer, welches auf dem Verdeck 14 Grad stand, oben auf 20 Grad stieg, obgleich jene heißen Winde schnell vorübergingen, und daher wahrscheinlich das Thermometer nicht ganz so hoch brachten, als ihre Wärme es eigentlich gefodert hätte. Dieser Beobachtung folgte noch in derselben Nacht ein Sturm. „Es erhellt hieraus," — setzt Brandes hinzu, — „daß bei der Entstehung von Gewittern, selbst in der Nähe der Erde, Veränderungen vorgehen, die wir gar nicht vermuthen, und deren Kenntniß vielleicht zur Erklärung jener großen Lufterscheinung sehr wesentlich seyn mag."

Was den Thau betrifft, so scheint die Erklärungsart desselben, welche der Engländer Wells aufgestellt hat, wohl die richtigste von allen bisherigen zu seyn. Wir haben schon oben S. 258 seiner zahlreichen und sorgfältigen Beobachtungen und Versuche gedacht, wodurch er bewiesen hat, daß die Abkühlung der Körper, welche dem Bethauen derselben vorhergeht, die Ursache des Thau-Niederschlages ist *). Die Feuchtigkeit der wärmern Atmosphäre setzt sich nämlich an den kältern Körpern eben so ab, wie im Winter bei plötzlichem Thauwetter an kalten Mauern, wo man dann gewöhnlich sagt, daß die Kälte ausschlage. Die Dünste, welche aus Wasser und Wärmestoff bestehen, lassen bei der Berührung mit dem kalten Körper den Wärmestoff fahren und das Wasser setzt sich in tropfbar-flüssiger Gestalt an jenem ab. Dasselbe geschieht auch bei dem sogenannten Schwitzen der Fenster und beim Beschlagen eines kalten Gefäßes, das man in eine warme Stube bringt,

*) Von seiner oben angeführten Schrift hat Horner in Zürich eine teutsche Uebersetzung herausgegeben, unter dem Titel: W. C. Wells Versuche über den Thau und einige damit verbundene Erscheinungen. Zürich, 1821.

oder worein man eine warme Flüssigkeit gießt u. s. w. Das Eigenthümliche der Wells'schen Erklärungsart des Thaues besteht nun darin, daß er annimmt, die erwähnte Abkühlung der Körper, wodurch sie den Thau-Niederschlag veranlassen, geschehe durch Ausstrahlung der Wärme *). Wenn ein Körper, sagt er, mit andern gleich warmen, ohne sie jedoch zu berühren, umgeben ist: so verliert er durch die Ausstrahlung nicht so viel Wärme, als wenn er ganz frei und von ihnen entfernt wäre, weil nämlich die von ihnen gleichfalls ausstrahlende Wärme auf ihn zurückfällt und seinen Verlust zum Theil wieder ersetzt. Wenn nun ein Körper dem freien Himmel so ausgesetzt ist, daß keine Gegenstände über ihm vorhanden

*) Um sich von der Verbreitung der Wärme durch Strahlen, auf die Art, wie beim Lichte, zu überzeugen, kann man folgenden Versuch anstellen. Zwei Hohlspiegel werden in einer Entfernung von mehren Fußen einander so gegenüber gestellt, daß ihre Axen zusammenfallen. In dem Brennpunkte des einen Spiegels bringt man ein sehr empfindliches Thermometer an, und in den des andern stellt man einen erhitzten Körper, z. B. eine glühende Kohle. Man wird nun bemerken, daß das gegenüberstehende Thermometer sogleich zu steigen anfängt. Dieß kann aber nur dadurch geschehen, daß von dem heißen Körper Wärmestrahlen ausgehen, welche zuerst auf den Spiegel, in dessen Brennpunkte er liegt, fallen, von diesem Spiegel aber auf den gegenüberstehenden, und von demselben wieder in seinen Brennpunkt, worin sich die Kugel des Thermometers befindet, zurückgeworfen werden. Durch einen ähnlichen Versuch, bei welchem man aber, anstatt des heißen Körpers, einen kalten, z. B. ein Stückchen Eis, nimmt, läßt sich auch darthun, daß die Kälte sich strahlenartig nach allen Seiten ausbreitet. Das Thermometer wird bei diesem Versuche fallen.

sind, die ihrerseits Wärme durch Ausstrahlung verlieren und ihm zusenden: so kann der Verlust an Wärme, den er durch seine eigne Ausstrahlung erleidet, nicht wieder ersetzt werden, und er muß also, wie die Beobachtungen zeigen, bald kälter werden, als selbst die ihn umgebende Luft. Aus den Beobachtungen, welche nicht nur Wells, sondern auch Pictet, Wilson und Six angestellt haben, ergiebt sich, daß in stillen und heitern Nächten der Unterschied der Temperatur zwischen der Erdfläche und der Atmosphäre viele Grade beträgt, und zugleich auch, daß die Wärme in solchen Nächten, ganz gegen die gewöhnliche Regel, mit dem Abstande von der Erde zunimmt. So fand z. B. Six, daß von zwei Thermometern, deren eines 220 Fuß, das andere nur 7 Fuß über dem Erdboden aufgestellt war, das höhere 4 bis 5 Grad mehr Wärme zeigte, als das tiefere. Wells glaubt, daß bei ganz heiterem Himmel der Unterschied noch größer seyn würde, wenn nicht seitwärts befindliche Gegenstände einander gegenseitig ihre ausstrahlende Wärme zusendeten oder auch beim Niederschlagen des Thaues selbst nicht ein Freiwerden von Wärme einträte.

Man sieht, daß sich aus dieser Ansicht alle beim Thau vorkommenden Erscheinungen, wie wir sie oben (S. 258) bereits angeführt haben, sehr ungezwungen und befriedigend herleiten lassen. Sie können im Allgemeinen auf folgende vier zurückgeführt werden:

1) Derselbe Körper wird desto stärker bethaut, je weniger er mit andern Körpern umgeben ist, die ihm durch Ausstrahlung Wärme zusenden, oder die von ihm

selbst ausgestrahlte Wärme wieder auf ihn zurückwerfen können, wie dieß z. B. in der Nähe einer Wand der Fall seyn wird.

2) Eben so wird derselbe Körper, unter übrigens gleichen Umständen, desto mehr bethaut werden, je heiterer der Himmel ist. Wenn nämlich Wolken den Letztern bedecken, so sind diese theils als selbst wärmestrahlende, theils als zurückwerfende Körper anzusehen.

3) Von zwei oder mehren Körpern wird, unter gleichen Umständen, derjenige am stärksten bethaut werden, dessen Oberfläche das meiste wärmestrahlende Vermögen hat. Glas z. B. wird stark, eine glatte Metallfläche fast gar nicht bethaut.

4) Der Thau ist häufiger bei ruhiger, als bei bewegter Luft. Im letztern Falle wird nämlich theils durch immer neue Luftwellen Wärme von entferntern Körpern herbeigeführt, theils auch die Ausstrahlung verhindert und das allenfalls sich niederschlagende wenige Wasser augenblicklich wieder aufgetrocknet *).

Am Schlusse dieser Betrachtungen über den Thau muß noch bemerkt werden, daß sich zuweilen, besonders in nebeligen Nächten, eine Feuchtigkeit am Erdboden und andern Körpern absetzt, welche zwar dem Thau ähnlich, aber gleichwohl nicht einerlei mit demselben ist. Sie ist nämlich ein allgemeiner Niederschlag aus der mit wässerigen Dünsten erfüllten Luft und unterscheidet sich vom eigentlichen Thau dadurch, daß sie alle Körper

*) Neumanns Lehrbuch der Physik, II. Theil, S. 101 u. ff.

ohne Ausnahme befeuchtet, während, wie wir gesehen haben, beim Letztern manche trocken bleiben *).

XXIV.

Von den leuchtenden oder glänzenden Lufterscheinungen; insbesondere vom Regenbogen.

Unter den leuchtenden oder glänzenden Lufterscheinungen, welche auch wohl optische genannt werden, steht der Regenbogen oben an. Es ist ein bogenförmig gekrümmter Streifen, der in einer der unbedeckten Sonne gegenüberstehenden Regenwolke erscheint, wenn sich der Zuschauer gerade zwischen der Sonne und der Wolke befindet. Man unterscheidet in ihm sieben Farben, welche vom äußern Rande nach dem innern in folgender Ordnung auf einander folgen:

Roth,
Rothgelb (Orange),
Gelb,
Grün,
Hellblau,
Dunkelblau,
Veilchenblau (Violett).

Da der Regenbogen nur der Sonne gegenüber erscheint, so können wir ihn des Morgens nur in Westen,

*) Wells, teutsche Uebers. S. 53.

und des Abends nur in Osten erblicken. Auch kann er für uns Bewohner der nördlichen Erdhälfte niemals in Süden erscheinen, so wenig als für die Bewohner der südlichen Halbkugel in Norden. Die Erhebung des Regenbogens über den Horizont hangt von der Höhe der Sonne ab. Wir müssen ihn uns nämlich als einen vollkommnen Kreisbogen (Cirkel) denken, von dem aber nur ein Theil sich über dem Gesichtskreise befindet. Dieser Theil ist um so größer, je tiefer, und um so kleiner, je höher die Sonne steht. Die größten Regenbogen erscheinen daher zur Zeit des Auf- oder Unterganges der Sonne. Es entsteht alsdann die obere Hälfte des Kreises am Himmel und der Mittelpunkt liegt im Horizonte. Da der größte Halbmesser des Bogens nicht mehr als 42 Grad und 17 Minuten beträgt: so darf die Sonne diese Höhe am Himmel nicht erreichen, wenn noch ein Theil des Bogens über den Horizont hervorragen oder sichtbar werden soll. Daraus erklärt es sich, warum Regenbogen im Norden viel seltner sind als in Osten oder Westen. Sie können bei uns nur im Spätherbste, Winter und Vorfrühlinge sich ereignen, weil nur zu dieser Zeit ein hinlänglich tiefer Stand der Sonne um die Mittagszeit eintritt, können aber auch selbst in diesem günstigsten Zeitpunkte keine bedeutende Erhebung haben, weil immer noch so viel von dem Halbmesser des Bogens unter dem Horizonte bleibt, als die Erhebung der Sonne über denselben beträgt.

Meistentheils bemerkt man über dem eigentlichen oder Haupt-Regenbogen, in einer Entfernung von etwa 12 Graden noch einen zweiten, der mit ihm parallel läuft und der äußere genannt wird, aber nicht so lebhafte Farben hat, als der erste, und diese Farben auch in umgekehrter Ordnung zeigt, nämlich die veilchenblaue nach außen, und die rothe nach innen. Zuweilen nimmt man auch noch innerhalb des Hauptbogens einen oder mehre, mit ihm gleichlaufende, wahr, welche gleichfalls immer schwächer leuchten und die Farben, je in Bezug auf den vorigen, in verkehrter Ordnung zeigen. Es gehört ein seltnes Zusammentreffen günstiger Umstände, nämlich eine große, weit ausgebreitete, dichte Regenwand und eine rein und hell strahlende Sonnenscheibe dazu, um dem Erdenbewohner das prachtvolle Schauspiel eines vollständigen Regenbogens mit seinen Nebenbogen zu gewähren. Wenn die Regenwand keine hinlängliche Breite oder Höhe hat, so bilden sich nur einzelne, kurze, Stücke des Bogens, welche man Wassergallen oder Regengallen nennt.

Nur im platten Lande scheint der Regenbogen genau vom Horizonte begränzt zu werden. Befindet sich aber der Beobachter auf einer Berghöhe, und sieht er den Regen, auf welchen die hinter ihm befindliche Sonne scheint, bis in die tiefsten Gegenden fallen: so sieht er auch den Regenbogen noch vor dem Horizonte, so weit, als der Regen fällt, und es scheint derselbe mit den Schenkeln gleichsam auf den Feldern aufzustehen, auf welche die vordersten Regentropfen niederfallen.

Unter die sehr seltenen Regenbogen gehören die kurz nach Sonnenuntergange, oder kurz vor Sonnenaufgange, dergleichen bei London und zu Altorf im sächsischen Vogtlande gesehen worden sind. Die Mittelpunkte solcher Regenbogen müssen nothwendig über dem Gesichtskreise des Beobachters liegen *).

Der Engländer Langwith **) sah einst einen liegenden Regenbogen. Er erstreckte sich auf die Erde einige Hundert Ellen fort, und wurde dann von einem höher gelegenen Felde unterbrochen. Seine Gestalt war dem Anscheine nach ein Stück von einer Hyperbel ***). Die erhobene Seite war dem Auge des Beobachters zugekehrt, und die Farben in den ihm zunächst liegenden Theilen des Bogens nahmen einen schmälern Raum ein, und waren lebhafter als in den entferntern Theilen.

Wenn die Tropfenwand sich nahe genug beim Auge befindet, und dieses eine solche Stellung hat, daß es 42° unter dem Mittelpunkte des Bogens noch Tropfen erblickt, auf welche die Sonnenstrahlen fallen: so erscheint der Regenbogen als ein völliger Kreis. Dieser Fall findet Statt bei Staubregen, welche von großen Wasserfällen, Springbrunnen u. dgl. m. entstehen ****).

Auch in den Tropfen des Meerwassers, bei großem

*) Fischer, Art. Regenbogen.

**) Philos. Transact. Vol. XXXI. Nr. 369. S. 229 — bei Fischer, a. a. O.

***) Was eine Hyperbel sei, findet man im ersten Bande dieses Gemäldes der phys. Welt, S. 336 in der Anmerkung erklärt.

****) S. den dritten Band dieses Werkes, S. 147 u. a., eben so mein Taschenbuch zur Verbreitung geographischer Kenntnisse rc. für 1823 S. 480.

Wellenschlage zur Zeit eines Sturmes oder bei der Brandung, bilden die Sonnenstrahlen farbige Bogen, dergleichen man oft 20 bis 30 zugleich sieht, die aber in der Regel nur zwei Farben, nämlich Gelb gegen die Sonne zu, und Grün auf der andern Seite zeigen. Sie heißen Meer-Regenbogen, verdienen aber diesen Namen nicht.

Es giebt auch Mond-Regenbogen, die auf die nämliche Art wie die Sonnenbogen, durch das Mondlicht zur Zeit des Vollmonds entstehen. Sie sind sehr selten und können begreiflich nur sehr matt leuchten. Der Spanier Ulloa hat am 4. April 1738 drei solcher Mondregenbogen gesehen, deren mittlerer 60° Durchmesser hatte *).

Unter den Erklärungsarten des Regenbogens ist die von Newton zuerst gründlich auseinandergesetzte, wenn auch ihm nicht ganz eigenthümliche, die gangbarste. Sie gründet sich auf die Brechbarkeit der Lichtstrahlen, auf die Zurückwerfung derselben von den innern Wänden der Regentropfen und auf die Zerlegung des weißen Lichts in sieben farbige Strahlen.

Es ist bekannt, daß sich das Licht in geraden Linien fortpflanzt, welche man Strahlen nennt. Fällt ein solcher Strahl auf einen Körper, so wird er von demselben zurückgeworfen, und er pflanzt sich nun ebenfalls wieder in gerader Richtung fort, so lange bis er auf einen zweiten Körper stößt, der ihn wieder zurückwirft, u. s. w.

*) Voyage au Pérou. Vol. I. p. 368 — bei Fischer, a. a. O.

Es kommt auf die Beschaffenheit des Körpers, insbesondere auf seine Oberfläche an, ob diese Zurückwerfung des Lichts stärker oder schwächer ist. So wird z. B. das Licht von weißen Körpern stärker zurückgestrahlt, als von gefärbten; eben so auch stärker und vollkommner von glatten Oberflächen als von rauhen. Auf dieser Zurückwerfung der Lichtstrahlen beruht überhaupt die Sichtbarkeit aller nicht-leuchtender Körper. Auch die durchsichtigen Körper, d. h. diejenigen, welche den größten Theil des Lichts durch sich hindurchgehen lassen, werfen dennoch einiges davon zurück, und werden eben deßhalb für uns sichtbar. Daß wir die uns zunächst umgebende Luft nicht sehen können, rührt nicht bloß von ihrer außerordentlichen Durchsichtigkeit, sondern auch davon her, daß wir uns mitten in derselben befinden, und nach keiner Seite hin eine Begränzung derselben wahrnehmen. In beträchtlicher Entfernung, wo wir also eine große Menge hinter einander liegender Lufttheilchen erblicken, wird die Luft allerdings sichtbar und zeigt, wie bekannt, eine blaue Farbe.

Jede glatte Oberfläche eines das Licht zurückwerfenden Körpers heißt ein Spiegel. Die Oberfläche einer ruhig stehenden Menge Wassers oder Quecksilbers, oder eines andern tropfbarflüssigen Körpers ist ein natürlicher Spiegel. Eine geschliffene Glasplatte, welche an ihrer Hinterfläche mit einem Quecksilber-Amalgam überzogen ist, eine geglättete (polirte) Metallfläche u. dgl. ist ein künstlicher Spiegel.

Die Gesetze, nach welchen die Lichtstrahlen von der

Oberfläche eines Körpers, sie sei gerade oder krumm, zurückgeworfen werden, sind die nämlichen, welche beim Zurückprallen fester und praller (elastischer) Körper Statt finden, wenn diese auf eine unbewegliche Fläche stoßen. Ein Beispiel davon geben die Kugeln auf einer Billtafel (Billardtafel). Wenn die Kugel so gegen den Rand (die Bande) gespielt wird, daß sie ihn in vollkommen senkrechter Richtung trifft, oder mit andern Worten, daß ihre Richtungslinie mit der Bande einen rechten Winkel macht: so prallt sie in der nämlichen Richtung wieder zurück, und kommt bei hinlänglicher Stärke wieder auf den Punkt, von welchem sie ausgegangen ist. Anders aber verhält es sich, wenn der Winkel, den die Richtungslinie der Kugel beim Anprallen mit der Bande macht, kein rechter, sondern ein spitziger ist. In diesem Falle wird sie von der Bande nicht wieder in der nämlichen Richtung, sondern nach der entgegengesetzten Seite hin zurückgeworfen, so zwar, daß die Linie dieses Rücklaufs mit der Bande genau denselben spitzigen Winkel macht, den die Linie des Hinlaufs vorher gemacht hatte. Auf einer richtigen Schätzung dieser beiden Winkel beruht, wie bekannt, die Hauptgeschicklichkeit des Billtafelspielers.

Eben so werden nun auch die Lichtstrahlen von der glatten Oberfläche der Körper zurückgeworfen. Man nennt den Punkt, in welchem der einfallende Strahl diese Oberfläche berührt, den Einfallspunkt. Eine in Gedanken auf diesen Punkt gezogene senkrechte Linie heißt das Einfallsloth. Der Winkel, welchen die

Richtungslinie des einfallenden Lichtstrahls mit diesem Einfallslothe bildet, heißt der **Einfallswinkel**, und derjenige, welcher durch die Richtungslinie des zurückgeworfenen Strahls mit eben diesem Einfallslothe entsteht, der **Zurückwerfungs- (Reflexions-) Winkel**. Beide Winkel sind sich jederzeit gleich, so wie sich auch (auf die Art wie bei der Billtafel) die Winkel gleich sind, welche die Richtungslinien des einfallenden und zurückgeworfenen Lichtstrahls mit der Oberfläche des zurückwerfenden Körpers machen, vorausgesetzt, daß diese geradlinig ist. Hieraus ist zu sehen, daß ein auf die Zurückwerfungsfläche senkrecht auffallender Strahl auch in derselben Richtung oder in sich selbst wieder zurückgeworfen werden müsse. Denn da er mit dem Einfallslothe zusammenfällt, so ist sein Einfallswinkel = 0, und der Zurückwerfungswinkel muß also ebenfalls = 0 seyn.

Wie sich aus diesen Gesetzen der Zurückstrahlung des Lichts alle Erscheinungen an Spiegeln und spiegelnden Flächen erklären lassen, kann hier nur angedeutet werden. Wir sehen z. B. unser Bild im Spiegel, wenn wir gerade vor demselben stehen, so daß das von unserm Körper zurückgeworfene Licht ganz oder beinahe senkrecht auf den Spiegel fällt und also auch in der nämlichen Richtung wieder in unser Auge zurückgeworfen wird. Stellen wir uns dagegen seitwärts vom Spiegel, so daß das von uns zurückspringende Licht nur unter einem spitzigen Winkel auf den Spiegel fällt: so können wir uns nicht darin sehen, aber ein Anderer, der sich auf der entgegengesetzten Seite des Spiegels in der nämlichen Entfernung davon wie wir, befindet, wird unser Bild im Spiegel erblicken, weil er sich nämlich an der Stelle befindet, wohin die zurückgeworfenen Strahlen ihre Richtung nehmen. Hieraus erklären sich ferner die Erscheinungen der sogenannten Scherz= oder Vexierspiegel, des Schönbildzeigers (Kaleidoskop), der Hohlspiegel u. a. m., welches umständlich aus einander zu setzen hier der Ort nicht seyn kann.

Eine zweite Merkwürdigkeit, welche sich bei der Bewegung der Lichtstrahlen wahrnehmen läßt, ist die Brechung (Refraction) derselben, wenn sie aus einem Mittel *) in ein anderes verschiedenartiges (z. B. aus Luft in Wasser) so übergehen, daß sie die Oberfläche des Letztern unter einem spitzigen Winkel treffen. Die Lichtstrahlen finden in diesem Falle einen größern oder geringern Widerstand, und ändern die Richtung, welche sie bis dahin gehabt haben, oder werden, wie man es nennt, gebrochen. Fallen sie jedoch senkrecht auf die Oberfläche des neuen Mittels, oder so, daß sie einen rechten Winkel mit derselben machen, so findet keine Brechung Statt. Der einfachste Versuch, diese Brechung des Lichts

*) Unter Mittel (Medium) versteht man in der Bewegungslehre (Mechanik) zuerst den Raum, in welchem sich ein Körper bewegt, und dann auch den Stoff (die Materie), welche diesen Raum erfüllt. Der Raum heißt ein freies Mittel, wenn er leer ist oder leer gedacht wird, so daß der sich darin bewegende Körper keinen Widerstand findet. Wir gebrauchen oben im Texte das Wort Mittel im zweiten Sinne, und verstehen darunter jeden für das Licht durchgänglichen Körper, z. B. Luft, Wasser, Oel, Wein, Glas, Krystall, Edelsteine 2c.

zu zeigen, läßt sich mit einem geraden Stocke machen, den man ins Wasser stellt. Er wird gebrochen aussehen, oder der im Wasser befindliche Theil wird mit dem Theile außer dem Wasser einen stumpfen Winkel machen. Die Ursache dieser Erscheinung ist die Brechung der Lichtstrahlen. Wir sehen nämlich einen Körper nur in derjenigen Richtung, nach welcher die von ihm zurückgeworfenen Lichtstrahlen in unser Auge fallen. Kommen diese z. B. von der rechten Seite her in unser Auge, so wird uns der Körper, auch wenn er links stände, auf dieser rechten Seite zu stehen scheinen; kommen sie von der linken Seite, von oben, oder von unten, so erblicken wir ihn links, oben oder unten, auch wenn er wirklich rechts, unten oder oben stehen sollte. Nun werden die Lichtstrahlen, welche der im Wasser befindliche Theil des Stockes zurückwirft, beim Heraustreten aus dem Wasser in die Luft, gebrochen oder nach einer andern Richtung fortgepflanzt. Da sie in dieser letztern unser Auge berühren, so scheint uns auch der Theil des Stocks im Wasser an einer andern Stelle zu stehen, als wo er wirklich steht, u. s. w.

Noch ein anderer sehr leicht zu machender Versuch ist folgender. Man lege auf den Boden eines undurchsichtigen leeren Gefäßes, z. B. einer Kaffehschale, einen kleinen Körper, z. B. eine Münze, und gehe dann so weit zurück, bis man die Münze nicht mehr sieht. Hier bleibe man stehen, und lasse von Jemanden Wasser in das Gefäß gießen. Sogleich wird die Münze sichtbar werden und der ganze Boden des Gefäßes sich emporzuheben scheinen. Vorher gingen die von der Münze zurückgeworfenen Lichtstrahlen über unser Auge hinaus, und diese war uns also unsichtbar. Durch den Uebergang aus dem Wasser aber in die Luft erhalten sie eine andere, nach unten ablenkende Richtung, und können nun in unser Auge gelangen.

Zieht man in Gedanken durch beide durchsichtige Mittel eine gerade Linie, welche durch den Einfallspunkt geht und auf den Scheidungsflächen beider Körper senkrecht steht, so heißt dieselbe das Einfallsloth. Der Winkel, welchen der ankommende Lichtstrahl mit diesem Einfallslothe macht, heißt der Einfallswinkel, und derjenige, welchen der fortgehende, aber von seinem Wege abgelenkte, Strahl mit eben diesem Einfallslothe macht, heißt der Brechungswinkel (Refractionswinkel), welcher bald größer bald kleiner ist als der Einfallswinkel. Im letztern Falle liegt der neue Weg des Lichtstrahls dem Einfallslothe näher und man sagt daher, das Licht werde zum Einfallslothe gebrochen. Im erstern Falle dagegen liegt er weiter davon, als wenn er noch in der ersten Richtung fortginge, und man sagt hier, der Strahl werde vom Einfallslothe gebrochen. Dieß Letztere ist z. B. bei dem Versuche mit der Münze in der Kaffehschale der Fall.

Geht das Licht aus einem dünnern Mittel in ein dichteres über: so wird es in den meisten Fällen zum Einfallslothe gebrochen; geht es aber aus einem dichtern Mittel in ein dünneres über: so wird es in den meisten Fällen vom Einfallslothe gebrochen. Der erste Fall tritt z. B. ein, wenn das Licht aus der Luft in Wasser oder Glas tritt, der zweite, wenn das Umgekehrte geschieht. Wir haben aber wohlbedächtig gesagt: in den meisten Fällen; denn es giebt Ausnahmen von dieser Regel, und die Größe und Art der Brechung hangt nicht bloß von der verschiedenen Dichtigkeit der an einander gränzenden Mittel ab. So wird z. B. ein Lichtstrahl, der aus Wasser in Terpentin- oder Leinöl fährt, zum Einfallslothe gebrochen, ungeachtet das Wasser dichter als diese Oele ist. Oele sind aber brennbare Körper und es haben noch andere Versuche gelehrt, daß besonders die brennbaren Körper die meiste brechende Kraft, d. h. das meiste Vermögen, den Lichtstrahl zum Einfallslothe hinzuziehen, besitzen. Unter den Edelsteinen besitzt daher der Diamant, der reiner Kohlenstoff ist, den höchsten Grad der Brechkraft; unter den Gasarten das Wasserstoff-Gas. Ueberhaupt alle Körper, unter deren Bestandtheile der Wasserstoff gehört, haben, wie sich aus Biots und Aragos merkwürdigen Versuchen ergiebt, ein starkes Brechungsvermögen. Aus diesen nämlichen Versuchen geht auch hervor, daß dieses Vermögen bei denjenigen Körpern, deren chemische Bestandtheile man kennt, sich nach der brechenden Kraft dieser Bestandtheile und nach dem Mischungsverhältnisse derselben richte, so daß sich wieder umgekehrt aus der Brechkraft eines solchen Körpers auf das Mischungsverhältniß seiner chemischen Bestandtheile schließen läßt.

Ein zweites Gesetz der Strahlenbrechung ist, daß bei zwei bestimmten durchsichtigen Körpern es zwischen dem Einfallswinkel und dem Brechungswinkel ein bestimmtes Verhältniß giebt, jener erste Winkel mag übrigens so groß oder klein seyn als er will.

Ferner ist zu bemerken, daß ein aus einem stärker brechenden Mittel in ein schwächer brechendes, z. B. aus Wasser in Luft, übergehender Lichtstrahl, wenn er auf die Scheidungsfläche sehr schief auffällt, gar nicht in das schwächer brechende Mittel eindringt, sondern von diesem zurückgeworfen wird, und dabei das oben angeführte Gesetz der Zurückwerfung befolgt, daß nämlich der Einfallswinkel dem Zurückstrahlungswinkel gleich ist.

Wie auf der Brechbarkeit der Lichtstrahlen eine Menge nützlicher Erfindungen, z. B. der Vergrößerungs- und Verkleinerungsgläser, der Brillen, Fernröhre u. dgl. m. beruhe, kann hier gleichfalls nur angedeutet werden. Wichtiger sind für unsern gegenwärtigen Zweck die mannichfaltigen Erscheinungen, welche durch die Zurückwerfung und Brechung der Lichtstrahlen in der Atmosphäre hervorgebracht werden. Ehe wir uns jedoch davon unterrichten können, müssen wir noch die verschiedenen Farben betrachten, welche durch die Brechung der Lichtstrahlen entstehen.

Ein Thautropfen, ein reiner Diamant, ein geschliffenes Glasstück an einem Kronleuchter sind an und für sich ganz farbenlose und durchsichtige Körper. Gleichwohl bemerken wir an ihnen nicht selten das herrlichste Farbenspiel, und ein und der nämliche Thautropfen z. B. erscheint bald roth, bald blau, bald grün u. s. w., je nachdem der

Grashalm, an dem er hangt, sich so oder so bewegt, oder wir selbst unsern Standort mehr oder weniger verändern. Da wir nun auch in der Nähe dieser Dinge keine gleichartig gefärbten Gegenstände erblicken, welche sich etwa auf ihrer Oberfläche abspiegeln könnten: so müssen diese Farben offenbar durch die Brechung der Lichtstrahlen entstehen.

Nach der am meisten verbreiteten Ansicht des großen englischen Naturforschers Newton ist nämlich der gewöhnliche weiße Strahl des Sonnenlichts kein einfacher, sondern ein, aus sieben farbigen zusammengesetzter Lichtstrahl. Newton hat dieß durch folgenden Versuch zu beweisen gesucht. Er verfinsterte ein Zimmer durch die Schließung des Fensterladens dergestalt, daß nur durch eine einzige kleine Oeffnung in demselben ein Sonnenstrahl hineinfallen konnte. Dieser wurde zuerst etwa in einer Entfernung von 10 Fuß mit einer weißen Tafel aufgefangen, und gab darauf ein kleines rundes Bild der Sonne. Nun wurde dieser nämliche Lichtstrahl mit einer dreiseitigen gläsernen Ecksäule (Prisma *)) aufgefangen, so daß er schief auf die eine Seitenfläche derselben auffiel. Sogleich erschien das Sonnenbild an der weißen Tafel von seiner Stelle gerückt, länglich und gefärbt. Die Farben waren folgende sieben:

*) So heißt in der Meßkunst ein Körper, der zwei gleiche und gleichlaufende Grundflächen hat, und dessen Seitenwände aus Vierecken bestehen. Ist die Grundfläche ein Dreieck, so ist die Ecksäule eine dreiseitige; ist jene ein Viereck, so ist diese eine vierseitige u. s. w.

Roth,
Rothgelb (Orange),
Gelb,
Grün,
Hellblau,
Dunkelblau,
Veilchenblau (Violet);

also die nämlichen, welche der Regenbogen zeigt. War der brechende Winkel (d. h. derjenige, welcher von den zwei Seitenwänden der Ecksäule, durch welche der Lichtstrahl geht, gebildet wird) unten: so zeigte sich dieses Farbenbild über der Stelle des vorigen Sonnenbildes, und jene Farben folgten von unten nach oben in der angegebenen Ordnung auf einander. War dagegen der brechende Winkel der Ecksäule nach oben gekehrt: so zeigte sich das Farbenbild unter der Stelle des vorigen Sonnenbildes und auch die Farben erschienen in umgekehrter Ordnung.

Newton fing nun auch das farbige Bild der Ecksäule mit einem Sammlungs- (Collectiv-) Glase *) auf, und stellte die weiße Tafel in den Brenn- oder Sammlungspunkt desselben: es zeigte sich jetzt wieder das vorige runde und weiße Sonnenbild.

Endlich fing er auch das Farbenbild mittelst einer

*) So heißt ein auf beiden Seiten erhaben oder gewölbt geschliffenes Glas, welches die Eigenschaft hat, daß die parallel darauf fallenden Strahlen, anstatt eben so parallel fortzugehen, hinter demselben durch die Brechung in einem einzigen Punkte vereinigt oder gesammelt werden. Die Brenngläser sind solche Sammlungsgläser.

schwarzen Tafel auf, in der mehre kleine Löcher angebracht waren, die sich nach Gefallen öffnen und schliessen liessen. Wenn er nun durch ein solches Loch nur Eine der oben genannten farbigen Lichtgattungen so rein als möglich hindurch gehen ließ und diese mit einer zweiten Ecksäule auffing: so erblickte er auf der dahinter gestellten weissen Tafel ein rundes Bild von der nämlichen Farbe.

Aus diesen und noch einigen andern Versuchen geht nun, nach Newton, Folgendes hervor:

1) Das weiße Licht besteht aus sieben Hauptgattungen farbigen Lichts, in welche es durch die Ecksäule (das Prisma) zerlegt, und aus denen es durch das Sammlungsglas wieder zusammengesetzt wird.

2) Jede dieser Lichtgattungen wird durch ein und dasselbe brechende Mittel verschieden gebrochen; am wenigsten das rothe, stärker das rothgelbe, noch stärker das gelbe, dann das grüne, hellblaue und dunkelblaue, und am stärksten das veilchenblaue. In Bezug auf die Zurückwerfung betrachtet, werden die brechbarsten Strahlen, also die blauen, viel leichter zurückgeworfen als die weniger brechbaren, oder die rothen und gelben.

Eine Farbenzerstreuung, d. h. eine Zerlegung des weißen Lichtstrahls, ist mit jeder Brechung des Letztern verbunden. Er erhält nämlich durch dieselbe eine Breite, die im Fortgange zunimmt. Wo er dann auffällt, zeigt sich eine längliche Beleuchtung, welche an den zwei einander entgegen gesetzten Rändern gefärbt ist, und zwar an dem einen roth, an dem andern veilchenblau. Ist der Weg, den der Lichtstrahl zu durchlaufen hat, kurz, so ist auch diese Farbenzerstreuung unbeträchtlich und unmerklich; je größer aber jener Weg wird, desto mehr nimmt sie zu.

Um nun wieder auf unsern Regenbogen zurückzukommen, so entsteht derselbe, nach Newtons, auf seine so eben mitgetheilte Theorie des Lichts gegründeter Erklärungsart im Allgemeinen dadurch, daß die Sonnenstrahlen, welche auf die Regentropfen auffallen, darin gebrochen, von der Hinterwand derselben zurückgeworfen, beim Austritte aus denselben in die Luft abermals gebrochen und dabei zugleich in ihre Farben zerlegt werden. Da die Brechbarkeit der farbigen Strahlen verschieden ist, so wird auch jeder seinen eignen Weg beschreiben, und zwar der rothe Strahl, als der am meisten brechbare, den untersten, und der veilchenblaue, als der am stärksten gebrochene, den obersten Weg. Nun kommt es natürlich auf den Standpunkt des Beobachters an, von welchem dieser Strahlen sein Auge berührt werden soll. Hat er eine solche Stellung, daß alle diese Strahlen bei seinem Auge vorbeigehen, so sieht er gar keinen Regenbogen. Steht er aber in der Richtungslinie aller dieser zurückgeworfenen farbigen Strahlen (welches alsdann der Fall ist, wenn er sich gerade zwischen der Sonne und der Tropfwand befindet): so muß er einen Regenbogen sehen. Da nämlich eine ganze Menge von Regentropfen über und neben einander schweben, in deren jedem einzelnen sich ein Sonnenstrahl bricht:

so empfängt das Auge aus dem einen Tropfen das rothe, aus dem andern das gelbe, aus dem dritten das grüne Licht u. s. w. Auch die Ordnung, in welcher die Farben im Regenbogen auf einander folgen, läßt sich jetzt leicht erklären. Da sich eine Menge Tropfen über einander befinden, so muß es auch eine Menge Punkte geben, wo die rothen (am wenigsten brechbaren) Strahlen der obern Tropfen, mit den veilchenblauen (am stärksten gebrochenen) der untern Tropfen zusammenfallen. Befindet sich nun in einem solchen Punkte gerade ein Beobachter: so empfängt sein Auge aus den obern Tropfen rothes Licht, aus den untern veilchenblaues, aus den dazwischen befindlichen aber die übrigen farbigen Strahlen, und es erscheinen ihm folglich alle sieben Farben. Zwar befinden sich die Tropfen, welche den Regenbogen bilden, im Fallen, und derjenige Tropfen, welcher dem Auge in diesem Augenblicke rothes Licht zuschickt, wird ihm in den nächst folgenden gelbes, grünes und zuletzt blaues schicken. Allein es tritt an die Stelle des vorigen Tropfens alle Augenblicke ein neuer, so daß die den Regenbogen bildenden Tropfen, so lange es regnet, als unbeweglich angesehen werden können.

Der Mittelpunkt des Regenbogens, das Auge und die Sonne sind beständig in einer geraden Linie. Der Regenbogen selbst ist als ein Streifen oder als ein Ring von der Grundfläche eines Kegels zu betrachten, dessen Spitze der Mittelpunkt des Auges ist. Es geht daraus hervor, daß jeder einzelne Zuschauer seinen eigenen Regenbogen wahrnehmen, d. h. daß der Regenbogen für jeden Zuschauer durch andre Tropfen bewirkt werden müsse.

Der Neben-Regenbogen wird für eine Abspiegelung des Hauptbogens gehalten, oder aus einer doppelten Brechung und doppelten Zurückwerfung des Lichtes erklärt. Er hat daher ein matteres Ansehen, und die Farben erscheinen bei ihm in umgekehrter Ordnung.

XXV.

Von den Höfen, Nebensonnen, Nebenmonden, und andern aus der Strahlenbrechung hervorgehenden Erscheinungen.

Unter den sogenannten Höfen versteht man helle Ringe, welche zuweilen die Sonne, den Mond, und auch wohl die größern Planeten und Fixsterne umgeben. Sie sind entweder weiß oder auch farbig wie der Regenbogen. Zuweilen sieht man nur einen, zuweilen auch zwei oder mehre mit einander gleichlaufende (concentrische) Ringe. Ihr Durchmesser ist sehr verschieden und steigt von 2° bis 45°, ja in manchen Fällen auch wohl bis 90°; doch kommen die Höfe von 45° am häufigsten vor. Sie erscheinen in den gemäßigten und kalten Zonen nie, wenn Regen oder Schnee fällt, so wenig als bei völlig heiterm Himmel, sondern nur alsdann, wenn die Atmosphäre von dünnen und gleichförmig verbreiteten Dunstschichten erfüllt ist, durch welche man den leuchtenden

Himmelskörper selbst noch ziemlich deutlich wahrnehmen kann. Ihre Dauer beträgt oft mehre Stunden, zuweilen auch ganze Tage. Gemeiniglich hält man sie für Anzeichen regnerischer und stürmischer Witterung.

In der kalten Zone, wo die Luft häufiger mit Wasserdünsten angefüllt ist, als bei uns, erscheinen dergleichen Höfe sehr oft und Parry, Scoresby und andere Reisende hatten Gelegenheit, sie von allen Formen und Größen zu beobachten. In der heißen Zone, zum Theil schon in den südlichern Gegenden der gemäßigten, werden sie auch bei ganz reinem und blauem Himmel wahrgenommen. Hr. v. Humboldt beobachtete einen solchen leuchtenden Ring um den Mond am 17. August 1799 während seines Aufenthalts zu Cumana in Südamerika*). Die Einwohner betrachteten den Ring als den Vorboten eines starken Erdbebens. V. Humboldt bemerkt bei dieser Gelegenheit, daß sich in der heißen Zone fast alle Nächte, selbst zur Zeit großer Trockenheit, schöne prismatische Farben zeigen. Sie verschwinden oft in dem Zeitraume weniger Minuten mehre Male. Er sah dergleichen kleine Höfe, während er sich zwischen 15° Breite unter dem Aequator befand, selbst um die Venus; man unterschied deutlich, die rothe, rothgelbe und veilchenblaue Farbe; niemals aber sah er sie um den Sirius oder Canopus. Während der Hof um den Mond zu Cumana sichtbar war, zeigte gleichwohl das Hygrometer eine starke Feuchtigkeit; indessen war die Atmo-

*) Reise in die Aequinoctial-Gegenden des Neuen Continents rc. I. Theil, S. 505 u. ff.

sphäre vollkommen durchsichtig. Der Mond erhob sich nach einem Gewitterregen hinter dem Schlosse St. Antonio. Sobald er über dem Horizont erschien, unterschied man zwei Kreise, einen großen weißlichen, von 44° Durchmesser, und einen kleinen von 1° 53′ Breite, welcher in allen Farben des Regenbogens glänzte. Der Raum zwischen den beiden Höfen war vom tiefsten Himmelblau. Bei 40° Höhe des Mondes verschwanden die Höfe, ohne daß die meteorologischen Werkzeuge die mindeste Veränderung in den niedern Luftbezirken anzeigten. Auffallend war der Umstand, daß nach sorgfältigen Messungen die Mondscheibe sich nicht genau im Mittelpunkte der Höfe befand.

Forster *) hat die Höfe um Sonne und Mond wie Howard die Wolken, nach ihren Hauptgestalten zu ordnen und jede besonders zu bezeichnen versucht. Er unterscheidet daher folgende sechs Hauptformen:

1) der einfache Hof. (Man sehe die Kupfertafel Tab. IV. Fig. 1). Es ist ein lichter, einen bald größern, bald kleinern Raum einschließender Kreis oder Ring, in dessen Mittelpunkt sich die Sonne oder der Mond befindet. Höfe dieser Art sind die gemeinsten, doch erscheinen sie um den Mond häufiger als um die Sonne. Im letztern Falle glänzen sie mit den Farben des Regenbogens, obwohl nicht so lebhaft als dieser selbst.

*) Untersuchung über die Wolken und andere Erscheinungen in der Atmosphäre. 2te Ausg. Aus d. Engl. Leipzig, 1819, S. 97 u. ff., woher auch unsere Kupfertafel entlehnt ist.

2) Der doppelte Hof (Tab. IV. Fig. 2) besteht aus zwei mit einander gleichlaufenden Ringen, deren gemeinschaftlicher Mittelpunkt die Sonne oder der Mond ist. Er kommt nicht häufig vor.

3) Der dreifache Hof, der aus drei solchen Ringen besteht, kommt noch seltener vor. Häufiger ist

4) der scheibenförmige Hof (Tab. IV. Fig. 3.), ein Ring, welcher einen Raum einschließt, der merklich lichter ist als der übrige Theil des Himmels, und gleichfalls die Sonne oder den Mond zum Mittelpunkt hat. Sein Durchmesser pflegt kleiner als der der andern Höfe zu seyn. Er ist nicht so gar selten.

5) Der Kranz (Tab. IV. Fig. 4.) unterscheidet sich von den eigentlichen Höfen und insbesondere von dem scheibenförmigen Hofe dadurch, daß er nicht in einer dünnen Dunstschicht, sondern in dünnen Wolken, und zwar meist in federigen Schicht- oder Haufenwolken zum Vorscheine kommt. Die zunächst rings um die Sonne oder den Mond liegenden Theile der Wolke erscheinen weit lichter als der übrige Himmel, zeigen auch wohl die Farben des Regenbogens, ohne jedoch, wie beim scheibenförmigen Hofe, durch einen Ring begränzt zu seyn. Dergleichen Kränze sind von verschiedener Größe, meist nur von 2° bis 5°, selten über 10° im Durchmesser.

6) Der doppelte Kranz besteht aus zwei solchen lichten Kreisflächen, deren innere lebhafter leuchtet als die äußere. Diese Form kommt nicht so gar selten vor und geht zuweilen in die vorige über, oder umgekehrt.

Sehr selten sind drei- und vierfache Kränze.

Zuweilen ist mit diesen Höfen auch die Erscheinung der Nebensonnen und Nebenmonde verbunden. (Tab. IV. Fig. 5.) Es sind Bilder der Sonne und des Mondes, welche sich neben und über diesen Himmelskörpern zeigen. In der Regel sind sie durch einen mehr oder weniger hellen, zuweilen farbigen Ring, der durch die wahre Sonne oder den wahren Mond geht, mit einander verbunden. Er wird von dem Hofe um die Sonne oder den Mond, wenn einer vorhanden ist, durchschnitten. Ist jener Ring sehr matt und unkenntlich, so haben die Nebensonnen oder Nebenmonde einen Schweif, den man als einen Theil des nicht vollendeten Ringes anzusehen hat. Zuweilen haben auch jene zwei zunächst an den Seiten der wahren Sonne stehenden Nebensonnen noch einen besondern Schweif. Gewöhnlich leuchten die Nebensonnen mit einem minder lebhaften Lichte, und sind auch an ihrem Rande nicht so scharf begränzt als die wahre Sonne. Dasselbe gilt in noch höherm Grade von den Nebenmonden. Nur äußerst selten sind die Fälle, wo die Nebensonnen und Nebenmonde dem wahren Himmelskörper an Lebhaftigkeit des Lichtes gleich kommen. Parry sah am 8. März 1820 auf der Melville-Insel drei solcher Nebensonnen, welche an Aehnlichkeit mit der wahren Sonne alle andere bis dahin von ihm gesehene übertrafen. Sie waren kleiner, dichter und kreisförmiger, und an den Rändern von schärferer Begränzung als die gewöhnlichen *).

*) Parry's Reise zur Entdeckung einer nordwestlichen Durchfahrt rc. in Bran's Ethnogr. Arch. XIV. Bd. 1stes Heft, S. 151.

Die berühmteste Naturerscheinung dieser Art dürfte wohl das sogenannte römische Phänomen seyn, welches Scheiner am 20. März 1629 zu Rom beobachtete und wodurch zuerst die Naturforscher auf diese merkwürdige Art von Himmelsbegebenheiten, die man in den frühern Zeiten des Aberglaubens mit den Kometen in einerlei Klasse gesetzt, und für Vorbedeutungen trauriger Weltereignisse, wie Krieg, Pest, Theurung u. s. w. gehalten hatte, aufmerksam gemacht und zu deren Erklärung angetrieben wurden. Um die Sonne erblickte man zwei unter sich gleichlaufende (concentrische), farbige, aber an der einen Seite nicht geschlossene Ringe, von welchen der äußere weit blässer als der innere, und kaum zu erkennen war. Diese zwei Ringe wurden von einem dritten, größern und ganz weißen, oberwärts so durchschnitten, daß er mitten durch die Sonne ging und überall mit dem Horizont gleichlaufend war. Anfangs war dieser Kreis ganz, gegen das Ende der Erscheinung aber entstand an der einen Seite eine merkliche Lücke. An den beiden Punkten, wo er den äußern der beiden farbigen, um die Sonne gehenden, Ringe durchschnitt, zeigten sich zwei Nebensonnen, die eine schwächer als die andere. In ihrer Mitte leuchteten sie jedoch fast eben so lebhaft als die wahre Sonne; nach dem Rande hin hatten sie Farben, wie der Regenbogen, und waren hier auch nicht rund und scharf begränzt, sondern ungleich und verwaschen. Die eine Nebensonne war beständig in zitternder Bewegung, und warf einen feuerfarbnen Schweif von sich, der von der wahren Sonne abwärts gekehrt war.

Jenseits des Scheitelpunktes zeigten sich in dem mit dem Horizont gleichlaufenden Kreise noch zwei andere Nebensonnen, zwar nicht so glänzend wie jene, aber runder und gleichfalls nur von weißer Farbe. Die eine derselben verschwand früher als die andere, so wie sich auch der Ring auf dieser Seite zuerst auflös'te. Eben so verschwand von den Nebensonnen in dem farbigen Ringe die stärkere eher als die schwächere, und die letztere nahm nach dem Verschwinden jener an Glanze zu und war überhaupt die allerletzte, welche verschwand. In den farbigen Kreisen war die rothe Farbe der Sonne am nächsten *).

Noch auffallender waren die sieben Nebensonnen, welche Hevel zu Danzig am 20. Febr. 1661 beobachtete. Dieses sogenannte Hevelsche Phänomen stimmte im Ganzen mit dem römischen überein, unterschied sich aber dadurch, daß drei farbige Kreise um die Sonne gingen, deren äußerster sich noch über den Scheitelpunkt hinaus erstreckte, und daß sich über der Sonne, also innerhalb des mit dem Horizont gleichlaufenden Kreises, noch zwei kleine Bruchstücke von andern Kreisen zeigten, die, wenn sie vollständig gewesen wären, gleichfalls mit dem Horizont und dem großen weißen Kreise parallel gelaufen seyn würden. Die Nebensonnen befanden sich alle in den Durchschnittspunkten der Kreise und Bogen; nur eine einzige zeigte sich jenseits des Scheitelpunkts in dem großen, dem Horizonte parallelen Kreise und der wahren Sonne gegenüber. Auch hatte

*) Fischer, a. a. O. Art. Nebensonnen.

die eine Nebensonne, auf derselben Seite wie bei dem römischen Phänomen oder dem Beobachter zur Rechten, einen ähnlichen feuerfarbnen Schweif, der sich aber nicht gerade aus von der Sonne abwandte, sondern sich in einem Bogen, fast nach der Richtung des großen Kreises hin, krümmte *).

Eine nicht minder merkwürdige Nebensonne sah Musschenbroek im Jahre 1753. Sie hatte drei Schweife, von welchen zwei rechts und links mit dem Horizont gleichlaufend waren, der dritte aber sich in einer Länge von 12° am Himmel aufwärts richtete. Dem Ununterrichteten mußte diese ganze Erscheinung wie ein ungeheures feuriges Schwert vorkommen und ein Gegenstand banger Besorgnisse werden. Die Fälle, wo die Sonne mit aufwärts oder niederwärts gerichteten leuchtenden Schweifen auf- oder untergeht, sind auch bei uns nicht selten. In der Hudsons-Bay sollen sie fast täglich Statt finden. Das oberste oder unterste Ende derselben zeigt bisweilen eine Nebensonne. Malezieu hat im Jahre 1722 drei Sonnen gerade und dicht über einander gesehen, von welchen die unterste den Gesichtskreis berührte und die mittlere die wahre Sonne war. Parry **) sah am 23. Dezember 1819 ähnliche Erscheinungen am Monde. Eine mit ihm gleichen Durch-

*) Ebendas.

**) A. a. O. S. 124. Auch war der Mond an diesem Tage durch die Strahlenbrechung so seltsam entstellt, daß der untere Rand eine Menge tiefer Einschnitte hatte, und er einige Male als in der Mitte queer abgeschnitten erschien.

messer habende Lichtsäule ging von ihm bis zum Horizonte herab, und schien ihn wie ein Pfeiler, zu tragen.

Es fragt sich, wie die Höfe, Nebensonnen und Nebenmonde zu erklären seien.

Was zuvörderst die Höfe betrifft, so muß man einen Unterschied zwischen den kleinern und größern machen. Die kleinern Höfe entstehen höchst wahrscheinlich durch die Beugung des Lichts, am Rande der letzten Dunstbläschen, welche dem Beobachter am nächsten sind. Diese Beugung (Inflexion, Diffraction) ist eine Ablenkung der Lichtstrahlen von ihrem geraden Wege, wenn sie nahe am Rande eines Körpers vorbeigehen und scheint dadurch zu entstehen, daß sie entweder von ihm abgestoßen oder angezogen werden. Wenn der Raum, durch welchen das Licht geht, sehr klein ist, so erfolgt zugleich eine Zertheilung des weißen Lichts in farbige Strahlen. Um sich von dieser Beugung zu überzeugen, kann man folgenden Versuch anstellen. Man läßt in ein finsteres Zimmer durch eine sehr kleine Oeffnung des Fensterladens, welche etwa $\frac{1}{10}$ oder $\frac{1}{20}$ Linie Durchmesser hat, das Sonnenlicht einfallen und fängt das einfallende Strahlenbündel mit einem feinen Drathe auf, welcher zwei bis vier Fuß von der Oeffnung entfernt ist. Wenn die Lichtstrahlen in derselben Richtung am Drathe vorbeigingen, die sie vorher, auf ihrem Wege von der Oeffnung bis zu ihm, hatten: so würde der Schatten, den er hinter sich, auf die dem Fensterladen gegenüber stehende, vom einfallenden Strahlenbündel erleuchtete Wand wirft, verhältnißmäßig sehr schmal seyn; er ist aber viel breiter, als er es jener Voraussetzung zu Folge seyn sollte, und zugleich sieht man an jeder Seite des Schattens drei oder mehr gefärbte parallele Streifen, von welchen derjenige, den der Schatten zunächst begränzt, breiter ist, als der zweite und von diesem wieder durch einen Schatten abgesondert wird. Bei gehöriger Entfernung von der Wand wird auch der zweite farbige Streifen vom dritten durch einen solchen Schatten getrennt. Ist jedoch die Entfernung von der Wand nur gering, so schließen die äußern Säume auf jeder Seite in einander. Gewöhnlich bemerkt man bei diesem farbigen Schatten, daß nach außen die rothen, nach innen aber die violetten Streifen liegen *).

Um zu zeigen, wie die kleinen Höfe um Sonne und Mond aus einer solchen Beugung des Lichts erklärt werden können, macht Brandes **) auf nachstehenden Versuch aufmerksam. Man nehme ein dünnes Florband, worin die überall gleich dicken Fäden regelmäßig gewebt sind, halte es so, daß die eine Fadenreihe senkrecht, die andere wagrecht läuft, vor das Auge und sehe nach einer entfernten Lichtflamme. Zuerst wird man neben dem

*) Hallaschka's Handbuch der Naturlehre 2c. II. Th., S. 246 u. ff. Manche Physiker erklären die Beugung des Lichts auch für eine Brechung desselben in einer angenommenen kleinen Atmosphäre, welche sich durch Adhäsion der Luft um jeden Körper befinden und in einer etwas verdichteten Luft bestehen soll. Man sehe z. B. Neumanns Lehrbuch der Physik 2c. II. Theil, S. 344.

**) Gehlers Wörterbuch 2c. V. Band, Erste Abth. Artikel Hof, S. 434 u. ff.

Lichte an beiden Seiten mehre, einander zum Theil dek=kende Lichtflammen erblicken, die einen hellen, gegen den Rand hin rothen, Raum ganz ausfüllen. Dann folgt wagrecht neben diesen Flammen ein dunkler Raum, an den sich ein schönes farbiges Bild der Lichtflammen, mit der blauen Seite nach dem Hauptlichte gekehrt, und dann Grün, Gelb und Roth zeigend, anschließt. Neben diesem sieht man wieder einen dunkeln Raum und dann ein eben so, wie das vorige, gefärbtes Bild. Eben solche wiederholte Bilder sieht man oberwärts und unterwärts, wo sie aber, wegen der Länge der Lichtflamme nicht mehr einander decken. Entfernt man sich weit vom Lichte, so erscheinen die hellen, den innern Raum ausfüllenden Flammen mehr getrennt, weil ihre scheinbaren Abstände von einander gleich bleiben, während die scheinbare Größe jeder Flamme kleiner wird; die hinaufwärts oder hinab=wärts einander folgenden Bilder dagegen, welche der Hauptflamme am nächsten liegen, decken, ihrer größern Länge wegen, auch dann noch einander. — Diese vie Reihen wiederholter Luftbilder liegen nach der Richtun der Fäden des Bandes. Bringt man die wagrechten Fä den, und folglich auch die senkrechten, in eine schief Lage: so nehmen die Lichtschweife dieselbe schiefe Lag an. Legt man zwei Theile des Florbandes so übereir ander, daß die Fäden des einen Theiles sich mit dene des andern unter halbrechten Winkeln kreuzen: so erhä man acht Lichtschweife; und könnte man die Fäden na allen Richtungen gehend anbringen: so würde sich u den innern lichten Raum, der sich mit Roth einfaßt, ei

Ring zeigen, der die ganze Farbenfolge, das Blau nach innen, das Roth nach außen, darböte; dann ein dritter Ring mit eben der Farbenfolge u. s. f. Die Farbenfolge kann indeß bei leuchtenden Körpern von erheblichem Durchmesser nicht rein erscheinen, da eigentlich jeder leuchtende Punkt einen runden Hof um sich haben sollte, wo dann offenbar die Farben des einen auf andere Farben des an- dern fallen würden, auf eine Weise, die sich leicht näher untersuchen ließe.

Diese Erscheinung, — fährt Brandes fort — welche auf der Beugung des Lichts beruht, ist offenbar mit der Erscheinung der kleinern Höfe so nahe übereinstimmend, daß man die Entstehung der Letztern aus der Erstern muß erklären können. Wir dürfen uns jedoch auf eine weitere Auseinandersetzung dieses Gegenstandes, welche auf der Theorie der Beugung beruht und mathematische Vorkenntnisse verlangt, hier nicht einlassen *), sondern wollen nur noch bemerken, daß sich aus den darüber angestellten Forschungen die Nothwendigkeit einer möglichst gleichen Größe der atmosphärischen Dunstkügelchen zur Hervorbringung der Höfe ergeben hat. Daraus sieht man, warum nicht immer bei gleicher Dunstbedeckung Höfe erscheinen. Brandes macht noch darauf aufmerksam, daß man eine den Höfen um den Mond vollkommen ähnliche Erscheinung hervorbringen kann, wenn man eine reine Glasscheibe sehr schwach anhaucht und

*) Frauenhofer hat in Schumachers Astronomischen Nachrichten, im dritten Heft, eine vollständige „Theorie der Höfe und Nebensonnen" geliefert.

durch dieselbe ein entferntes, recht helles Licht, oder auch den Mond ansieht. Man erblickt dann zunächst um den leuchtenden Körper einen dunkeln Kreis, der in Blaulich, dann in Weiß übergeht und roth umgränzt ist. Dieser Hof ist bei einem recht leisen Hauche am größten, wie es der dann Statt findenden Kleinheit der niedergeschlagnen Dunsttheilchen gemäß ist. Eine andere Erscheinung, welche mit den atmosphärischen Höfen um die Sonne oder den Mond einerlei ist, sind die Höfe, welche sich in dem mit Wasserdunst erfüllten Raume eines Wasch- oder Bräuhauses um die Flammen der Lichter oder Lampen bilden. Da diese letztern Höfe und Ringe größer erscheinen, wenn man weit vom Lichte weggeht, und kleiner, wenn man näher dabei steht: so sieht man zugleich, daß der sich gleich bleibende Durchmesser der Mond- oder Sonnenhöfe, sowohl der kleinen als der großen, theils in der Entfernung dieser Himmelskörper von der Erde, theils in der Höhe der Luftschichten, worin sich die Dünste befinden, seinen Grund haben müsse. Unstreitig gehen bei den größern Höfen die Dunstmassen tief in die untern Luftschichten herab, und bei den kleinern befinden sie sich mehr in den höhern Bezirken der Atmosphäre.

Viel verwickelter ist die Erscheinung der Nebensonnen und Nebenmonde, welche bloß in Verbindung mit den größern Höfen vorkommen. Sie sind nur durch die Annahme von feinen Eistheilchen erklärbar, welche in der Atmosphäre schweben und die Strahlen der Sonne oder des Mondes bald so bald anders gebrochen zurückwerfen. Schon Mariotte und Huygens haben diese Erklärungsart aufgestellt, welche späterhin durch Venturi und zuletzt durch Brandes noch mehr begründet worden und allem Anscheine nach für die einzig richtige zu halten ist. Die erwähnten Eistheilchen sind dreiseitige Prismen oder Ecksäulen, von der Art, wie man sie durch das Mikroskop in den Bestandtheilen des Reifes bemerkt. Was für diese Erklärungsart, außer ihrer innern Folgerichtigkeit, noch vorzüglich spricht, ist die Erfahrung, daß die größern Höfe, Nebensonnen und Nebenmonde, wie wir dieß schon oben gesagt haben, am häufigsten in der kalten Zone gesehen werden. Aber gerade hier ist die Atmosphäre fast immer, selbst bis in die tiefern Bezirke herab und sogar bei ganz heiterm Himmel, mit feinen Eiskrystallen angefüllt. Schon in unsern Gegenden kann man an ungewöhnlich kalten Wintertagen diese Eistheilchen, wenn sie von der Sonne beschienen werden, deutlich wahrnehmen, besonders in dem Falle, wenn sich das Auge selbst im Schatten befindet. Wie häufig die Höfe und Nebensonnen in den nördlichen Gegenden sind, sieht man aus allen Berichten älterer und neuerer Reisenden. Wales erzählt z. B., daß er an der Hudsons-Bay die Nebensonnen fast täglich mit der wahren Sonne zugleich aufgehen und sie den ganzen Tag begleiten sah. Die oberhalb der Sonne liegenden Theile des Ringes wurden schon vor Sonnenaufgang sichtbar, und man sah zuerst, etwa 20 Grade von der Stelle, wo die Sonne aufgehen sollte, sich lichte Streifen über den Horizont erheben, die, wenn die Sonne die dem Scheitelpunkte nähern Theile derjenigen Schicht, wo die Erscheinung sichtbar wurde, zu beleuchten anfing, sich oben immer mehr zu einem vollen Halbkreise rundeten. Bei Sonnenaufgang war der halbe Hof vollständig und die zwei in ihm stehenden Nebensonnen gingen, wie gesagt, zugleich mit der Sonne auf und begleiteten sie den ganzen Tag.

Man kann gegen die Annahme, daß die Höfe und Nebensonnen aus Schichten von Eiskrystallen entstehen sollen, einwenden, daß wir ja auch im Sommer, und, wie v. Humboldt erzählt, selbst in der heißen Zone sehr häufig, diese Erscheinungen beobachten, wo doch gewiß in der Atmosphäre nicht das Mindeste von gefrornen Dünsten wahrzunehmen ist. Allein man vergißt bei diesem Einwurfe, sich zu erinnern, daß in den ungemein hohen Gegenden des Luftkreises, wo die Erscheinung Statt findet, zu allen Jahrszeiten und unter jedem Breitengrade eine so niedrige Temperatur herrscht, daß dadurch die Wasserdünste gefrieren müssen *).

Die weitere Auseinandersetzung dieses Gegenstandes muß hier, aus demselben Grunde, den wir vorher bei der Erklärung der kleinern Höfe angeführt haben, unterlassen werden **).

Eine mit den Höfen verwandte Erscheinung, welche wahrscheinlich auch durch eine Beugung der Lichtstrahlen zu erklären seyn dürfte, sind die farbigen Schattenringe,

*) Man sehe oben S. 60, u. ff.

**) Am vollständigsten und weitläuftigsten findet der wissenschaftlich vorbereitete Leser die Theorie dieser Erscheinungen in Gehlers Wörterbuche, a. a. O.

welche sich zuweilen auf Nebelmassen zeigen, die von der Sonne beschienen werden. Der französische Naturforscher Bouguer, welcher nebst Condamine im Jahre 1735 nach Südamerika gereist war, um dort einen Grad des Meridians zu messen, befand sich eines Morgens auf dem Berge Pichincha in Peru. In dem Augenblick, als die Sonne aufging, sah er auf einer weißen, etwa 30 Schritte von ihm entfernten Wolke, seinen eignen Schatten, und zwar den Kopf mit drei oder vier kleinen, unter sich gleichlaufenden (concentrischen) regenbogenartigen Kreisen umgeben, welche äußerst lebhaft glänzten. In einer ziemlichen Entfernung waren diese farbigen Kreise von einem großen weißen Kreise umschlossen. Er hatte einen Durchmesser von 67 Grad; die Durchmesser der kleinern Kreise waren $5\frac{2}{3}$, 11 und 17 Grad.

Auch anderwärts hat man Gelegenheit, diese Erscheinung wahrzunehmen, und Herr v. Gersdorf *), auf Meffersdorf in der Oberlausitz, hat auf der Tafelfichte, einem Berge der Sudetenkette, seinen Schatten, welcher auf eine ihm gegenüber stehende Nebelmasse fiel, mit farbigen Ringen gleich einem Hofe eingefaßt gesehen. Aehnliches beobachtet man auf dem Brocken, wo diese Erscheinung unter dem Namen des Brockenschattens bekannt ist. Mac Fait sah dergleichen in Schottland, auf einer Anhöhe, bei einem Nebel. Auch im hohen Norden kommen diese farbigen Schatten sehr häufig vor. Immer wird dazu erfodert, daß der Beobachter

*) Lampadius, a. a. O. S. 55.

gerade zwischen der hellstrahlenden Sonne und der Dunstmasse stehe *).

Scoresby der Jüngere **) beschreibt eine sehr schöne Erscheinung dieser Art, welche er am 23. Juli 1822 beobachtete. Er bemerkt über diesen Gegenstand Folgendes im Allgemeinen.

„Höfe oder helle Kreise (Coronae) lassen sich sehen, wenn Sonnenschein und Nebel zugleich vorhanden sind. Dieß geschieht in den Polargegenden oft, wo die Nebel nicht selten aus einer dünnen Schicht bestehen, die auf der Oberfläche des Meeres ruht und sich nur zu einer Höhe von 50 bis 60 Yards (150 bis 180 engl. Fuß) erstreckt. Alsdann kann man Gegenstände auf dem Wasser, in einer Entfernung von 100 Yards und darunter kaum erkennen, während die Sonne nicht bloß sichtbar ist, sondern fast mit eben so großem Glanze wie beim hellem Himmel erscheint. Unter solchen Umständen wird ein Beobachter auf dem Mars" (dem sogenannten Mastkorb) „des Schiffes, 90 bis 100 Fuß über dem Meeresspiegel, einen oder mehre farbige Kreise auf dem Nebel sich bilden sehen. Im letztern Falle sind die Kreise alle concentrisch" (d. h. einerlei Mittelpunkt habend oder unter sich gleichlaufend) „und der Mittelpunkt der-

*) Wir liefern auf der Kupfertafel Nr. V. die Abbildung einer solchen Lufterscheinung aus Oreilly's Greenland the adjacend Seas and the North-West-Passage etc. London, 1818.

*) Tagebuch einer Reise auf den Walfischfang, im Sommer 1822. Aus d. Engl. v. Fr. Kries rc. Hamburg, 1825, S. 285 u. ff.

selben liegt in der geraden Linie, die aus der Sonne durch das Auge des Beobachters nach der Nebelwand geht, in einem Abstand von 180° von der Sonne, oder ihr gerade entgegengesetzt.“ (Es verhält sich also damit gerade wie beim Regenbogen; man sehe oben S. 367) „Die Anzahl der Kreise wechselt von einem bis zu vier oder fünf. Gemeiniglich sind sie dann am zahlreichsten und die Farben am glänzendsten, wenn die Sonne recht hell scheint, und der Nebel recht dicht und niedrig ist. In allen Fällen erscheint der Schatten vom Kopfe des Zuschauers in dem Mittelpunkte der Kreise; und außerdem erblickt man auch den Schatten des übrigen Körpers, oder der den Beobachter zunächst umgebenden Gegenstände, z. B. des Mars, der Masten und Segel. Der innere Kreis, welcher zunächst um den Mittelpunkt geht, ist so klein, daß wenn er recht glänzt, er eine Art von Gegensonne oder eine Glorie um den Kopf des Beobachters bildet *).“

Eine sehr bekannte optische Lufterscheinung ist das sogenannte Wasserziehen der Sonne. Es ereignet sich nur in den Morgen= und Abendstunden, wenn die Sonne nicht sehr hoch über dem Gesichtskreise steht. Wenn nämlich zwei oder mehre dichte Wolken in geringer Entfernung schweben und zu gleicher Zeit die Luft zwischen

*) Man sehe Gehlers Wörterbuch, a. a. O. S. 438. Der Nebelbogen, dessen Gliemann in seiner Geographischen Beschreibung von Island (Altona 1824), S. 15, erwähnt, ist unstreitig dieselbe Erscheinung, wie die von Scoresby beschriebene.

und unter diesen Wolken einen lichten Nebel von Dunstbläschen enthält, indeß die Sonne hinter den Wolken in geringer Höhe steht: so erleuchten die zwischen jenen Wolken durchgehenden Strahlen den Nebel und bilden mehre lichte Streifen, welche in der Nähe der Sonne selbst nur so breit sind, als die Entfernung der Wolken von einander beträgt, nach dem Horizonte hin aber sich immer mehr ausbreiten. Eine wenig bekannte Erscheinung bei diesem Wasserziehen ist der Umstand, daß man an der entgegengesetzten Seite des Himmels ähnliche, aber schwächere Streifen wahrnimmt, welche nach dem Horizonte hin immer schmäler werden und enger zusammenrücken, so daß sie nach einem gemeinschaftlichen Punkte laufen, welcher eben so tief unter dem Horizonte dieser Seite liegt, als die Sonne im Rücken des Beobachters über dem Horizonte steht. Nach dem gemeinen Glauben bedeutet das Wasserziehen Regen, was nach Lampadius *) in so fern Grund hat, als zur Hervorbringung dieser Lufterscheinung gewöhnlich zwei Wolkenschichten und dazwischen eine mit unaufgelös'ten Dünsten erfüllte Atmosphäre erfodert wird. Doch bleibt dieser Regen, aus leicht zu erklärenden Ursachen, auch häufig aus.

Die gefärbten Wolken, insbesondere das prachtvolle und entzückende Schauspiel der sogenannten Morgen- und Abendröthe, entstehen durch eine solche Brechung und Zurückwerfung des Sonnenlichtes, daß dabei nur die rothen Strahlen in unser Auge gelangen. So kann uns auch, wenn die Luft mit Dünsten

*) A. a. O. S. 61.

erfüllt ist, unter gewissen Umständen das **Bild** der **Sonne** und des **Mondes** dunkelroth erscheinen. Von der Morgen- und Abendröthe werden auch zuweilen die herabfallenden **Regentropfen** und ganze **Regenwände** roth gefärbt. **Lampadius** erwähnt eines vortrefflichen Schauspiels dieser Art, welches er im Sommer 1802 zu **Wolkenstein** im sächsischen Erzgebirge beobachtete. Am westlichen Himmel strahlte die Sonne kurz vor ihrem Untergange, mit einem zwar hellen, aber rothen Lichte, und zwischen ihm und dem Horizont fiel der Regen nieder, der nun gleichfalls roth gefärbt erschien *).

Auch die **Dämmerung** ist eine bemerkenswerthe optische Lufterscheinung. Man versteht darunter das Licht, welches einige Zeit vor dem Aufgange und nach dem Untergange der Sonne in der Atmosphäre wahrgenommen wird. Jenes heißt die **Morgendämmerung**, dieses die **Abenddämmerung**. Die Ursache davon ist das Zurückwerfen der Sonnenstrahlen durch die Atmosphäre. Wäre die Letztere nicht vorhanden, so würde unmittelbar nach dem Untergange der Sonne die Finsterniß eintreten, und diese beim Aufgang derselben eben so plötzlich wieder verschwinden und dem Lichte Platz machen. Weil aber die Erde von einer Lufthülle umgeben ist: so werden die Strahlen der Sonne, die vor ihrem Aufgange oder nach ihrem Untergange an der Erdfläche vorbeigehen würden, von dieser Lufthülle auf die Oberfläche der Erde zurückgeworfen.

*) **Atmosphärologie** ꝛc. S. 57.

Es wird ein Unterschied zwischen der astronomischen und der gemeinen oder bürgerlichen Dämmerung gemacht. Die astronomische hört als Abenddämmerung auf, oder fängt als Morgendämmerung an, wenn die Sonne 18 Grad unter dem Horizonte steht. Bei dieser Tiefe der Sonne sind die kleinsten Sterne sichtbar und es ist also völlig dunkel. Zieht man in der Tiefe von 18° unter dem Horizont einen Kreis mit demselben gleichlaufend, so heißt dieser der Dämmerungskreis oder die Gränze der Dämmerung. Eigentlich ist diese Tiefe von 18° nur als eine Mittelzahl zu betrachten, welche die Sternkundigen aus mehren abweichenden Angaben gezogen haben; denn die wirkliche Tiefe der Sonne, bei welcher die kleinsten Sterne sichtbar werden, ist nicht alle Tage gleich und Anfang und Ende der Dämmerung hangen von verschiedenen zufälligen Umständen, von der Dichtigkeit, Reinheit und Wärme der Atmosphäre, von der Menge und Beschaffenheit der Dünste ꝛc. ab. Unter der bürgerlichen oder gemeinen Dämmerung versteht man diejenige, da man in den Wohnungen, welche nicht gerade gegen Osten oder Westen liegen, am Morgen Licht zu brennen aufhören kann und am Abende Licht anzünden muß. Lambert hat gezeigt, daß die Gränzen des noch erleuchteten Kreises am Himmel gerade durch den Scheitelpunkt des Ortes gehen, wenn die Sonne eine Tiefe von 6° 23½′ unter dem Gesichtskreise hat. Man kann um diese Zeit an der der Sonne entgegengesetzten Seite des Himmels die größten Sterne wahrnehmen, während dieß auf der Sonnenseite selbst durch die Dämmerung noch verhindert wird.

Je senkrechter die Sonne an einem Orte auf- oder untergeht, desto kürzer ist die Dämmerung daselbst. Unter dem Aequator geht die Sonne zu allen Zeiten und überhaupt in der heißen Zone alsdann, wenn sie im Scheitelpunkte steht, völlig senkrecht auf und unter, oder ihr Tagbogen am Himmel macht mit dem Horizonte einen rechten Winkel. Sie kann daher die Tiefe von 18° unter dem Horizonte schneller erreichen, als bei jeder andern Stellung, wo sie spitzige Winkel mit dem Horizonte macht. Die Dämmerung ist also zu dieser Zeit am kürzesten und dauert nur 1 Stunde und 12 Minuten. Auch in den gemäßigten Zonen ist sie zur Zeit der Nachtgleichen verhältnißmäßig am kürzesten, am längsten aber im Sommer, wo zumal in hohen Breiten, Abend- und Morgendämmerung in einander übergehen und es die ganze Nacht nicht finster wird. Die Polhöhe für Prag z. B. beträgt ungefähr 50°, also ist die Aequatorhöhe 40° *). So viel nun der Aequator über den südlichen Horizont erhöht ist, um so viel muß er unter den nördlichen Horizont erniedrigt seyn, wovon man sich durch den Anblick der künstlichen Himmelskugel überzeugen kann. Steht daher die Sonne im Aequator, so befindet sie sich um Mitternacht 40° unter dem Horizont, und es ist also um diese Zeit (im Herbste und Frühlinge) volle Finsterniß. Zur Zeit der nördlichen Sonnenwende

*) Man sehe den I. Bd. dieses Gemäldes d. phys. Welt. S. 74 der neuen Aufl.

aber steht die Sonne $23\frac{1}{2}°$ nördlich vom Aequator, oder des Mittags $63\frac{1}{2}°$ über dem südlichen Horizont; folglich kann sie um Mitternacht nur $16\frac{1}{2}°$ (oder $40°$ weniger $23\frac{1}{2}°$) unter dem nördlichen Horizonte stehen. Es kann also zur Zeit der Sommer-Sonnenwende keine völlige Finsterniß eintreten, und Morgen- und Abenddämmerung müssen in einander übergehen.

An den Polen selbst dauert die Dämmerung ganze Wochen oder Monate lang fort, so daß die lange Nacht daselbst nicht sonderlich fühlbar wird.

Bei heiterer Luft erblickt man zur Zeit der Dämmerung an der, dem Auf- oder Untergang der Sonne gegenüber liegenden Stelle, einen dunkelblauen runden Streifen, welcher oben mit einem röthlichen Bogen begränzt ist. Er entsteht durch Brechung und Zurückwerfung der Dämmerungsstrahlen innerhalb der Atmosphäre und wird die Gegendämmerung genannt.

Von dem Thierkreis-Lichte (Zodiakal-Lichte), einem blassen pyramidenförmigen Lichtstreifen, welcher im Frühjahr des Abends nach Sonnenuntergang am westlichen, und im Herbste des Morgens vor Sonnenaufgang am östlichen Himmel zuweilen sichtbar ist, und sich in der Richtung des Thierkreises vom Horizonte aus weit am Himmel hinauf erstreckt, ist schon im Isten Bande dieses Werkes, im XXIIIsten Abschnitte, S. 258 u. ff. der neuen Auflage, die Rede gewesen.

Die Strahlenbrechung, welche wir vorhin als die Ursache der Dämmerung kennen gelernt haben, verursacht auch eine Veränderung in dem scheinbaren

Orte der Himmelskörper, wenn sie nicht gerade im Scheitelpunkte stehen. Wir sehen die aufgehende Sonne, den Mond, die Planeten, Kometen und Fixsterne schon im Horizonte oder darüber, während sie noch unter demselben stehen, und diese Himmelskörper bleiben beim Untergange noch eine Weile sichtbar, ungeachtet sie schon unter dem Horizonte stehen. Diese Strahlenbrechung ist am Horizonte am größten, weil hier die Lichtstrahlen nicht nur in einer schiefern Richtung auffallen, sondern auch ihren Weg zu unserm Auge durch die untersten, also dichtesten Schichten der Atmosphäre nehmen müssen, wo sie viel stärker gebrochen werden, als weiter hinauf. Sie beträgt hier im Durchschnitt ungefähr 32 Minuten, und da der scheinbare Durchmesser der Sonne und des Mondes ungefähr im Mittel eben so groß ist: so stehen diese Himmelskörper beim Auf- oder Untergange um die Größe ihrer Durchmesser über dem Horizonte, wenn sie eigentlich dem wahren Orte nach unter demselben stehen. Nach Kästners Berechnung wird dadurch unser Tag zur Zeit der Nachtgleichen um 7 Minuten 14 Secunden, zur Zeit der Sommersonnenwenden um 8 Minuten 50 Secunden, und zur Zeit der Wintersonnenwenden um 9 Minuten 8 Secunden verlängert. An den Polen, wo überdieß wegen der außerordentlich dunstreichen Luft die Brechung noch stärker ist, ist diese Verlängerung des Tages noch bedeutender. Die Holländer, welche im Jahre 1597 auf Nowaja Semlja überwinterten, sahen den Rand der wiederkehrenden Sonne schon am 24. Jäner, ungeachtet sie ihn, vermöge der astronomischen Berechnung erst am 10. Februar hätten erblicken sollen. Aus demselben Grunde bleibt auch die Sonne an den Gränzen der kalten Zone, wo sie eigentlich am längsten Tage um Mitternacht noch untergehen sollte, völlig über dem Horizonte sichtbar *).

Der Strahlenbrechung ist auch die länglich runde Gestalt zuzuschreiben, welche man an der Sonne und dem Monde bei ihrem Auf- und Untergehen bemerkt. Der untere Rand wird nämlich mehr als der obere erhoben, und dadurch der senkrechte Durchmesser verkürzt, während der wagrechte unverändert bleibt.

Auch die, obwohl sehr seltene Erscheinung, daß eine Mondfinsterniß kurz vor Sonnenuntergang sichtbar ist, beide Himmelskörper also in diesem Augenblicke über dem Horizont stehen, was nicht möglich wäre, wenn wir jeden an seinem wahren Orte erblickten, ist eine Folge der Strahlenbrechung.

Endlich muß auch bei dem geometrischen Höhenmessen Rücksicht auf die Brechung des Lichts genommen, und die gefundene scheinbare Höhe eines Berges, Thur-

*) Hood, der unglückliche Gefährte Franklin's auf dessen Reise nach den Nordküsten des Innern von Nord-Amerika, fand aus Messungen der Sonnenhöhe zur Mittagszeit, die er am 28. Dezbr. 1820 ungefähr unter 64° 30′ nördl. Breite anstellte, daß die Horizontal-Strahlenbrechung daselbst 56′ 3″, oder beinahe einen Grad betrug. Die Kälte war an diesem Tage Mittags — 45½° Fahr. oder 34⅘° Reaum. S. Narrative of a Journey to the shores of the Polar Sea, in the years 1819 — 1822, by John Franklin etc. London, 1823. S. 256 und 257 in der Anmerkung.

mes u. dgl. muß um etwas vermindert werden, wenn man die wahre Höhe wissen will. Dieß ist besonders alsdann der Fall, wenn der zu messende Gegenstand vom Beobachter beträchtlich entfernt ist. Diese Brechung des Lichts hangt natürlich auch von Veränderungen in der Wärme und Feuchtigkeit der Luft ab, welche oft so beträchtlich sind, daß die scheinbare Höhe eines Gegenstandes an dem einen Tage um 30 Minuten größer seyn kann als an dem andern.

XXVI.

Von der Luftspiegelung.

Eine der merkwürdigsten Erscheinungen in der Atmosphäre ist die Luftspiegelung, welche man auf dem festen Lande in weiten Ebenen, z. B. in den Sandwüsten Afrika's, den Steppen Asiens, so wie an flachen Meeresufern und auch zu gewissen Zeiten auf dem Meere beobachtet. Die Franzosen nennen sie Mirage, die Bewohner der Nordsee-Ufer die Kimmung, die Erhebung, das Seegesicht. Die Erscheinung besteht im Wesentlichen darin, daß ein Theil der Atmosphäre gegen den Horizont so verdichtet wird, daß nichts dadurch zu erkennen ist, die hohen Gegenstände aber darüber hervorragen. Es scheint also, als ob in der Ferne ein großer Teich oder See vorhanden wäre, und die Gegenstände am Horizonte jenseit dieses Wassers lägen. Was den

Anblick noch wunderbarer macht, ist, daß die Bilder entfernter Berge, Städte ꝛc. sich in diesem scheinbaren See abspiegeln, gerade so wie es die Gegenstände am Ufer eines wirklichen Gewässers zu thun pflegen.

Das französische Kriegsheer, welches sich 1798 und 1799 in Aegypten befand, hatte dort öfter Gelegenheit, dieses seltsame Natur-Schauspiel zu beobachten. Der Boden von Nieder-Aegypten ist eine ungeheure, vollkommen wagrechte Ebene, auf welcher sich nur einige mit Dörfern besetzte Anhöhen befinden, welche durch diese Lage gegen die Ueberschwemmungen des Nils geschützt sind. Abends und Morgens erscheint die Landschaft ganz so, wie sie wirklich ist, oder wie es die wirkliche Lage, Größe und Entfernung der Gegenstände mit sich bringt. Am Tage aber, wo der Boden von der Sonne erhitzt wird, scheint das Land in einer gewissen Entfernung durch eine allgemeine Ueberschwemmung begränzt zu werden. Die über diese Gränze hinaus liegenden Dörfer erscheinen wie Inseln in einem großen Meere. Unter jedem Dorfe sieht man dessen umgekehrtes Bild, ganz so wie es erscheinen würde, wenn es wirklich am Wasser läge. Nähert man sich, so rücken die Gränzen dieser scheinbaren Ueberschwemmung weiter hinaus; der das Dorf umgebende eingebildete See zieht sich zurück, verschwindet endlich ganz, und die Täuschung erneuert sich für ein anderes entfernteres Dorf. Für den durstigen Wanderer in diesen afrikanischen Wüsten ist diese Täuschung in einem Augenblicke, wo er mit Sehnsucht einem Labetrunke entgegensieht, äußerst grausam. Die Franzosen hatten, ehe sie mit der Erscheinung vertraut wurden, häufige Gelegenheit, diese bittere Erfahrung zu machen *).

In Italien ist die Erscheinung der Luftspiegelung, besonders an der Meerenge von Messina, unter dem Namen der Fata Morgana (Fee Morgana) bekannt, welche Benennung anzeigt, daß sie der Aberglaube des dortigen gemeinen Volkes für ein Zauberspiel dieser Fee hält. Blickt man nämlich von Reggio, an der Küste von Calabrien, über die Meerenge nach der Gegend der sicilischen Küste hin: so glaubt man zuweilen Städte mit Thürmen, Schlösser oder Wälder zu sehen, oder schöne Paläste mit regelmäßigen Säulen, lange Reihen von Bäumen, Ebenen mit Viehheerden bedeckt, oder ganze Schaaren von Fußgängern oder Reitern, obgleich von diesem Allem nichts auf dem Meere vorhanden seyn kann; eben so erblickt man Flotten, obgleich keine da sind, und mancherlei andere Gestalten. Sie scheinen überdieß in der Luft zu schweben, verschwinden allmählich und machen andern Platz, so daß man sich wirklich in eine Feenwelt versetzt glaubt, und das kundigste Auge die Gegend nicht für diejenige zu erkennen vermag, welche es sonst hier zu sehen gewohnt war **).

Auch auf Malta hat man diese Luftspiegelung beobachtet. Am 20. März 1784 erhob sich Nachmittags um ein Uhr zu La Waletta auf allen Straßen ein Ge=

*) Biot's Anfangsgründe rc. II. Bd. S. 247.

**) Brandes: Ueber die Fata Morgana und ähnliche Erscheinungen, die von der Strahlenbrechung abhangen; in dem Taschenbuche Kronos auf das Jahr 1817. Leipzig und Wien. S. 3 u. ff.

schrei, daß sich aus dem Kanal von Malta eine neue Insel emporhebe. Der Astronom Dangos eilte sogleich auf seine Sternwarte und bemerkte in der That mitten im Meere, nach Sicilien hin, einen sehr weißen Körper, von der Gestalt eines unregelmäßig abgestumpften Kegels. Die Täuschung war so vollkommen, daß schon Seeleute abgegangen waren, das neue Land in Besitz zu nehmen. Dangos gelangte indessen durch die Gestalt, die Farbe, und besonders durch die Lage dieser vermeintlichen neuen Insel bald zu der Ueberzeugung, daß die ganze Erscheinung nichts weiter sei, als das, durch Strahlenbrechung näher gerückte und über den Wasserspiegel mehr als gewöhnlich empor gehobene Bild des mit Schnee bedeckten Aetna=Gipfels. Am 17. April 1785, Morgens um 6 Uhr, zeigte sich dieß wunderbare Schauspiel aufs neue. Auch waren an diesem Tage die Küsten von Sicilien, welche sonst verdeckt sind, völlig sichtbar *).

Auch anderwärts beobachtet man auf dem Meere, obwohl nur sehr selten und bei vollkommener Windstille, die Erscheinungen der Luftspiegelung. Ein Schiff, das aus der Entfernung und am Horizonte gesehen wird, bietet zuweilen zwei Bilder dar, nämlich über dem wirklichen aufrechten noch ein umgekehrtes in der Luft, als ob das Bild des erstern von dieser, wie von einem Spiegel zurückgeworfen würde. Scoresby **) beschreibt eine solche Luftspiegelung, welche er am 19. Juni 1822, unter 73° Breite, im Nördlichen Eismeere beobachtete.

*) Kant, a. a. O. S. 104.
**) A. a. O. S. 139.

„Das Eis am Horizont“ — erzählt er — „nahm mancherlei sonderbare Gestalten an; große Eisblöcke wurden zu aufrechtstehenden Säulen; Schollen und Felder erhoben sich zu einer Kette von prismatischen Felsen, und an vielen Stellen erschien das Eis in der Luft in einer Höhe von einigen Minuten über dem Horizont. Die Schiffe um uns her, deren acht oder neun waren, zeigten sich in seltsamen Formen. Die Segel und Masten waren sonderbar verunstaltet. An einigen Schiffen waren die untern großen Segel fast zu nichts zusammengedrückt, dagegen die Marssegel beinahe auf das Vierfache ihrer wirklichen Höhe ausgedehnt und die Bramsegel verstümmelt. Hier und da kamen ganz seltsame Verbindungen zum Vorschein. Ueber dem Bramsegel schien noch ein Segel, wie ein schwebendes Ober-Bramsegel, aufgesetzt; an andern war das in die Länge gezogene Marssegel in zwei deutliche Segel getheilt, indem das eigentliche Segel von dem Bilde desselben durch einen Zwischenraum getrennt war. Ueber einigen entfernten Schiffen sah man ein verkehrtes Bild derselben in der Luft, das oft größer war als das Schiff selbst. In einigen Fällen war dieß in beträchtlicher Höhe über dem Schiffe; aber es erschien immer von geringerer Größe als das Original, wenn beide nicht mit einander in Berührung standen. Das Bild des einen Schiffes war mehre Minuten nach einander deutlich zu sehen, während das Schiff selbst, zu welchem es gehörte, unsichtbar war. Ein Schiff war sogar mit zwei Bildern gekrönt, einem verkehrten und, was ich vorher nie gesehen habe, einem aufrechten.“

Brandes hat in dem vorhin angeführten Aufsatze eine sehr vollständige Beschreibung und Erklärung der Luftspiegelung, nebst einer erläuternden Kupfertafel geliefert, welche wir hier unter Nr. VI. gleichfalls mittheilen. Er beschreibt zuerst die Erscheinungen, welche er am oldenburgischen Ufer der Nordsee beobachtet hat. „Mein dortiger Wohnort" — sagt er — „lag nahe an dem großen Meerbusen der Jahde, dessen jenseitiges Ufer theils eine halbe Meile entfernt war, theils, bis gegen drei Meilen von meinem Standpunkte entfernt, sich jenseit des Wassers hin erstreckte. Bei dem gewöhnlichen Zustande der Luft sah man hier die Dörfer, Bäume, Kirchthürme des jenseitigen Ufers in ihrer natürlichen Gestalt, und erblickte wenig von dem, was tiefer im Lande lag, weil in dem ganz ebenen flachen Lande entferntere Gegenstände hinter den nähern versteckt blieben; aber an heitern Frühlings- oder Sommer-Abenden, wenn die Luft nach einem sehr warmen Tage ganz still war, zeigten sich diese bekannten Gegenstände in einer ganz andern Gestalt. Die am Ufer liegenden Häuser schienen ganz zusammengedrückt, oft so niedrig, daß man sie nur mit Mühe erkannte, aber das ganze dahinter liegende Land, mit seinen Dörfern, Häusern, Bäumen, war oberhalb jener nächsten Gegenstände zu sehen, gerade als ob das Auge von einer großen Höhe auf die Ebene herabsähe, oder das ganze flache Land sich als ein Theil einer hohlen Kugel in größerer Entfernung hervorhöbe, und Dörfer hinter Dörfern wurden viele Meilen weit entfernt sichtbar. Während der Beobachter sich über diesen Anblick, den man sonst nur auf Bergen genießt, freute, änderte sich die Erscheinung; man sah in manchen Gegenden über den einzelnen vorragenden Gegenständen, Häusern, Bäumen u. dgl. eine hohe Säule, eben so dunkel und eben so gefärbt wie der Gegenstand selbst, sich erheben; alle diese Säulen waren oben in genau gleicher Höhe abgeschnitten, und oft schienen sie oben durch einen dunkeln Streif, der gleichsam einen neuen Horizont darstellte, verbunden zu seyn. Diese Säulen zitterten oder waren in einer wellenartigen Bewegung, und wenn man sie genauer mit dem Fernrohre betrachtete, so fand man an ihrem obern Ende das umgekehrte Bild des Gegenstandes wieder, der unter ihnen lag, oder von dem sie ausgingen, und manchmal erhob sich über jenem neuen Horizont ein zweites, aber äußerst zusammengedrücktes Bild desselben Gegenstandes. Zuweilen verschwanden jene Säulen und die Bilder des Gegenstandes schwebten getrennt von ihm in der Luft; manchmal stellte sich eine Ansicht, der vorigen ähnlich, wieder her, und oft sah man die eine Gegend durch solche oberhalb schwebende Bilder unkenntlich gemacht, während eine andere ziemlich in ihrer natürlichen Gestalt erschien, und eine dritte die weite Aussicht über unabsehbare Gefilde darbot. Gewöhnlich waren zu dieser Zeit alle Gegenstände in einer zitternden Bewegung, wodurch sie noch unkenntlicher wurden. Aber sobald sich ein frischer Wind erhob, waren alle diese Erscheinungen verschwunden; das alte wohlbekannte Ufer lag deutlich da, ohne daß eine Spur von dem zurückblieb, was noch eben so fremd und täuschend dem

Auge vorgeschwebt hatte. So ungefähr habe ich diese, nicht gar so häufig in rechter Vollkommenheit vorkommende, Erscheinung von Eckwarden (am oldenburgischen Ufer der Jahde) und von der Insel Neuwerk (am Ausfluß der Elbe) aus gesehen. An dem letzten Orte waren die Abende, wo diese Luftgebilde sich zeigten, dadurch noch ausgezeichneter, daß man die sieben Meilen entfernte, sonst vermöge der Krümmung der Erde unsichtbare, Insel Helgoland sah, und zwar nicht bloß den hohen Felsen, sondern auch die kleine, wenig über die Meeresfläche erhabene niedrige Insel, und das sie umgebende Meer selbst, und dieses oft mit ausgezeichneter Deutlichkeit."

„Diese Phänomene," — fährt Brandes fort — „wo sehr entfernte, sonst unsichtbare Gegenstände zu Gesichte kommen und andere oberwärts ein umgekehrtes, auch wohl ein zweifaches Bild über sich haben, bemerkte man nur an schwülen, gewitterhaften Tagen, und meistens nur gegen Abend; dagegen stellte sich an kühlen Sommertagen eine ganz andere Erscheinung dar. Man sah alsdann die Gegenstände jenseit des Wassers in ihrer natürlichen Gestalt, aber sie schienen oberhalb des Wasser-Horizontes in der Luft zu schweben, und wenn man sie mit dem Fernrohre genauer betrachtete, so sah man, daß der Gegenstand zwar in seiner natürlichen Gestalt erschien, aber unterhalb sich wie gespiegelt zeigte, so daß ein umgekehrtes Bild des Gegenstandes, seine untere Seite unmittelbar berührend, gesehen wurde. Auch die aufgehende oder untergehende

Sonne bietet bei dieser Beschaffenheit der Luft, indem sie über dem Wasser-Horizonte hervorkommt, ähnliche Erscheinungen dar. Sie zeigt sich nicht am Rande des Wassers selbst, sondern oberhalb eines schmalen Luftstreifen sieht man ihren obern Rand hervorkommen; so wie sie weiter sichtbar wird, sieht man sie mit eben der Rundung unterhalb wachsen, wie sie oberhalb wächst, so daß sie nach und nach die Gestalten Fig. 1. *) darstellt. Sie erscheint völlig, als ob sie sich abspiegelte, als ob AB die Gränze eines dichten Nebels wäre, über welche sich die Sonne nach und nach erhebt, und in welchem ihr gespiegeltes Bild gesehen wird. Eine etwas genauere Betrachtung der Zeichnung, wo a das erste Aufgehen der Sonne, b, c, d, e, f die spätern Erscheinungen darstellt, wird dieses völlig klar machen, und ich brauche nur noch hinzuzusetzen, daß diese Spiegelung nur niedrige Gegenstände, oder nahe am Horizont liegende Punkte darstellt, weßhalb dann die Sonne, wenn sie höher steigt, nur noch wenig (wie bei f) und endlich gar nicht mehr abgespiegelt erscheint."

Zur Veranschaulichung des Ganzen dienen Fig. 2. a und b, und Fig. 3. a und b, auf unserer Kupfertafel. In allen vier Figuren sind die nämlichen Gegenstände dargestellt, zwei Gebäude, wovon eines einen Thurm hat, dazwischen und an den Seiten Bäume. Fig. 2. a. zeigt die Gegenstände, so wie sie etwa erscheinen, wenn die Spiegelung unterwärts eben nicht stark und ihre natürliche Gestalt gut zu erkennen ist. Diese Spiege-

*) Auf der Kupfertafel Nr. VI.

lung unterwärts erblickt man auch auf Fig. 2. b, aber sie ist hier so stark, daß selbst die höchsten der vorhandenen Gegenstände ganz abgespiegelt sind und man die niedrigen Gegenstände ganz aus den Augen verliert. In Fig. 3. sieht man die Uebereinstimmung mit Fig. 2. deutlich, aber die Verhältnisse zwischen Breite und Höhe sind ganz verändert und die Bilder schweben oberhalb in der Luft. Sie sind in der Wirklichkeit oft noch unkenntlicher als in Fig. 3. b, zumal weil die wellenartige Zitterung aller Gegenstände die Umrisse weit minder scharf erscheinen läßt. Die oben beschriebenen dunkeln Streifen, welche in Fig. 3. den Gegenstand unten mit seinem obern Bilde verbinden, sind im Grunde auch nur heftige Zitterungen, vermöge welcher das untere und obere Bild sich so sehr verzerren. Brandes bemerkt, daß er die Erscheinung Fig. 3. nie anders als jenseit einer Wasserfläche gesehen, und er wisse auch nicht, daß irgend ein Beobachter sie über einer Landfläche gesehen habe. Fig. 2. dagegen sieht man häufig über jeder ausgedehnten Landebene, z. B. wie oben erzählt wurde, in Aegypten.

Ehe Brandes zu der Erklärung der ganzen Erscheinung übergeht, hält er für nothwendig, sie noch genauer zu betrachten, und besonders zu erforschen, wie sich das abgespiegelte Luftbild bei verschiedener Entfernung des Gegenstandes ändert. Er macht zu dem Ende auf einen Versuch aufmerksam, welchen Biot darüber angestellt hat. Dieser ließ auf einer durch die Sonnenstrahlen sehr erwärmten Sandebene *) einen Mann

*) Es war am Meeresufer zu Dünkirchen, in den französi-

mit einem Stabe in der Hand immer weiter vor sich weggehen und beobachtete nun, wie dieser ihm erschien. Zuerst (Fig. 4. links bei A) sah er ihn ganz vollständig in seiner gewöhnlichen Gestalt; dann schienen die Füße verschwunden zu seyn und die Beine verlängert; auch der Stab zeigte sich unten wie gebrochen. Bei noch größerer Entfernung bemerkte man schon, daß die Beine unterhalb des Kniees unsichtbar waren, und man sah an deren Stelle eine Abspiegelung des Oberschenkels. Allmählich verschwand ein immer größerer Theil des untern Körpers und der übrigbleibende zeigte sich im gespiegelten Bilde desto vollständiger, je mehr die Entfernung zunahm, so wie es die nach einander folgenden Abbildungen in Fig. 4. von der Linken zur Rechten darstellen. Endlich blieb nur noch der Kopf mit seinem Bilde übrig, und zuletzt schien der Mensch ganz in die, einem hellen Nebel gleichende Masse untergetaucht zu seyn, und ward nicht mehr gesehen.

Man sieht also, wie sehr die verschiedenen Entfernungen der Gegenstände auf die Luftspiegelung einwirken. Von den nähern Gegenständen entzieht sich dem Auge nur ein kleines Stück des untern Theils, und nur der zunächst darüber liegende Theil ist abgespiegelt, so daß die Wasser- oder Erdfläche AB den übrigen Theil des Bildes zu verdecken scheint. Entferntere Gegenstände

schen Niederlanden, und geschah in Gesellschaft des Hrn. Matthieu. Biot gab in den Schriften des National-Institutes von 1809 eine Abhandlung darüber. S. Anfangsgründe rc. S. 248 und 249.

aber lassen uns nur ihren obern Theil und diesen ganz abgespiegelt sehen, und da, wo die Spitze des gespiegelten Bildes sich unterwärts endigt, sieht man die helle Luft, in welcher jener Gegenstand zu schweben scheint.

Auch folgende merkwürdige Beobachtung schickt Brandes seiner Erklärung noch voraus. „Wenn man (Fig. 5.) zwei Pfähle von ungleicher Größe, A und B, so aufstellt, daß sie etwa 1000 Fuß von einander entfernt stehen, und die Spitze des entferntern Hauses C gerade durch B verdeckt wird, wenn man das Auge oder das Fernrohr an A anlegt: so wird wohl Jeder zuerst vermuthen, die Spitze C müsse nun zu jeder Zeit dem Auge in A durch den Pfahl B verdeckt werden. Dieß ist aber nicht der Fall. Vielmehr sieht man zu der einen Zeit die Spitze C hoch über B hervorkommen, und zu einer andern tiefer hinabsinken. Gewöhnlich ist an einem heitern Sommertage die Folge der Erscheinungen diese, daß man früh, bei Sonnenaufgang den entfernten Punkt C ziemlich hoch und über B hinausragend erblickt. Gegen 6 Uhr ist er schon etwas niedriger geworden; bis zur größten Mittagshitze, etwa um 2 Uhr, sieht man ihn sich immer tiefer senken; hierauf erhebt er sich wieder und bei Sonnenuntergang sieht man ihn wieder so wie früh beim Aufgang.“

Diese Erhebung und Senkung des Gegenstandes kann offenbar nur eine Folge von ungleicher Brechung der Lichtstrahlen seyn, und diese hangt wieder von der ungleichen Temperatur der Luftschichten an und über dem Erdboden ab. Auch die Luftspiegelung entsteht auf diese

Weise. Die Gegenstände jenseit einer grossen Wasserfläche erscheinen am niedrigsten und am stärksten unterwärts gespiegelt, wenn die Wasserfläche mehr als die Luft erwärmt ist. Je mehr die Erwärmung des Wassers abnimmt, desto schwächer wird die Spiegelung unterwärts und desto weniger erniedrigt kommt uns der Gegenstand vor. In der Zeit, da die Luft wärmer ist als die Oberfläche des Wassers oder der Erde, erscheint jeder Gegenstand meistens in seiner natürlichen Gestalt. Ist aber die Luft in einiger Höhe sehr viel wärmer, als an der Oberfläche des Wassers und der Erde, dann zeigen sich die jenseit des Wassers liegenden Gegenstände zuweilen oberwärts abgespiegelt und gewähren die von Brandes beschriebenen Erscheinungen.

Wenn die Luft überall gleich warm ist, so sind die untern Luftschichten nur wenig dichter als die 20 oder 30 Fuß höhern, weil sie bloß wegen des stärkern Druckes, den sie leiden, ein wenig mehr zusammengepreßt sind. Die Lichtstrahlen weichen also bei dieser gleichförmigen Dichtigkeit der Luft nur wenig von ihrer Richtung ab. Ist die Luft unten kälter als oben, wie es nach heißen Sommertagen Abends der Fall ist: so wird dadurch die obere Luft mehr verdünnt, die Krümmung der Lichtstrahlen nimmt stark zu, und derselbe Gegenstand erscheint uns folglich erhöht. In Fig. 6. soll CBA den gerade fortgehenden und CDEA, so wie CMNA, die gebrochnen Lichtstrahlen bedeuten. Es leuchtet ein, daß ein Auge in A den Gegenstand C desto höher zu sehen glaubt, je stärker der Lichtstrahl nach oben hin gekrümmt ist. Denn wir beurtheilen die Lage eines Gegenstandes nach der letzten Richtung des Lichtstrahls, mit welcher er unser Auge trifft, und sagen daher, der Punkt C erscheine uns eben so hoch über B, als der Punkt E. Die Gegenstände müssen uns also desto höher hinaufgerückt erscheinen, je wärmer die obere Luft in Vergleichung mit der untern ist.

Auch die von Brandes erwähnte starke Abplattung der Gegenstände (Fig. 3.), da sie gleichsam von oben nach unten zusammengedrückt erscheinen, ist eine Folge jener ungleichen Erwärmung der Luft. In den untersten Schichten ist die Zunahme der Dichtigkeit am merklichsten, und es erscheinen daher die untern Theile des Hauses oder eines andern Gegenstandes viel weiter hinaufgerückt, als die obern, welches offenbar eine scheinbare Verkürzung zur Folge hat.

Auch der Umstand, daß man die entferntern Gegenstände oberhalb der nähern erblickt, und daher Dörfer hinter Dörfern gewahr wird, die sonst von den nächsten Gegenständen verdeckt wurden, ist jetzt völlig erklärt, weil der von entferntern Punkten kommende Lichtstrahl mehr gebrochen wird und daher mit stärkerer Krümmung oberhalb der nähern weggeht. Gerade so wie C dem Beobachter in A oberhalb B erscheint, so sieht er wieder oberhalb C die noch entferntern Gegenstände, und so immer fort, bis endlich die Krümmung der Erde zu erheblich wird, und die allzu entfernten Gegenstände dennoch verbirgt.

Die Spiegelung oberwärts, wie in Fig. 3.,

erklärt sich durch eine solche Art der Strahlenbrechung, daß dabei von einem Punkt C mehre Lichtstrahlen, und zwar auf verschiedenen Wegen, ins Auge A kommen. Es gehört dazu wahrscheinlich eine ganz vorzügliche Erhitzung und Verdünnung der obern Luftschichten (bei MNQ in Fig. 6). Wegen der starken Brechung, die die Lichtstrahlen in den immer dünnern Luftschichten erfahren, ist es möglich, daß ein aufwärts gehender Lichtstrahl CM in die wagrechte Richtung MN gebrochen wird, und wenn er diese erreicht hat, so geht er in einer krummen Linie, die der MC ganz gleich ist, wieder abwärts nach A. Der Punkt C muß uns also auf diese Weise doppelt erscheinen, ein Mal in der Richtung nach B, und das andere Mal in der Richtung nach N. So kann auch ein Lichtstrahl, welcher von einem noch tiefer als C liegenden Punkte P kommt, einen Weg wie PMQA nehmen, und folglich dem in A stehenden Auge oberhalb des Punktes C erscheinen. Daß eine dazu erforderliche unverhältnißmäßige Erhitzung und Verdünnung der obern Luftschichten möglich und vorzüglich bei gewitterhafter Luft vorhanden ist, haben wir schon oben bei der Lehre vom Gewitter gesagt, und dort einer merkwürdigen Beobachtung auf Lapeyrouses Schiffe gedacht. In der Regel ist auch wirklich die Spiegelung oberwärts ein Vorbote von Gewittern, auf welche meistens rauhes und nicht selten stürmisches Wetter zu folgen pflegt.

Zur Erklärung der Spiegelung unterwärts verweis't Brandes auf Fig. 7. der erwähnten Kupfertafel Nr. VI. Unmittelbar an der Erd-Oberfläche liegt zu dieser

Zeit eine überaus erhitzte und folglich sehr verdünnte Luftschicht. Vier oder fünf Fuß höher ist die Luft zwar auch noch dünner als weiter hinauf, aber doch nicht mit so schnell zunehmender Ungleichheit der Schichten wie ganz nahe an der Erde. Daher kann in Fig. 7. außer dem wenig gekrümmten Lichtstrahl CBA noch ein zweiter von demselben Punkte C ins Auge gelangen. Denn der nach CD gehende Strahl kann die wagrechte Richtung erhalten, wie hier bei E, und geht dann in einer gleichen Bahn aufwärts, wie die war, in welcher er nach CDE abwärts ging. Auf diese Weise kann das Auge in A den Punkt C zu gleicher Zeit doppelt sehen, zuerst in der Richtung nach B, und dann nach E. Ferner leuchtet die Möglichkeit ein, daß ein zweiter, unterhalb C liegender Punkt F gesehen werden kann. Der gerade Lichtstrahl FA gelängt durch Luftschichten von fast gleicher Dichtigkeit zum Auge A und zeigt diesem den Punkt F in seiner natürlichen Lage unterhalb C. Aber es kommt von diesem nämlichen Punkte ein zweiter stark gebrochner Strahl FGA zum Auge, und dieser erscheint demselben o b e r h a l b des von C kommenden Strahles CDEA.

Es geht aus der Betrachtung dieser Figur ferner hervor, warum bei diesem Zustande der Luft die niedrigen Punkte der Gegenstände gar nicht gesehen, sondern von dem umgekehrten Bilde gleichsam verdeckt werden, (wie z. B. bei Fig. 4). Ein solcher niedriger Punkt Q (Fig. 7.) nämlich liegt selbst in den stark brechenden Schichten, und sogar der wagrecht ausgehende Strahl

QR wird nach V hin gebrochen und geht also über das Auge A weg; der Strahl QS hingegen, welcher nach A gelangen könnte, trifft in T die Erdfläche an und wird daher gehindert nach S und somit zum Auge A zu gelangen; es kommt daher von Q gar kein Lichtstrahl zum Auge oder mit andern Worten: Q bleibt unsichtbar.

Auf einem ähnlichen Grunde beruht es, daß Punkte, die hoch über C liegen, im gespiegelten Bilde nicht mehr erscheinen. Der niedrigste Punkt des zum Auge gelangenden Strahles liegt, wie schon oben erhellte, desto niedriger, je höher der Punkt liegt, von welchem der Strahl ausgeht. Für sehr hohe Punkte müßte also dieser niedrigste Punkt unterhalb der Erd-Oberfläche liegen, was eine Unmöglichkeit ist, indem diese den Lauf des Strahles unterbricht, und dieser somit nicht zum Auge gelangen kann.

XXVII.

Von den feurigen Lufterscheinungen, den Irrlichtern, Sternschnuppen und Feuerkugeln.

Die Irrlichter oder Irrwische sind Flammen von verschiedener Größe und bläulicher Farbe, welche man über sumpfigen Gegenden und solchen Oertern, wo thierische Körper in Fäulniß übergehen, z. B. Kirchhöfen und Schindangern, zur Nachtzeit in der Luft schweben und sich hin und her bewegen sieht. Der Aberglaube hat bekanntlich böse Geister daraus gemacht, welche den Wanderer irre führen, denjenigen, der vor ihnen flieht, verfolgen, aber auch fliehen, wenn sie verfolgt werden. Das Wahre an diesem Mährchen ist, daß ein Wanderer in einer unbekannten Gegend, welcher die entfernten Irrlichter für wirkliche Lichter in Häusern oder für von Menschen angezündete Feuer hält, und nun vertrauensvoll darauf zugeht, allerdings irre geführt wird und, statt die gehoffte Nachtherberge zu erreichen, sich endlich in Sümpfe und andere unsaubere Orte verschlagen sieht. Die meisten und größten Irrlichter werden in warmen Ländern, meist nach beendigter Dämmerung, in den ersten Abendstunden und bei stiller Luft gesehen. In der Regel sind sie nicht größer als eine Lichtflamme, steigen aber auch zu der Größe einer Fackel und sollen bei Bologna in Italien bisweilen eine Höhe von zwölf Fuß erreichen. Gewöhnlich berühren sie den Boden nicht, sondern schweben in einer kleinen Entfernung über demselben.

Wahrscheinlich sind die Irrlichter nichts weiter als entzündetes phosphorhaltiges Wasserstoff-Gas, welches an allen Orten, wo thierische Körper in Fäulniß übergehen, sich in Menge entwickelt, und bei der Berührung mit atmosphärischer Luft entzündet. Daß die Flammen den Boden nicht berühren, rührt vielleicht von einer Schicht kohlensauren Gases zunächst am Boden her, durch welche das gephosphorte Wasserstoff-Gas erst steigen muß, ehe es mit der Luft in Berührung kommen.

kann *). Das anscheinende Fortschreiten und Forthüpfen der Irrlichter ist wahrscheinlich nichts weiter, als ein Verschwinden der alten und ein Entstehen der neuen Flammen.

Bei manchen Verbrennungen dieser Art entsteht eine ganz eigne schleimichte Masse. Dr. Chladni überzeugte sich davon im Jahre 1781, an einem warmen Herbstabende, als er in der Dämmerung durch den sogenannten Großen Garten bei Dresden fuhr. Viele leuchtende Punkte hüpften im nassen Grase nach der Richtung des Windes, und setzten sich zum Theil an die Wagenräder. Mit großer Mühe gelang es Chladni einiger solcher Flämmchen habhaft zu werden; denn sie flohen bei der Annäherung. Was er in die Hand bekam, waren kleine gallertartige Massen wie Froschlaich, ohne Geruch und Geschmack, und nach seinem Dafürhalten verfaulte Pflanzentheile **).

Einige Naturforscher, worunter Volta, haben die Irrlichter für elektrische Entzündungen gehalten. Allerdings verrathen manche Erscheinungen dieser Art einen elektrischen Ursprung, wie z. B. dasjenige äußerst merkwürdige Schauspiel, welches Herr v. Trebra am 5. Septbr. 1783 beobachtete. An diesem Tage erschien Abends um 10 Uhr zu Zellerfeld ein feuriger Schein am Himmel, welcher bald stärker bald schwächer ward,

*) Lampadius, a. a. O. S. 107. — Parrot, a. a. O. S. 470. — Fischer, a. a. O. Art. Irrlichter.

**) Ueber den Ursprung einiger Eisenmassen ꝛc. Leipzig. 1794, gr. 4. S. 27 — bei Fischer a. a. O.

und nach einer kurzen Zeit wieder aufhörte. Nicht lange darauf schossen vom Abende her matte Flammen, wie beim Nordlichte, nur tiefer, in der Atmosphäre auf, wurden immer heller und kamen endlich bis zur Wohnung Trebra's heran, so daß in einem Augenblick das ganze Haus völlig erleuchtet ward. So flammte es einige Minuten lang, „wie ein stillstehender Blitz," und entfernte sich hernach auf einige Hundert Schritte, wo es so lange stehen blieb, daß Trebra es hinlänglich beobachten konnte. Das meiste Licht befand sich nahe an der Erde und hatte hier ein röthliches, ans Oraniengelbe gränzendes Aussehen. Im Umfange mochte die Lichterscheinung am Boden etwa 20 Schritte halten, und es war hier Alles so hell, daß man kleinere Gegenstände in der Entfernung wahrnehmen konnte. Von diesem Punkte aus ward das Licht höher hinauf gelber und endlich weiß, nahm auch immer mehr an Umfang und Stärke ab und verlor sich endlich ganz in der Finsterniß des Himmels. Einige Minuten hatte die Erscheinung so gestanden, als sie sich mit abwechselndem Dunkel weiter gegen Süden hin zog, hier gleichfalls einige Minuten verweilte, und in großer Entfernung an dem Orte, wo es zuerst als Schein einer rothen Gluth am Himmel beobachtet worden war, verschwand. Nach einer halben Stunde kam es wieder und dauerte bis gegen Ein Uhr des Nachts. Am Tage vorher war das Barometer sehr stark gefallen und die Witterung kalt und regnerisch gewesen. Selbst während der Erscheinung regnete es und der Wind ging mäßig aus Abend *).

*) Beiträge zu den elektrischen Erscheinungen;

Andere, mit den Irrlichtern nicht zu verwechselnde, feurige Erscheinungen dieser Art sind vulkanischer Natur, wie z. B. die Flammen, von welchen man bei Baku in Persien die Felder zuweilen bedeckt sieht. Wir haben davon im IIten Bande dieses Werkes S. 172 u. ff. der neuen Auflage gesprochen.

Eine andere merkwürdige Lufterscheinung sind die sogenannten Sternschnuppen, scheinbar kleine leuchtende Körper, von der Größe eines Sternes, welche man bei heitern Nächten am Himmel plötzlich entstehen, sich eine Strecke von 10, 20, 30 und mehr Graden, mit mehr oder weniger Geschwindigkeit fortbewegen, und dann eben so plötzlich wieder verschwinden sieht. Bei einigen erfolgt dieses Verschwinden noch am Himmel; andere bewegen sich bis zur Erde herab. Der unwissende, gemeine Mann hält diese Erscheinung theils für wirkliche, sich fortbewegende Sterne, daher die französische Benennung ètoile tombante, fallender Stern, und die teutsche: Sternschießen: theils für ein Reinigen oder Putzen der Sterne, auf die Art ungefähr, wie die Lichter geputzt werden, daher die Benennungen: das Sternschneuzen, die Sternschnuppe. Man wollte ehemals an den Orten, wo die Sternschnuppen auf den Erdboden herabgefallen wären, einen schleimigen, gelben und schwarzgefleckten Stoff gefunden haben, der in Papier aufbewahrt, allmählich vertrocknet und hart geworden sei. Das ist aber ein Mährchen.

im Deutschen Merkur, Oktober 1783 — bei Fischer, a. a. O.

Die meisten Sternschnuppen beobachtet man in warmen, heitern und stillen Nächten, vorzüglich im Herbste und Frühlinge; auch sollen sie an solchen Orten häufiger wahrgenommen werden, welche die Entstehung der Irrlichter begünstigen, also über feuchten und sumpfigen Gegenden, Schlachtfeldern u. dgl. Brandes hat deren am 6. Dezember 1798, nur an einem mäßig großen Theile des Himmels in einigen Stunden über 400 gesehen, und schätzt die Zahl der damals über dem ganzen Horizonte sichtbar gewesenen Sternschnuppen, auf mehr als 2000. Ueberhaupt verdanken wir diesem Sternkundigen und Naturforscher die ersten gründlichen und vollständigen Beobachtungen der Sternschnuppen. Er verabredete nämlich mit Benzenberg im Jahr 1798 gemeinschaftliche Beobachtungen dieser Art, so zwar, daß vom 11. Sept. bis zum 4. Nov., der Eine zu Clausberg, der Andere anfänglich zu Ellershausen, nachher zu Sesebühl, in einerlei Nächten, jeder für sich, alle ihm vorkommende Sternschnuppen genau ins Auge faßte. Die Zeit wurde nach Uhren bestimmt, deren Gang vorher auf der Göttinger Sternwarte berichtigt worden war. Ihr Hauptbestreben ging dahin, die Punkte zu beobachten, wo die Sternschnuppe entstand und verschwand. Man bestimmte sie mit Hilfe der Sternkarten durch Angabe der zunächst stehenden Sterne. Da die Lage und Größe der Standlinie, d. h. der Entfernung der beiden Beobachter von einander, bekannt war, so ließ sich der Abstand jener beiden Punkte dadurch ausmitteln. Man sollte glauben, es sei bei der Schnelligkeit, mit welcher die meisten Sternschnuppen entstehen und verschwinden, für jeden Einzelnen nicht möglich gewesen, sich zu versichern, daß die von ihm beobachtete Sternschnuppe auch die nämliche sei, welche der Andere gesehen habe; aber aus der Vergleichung der Zeit und der übrigen Umstände ergab es sich dennoch, welche von den beiderseits gemachten Beobachtungen als übereinstimmend angesehen werden konnten. Freilich waren deren im Verhältniß zum Ganzen nur wenige; an einem Abende z. B. von 402 nicht mehr als 22. Aber gleichwohl gaben sie reichlichen wissenschaftlichen Gewinn. So zeigte sich z. B. aus 17 solcher übereinstimmenden Beobachtungen, daß eine Sternschnuppe mehr als 30 geographische Meilen, 2 über 20 Meilen, 8 über 10 Meilen und 6 zwischen 1½ bis 10 Meilen von der Erde entfernt gewesen waren. Bei einigen konnte auch die Länge der Bahnen berechnet werden; sie betrug 7 bis 10 Meilen; ihre wahre Geschwindigkeit 4, 5 und 6 Meilen in der Sekunde. Der wahre Durchmesser, soviel sich aus dem nur im Fluge beobachteten scheinbaren schließen ließ, konnte bei den entferntesten Sternschnuppen auf 100 Klafter betragen *).

Benzenberg theilt die Sternschnuppen in folgende drei Klassen ein:

*) Versuche, die Entfernungen, Geschwindigkeit und die Bahnen der Sternschnuppen zu bestimmen, von J. F. Benzenberg und H. W. Brandes. Hamburg 1800. — Benzenberg: Ueber Bestimmung der geographischen Länge durch Sternschnuppen. Ebend. 1802.

1) Sternschnuppen von der ersten und zweiten Größe. Man unterscheidet eine Kugel, der ein Schweif nachfolgt, welcher sich aber nicht unmittelbar an dieselbe anschließt, sondern eine leere Stelle von $\frac{1}{3}$ bis $\frac{1}{2}$ Grad zwischen sich und der Kugel läßt; er bleibt nach dem Verlöschen derselben noch mehre Sekunden sichtbar.

2) Sternschnuppen der ersten und zweiten Größe, bei welchen keine Kugel wahrzunehmen ist, sondern die gleich einem zusammenhangenden Feuerstrahl vorwärts schießen. Das Verlöschen beginnt am hintern Ende und dauert selten über eine Sekunde.

3) Kleine Sternschnuppen, von der dritten bis zur sechsten Größe, wozu auch die teleskopischen oder diejenigen gehören, welche durch das unbewaffnete Auge nicht erkennbar sind. Sie werden nur zufällig bei astronomischen Beobachtungen durch Fernröhre und Kometensucher entdeckt, und sind oft nur matte, fortziehende Fünkchen, welche zum Theil 30 bis 40° in der Sekunde durchlaufen. Schröter hat ein solches Sternschnüppchen gesehen, dessen Höhe er auf 600 Meilen schätzte *).

Eine mit den Sternschnuppen verwandte, aber viel seltner vorkommende, und weit auffallendere feurige Lufterscheinung sind die Feuerkugeln. Es sind glänzende Kugeln, von welchen die kleinsten den größern Sternschnuppen gleich kommen, die größern den Durchmesser des Vollmondes erreichen oder noch übersteigen. Sie erscheinen in verschiedener Höhe über dem Erdboden, von 1000 Fuß bis zu 60 geographischen Meilen, bewe-

*) Lampadius Atmosphärol. S. 101 und 103.

gen sich mit verschiedener scheinbarer Geschwindigkeit, aber nicht wie die Sternschnuppen nach allen Richtungen, sondern immer nach dem Horizonte herab. Manche halten in ihrer Bewegung plötzlich an oder machen Bogensprünge, gleich einer gellernden (ricochetirenden) Kanonenkugel. Hinter der Feuerkugel erblickt man einen leuchtenden Streifen, der nach seinem Ende hin aus Rauch zu bestehen scheint. Auch die Kugel selbst wirft Rauch und Flammen aus. Endlich zerplatzt sie, wenn sie nicht ganz zum Horizonte herabsinkt und sich so den Blicken des Beobachters entzieht, mit einem heftigen Knall und donnerähnlichen Nachhall, und es fallen Steine (Meteorsteine oder Aërolithen genannt) oder auch Eisenmassen nieder. Dergleichen Feuerkugeln können übrigens zu jeder Tages- und Jahreszeit erscheinen; sie kommen aus keiner bestimmten Weltgegend, und man hat, wenigstens bis jetzt, eben so wenig einen Zusammenhang derselben mit der Witterung als einen gleichförmigen Zeitverlauf (Periodicität) in Ansehung ihrer Erscheinung wahrnehmen können.

Schon den Alten mußte die Erscheinung der Feuerkugeln auffallen, und man war geneigt, sie, wie die Kometen, Nebensonnen rc. für böse Vorbedeutungen zu halten. Der Aberglaube unsers gemeinen Volkes nennt sie fliegende Drachen, und denkt sich böse Geister darunter, welche mit Zauberern und Hexen in Verkehr stehen, u. dgl. m. Das Niederfallen der Meteorsteine wurde noch gegen das Ende des vorigen Jahrhunderts selbst von Gebildetern für etwas Mährchenhaftes erklärt, und erst

Dr. Chladni hat sich das Verdienst erworben, die allgemeine Aufmerksamkeit der Gelehrten auf diese Naturerscheinung hingelenkt und sie in den Kreis des Glaubwürdigen gezogen zu haben.

Es ist nöthig, daß wir von den Erscheinungen einiger der merkwürdigsten Feuerkugeln und Steinfälle (Steinregen) Nachricht geben *). Wir müssen uns bei dem großen Umfange des Stoffs auf die neuesten Erscheinungen dieser Art beschränken, welche überdieß den Vorzug haben, genauer beobachtet und ihren Ergebnissen nach wissenschaftlicher untersucht worden zu seyn, als die der frühern Zeiten.

Am 24. Juli 1790, Abends halb 10 Uhr, erschien zu Mormes, im südlichen Frankreich, eine Feuerkugel von so hellem Glanze, daß sie den Vollmond verdunkelte. Ihr Durchmesser war noch größer als der seinige, und sie zog einen Schweif hinter sich her, welcher 5 bis 6 Mal so lang war als dieser Durchmesser. Nahe an der Kugel war er so breit wie diese, aber nach dem Ende hin nahm er allmählich ab. Sowohl die Kugel als der Schweif hatten ein weißes Licht; die Spitze des Letztern war dunkelroth. Das Meteor wurde zu Mormes zuerst im Scheitelpunkte gesehen und nahm seinen Lauf nordwärts. Nach einigen Sekunden theilte es sich in mehre, immer noch beträchtliche Stücke, welche in verschiedenen Richtun-

*) Man sehe Chladni's obenangeführte Schrift. Am vollständigsten sind alle hierher gehörigen Nachrichten gesammelt in dem neuesten Werke dieses Naturforschers: Ueber Feuermeteore und über die mit denselben herabgefallenen Massen. 8. Wien, 1820.

gen nach dem Horizonte herabfielen. Sie erloschen in der Luft und nahmen im Fallen die rothe Blutfarbe an, welche man an der Spitze des Schweifes bemerkt hatte. Ungefähr drei Minuten nach dem Zerspringen hörte man ein schreckliches donnerähnliches Getöse, wobei zugleich der Erdboden so heftig wie bei einem Erdbeben erschüttert wurde, Thüren und Fenster aufsprangen u. dgl. m. Dieses furchtbare Getöse dauerte an vier Minuten und verlor sich in ein dumpfes Geräusch, welches sich längs der benachbarten Gebirgskette als dumpfer Wiederhall zu verlieren schien. Zugleich verbreitete sich ein starker Schwefelgeruch, und erhob sich ein frischer Wind. An der Stelle, wo die Feuerkugel verschwunden war, bemerkte man ein kleines weißliches Wölkchen. Die Zeit, welche zwischen dem Zerspringen der Kugel und dem darauf folgenden Getöse verfloß, ließ auf die Entfernung des Meteors schließen, und man vermuthete, daß es in einer Höhe von etwa 8 Meilen zersprungen und die Trümmer 4 Meilen von Mormes niedergefallen seyn möchten. Bald ward diese Vermuthung durch die Nachricht von einem Steinregen bestätigt, welcher um die nämliche Zeit zu Juliac und Barbotan, wovon jenes 4 Stunden nördlich, dieses 5 Stunden nordnordöstlich von Mormes lag, gefallen war. In einer kleinen Entfernung von Juliac mußte das Meteor wohl zersprungen seyn; denn dort bedeckten die Steine in einem fast kreisförmigen Raume von ungefähr zwei Meilen im Durchschnitt ein wenig bebautes Haideland; nur wenige waren bei einigen Häusern in Höfen und Gärten gefallen, mehre aber hatten

Bäume in den Wäldern niedergeschlagen. Ihre Schwere betrug zum Theil 18, 20 bis 50 Pfund, ein gegen den Umfang sehr auffallendes Gewicht. Auswendig waren sie mit einem verglasten, schwärzlichen Eisenkalk überzogen; inwendig hatten sie ein grauliches Ansehen und viele kleine, glänzende, metallische Punkte. Am Stahl gaben sie Funken. Einige waren ganz verglaset. Das Niederfallen dieser Steine war mit einem starken Gezisch begleitet, so wie man auch beim Laufe der Feuerkugel ein Geräusch und Knistern gehört hatte. Dieses nämliche Meteor wurde auch zu Bayonne, Auch, Pau, Bordeaux und Toulouse gesehen. Am letzten Orte erschien es nicht stärker als eine der größten Sternschnuppen; man hörte aber auch hier nach dem Zerspringen ein donnerähnliches, dumpfes Getöse *).

Der Steinregen bei Siena in Italien, am 16ten Juni 1794, zeichnete sich dadurch vor vielen andern solchen Erscheinungen aus, daß er nicht aus einer Feuerkugel, sondern aus einer Gewitterwolke herabfiel. Es erschien nämlich an diesem Tage Abends gegen 7 Uhr eine länglich runde, einzelne, finstere Wolke, welche in der ganzen Gegend gesehen ward und die größte Aufmerksamkeit erregte. Auf Ein Mal fielen unter schrecklichem Blitzen und Donnern, wobei zugleich Rauch und Dampf aus der Wolke hervorbrach, eine Menge glühender, schlackenartiger Steine herab, die meisten ganz klein, manche aber etliche Pfund schwer. Viele schlugen mehre Ellen tief in die Erde. Man vermuthete Anfangs, daß dieser

*) Kant, a. a. O. S. 85 u. ff.

Steinfall in Verbindung mit dem Tags zuvor erfolgten Ausbruche des Vesuvs gestanden habe, allein diese Muthmaßung zeigte sich bald als falsch. Siena ist an 50 teutsche Meilen vom Vesuv entfernt und die untersuchten Steine hatten durchaus kein vulkanisches Ansehen, sondern waren inwendig aschgrau, von erdigem Bruche, matt und mit metallisch glänzenden, dem Schwefelkiese ähnlichen Theilchen gemengt *).

Unter die am genauesten untersuchten und beschriebenen Steinfälle gehört der zu L'Aigle, im Orne-Departement in Frankreich, vom 26. April 1803. Um 1 Uhr Nachmittags sah man zu Caen, Pont-Audemer, bei Alençon, Falaise und Verneuil eine brennende Kugel von sehr hellem Glanze, welche sich mit großer Geschwindigkeit durch die Luft bewegte. Gleich darauf hörte man zu L'Aigle und mehr als 30 Wegstunden (Lieues) rings um diese Stadt ein heftiges Gekrach, welches mit 3 oder 4 Schlägen wie Kanonenschüsse anfing, hierauf einem Kleingewehr-Feuer ähnlich ward, und endlich wie ein fürchterliches Trommeln rauschte. Während dieses Getöses, das 5 bis 6 Minuten dauerte, war indeß die Feuerkugel nicht mehr sichtbar, sondern die Entladungen gingen von einer kleinen länglichen Wolke aus, welche unbeweglich schien und deren Dünste bei jeder einzelnen Entladung sich von einander entfernten und hierauf sich wieder näherten. Da man diese Wolke von zwei, eine Lieue von einander entfernten

*) Fischer, a. a. O. VI. Theil, oder Nachträge. Art. Feuerkugel.

Dörfern aus gleichzeitig im Scheitelpunkte sah, so muß sie sehr hoch gewesen seyn. Mitten unter diesem Gekrach und Geprassel fielen Steine herab, und bedeckten einen Landstrich, dessen Gränzen eine Art Ellipse von etwa $2\frac{1}{2}$ Lieues Länge und 1 Lieue Breite bildeten. Dieser Umstand zeigt, daß die Steine nicht mit Einem Male herabgefallen seien, indem sie sonst einen mehr kreisförmigen Raum bedeckt haben würden. Die große Axe dieser Ellipse ging von Südost nach Nordwest und durchschnitt die Mittagslinie unter einem Winkel von 22 Graden. Wahrscheinlich hatte sich die Feuerkugel auch in dieser Richtung bewegt. Die Zahl der herabgefallenen Steine schätzte Biot, welcher vom französischen Ministerium des Innern zur Untersuchung des Vorfalles nach L'Aigle abgeschickt wurde, auf 2000 bis 3000, von denen aber bei weitem nicht alle aufgefunden wurden. Der schwerste wog $17\frac{1}{2}$ französische Pfund; der kleinste 2 Gros (Quentchen). Die Masse aller herabgefallenen Steine schätzt Biot auf 10000 Pfund. Alle fielen brennend heiß herab, waren weich und erhärteten allmählich, wobei sie Spuren dieser Veränderung beibehielten. Sie rochen stark nach Schwefel und gaben einen Dampf von sich. Bei den Zerlegungen, welchen die Chemiker Vauquelin und Thenard mit mehren vornahmen, ergab sich, daß sie größtentheils aus Kieselerde und verkalktem (oxydirten) Eisen bestanden, welchen eine geringe Menge Magnesia, Nickel und Schwefel beigemischt war *).

*) Die Zerlegung zeigte nämlich Kieselerde = 0,46; oxydirtes

Noch größere Steine im Einzelnen lieferte die Feuerkugel, welche am 14. Dezember 1803 zu Weston im Staate Connecticut von Nord-Amerika gesehen wurde. Sie leuchtete etwa 20 Sekunden, und das Geprassel ihrer Entladung hörte man erst 20 bis 40 Sekunden nach ihrem Verlöschen. Unter der großen Menge von Steinen, welche hier herabfielen, soll einer von 200 Pfund gewesen seyn, der aber gleich nachher zerschlagen wurde. Er war 3 Fuß tief in die Erde gedrungen und hatte Erde, Steine und Rasen an 50 bis 100 Fuß weit geschleudert. Auch bei diesen Steinen machten Kieselerde und Eisenkalk (mit Nickel) die Hauptbestandtheile aus, welchen, wie bei denen von L'Aigle, geringe Antheile von Magnesia und Schwefel, und außerdem noch ein wenig Thonerde, Kalkerde, Chromsäure und Manganoxyd beigemischt waren *). Dieser und der vorigen Zerlegung sind alle ähnlich, welche die Chemiker, vorzüglich Klaproth, mit Meteorsteinen vorgenommen haben.

Unter die sehr merkwürdigen Steinregen der neuern Zeit gehört auch der von Stannern, bei Iglau in Mähren, welcher daselbst am 22. April 1808 beobachtet wurde. Als an diesem Tage, — es war ein Sonntag, — nach einem heitern schönen Sonnenaufgang

Eisen = 0,45; Magnesia = 0,1; Nickel = 0,02; Schwefel = 0,05. S. Parrot, a. a. O. S. 474 u. ff.

*) Es ergaben sich nämlich: Kieselerde = 0,41, Eisenkalk mit Nickel = 0,3, Schwefel = 0,023; Chromsäure = 0,023, Thonerde = 0,01; Kalkerde = 0,03, Magnesia = 0,16, Manganoxyd = 0,013. S. Parrot, a. a. O. S. 476 u. 477.

zwischen 5 und 6 Uhr ein großer Theil der nach Stannern eingepfarrten Landleute im Begriffe war, dahin in die Kirche zu gehen, trat bald nach ½ 6 Uhr plötzlich ein Nebel ein und man hörte einen heftigen Knall, wie ein sehr starker Kanonenschuß, dem bald mehre nachfolgten. Hierauf ließ sich ein Rollen, Brausen und Pfeifen in der Luft hören, welches etwa 8 Minuten dauerte und sich von Nordost nach Südwest zog. Der Nebel hatte sich gleich nach dem ersten Schlage so sehr verdichtet, daß man in einer Entfernung von 12 Schritten keinen Gegenstand mehr unterscheiden konnte. Während dieses Geprassels und Gekraches fielen in Stannern selbst und in einem Umkreise von drei Stunden viele Steine herab, welches von Leuten auf dem Kirchwege ganz in ihrer Nähe theils wirklich gesehen, theils gehört und durch die Erschütterung des Bodens und der Luft gefühlt wurde. Der Fall dieser Steine geschah theils senkrecht, theils in schiefer Richtung; sie schlugen daher auch bald tief in die Erde, bald rollten sie nur auf der Oberfläche derselben fort. Hierauf nahm der Nebel ab und gegen 10 Uhr war es wieder heiter. Niemand hatte einen Blitz oder eine Feuerkugel gesehen; es ward weder Wind noch Regen bemerkt, und es deutete überhaupt nichts auf Elektricität hin, die dabei im Spiele gewesen seyn könnte. Merkwürdig ist, daß weder Menschen, noch Thiere, noch Gebäude durch diesen Steinfall beschädigt wurden, ungeachtet mehre ganz in der Nähe einzelner Menschen, unter andern einer von zwei Pfund Schwere mitten auf den Markt von Stannern, zehn Zoll weit von den Füßen eines gewissen Klabensky, so heftig niederfiel, daß er 4 Zoll tief in den festgetretnen Boden eindrang. Alle diese Steine wurden nach dem Ausgraben oder nach einiger Zeit beim Aufheben noch warm gefunden, und einer, welcher in einen Teich fiel, zischte, wie wenn glühendes Eisen in Wasser gelöscht wird. Einer der darüber abgehörten Zeugen behauptete auch, daß der von ihm aufgehobene Stein die Hand schwarz gefärbt, und diese Schwärze wie Theer an derselben geklebt habe. Die Anzahl der eingebrachten Steine belief sich nur auf 30, von welchen die meisten 1 bis 3 Pfund gewogen zu haben scheinen, aber meist zerschlagen worden waren. Der größte soll 6 Pfund gewogen haben. Mehr als zwei Mal so viel Steine mögen noch in der dortigen Gegend verborgen liegen, weil sie theils des dichten Nebels, theils der Angst und Furcht des Volkes wegen, nicht bemerkt wurden. Auch war das Aufsuchen in den Getreidefeldern zu dieser Jahreszeit nicht wohl möglich.

Der Knall und die Erschütterung der Luft hatte sich von Stannern nach Süden auf 12, und nach Osten auf 8 Meilen weit verbreitet. Sobald die Nachricht davon in Wien anlangte, schickte die Regierung sogleich zwei Commissäre, die Herren von Schreibers und Widmannstätten, an Ort und Stelle, welchen man eine sehr genaue Untersuchung des Vorfalles, mittelst Zeugenverhör und Selbstbesichtigung der Gegend, so wie einen vollständigen und belehrenden Bericht darüber zu verdanken hat *).

*) Sartori's Naturwunder des Oestreichischen Kaiserthums. III. Theil. Wien, 1809. S. 101 u. ff.

In dem nämlichen Jahre, am 3. September, wurde auch in Böhmen, auf der Herrschaft Lissa im Bunzlauer Kreise, bei den Dörfern Stratow und Wustra, ein Steinfall wahrgenommen. Es war an diesem Tage Sonnenschein, Windstille und große Schwüle, und nur einige leichte Wölkchen zeigten sich am Himmel, als man um 3½ Uhr Nachmittags 3 bis 4 Knalle wie Kanonenschüsse hörte, worauf ein länger anhaltendes Getöse, wie von Kleingewehr-Feuer, und zuletzt ein ganz eignes Sausen, Zischen und Pfeifen folgte, welches mit einem Schlage, wie vom Falle eines schweren Körpers, endigte. Feldarbeiter aus den genannten Dörfern sahen bei diesem Schlage in einer Entfernung von 15 Klafter Staub von der Erde auffliegen, und man fand, als man dort nachsuchte, 4 Steine, welche nicht tiefer als 3 oder 4 Zoll in den sandigen Boden eingedrungen waren und beim Aufheben schon ziemlich kalt waren. Der größte wog 5 Pfund 18 Loth; der kleinste 2½ Pfund. Die Farbe war dunkelschwarz, stellenweise ins Braune übergehend, theils matt, theils schwach schimmernd, an den schwarzen Stellen von einem pechartigen, an den braunen von metallischem Glanze. Das Innere ist dicht, feinkörnig und lichtgrau, an den Kanten stellenweise durchscheinend *).

Außer diesen Meteor-Steinen findet man auch noch an einigen Orten merkwürdige Massen gediegenen Eisens, von welchen Dr. Chladni gleichfalls

*) Dlask Versuch einer Naturgeschichte Böhmens rc. 1. Theil. Prag, 1822. S. 531.

behauptet, daß sie aus der Luft herabgefallen seien *). Von einer 1751 am 26. Mai bei Agram in Croatien, herabgefallenen solchen Eisenmasse, die 71 Pfund wiegt, weiß man dieß mit Gewißheit, indem man sie als Bruchstück einer feurigen Kugel herabfallen sah, und noch heiß fand **). Unter den andern, gleichfalls für meteorisch gehaltenen Massen dieser Art ist diejenige merkwürdig, welche Pallas ***) in Sibirien, auf dem Rücken eines hohen Schiefergebirges, zwischen Krasnojarsk und Abakansk gefunden hatte. Sie wog an 1600 Pfund, und hatte eine unregelmäßige Gestalt. Aeußerlich war sie mit einer eisensteinartigen Rinde überzogen; im Innern bestand sie aus einem geschmeidigen, rothbrüchigen, gediegenen, wie ein grober Seeschwamm löcherigen Eisen, dessen Zwischenräume „mit einem spröden, harten, bernsteingelben Glas" (Olivin) ausgefüllt waren. Das Gefüge ist durch die ganze Masse einförmig, und zeigt keine Spur von künstlicher Schmelzung. Die Tatarn jener Gegend verehren diese Masse wie ein Heiligthum, und behaupten ausdrücklich, sie sei vom Himmel herabgefallen.

Noch größer ist die gediegene Eisenmasse, welche der Spanier Don Rubin de Celis in Südamerika,

*) S. die oben angeführte Schrift: Ueber den Ursprung einiger Eisenmassen ꝛc.

**) Kant, a. a. O. S. 85.

***) Reise durch verschiedene Provinzen des russischen Reichs. III. Theil. Petersburg, 1776. S. 411. — bei Fischer, a. a. O. Art. Eisen.

in der zu Peru gehörigen Provinz Chaco, mitten auf einer wenig bewohnten, übrigens fruchtbaren und mit Wald bedeckten Hochebene entdeckte. Sie steckt ungefähr zwei Fuß tief in dem kreideartigen Boden und mag ein Gewicht von 300 Centnern haben. Auf mehr als 100 spanische Meilen in der Runde ist übrigens kein Berg, vielweniger eine Eisenmine zu sehen. Die äußere, das reinste gediegene Eisen darstellende, Rinde muß einige Zeit nach dem Herabfallen noch sehr weich gewesen seyn, indem man Eindrücke von Händen und Füßen großer Menschen, so wie von den Füßen mehrer großen Vögel der dortigen Gegend, darauf bemerkt. Uebrigens unterscheidet sich diese südamerikanische Masse noch von der sibirischen durch eine weit hellere, dem Silberweißen sich nähernde Farbe. In ihrer Nähe befindet sich auch ein „eiserner Baum,“ der von den wilden Bewohnern des Landes als göttlich verehrt wird; wahrscheinlich ein natürlicher Baum, der mit herabgeträufeltem flüssigen Meteoreisen überzogen worden ist *).

Zu Aken, an der Elbe bei Magdeburg, entdeckte um das Jahr 1773 der sächsische Leibarzt Löber unter dem dortigen Straßenpflaster der Stadt eine Masse gediegenen Eisens von 15 bis 17000 Pfund muthmaßlichen Gewichts. Einige davon abgeschlagene Stücke ließen sich wie der beste Stahl hämmern und poliren **).

*) Philos. transact. Vol. 78. Tom. I. p. 57. — bei Kant, a. a. O. S. 92 und Fischer, a. a. O. Art. Eisen.

**) Wittenberg. Wochenblatt, Jahrg. 1773. St. 36. — bei Fischer, a. a. O.

Eine hierhergehörige gleichfalls sehr merkwürdige, obwohl weit kleinere Eisenmasse war der sogenannte verwünschte Burggraf zu Ellbogen in Böhmen, welcher Jahrhunderte lang auf dem dortigen Rathhause aufbewahrt worden war. Das Ganze bestand in einem 190 Pfund schweren, schwarzen Metallklumpen, von der Gestalt eines unförmlichen vierseitigen Balkenstückes, der an 18 Zoll Länge und 4 bis 9 Zoll Breite und Höhe hatte, unten flach war, oben und auf den Seiten aber allerlei Erhöhungen und Vertiefungen zeigte. Der dortigen Volkssage nach soll ein königlicher Burggraf zu Ellbogen im Mittelalter die Lehnsvasallen mit großer Härte behandelt haben, und deßhalb öfters von den Unterthanen verwünscht worden seyn. Einstmals sei auch wirklich diese Verwünschung in Erfüllung gegangen, und der Burggraf, als er eben die Frohnpflichtigen mit der Glocke zur Arbeit rufen wollen, durch einen plötzlich vom Himmel herabfahrenden Blitz getödtet und in jene Metallmasse verwandelt worden. Der Aberglaube wußte außerdem noch allerlei Mährchenhaftes von diesem verwünschten Burggrafen zu erzählen. Im Jahr 1812 erwarb sich der damalige Professor am polytechnischen Institut zu Prag, jetzt k. k. Gubernial- und Commerzienrath, Hr. K. A. Neumann, das Verdienst, diese Masse genauer zu untersuchen und sie als Meteoreisen darzustellen *). Sie ward später in zwei ungleich große Stücke zersägt, von welchen das größere, etwa 150 Pfund schwere, an das k. k. Naturalienkabinet nach Wien abgeliefert wurde,

*) S. André's Hesperus, Jahrg. 1812. Nr. 55.

das kleinere aber, von 40 Pfund Schwere, sich noch jetzt in Ellbogen befindet. Die Masse ist völlig geschmeidig, hält das Mittel zwischen Weich und Halbweich und läßt sich hämmern und mit dem Messer schneiden. Ihre Hauptbestandtheile sind Eisen und Nickel *).

Roß fand auf seiner mehrerwähnten Reise zur Aufsuchung einer nordwestlichen Durchfahrt, im Jahr 1818, bei den Bewohnern der von ihm sogenannten Arktischen Hochlande im Norden des Baffins-Meeres zwischen 74 und 76° Grad Breite, Massen von Eisen, und erfuhr, es sei davon in ihrem Lande ein ganzer großer Block vorhanden, von welchem sie mit einem scharfen Steine soviel abschlügen, als sie brauchten. Als Roß nach Hause kam, ließ er ein Stück dieses Eisens durch Dr. Wollaston untersuchen, welcher fand, daß es Nickel enthalte. Es war also wahrscheinlich meteorischen Ursprungs, indem dieses Metall einen wesentlichen Bestandtheil aller bis jetzt gefundenen Meteormassen ausmacht **).

*) Chladni über Feuermeteore ꝛc. — Olask, a. a. O. S. 532.

**) Roß's Entdeckungsreise ꝛc. Teutsch von Remnich. S. 46 und 61.

XXVIII.

Verschiedene Erklärungsarten der Sternschnuppen und Feuerkugeln.

Ohne uns bei den ältern Naturforschern aufzuhalten, von welchen z. B. Paracelsus die Sternschnuppen für Auswürfe der Gestirne, Merret und Morton für den leuchtenden Unrath gewisser Vögel, Musschenbroek für Entzündungen ölichter Dünste der Erde und Gewächse erklärte, Beccaria sie für große elektrische Funken hielt u. s. w. *), wenden wir uns sogleich zu Volta's Hypothese, für welche sich auch Lampadius erklärt. Dieser zufolge werden die Sternschnuppen aus den verschiedenen Arten von brennbarer Luft oder Wasserstoff=Gas erzeugt, welche wegen ihrer Leichtigkeit bis zu den größten Höhen emporsteigen, und dort in Verbindung mit der atmosphärischen Luft einer Entzündung fähig werden, die durch den kleinsten elektrischen Funken entstehen kann. Je nachdem sich bloß reines brennbares Gas erzeugt, oder gekohltes Wasserstoff=Gas aus Sümpfen, oder geschwefeltes Wasserstoff=Gas sich aus der Erde entwickelt und emporhebt, ist auch die Art der Sternschnuppen und ihres Schweifes verschieden. Hieraus erklärt sich auch der unverkennbare Einfluß der Witterung, der Tages= und Jahreszeiten, unter welchem die Sternschnuppen stehen und worauf wir oben aufmerksam gemacht haben. Es ist nicht immer nöthig, daß die brennbare Luft über

*) Fischer, a. a. O. Art. Sternschnuppen.

dem nämlichen Horizonte aufgestiegen sei, wo man ihre Entzündung bemerkt. Der Wind oder ein Gewitter können sie in einer schrägen Richtung aus einer Gegend weit unter dem Gesichtskreise herbei geführt haben. Je nachdem der entzündende elektrische Funke auf eine stehende oder liegende, mehr senkrechte oder wagrechte Luftsäule trifft, und je nachdem er sie oben oder unten, rechts oder links zuerst erreicht, wird die Entzündung steigend oder fallend, schräg oder wagrecht erscheinen. — Lampadius glaubt, daß die meisten Sternschnuppen bei der größten Wärme des Tages entstehen mögen *). Die wichtigste Einwendung gegen diese Hypothese besteht darin, daß sich, wie Berzelius gezeigt hat und wir bereits oben (S. 37) angeführt haben, das Wasserstoff-Gas keinesweges in den höhern Luftschichten ansammelt, sondern sich vielmehr bald nach seiner Entwickelung gleichförmig durch die Atmosphäre verbreitet. Schon in der Luft, welche Gay-Lussac aus einer Höhe von ungefähr 20000 Par. Fuß mit heruntergebrachte, fand sich keine Spur von Wasserstoff-Gas, wie viel weniger kann es in Höhen von 10 bis 30 geographischen Meilen vorhanden seyn, wo, nach den oben angeführten Berechnungen von Brandes, Sternschnuppen gesehen worden sind!

Girtanner hält die Sternschnuppen für gephosphortes Wasserstoff-Gas, welches sich durch seine Verbindung mit dem Sauerstoff-Gas der Atmo-

*) Atmosphärol. S. 105 und 106. — Es ist merkwürdig, daß noch kein Luftfahrer auf eine Sternschnuppe gestoßen ist.

sphäre von selbst entzündet. Die Sternschnuppen entständen also auf die nämliche Art wie die Irrlichter. Weil ein hoher Wärmegrad erfodert wird, um den Phosphor in Gas zu verwandeln, so könnten auch die Sternschnuppen nur bei warmer Witterung entstehen *). Es entstehen aber auch Sternschnuppen in heitern Winternächten, und warum erfolgt die Entzündung nicht schon in den untern Luftschichten, wo der Sauerstoff-Gehalt der Luft größer ist, sondern erst in den höhern? Uebrigens findet, auch dieses zugegeben, dieselbe Einwendung Statt, welche sich gegen die Hypothese Volta's und Lampadius machen läßt, daß nämlich das gephosphorte Wasserstoff-Gas gleichfalls nicht bis in die höhern Bezirke der Atmosphäre emporsteigt.

Benzenberg **) hält die Sternschnuppen für „Atmosphärilien," d. h. für Erzeugnisse unserer Atmosphäre, ohne jedoch den Stoff, aus welchem, und die Art, wie sie entstehen, bestimmt angeben und die von ihm selbst beobachtete ungeheuer schnelle Bewegung erklären zu wollen.

Chladni's Erklärungsart der Sternschnuppen ist in der Hauptsache einerlei mit seiner Hypothese über die Feuerkugeln und Steinregen, daher wir zuvörderst von diesen sprechen müssen.

In Ansehung der Feuerkugeln hatten die ältern Naturforscher die nämlichen Meinungen, wie in Betreff

*) Anfangsgründe der antiphlogistischen Chemie. Berlin, 1795. S. 247 — bei Fischer, a. a. O.

**) A. a. O.

der Sternschnuppen. Musschenbroek erklärte sie für Entzündungen schwefelichter und ölichter Dünste, welche aus Vulkanen und unterirdischen Höhlen bei den Erdbeben in die Luft aufgestiegen und vom Winde zusammengetrieben wären. Ein Beweis dafür war ihm der schwefelichte Geruch, den man bei einigen Feuerkugeln wahrgenommen haben will. Halley glaubte, daß die Feuerkugeln aus Stoffen beständen, welche im ganzen Weltraume zerstreut seien, sich aber irgendwo durch eine unbekannte Ursache zusammenballen, und von der Erde ergriffen werden, ehe sie noch eine Bewegung um die Sonne erhalten haben. Hartsoeker hielt die Feuerkugeln für kleine Erdkometen und Maskelyne für Monde, welche durch eine unbekannte Störung in ihrer Bahn in die Atmosphäre der Erde gerathen, sich erhitzen, zerspringen, und dann als Trümmer niederfallen. Beccaria hielt sie für elektrische Erscheinungen, wie die Sternschnuppen.

Die neuern Naturforscher haben sich seit der Zeit, wo Chladni zuerst ihre allgemeine Aufmerksamkeit auf diesen Gegenstand hinlenkte, in Ansehung der verschiedenen Erklärungsarten der Sternschnuppen, Feuerkugeln und Steinregen in vier Partheien getheilt, welche man Kosmisten, Lunaristen, Atmosphäristen und Telluristen nennt. Wir beginnen mit den Letztern.

Die Telluristen, worunter Stütz, Blobel und Proust gehören, haben ihren Namen davon, daß sie die Meteormassen für tellurische Erzeugnisse (von dem lateinischen Worte Tellus, die Erde) halten, welche durch Ausbrüche der Vulkane in die Höhe geschleudert oder durch den Blitz von Felsspitzen losgerissen und an einen andern Ort geworfen würden. Blobel insbesondere glaubte, daß die elektrische Anziehung der Gewitterwolken einen so hohen Grad erreichen könne, daß dadurch Steine in die Luft emporgehoben würden. Proust behauptete, daß die Meteormassen von den Polen der Erde herkommen, weßhalb denn auch wegen der dort herrschenden ewigen Kälte, das Meteoreisen nicht oxydirt werden könne. Diese Hypothese der Telluristen verdient indeß wenig oder gar keinen Glauben. Denn fürs Erste machen die Meteorsteine in Hinsicht ihrer obenangeführten Bestandtheile eine ganz eigene Art von Irden (Mineralien) aus, welche bisher noch gar nicht auf dem Erdboden vorgefunden und eben so wenig jemals von einem Vulkane ausgeworfen worden sind. Auch müßten sich alsdann die Meteormassen am häufigsten in der Nähe von feuerspeienden Bergen finden, was ganz und gar nicht der Fall ist. Endlich könnte ein Vulkan diese Steine auch nicht zu einer so außerordentlichen Höhe emporschleudern, z. B. von 60 geographischen Meilen, welche einzelne Feuerkugeln gehabt haben. Eben so wenig wäre er im Stande, ihnen eine wagrechte und doch so äußerst schnelle Bewegung, z. B. 6 Meilen in der Sekunde, mitzutheilen; insbesondere könnte ein an den Polen erfolgender Ausbruch keine Bewegung dieser Masse von Osten nach Westen oder umgekehrt hervorbringen, dergleichen doch an mehren Feuerkugeln bemerkt worden ist *).

*) Lampadius, a. a. O. S. 101. Neumann a. a. O. II. Theil. S. 654, 656.

Die Atmosphäristen, worunter Howard, Izarn und Ritter gehören, betrachten, wie schon ihr Name lehrt, die Feuerkugeln und Meteormassen für Erzeugnisse unserer Atmosphäre, und sagen, daß die Stoffe, woraus jene Massen bestehen, vorher in der Atmosphäre vorhanden gewesen, durch einen chemischen Prozeß aber daraus niedergeschlagen und zusammengeballt worden seien. Die Gründe für diese Meinung sind folgende: 1) Wenn mehre Körper- (Cubik-) Meilen Luft zerlegt werden, so muß eine ungeheure Menge Wärmestoff (Feuer) abgesondert werden, und es kann nur eine geringe Menge eines festen Körpers entstehen. 2) Wir sehen in Pflanzen und Thieren Erden und Eisen entstehen, und Erden sich in einander umändern. Es ist also nicht unmöglich, daß Erden und Metalle aus Elementen bestehen, und diese können sich auch in der atmosphärischen Luft finden. 3) Stürme, Barometerfall und Unruhe in der Atmosphäre müssen auf eine solche Luftzersetzung folgen. 4) Die Meteorsteine sind immer von einerlei Beschaffenheit, und es läßt sich daher auf ein gleiches Entstehen schließen *).

Gegen diese „Hypothese einer Stein- und Metallfabrik in der höhern Atmosphäre," wie sich Parrot **) ausdrückt, streiten eine Menge wichtiger Gründe, namentlich folgende.

1) Die Bildung solcher Meteormassen in der Atmosphäre müßte mit einer ungeheuren Geschwindigkeit vor

*) Lampadius, a. a. O. S. 99 u. 100.

**) A. a. O. S. 480 u. ff.

sich gehen, oder gleichsam mit Einem Schlage geschehen. Denn wenn sie sich langsam bildeten, so ist kein Grund vorhanden, warum eine Masse z. B. von 500 Klafter im Durchmesser sich nicht früher (d. h. schon alsdann, wenn sein Durchmesser erst 10 oder 5 Klafter groß ist) entzünden und herabfallen sollte. Wir würden also wenigstens alle größere Feuerkugeln wachsen sehen, oder jedes Mal mehre kleine haben.

2) Die regelmäßige Kugelgestalt der Feuerkugeln läßt sich nicht durch einen Niederschlag in der Atmosphäre erklären. Die Wolkenbildung, auch die rascheste des Gewitters und der Vulkane, zeigt uns diese Kugelgestalt nie. Sie kann überhaupt in großen, aus zerstreuten und niedergeschlagenen Stofftheilchen sich bildenden, Massen nur durch Schwerkraft oder Anziehung (Gravitation) entstehen.

3) In den höchsten Gegenden des Luftkreises herrscht gerade die geringste Wärme, in welcher unmöglich so heftige chemische Thätigkeiten entstehen können, daß dadurch Massen von 10,000 Pfund Gewicht hervorgebracht würden.

4) Eben so wenig läßt sich von den Atmosphäristen die ungeheure Geschwindigkeit erklären, welche die Sternschnuppen und mehre Feuerkugeln in ihrer Bewegung zeigen. Ein chemischer Niederschlag fester Massen in der Atmosphäre würde nur durch Schwerkraft oder Rückwirkung zu einer fortschreitenden Bewegung genöthigt werden können. Die Schwerkraft würde einen senkrechten Fall hervorbringen, der gerade niemals bei den

Feuerkugeln, und bei den Sternschnuppen nur selten beobachtet worden ist. Was die Rückwirkung *) betrifft, welche allenfalls die große Verschiedenheit der Richtungen in den Bahnen dieser Lufterscheinungen erklären würde, so kann auch diese die außerordentliche Geschwindigkeit derselben nicht erzeugen. Denn obgleich Dämpfe bei ihrer plötzlichen Entstehung jede, und also auch eine solche mechanische Kraft vielleicht äußern können, so gehört doch ein hinlänglicher Widerstand der Masse dazu. Nun giebt es aber viele Feuerkugeln, welche höchst wahrscheinlich bloß flüssige Massen, oder Dampf- und Gasklumpen sind. Aber auch selbst feste Stein- und Eisenmassen können jenen Widerstand nicht leisten, was sich am deutlichsten dadurch offenbart, daß dergleichen Feuerkugeln am Ende ihres Laufes zerplatzen. Wenn ferner das Ausströmen irgend einer ausdehnsamen Flüssigkeit aus einer Seite der Kugel jene ungemeine Geschwindigkeit erzeugte: so ist kein Grund vorhanden, warum die Kugel zerspringen sollte, da jener Ausgang beständig, so lange das Ausströmen fortdauert, offen bleiben würde.

Diesen von Parrot **) gegen die Hypothese der Atmosphäristen aufgestellten Einwendungen fügen wir noch nachstehende von Lampadius ***) bei: a) Wir kennen keine Luftzersetzung, deren Ergebnisse Erden und

*) Nämlich, wie sich eine Kanone zurückbewegt, wenn sie abgefeuert wird; indem die Gewalt, mit welcher der Schuß herausbringt, diese Rückbewegung verursacht.

**) A. a. O.

***) A. a. O. S. 100.

Metalle sind. b) Das Ergebniß einer solchen Zersetzung könnte wohl Staub, aber kein gemengter Mineralkörper seyn. c) Zu 5 Pfund fester Masse würde wenigstens eine teutsche Körpermeile der verdünnten Luft jener Höhen erfoderlich seyn. Wie viel nun zu einigen Hundert oder Tausend Pfunden?

Die Hypothese der Lunaristen (von Luna, der Mond) rührt von dem berühmten La Place her, und besteht in der Annahme, daß die aus der Luft herabgefallenen Steine Auswürfe aus Mondsvulkanen seyn könnten. La Place hat nämlich durch Rechnung gezeigt, daß wenn ein Vulkan auf dem Monde einen Stein mit solcher Gewalt emporschleuderte, daß derselbe gleich Anfangs 7771 Pariser Fuß in der Sekunde durchflöge, er allerdings aus dem Gebiete der Mondesanziehung heraus- und in den Bereich der Anziehungskraft der Erde gerathen könne, folglich auf diese herabfallen müsse. Olbers, der fleißigste Beobachter des Mondes *), räumt nun allerdings die Möglichkeit so gewaltiger vulkanischer Kräfte auf diesem Weltkörper ein, ist aber dennoch nicht geneigt, die verhältnißmäßig so zahlreichen Steinfälle auf der Erde von solchen Mondsvulkanen herzuleiten. Es gehört nämlich, wie Olbers gleichfalls durch Rechnung gezeigt hat, eine ganz eigne Lage dieser Vulkane gegen die Erde dazu, wenn ihre Auswürflinge die Erde erreichen sollen. Hierzu kommt noch die Bewegung des Mondes, welche sich diesen ausgeworfenen Massen mittheilen würde, und

*) S. im 1sten Theil dieses Werkes die vom Monde handelnden Abschnitte.

vermöge welcher sie vielmehr eine elliptische Bahn um die Erde beschreiben und so zu kleinen Monden derselben werden würden. Das Herabstürzen auf diese könnte nur in dem einzigen äußerst seltenen Falle geschehen, wenn ihre Erdnähe (Perigäum) innerhalb der Erdkugel läge. Ein Zusammentreffen aller dieser Umstände ist, wie gesagt, viel zu selten, als daß sich daraus die weit weniger seltenen Steinregen erklären ließen.

Die Lehre der Kosmisten (von dem griechischen Worte Kosmos, die Welt) als deren Urheber Chladni zu betrachten ist (obschon auch Halley Ahnungen davon gehabt hat), besteht in Folgendem: Die Feuerkugeln sind außer der Erd-Atmosphäre, im Weltraume entstandene Massen oder Haufen von Stoffen, von verschiedener Dichtigkeit, bewegen sich mit einer äußerst großen Geschwindigkeit und gehören vor ihrem Niederfalle keinem bestimmten großen Weltkörper an. Sie sind Gebilde aus denselben Urstoffen, aus welchen die Weltkörper gebildet worden sind. Wenn nun ein solcher Stoffhaufen der Erde so nahe kommt, daß er von seinem Wege abgelenkt wird: so tritt er endlich tiefer in die Atmosphäre derselben, geht hier Anfangs äußerst schnell fort, entbindet aus der Luft durch Zusammendrücken derselben viel Wärme, erhitzt und entzündet sich, und wird zu einer weichen Masse, welche sich durch die in ihrem Innern entwickelten Gase und Dämpfe aufbläht, zum Theil erhärtet, und endlich zerplatzt, so daß ihre Trümmer auf die Erde herabfallen. Zuweilen kann diese ganze Masse auch in so feine Theile zerbröckelt werden, daß nur Staub

(Meteorstaub) oder auch ein flüssiger Körper ꝛc. zur Erde herabkommt *).

Gegen die Möglichkeit einer solchen Entstehungsart der Feuerkugeln läßt sich nichts Gegründetes einwenden. Unser Planetensystem bestand seit Jahrtausenden aus nicht mehr als sieben Planeten, als Herschel unvermuthet den Uranus, und Olbers und Piazzi die Vesta, Juno, Pallas und Ceres entdeckten. Der Durchmesser dieser Letztern ist, wie wir aus dem 1sten Bande dieses Werkes wissen (S. 287 der neuen Auflage) noch kleiner als der unsers Mondes. Wenn es also so kleine Weltkörper im Himmelsraume giebt, warum soll es nicht auch noch kleinere, z. B. von 50, 10 und noch weniger Meilen, ja sogar nur von eben so vielen Klaftern im Durchmesser darin geben? Diese Weltkörperchen können übrigens theils Planeten, theils Kometen seyn, und die Anzahl der möglichen Fälle für die Neigung ihrer Bahnen, wenn sie von der Erde an sich gerissen werden, ist daher unendlich groß.

Dieser von Chladni angenommene kosmische Ursprung der Sternschnuppen, Feuerkugeln und Meteorsteine ist aber nicht bloß möglich, sondern auch wahrscheinlich, wenn man die außerordentliche Geschwindigkeit der Sternschnuppen und einiger Feuerkugeln erwägt. In der Erd-Atmosphäre ist keine Kraft vorhanden, welche eine solche Geschwindigkeit hervorbringen könnte, und sollte sie durch Ausbrüche unserer Vulkane

*) Chladni über Feuermeteore, s. oben. — Neumann, a. a. O. S. 653 u. ff.

erzeugt werden, so müßte von den sie begleitenden Erschütterungen nothwendig etwas wahrzunehmen seyn.

Was die Erhitzung und Entzündung dieser Körper, sobald sie in unsere Atmosphäre eintreten, betrifft, so zeigt nun Parrot *), daß diese allerdings nicht, wie Chladni annimmt, durch Reibung erfolgen könne, indem sich durch Versuche darthun lasse, daß die Reibung eines festen Körpers in atmosphärischer Luft von gewöhnlicher Dichtigkeit keine Erwärmung hervorbringe, und daß, wenn auch eine hervorgebracht werden sollte, sie durch den raschen Wechsel der Luftschichten eben so schnell wieder verschwinden müßte. Parrot belegt dieß durch einen Versuch mit Phosphor, welchen er in atmosphärischer Luft von + 15° Reaum. Wärme mit einer gleichförmigen Geschwindigkeit von 87 Fuß in der Sekunde mehre Minuten lang geschwungen hat, ohne dessen Entzündung bewirken zu können. Er leuchtete nicht einmal während der Bewegung, sondern erst ein oder zwei Sekunden, nachdem diese aufgehört hatte. Aber wohl hält es Parrot für wahrscheinlich, daß durch die chemische Einwirkung des atmosphärischen Wasserdunstes auf die Schwefelmetalle **), so wie durch die ungeheure Zusammendrückung, welche die atmosphärische Luft bei einer so äußerst schnellen Bewegung der Masse und bei dem bedeutenden Umfange desselben erleiden muß, eine Erhitzung hervorgebracht werden könne, welche selbst

*) A. a. O. S. 488 u. ff.

**) Man vergleiche hiermit Parrots Erklärung der Vulkane im II. Bande dieses Werkes, S. 526 der neuen Aufl. u. ff.

bis zur Entzündung steigen und alsdann mit einer beispiellosen Schnelligkeit zunehmen und den Körper sehr bald verzehren müsse, indem diese Geschwindigkeit der Bewegung wohl tausend Mal größer sei, als die Wirkung unserer heftigsten Gebläse bei Schmelzöfen.

Parrot findet ferner auch darin nichts Unwahrscheinliches, daß jene sich mit so ungeheurer Schnelligkeit in der Atmosphäre bewegenden Körper zum Theil tropfbar-flüssige Massen seyn können, indem er auf solche Feuerkugeln hinweis't, die in tiefern Schichten unsers Luftkreises allmählich ohne Knall und Steinregen verschwinden und also gewiß keinen festen Kern haben. Wenn diese flüssigen Massen bei ihrem Eintritte in die Erdatmosphäre sich erhitzen, in Dampf verwandeln und entzünden: so wird der, auch in den höhern Schichten noch immer bedeutende Widerstand der Luft gegen diese Dünste den Schweif des Meteors bilden, und es läßt sich daraus sogar die Trennung dieses Schweifes vom Hauptkörper erklären, indem dieser weniger an seiner Geschwindigkeit verlieren muß, als jener. Die Sternschnuppen ohne Schweif wären demnach Massen von dichterer Beschaffenheit, deren Dünste sich, noch ehe sie den Hauptkörper verlassen können, schon entzünden.

Die Feuerkugeln mit Steinregen, so wie diejenigen Massen, welche ohne beträchtliches Glühen zerplatzen, sind nach Parrot in Beziehung auf ihre Bestandtheile und die Art ihrer Entzündung, vulkanischer Natur. „Sie enthalten alle Schwefelkiese und Eisen, welche in Berührung mit Feuchtigkeit und Sauerstoff-Gas sich erhitzen und vulkanische Explosionen en miniature erzeugen."

Auch die geringen Eindrücke, welche die auf die Erdfläche fallenden Steinmassen hervorbringen, können nach Parrot keine Einwendung gegen die Lehre der Kosmisten abgeben. Die Thatsache, daß Steinmassen aus Höhen von mehren Tausend Fuß herabgefallen sind und verhältnißmäßig doch nur sehr geringe Eindrücke zurückgelassen haben, ist unwidersprechlich da, und das Auffallende dabei wird zum Theil durch die Hypothese selbst erklärt, indem alle diese Massen in einem durch die Hitze sehr erweichten Zustande herabgefallen sind.

Auch die Sternschnuppen sind nach Chladni's Lehre kosmischen Ursprungs. Er nimmt nämlich an, es seien solche Massen, welche zwar bei ihrem Vorbeistreifen an der Erde in die Atmosphäre derselben hineingerathen und sich entzünden, aber noch so viel eigne Geschwindigkeit haben, daß sie sich der Anziehungskraft der Erde entwinden und wieder in den Weltraum hinausfliegen können. Gleichwohl lehrt der Zusammenhang, in welchem die Erscheinung der Sternschnuppen mit der Witterung und den Jahreszeiten steht, daß wenigstens eine große Menge Sternschnuppen auch irdischen Ursprungs seyn müssen, besonders jene Hunderte und Tausende, welche Brandes und Benzenberg oft in einer einzigen Nacht gesehen haben *).

*) Sehr scharfsinnige, und wie es scheint, noch lange nicht gründlich widerlegte Einwendungen gegen die Lehre der Kosmisten

XXIX.

Von den Winden *).

Wenn die Luft überall in der nämlichen Entfernung von der Erd=Oberfläche einerlei Dichtigkeit und Ausdehnsamkeit hätte: so würden auch alle Luftsäulen einerlei Höhe haben und in der ganzen Atmosphäre würde vollkommene Ruhe herrschen. Nun wissen wir aber aus dem Vorhergehenden, daß jene Dichtigkeit und Ausdehnsamkeit der Luft, vermöge der ungleichen Erwärmung derselben, der Ausdunstungen u. dgl. sehr verschieden und den größten Veränderungen unterworfen ist. Das Gleichgewicht der Luft, als eines flüssigen Körpers, muß daher unaufhörlich gestört und diese dadurch genöthigt werden, dasselbe wieder herzustellen. Es entstehen daraus mancherlei Strömungen in dem großen Luftmeer, welche wir Winde nennen. Schon oben haben wir an einem einfachen Versuche mit einer Lichtflamme gezeigt, wie sich solche Strömungen im Kleinen an der geöffneten Thüre eines geheizten Zimmers wahrnehmen lassen. Die äußere kalte Luft, welche eigenthümlich schwerer ist als die innere

hat Prof. Wrede in Berlin gemacht. Man sehe Gilberts Annalen der Physik. Bd. XIV. S. 35 u. ff. — bei Fischer a. a. O. Nachträge, Art. Feuerkugel. Es würde für unsern Zweck zu weitläufig seyn, sich hier darauf einlassen zu wollen.

*) Fischer, Art. Winde. Lampadius, a. a. O. S. 173 u. ff. Kant, a. a. O. III. Bd. 2. Abth. S. 1 u. ff. Parrot, a. a. O. S. 413 u. ff. Neumann, a. a. O. I. Th. S. 435. II. Th. S. 681 u. ff.

erwärmte, nimmt den untern Raum ein und bringt am Boden schnell in das Zimmer, wo sie die wärmere Luft emporzusteigen und oben wieder durch die Thüre hinauszuströmen nöthigt.

Die allgemeine Ursache der Winde ist also die Veränderung in der Schwere, Dichtigkeit und Ausdehnsamkeit des Luftkreises. Es dürfen z. B. die untern Schichten desselben in einer Gegend durch Wärme ausgedehnt und dadurch eigenthümlich leichter gemacht werden: so wird sogleich diese leichtere Luft in die Höhe steigen, und die benachbarte schwerere Luft wird herandringen, um die Stelle der vorigen einzunehmen. Wir werden diese Bewegung der Luft als einen mehr oder weniger starken Wind empfinden. Ueberhaupt ist die ungleichförmige Erwärmung der Luftschichten eine Hauptursache der ungleichen Ausdehnung, Dichtigkeit und Schwere derselben, und folglich auch der Winde. Am deutlichsten sieht man dieses in Gegenden, welche nahe am Meere liegen. Wenn gewisse Theile des festen Landes, z. B. Sandwüsten, stärker erhitzt werden, als die benachbarte Meeresfläche: so wird zugleich auch die über dem Lande befindliche Luft mehr ausgedehnt, folglich leichter und zum Aufsteigen genöthigt. Von der Meeresfläche dagegen strömt die Luft zum Ersatz herbei und es entsteht also ein Wind nach dem Lande zu. In den obern Schichten wird die hier angehäufte wärmere Luft wieder allmählich dem Meere zuströmen und also in diesen Gegenden einen Wind nach dem Meere zu hervorbringen. Wir bemerken auch bei uns nicht selten zwei solche entgegengesetzte Luftströme, indem die Wetterfahnen z. B. nach Norden zeigen und die Wolken nach Süden ziehen.

Außer der Wärme kann auch eine schnelle Gas- oder Dampfbildung oder eine Zersetzung dieser Flüssigkeiten das Gleichgewicht der Atmosphäre an einzelnen Orten stören, und es muß dadurch ebenfalls Wind, entweder von dem Orte her oder nach dem Orte hin, wo dergleichen erfolgt, entstehen. Solche Bildungen und Zersetzungen ereignen sich z. B. bei Gewittern und bei schneller Wolkenzertheilung nach langem Regen. Die Erfahrung lehrt, daß diese Naturerscheinungen von Winden und Stürmen begleitet zu seyn pflegen.

Auch die Stärke und Menge der Ausdunstung hat auf die Erzeugung der Winde Einfluß. Sehr merkwürdig ist in dieser Hinsicht der schwache Ostwind, welcher sich bei stillem und heiterem Wetter kurz vor Sonnenaufgang zu erheben, aber nur eine oder zwei Stunden anzuhalten pflegt. Er wird gewöhnlich nur auf dem festen Lande, und zwar häufiger in Gebirgsgegenden als in Ebenen bemerkt, und ist jederzeit kalt, besonders im Winter, wo er oft schneidend und durchdringend bläs't. Wenn andere Winde herrschen, oder wenn der Himmel bewölkt ist, oder auch überhaupt, wenn es sich zum Regen anschickt, dann bleibt dieser Ostwind aus. Hube *) erklärt ihn nach seiner oben mitgetheilten Lehre von der Ausdunstung auf folgende Art. Die Luft auf dem festen

*) Ueber die Ausdünstung rc. II. Buch, S. 377 u. ff.

Lande wird nach heitern Tagen die Nacht über in der Tiefe allmählich bedeutend kälter als oben. Hierdurch wird auch der Unterschied in der Ziehkraft der obern und der untern Luft noch größer, als er außerdem schon seyn würde. Die Dünste also, und die vielen noch nicht ganz aufgelös'ten Wassertheilchen, mit welchen die untere Luft bei einer Ausdunstung der ersten Art bei Tage angefüllt wird, steigen die Nacht hindurch um desto schneller in die Höhe, und häufen sich in den obern Luftschichten an. Hier werden sie nun am Morgen von den ersten Strahlen der Sonne, noch ehe diese für die untern Gegenden aufgeht, getroffen, und mit der sie umgebenden Luft zugleich erwärmt. Die Luft gewinnt durch diese Erwärmung an Ziehkraft und beginnt nun die Wassertheilchen auf die erste Art aufzulösen. Dadurch wird sie plötzlich ausgedehnter, kälter und eigenthümlich schwerer; sie sinkt also mit Wassertheilchen beladen herunter, aber nicht in senkrechter Richtung, sondern mit einer Abweichung nach Westen, weil nach Osten hin die Atmosphäre unterdessen fortwährend auf eine immer größere Tiefe von der immer höher steigenden Sonne erwärmt und ausgedehnt wird, als gegen Westen. Natürlich kann dieser Ostwind nicht lange anhalten, sondern muß aufhören, sobald die Sonne alle Luftschichten bis an den Erdboden herab gleichförmig erwärmt hat.

Außer diesen allgemeinen Ursachen, zu welchen wir weiterhin noch einige hinzufügen werden, kann auch durch das Ausströmen der Elektricität, durch Vulkane, große Feuersbrünste, durch den Sturz großer Schneelauwinen,

Wassermassen, durch schnelles Schmelzen des Schnees und Treibeises, durch plötzliche und große Ueberschwemmungen u. dgl. ein mehr oder weniger starker, obwohl nur auf einen kleinen Raum eingeschränkter Wind hervorgebracht werden.

Bei den Winden im Allgemeinen ist ihre Geschwindigkeit und Stärke, ihre Richtung und ihre Dauer zu betrachten. Die Stärke des Windes hangt von der Geschwindigkeit ab, doch ist die Letztere, obschon sie die Geschwindigkeit der Flüsse übertrifft, nicht so groß, daß sie verdient hätte, zum Sprichworte zu werden. Ein sehr empfindlicher Wind verliert sich fast gänzlich, wenn wir ihn in den Rücken nehmen und rasch vorwärts gehen, weil unsere Geschwindigkeit alsdann der seinigen gleichkommt. Sobald wir still stehen, fühlen wir ihn wieder. Von der verschiedenen Geschwindigkeit des Windes erhält er auch verschiedene Namen, als: sanftes Wehen oder Lüftchen, schwacher, mittelmäßiger und starker Wind, Sturm, Orkan. Ein ruhiger Zustand der Luft heißt eine Windstille. Eigentlich giebt es dergleichen nie, denn empfindliche Windmesser (z. B. ein an einem seidenen Faden aufgehängtes Korkkügelchen) zeigen auch bei Windstillen noch eine Luftbewegung von 3 bis 4 Zoll Geschwindigkeit in der Sekunde. Ein mittelmäßiger Wind durchläuft in der Sekunde etwa 12 bis 16 Fuß. Winde, die über 30 Fuß in der Sekunde durchlaufen, heißen Sturmwinde oder Stürme. Die Geschwindigkeit der Orkane steigt von 100 bis zu 120, auch wohl 150 Fuß.

Was die Stärke des Windes oder seine Wirkung auf die ihm entgegenstehenden Körper betrifft: so lehren Versuche, daß die Luft sich nur um etwa 24 Mal schneller als das Wasser fortzubewegen braucht, um mit diesem eine gleiche Wirkung auf eine ebene Fläche zu äußern. Man hat auf diese Weise berechnet, daß ein Orkan von ungefähr 120 Fuß Geschwindigkeit in der Sekunde auf einen Thurm, der 150 Fuß hoch ist und 30 Fuß ins Gevierte hat, eine Kraft von mehr als 9 Millionen Pfund ausübt. Auf einen 58 Fuß hohen Baum, mit einer Krone von 50 Fuß Breite und einem Stamme von 10 Fuß Höhe, wird dieser nämliche Orkan eine Stärke von 4,200000 Pfund äußern.

Man hat eigne Vorrichtungen, die Stärke und Geschwindigkeit des Windes zu messen. Sie heißen Windmesser (Anemometer), sind aber noch nicht zu der Vollkommenheit gebracht, welche die meisten andern physikalischen Werkzeuge besitzen. Sie gründen sich theils auf die Schätzung des Drucks, welchen der Wind auf eine ihm entgegenstehende ebene Fläche äußert, theils auf die Schätzung der Geschwindigkeit, mit welcher er Windflügel bewegt, theils auch auf die Richtung, in welche er einen beweglichen Körper bringt. Der letztern Beobachtungsart hat sich Lampadius bedient. Er hing Körper von verschiedener Schwere an einerlei Art von Fäden auf, und beobachtete nun die Leichtigkeit, mit welcher sie der Wind in Bewegung setzte, so wie die Größe des Winkels, welchen der Faden mit der senkrechten Linie machte. Er fand auf diese Weise, daß z. B.

ein Wind, welcher eine Korkkugel an ihrem Faden schon auf 30 bis 40 Grad von der senkrechten Linie abtrieb, eine eben so große Bleikugel noch nicht in Bewegung zu setzen vermochte *).

Eine bequeme Art, die Geschwindigkeit des Windes in den obern Luftschichten zu messen, bietet sich bei stürmischem Wetter und gebrochenem Himmel dar, wo einzelne kleine Wolken schnell an der Sonne vorüber gejagt werden. Man braucht in diesem Falle nur die Geschwindigkeit zu bestimmen, mit welcher der Schatten der Wolke auf einer wagrechten Erdfläche fortrückt. Denn da die Wolken gleichfalls in wagrechter Richtung fortziehen, so ist die Geschwindigkeit ihres Schattens auf einer wagrechten Ebene ihrer eigenen Geschwindigkeit gleich. Kant **) bemerkt zwar, daß man bei dieser Messungsart zugleich die Entfernung der Wolken von der Erde genau kennen müsse. Dieß ist aber nicht nöthig; denn diese Entfernung, wie groß sie auch seyn möge, und die Länge des Raumes, welchen der Schatten durchläuft, ist gegen den ungeheuren Abstand der Sonne von der Erde für nichts zu achten.

Die Bewegung der Luft oder die Geschwindigkeit des Windes ist selten ganz gleichförmig, sondern man unterscheidet deutlich Windwellen und Windstöße. Bei jenen ist die Luft zwar anhaltend in starker Bewegung, aber doch sekundenweise stärker oder schwächer. Bei diesen pflegt auf eine nur wenige Sekunden anhal-

*) Atmosphärol. S. 174 u. 175.
**) A. a. O. S. 17.

tende, aber sehr starke Bewegung plötzlich eine ziemlich ruhige Luft zu folgen. Oft ist der Wind an dem einen Orte sehr heftig, während kaum 20 oder 30 Fuß davon nur ein leises Wehen verspürt wird. Alle diese Verschiedenheiten in der Luftbewegung rühren theils von den Ursachen, wodurch die Winde entstehen, theils auch von dem Widerstande her, welchen der Luftstrom an den sich ihm entgegenstellenden Körpern findet. So giebt es z. B. in manchen Städten Straßen, wo der heftigste Wind herrscht, während im nächsten Quergäßchen vollkommene Windstille vorhanden ist. Ganz anders wirkt ein Gebirge als eine Ebene auf den Wind ein. Die heftigsten Stürme finden sich da, wo die Luft den wenigsten Widerstand findet, also auf den Gipfeln hoher Berge, auf dem Meere u. dergl. Eine mäßige Luftströmung kann zum Sturme werden, wenn die Luftmasse plötzlich in einen kleinern Raum zusammengedrängt wird, z. B. in engen und tiefen Gebirgsschluchten. Man vergleiche hiermit, was im 3ten Bande dieses Werkes über den Lauf und die Geschwindigkeit der Flüsse gesagt worden ist.

Wie die Winde zur Bewegung der Windmühlen und der Schiffe benützt werden, ist allgemein bekannt.

Die Richtung des Windes ist entweder wagrecht oder schräg oder senkrecht. Wo sich kein Hinderniß entgegenstellt, wie z. B. in der obern Luft, über großen Ebenen u. dergl., ist die Bewegung geradlinig. In gebirgigen Gegenden kann sie auch wellenförmig werden, was z. B. der Fall bei den Windstößen zu seyn scheint. Manche Winde haben eine kreisförmige

Richtung, d. h. die Luft dreht sich um einen Mittelpunkt schnell im Kreise herum. Sie heißen Wirbelwinde, und sind auf einen verhältnißmäßig kleinen Raum eingeschränkt. Eine Abart davon sind die oben beschriebenen Windhosen oder Landtromben.

Jeder mehr oder weniger wagrechte Wind kommt aus einer bestimmten Weltgegend her, und erhält von derselben seinen Namen, z. B. Nordwind, Südwind, u. s. w. *). Es tritt also in Ansehung dieser Benennungen der Winde das Umgekehrte von demjenigen ein, was bei den Strömungen des Meeres Statt findet; diese erhalten nämlich ihre Namen von derjenigen Weltgegend, wohin sie fließen, z. B. die große westliche Strömung im Atlantischen Meere.

Um die Richtung eines Windes in Beziehung auf die Weltgegend zu bestimmen, hat man gleichfalls mehre Vorrichtungen erfunden, welche Windzeiger (Anemoskope, Plagoskope) heißen. Hierher gehören die allbekannten Wetterfahnen oder Wetterhähne. Wohin das vordere Ende derselben zeigt, dahin weht der Wind, und kommt also von der entgegengesetzten Seite. Diese einfache Erfindung beruht darauf, daß die Luft, um an beiden Seiten der Wetterfahne gleichförmig vorbeifließen zu können, diese erst in die Richtung ihres Stromes setzen muß. Wäre diese Fahne nicht in dieser Richtung,

*) Von der Eintheilung des Horizonts in seine Haupt- und Nebenweltgegenden ist schon im Isten und IIten Bande dieses Werkes gesprochen, auch auf der Kupfertafel Nr. I. des II. Bandes die Abbildung einer Windrose gegeben worden.

so würde die eine Seite derselben dem Luftstrom ein Hinderniß entgegenstellen, aber auch sogleich von demselben fortgestoßen werden. Es versteht sich, daß die Wetterfahne frei, und nicht in engen durch Gebirge oder höhere Gebäude eingeschlossenen Straßen oder Plätzen stehen muß. Zu genauern Beobachtungen, wie z. B. die Naturforscher bedürfen, läßt man die Stange einer solchen Wetterfahne in das Gebäude hinein und durch den Mittelpunkt einer Windrose gehen, über welcher an der Stange ein Zeiger so angebracht ist, daß seine Spitze genau dem Punkte des Horizonts, nach welchem die äußere Fahne zeigt, entgegengesetzt ist. — Außerdem läßt sich die Richtung des Windes auch an dem Zuge der Wolken, des Rauches rc. erkennen. Auf dem Meere pflegen die Matrosen bei sehr schwachem Winde einen benetzten Finger emporzuhalten. An welcher Seite sie eine Spur von Kälte empfinden, von daher bewegt sich die Luft, weil sie hier durch die schnellere Verdunstung des Wassers Kälte erregt.

Daß oft mehre Winde übereinander in verschiedenen Richtungen Statt finden, ist schon vorhin gesagt worden.

In Rücksicht des Eintritts und der Dauer der Winde, werden sie in regelmäßige oder ordentliche, und in unregelmäßige oder veränderliche Winde eingetheilt. Die regelmäßigen Winde sind solche, welche in ihrem Anfang und Ende eine gewisse Zeit beobachten, und auf deren Wiederkehr man deßhalb rechnen kann. Hierher gehören 1) die beständigen Ostwinde in den Meeren der heißen Zone, oder die sogenannten Passatwinde; 2) die jährlichen periodischen Winde im Indischen Meere, oder die sogenannten Moussons; 3) die täglichen periodischen Winde, wie z. B. der schon oben beschriebene Ostwind bei Sonnenaufgang in den kalten und gemäßigten Zonen, und die Land- und Seewinde. — Zur zweiten Klasse gehören alle übrige Winde, welche in ihrem Anfang und Aufhören keine bestimmte Ordnung halten. Wir müssen die Winde der ersten Klasse genauer betrachten.

Mit dem beständigen Ostwinde über den Meeren zwischen den Wendekreisen verhält es sich auf folgende Art. Seine Richtung ist nicht überall von Osten nach Westen, sondern nördlich vom Aequator bläs't er aus Nordosten, und südlich davon aus Südosten, so daß also nur da, wo sich diese beiden Winde scheiden, der reine Ostwind herrscht. Doch fällt diese Gränzlinie nicht genau mit dem Aequator zusammen, sondern befindet sich im Atlantischen Meere, etwa 3 bis 4 Grad nördlich von demselben. Im Großen Weltmeere ist sie dem Aequator näher *). Man erklärt diese Abweichung daraus, daß überhaupt der physische Aequator nicht mit dem mathematischen zusammentrifft, wie dieß unter andern auch die oben beschriebenen Wärmegleichheits-Linien (Isotherm-Linien) beweisen. Außerdem hangt die Gränzlinie des nord- und südöstlichen Windes auch von

*) Von Humboldts Reise in die Aequinoctialgegenden des neuen Continents ꝛc. I. Theil, S. 299.

dem Stande der Sonne ab, und fällt zur Zeit der Sommer-Sonnenwende mehr nach Süden. Aber nur mitten im Meere finden diese Erscheinungen regelmäßig Statt; je näher den Küsten, desto weniger regelmäßig sind sie. Einzelne Störungen treten, aber nur auf kurze Zeit, durch Gewitter und vulkanische Ausbrüche ein.

Den Seefahrern sind diese regelmäßigen Winde sehr willkommen. Die aus Europa nach Amerika segelnden Schiffe suchen so schnell als möglich das Meer zwischen den Wendekreisen zu erreichen, und sind dann in zwanzig Tagen in Westindien. Die Matrosen haben während dieser Fahrt beinahe nicht nöthig, die Segel zu berühren, und man schifft, wie wenn man einen Fluß hinabführe, so daß es, wie v. Humboldt bemerkt, „keine sehr gewagte Unternehmung wäre, diese Reise in einer Chaluppe ohne Verdeck zu machen" *). Aehnliches findet im Großen Weltmeere, bei der Ueberfahrt von Acapulco z. B. nach den Philippinen, Statt. Dieser ganze ungeheure Weg wird in zwei Monaten zurückgelegt.

Die gewöhnliche, von Halley herrührende, Erklärung dieser Passatwinde der heißen Zone ist folgende. Zwischen den Wendekreisen wird aus bekannten Ursachen die Luft am stärksten und besonders über dem Meere am gleichförmigsten erwärmt. Sie wird dadurch ausgedehnt, leichter und zum Aufsteigen genöthigt. Dadurch entsteht

*) Dieß bewirken aber nicht bloß die Passatwinde, sondern auch die allgemeine westliche Strömung, welche wir im III. Bande dieses Werkes, S. 466 u. ff. der neuen Auflage beschrieben und erklärt haben.

unten an der Oberfläche der Erdkugel ein Zuströmen der kältern Luft, sowohl vom Süd= als vom Nordpole nach dem Aequator hin. Wenn nun die Erde sich nicht um ihre Axe drehte: so würde diese herzuströmende kältere Luft auf der nördlichen Halbkugel der Erde als reiner Nordwind, auf der südlichen als reiner Südwind erscheinen. Allein bei der Umdrehung der Erde um ihre Axe bewegen sich die dem Aequator nahe liegenden Luftmassen viel schneller, als die an den Polen liegenden. Die von den Letztern herbeiströmende Luft gelangt daher stets an Orte, welche eine größere Geschwindigkeit haben, als diejenigen, von welchen sie eben herkommt. Da die Strömung diese Geschwindigkeit nicht sogleich erreichen kann: so bleibt sie ein wenig und zwar nach Westen zurück, als dem Punkte, welcher demjenigen, wohin die Umdrehung der Erde gerichtet ist, Osten nämlich, entgegengesetzt ist. Es muß also auf diese Weise auf der nördlichen Halbkugel statt des Nordwindes ein Nordost= und auf der südlichen Halbkugel statt des Südwindes ein Südostwind entstehen.

Unter den Moussons (welchen Einige ebenfalls den Namen Passatwinde beilegen) versteht man diejenigen regelmäßigen Winde der heißen Zone, welche in der einen Jahreszeit aus einer gewissen Himmelsgegend, und in der andern aus der entgegengesetzten blasen. Sie haben ihren Namen von dem malayischen Worte Mussin, welches Jahreszeit bedeutet, und erscheinen hauptsächlich im Indischen Weltmeere. Die bekanntesten Moussons werden gefunden: 1) zwischen Mada=

gaskar und der ostafrikanischen Küste, wo vom Oktober bis zum Mai Südostwind herrscht; 2) zwischen Arabien und Malabar, vom April bis Oktober aus Südwesten, vom Oktober bis April aus Nordosten; 3) zwischen Madagaskar und Sumatra vom Mai bis Oktober aus Nordwesten; 4) zwischen Sumatra und der chinesischen Küste, vom Oktober bis Mai aus Nordnordosten, in den übrigen Monaten aus Südwesten. Auch an der brasilischen Küste finden Moussons Statt, welche vom September bis April aus Nordosten, vom April bis September aus Südwesten blasen. Zwischen beiden Zeiträumen ist eine Zeit, während welcher sich die beiden Bewegungen entweder das Gleichgewicht halten, oder auch heftige Stürme herrschen.

Man sieht aus dem halbjährigen Wechsel der Moussons, daß sie mit dem Stande der Sonne im Zusammenhange stehen. Zugleich aber hangen sie auch von der Axendrehung der Erde und von der Lage der Küsten, so wie von der Richtung der großen Gebirgsketten ab. Um z. B. den Mousson zwischen Arabien und der vorderindischen Halbinsel zu erklären, wo nämlich im Sommer der Wind aus Südwesten, im Winter aber aus Nordosten weht, muß man sich die Sache folgendermaßen denken. Im Sommer ist die Luft über dem festen Lande wärmer, als die Luft über dem Meere. Es sollte also in den untern Schichten ein Strom vom Meere nach dem Lande hin, oder ein Südwind entstehen. Allein sie kommt vom Aequator her, und hat also, vermöge der Axendrehung der

Erde, eine größere Geschwindigkeit von Westen gegen Osten, als jene Orte, an welchen sie ankommt; sie muß daher ein wenig gegen Osten zurückbleiben. Aus diesem vereinigten Bestreben zugleich nach Norden und nach Osten zu strömen, entsteht eine mittlere Richtung nach Nordosten, oder mit andern Worten: der Wind kommt aus Südwesten. Im Winter tritt der umgekehrte Fall ein. Die Luft ist über dem Meere wärmer als über dem festen Lande. Es wird also von dem Letztern her ein Strömen der kältern Luft nach dem Meere entstehen, und diese sollte eigentlich als Nordwind erscheinen. Allein die Luft gelangt auf diesem Wege an Orte, welche wegen der Axendrehung der Erde eine immer größere Geschwindigkeit haben; sie bleibt folglich (ganz so, wie wir dieß beim allgemeinen Ostwinde an den Polar-Strömungen gezeigt haben) ein wenig gegen Westen zurück, und es entsteht aus diesem doppelten Bestreben, nach Westen und Süden zu strömen, eine mittlere Richtung nach Südwest, mit andern Worten: die Strömung der Luft erscheint als Nordostwind.

Die täglichen periodischen Winde, welche unter dem Namen der Land- und Seewinde an den Meeresküsten, besonders an den Küsten kleiner Inseln und an Vorgebirgen, bekannt sind, bestehen darin, daß am Tage der Wind vom Meere her nach dem Lande zu bläs't, oder auf dem Lande Seewind herrscht, des Nachts aber der umgekehrte Fall eintritt, oder auf dem Meere Landwind herrscht. Die Verschiedenheit der Temperatur erklärt diese Winde sehr leicht. Am Tage wird die Luft über der Insel oder der Küste stärker erwärmt, als das benachbarte Meer; sie steigt daher in die Höhe und es entsteht ein Zuströmen der kältern Luft vom Meere her. Bei der Nacht muß das Gegentheil Statt finden, weil alsdann die Luft über dem Meere wärmer ist, als die über dem Lande. Es versteht sich, daß nach Verschiedenheit der Jahreszeiten, der Gestalt und Oberfläche der Küsten rc. diese Land= und Seewinde mehr oder weniger unregelmäßig werden müssen. Basil Hall *) sagt über diese Winde, in Beziehung auf ihr Verhalten an der Westküste von Nord=Amerika, Folgendes: „Die Seewinde entstehen gemeiniglich Morgens um 9 Uhr, bisweilen etwas früher, bisweilen etwas später. Ihr erstes Anwehen der Küste ist so sanft, als wenn sie sich scheuten, näher zu kommen. Bisweilen hält der Wind inne und scheint aufhören zu wollen. Am Ufer erwartet man ihn mit Vergnügen und auf dem Meere benützt man ihn. Zuerst bildet er einen kleinen, schmalen, schwarzen Wirbel auf dem Wasser, indeß der übrige Theil des Meeres an der Küste noch glatt ist. Nach einer halben Stunde hat er die Küste erreicht und bläs't schon derber, indem er bis 12 Uhr immer stärker wird, und er pflegt bis ungefähr 2 oder 3 Uhr mit Heftigkeit zu wehen. Von 3 Uhr Nachmittags an nimmt er allmählich

*) Extracts from a Journal, written on the Coasts of Chili, Peru and Mexico, in the years 1820, 1821, 1822, etc. II. Voll. London, 1824. Eine teutsche Bearbeitung dieses Werkes enthält Brans Ethnographisches Archiv, XXV. Bd. 2. Heft. Man sehe daselbst S. 307 u. ff.

ab und ungefähr um 5 Uhr Nachmittags hört er auf. Man kann nicht genau die Stunde bestimmen, wo der Land- oder Abendwind anfängt, und eben so wenig, wo er des Morgens genau aufhört; aber gemeiniglich steigt er von 6 bis 12 Uhr des Abends und nimmt von Mitternacht bis 6, 8 oder 10 Uhr des Morgens ab. Das Wetter, die Jahreszeit und andere zufällige Ursachen ändern das Ende und den Anfang beider Winde ab."

Die veränderlichen und unregelmäßigen Winde sind ganz besonders dem festen Lande der gemäßigten und kalten Zonen eigen, und können aus einem Zusammenwirken so vieler und zum Theil verborgener Ursachen entstehen, daß eine vollständige und befriedigende Erklärung derselben unmöglich ist. Im Allgemeinen lassen sich als Hauptursachen dieser veränderlichen Winde folgende zwei betrachten: 1) die verschiedene Ausdehnung der Luftschichten durch die Verschiedenheit des Bodens, den die Sonnenstrahlen erwärmen, und durch die Wolken und Gebirgsketten, welche gewissen Theilen der Atmosphäre so wie des Bodens einen bedeutenden Theil der Sonnenstrahlen entziehen; 2) die chemischen Prozesse des Luftkreises und der Erd-Oberfläche, welche in den Gegenden, wo sie vor sich gehen, die Masse der Luft bald vermehren, bald vermindern.

Indeß bemerkt man doch an den Winden der gemäßigten Zonen zu Zeiten einige Regelmäßigkeit und auch wohl in manchen Jahren eine gleichförmige Wiederkehr (Periodicität) gewisser Winde. So sind z. B. die sogenannten Aequinoctial-Stürme (Nachtgleichen-

Stürme) in der Nord- und Ostsee, so wie im mittlern und nördlichen Europa, eine Art von wenigstens halbperiodischen Winden. Sie kommen meist aus Westen, Südwesten oder Nordwesten und treten um die Zeit der Nachtgleichen ein. Freilich bleiben sie manches Jahr auch aus, oder treten einige Wochen früher oder später ein. Auch die kalten Ost- und Nordostwinde, welche uns im März und April in manchen Jahren so lästig fallen, gehören hierher.

Ueber den periodischen Gang, den man zuweilen an den Winden in Teutschland bemerkt, sagt Lampadius *) Folgendes: „Ich nehme an, es wehe Südwind bei heiterm Wetter. Das Barometer fällt, die Luft trübt sich und es stellt sich Regen ein. Während dessen geht der Wind in Westen über. Es regnet noch fort, und das Barometer steigt. Der Wind wird Nordwest. Das Wetter geht in Strichregen über. Es wird kälter. Noch immer steigt das Barometer und der Wind wird Nord und Nordost. Nun hat das Barometer seinen höchsten Stand erreicht. Der Himmel ist heiter und es herrscht die höchste, der Jahreszeit mögliche Kälte. Es wird Ostwind, das Barometer fällt ein wenig. Aber noch bleibt das Wetter heiter. Der Wind dreht sich nach Südosten, und noch fällt das Barometer. Die Wärme nimmt wieder zu. Nun geht der Wind in Süden und die Wärme erreicht ihren der Jahreszeit angemessenen höchsten Grad; das Barometer fällt und wir sind nun auf den ersten Punkt zurückgekommen. Es giebt in jedem

*) A. a. O. S. 189.

Jahre mehre solcher Perioden zu jeder Jahreszeit. Zuweilen dauert die ganze Drehung einige Wochen, zuweilen nur einige Tage. Sehr selten springt der Wind auf einer solchen Tour zurück" u. s. w.

Le Gentil und andere Reisende haben diese regelmäßige Drehung des Windes, nämlich von Osten nach Süden und Westen, u. s. f. in unserer nördlichen Halbkugel auch auf dem offenen Meere bemerkt, so daß sie also hier mit dem scheinbaren Laufe der Sonne übereinstimmt. Auf der südlichen Halbkugel soll diese Drehung gerade die dem Sonnenlaufe entgegengesetzte Richtung nehmen *).

So veränderlich und unregelmäßig im Ganzen genommen die Winde in den gemäßigten und kalten Zonen sind, so giebt es doch für jeden Ort gewisse herrschende Winde, d. h. Winde aus einer bestimmten Weltgegend, welche daselbst häufiger wehen, als Winde aus andern Weltgegenden, obschon sie in ihrem Eintreten und ihrer Dauer keine Regel beobachten. In Prag z. B. ist nach mehr als zehnjährigen Beobachtungen, welche der für die Beförderung des astronomischen und physikalischen Studiums unermüdet thätige Hr. Prof. Hallaschka (vom 8. Mai 1817 bis 31. Dezember 1827) angestellt und vor Kurzem, nebst andern meteorologischen Beobachtungen herausgegeben hat **), der herrschende

*) Kant, a. a. O. S. 42.

**) Unter dem Titel: Sammlung der vom 8. Mai 1817 bis 31. Dezember 1827 im k. k. Conviktgebäude nächst dem Piaristenkollegium auf der Neustadt Prag, N. C. 856, angestellten astronomischen, meteorologischen und physischen Beobach-

=Wind West (er kam in der Reihe jener Beobachtungen 2129 Mal vor). Auf diesen folgt der Südwest= (welcher 1291 Mal vorkam), dann der Süd= (1253), Nordwest= (1104), Nord= (964), Südost= (845), Ost= (607) und Nordost=Wind (509 Mal). Für Hamburg *) ergiebt sich aus einem Durchschnitte dreißigjähriger Beobachtungen folgende Rangordnung der Winde: West, Südwest, Nordwest, Ost, Nordost, Südost, Süd und Nord.

XXX.

Beschluß des Vorigen.

Die Beschaffenheit der Winde hangt von den Gegenden ab, woher sie kommen, oder über welche sie ihren Weg nehmen. Daher sind bei uns die von Norden und dem Eismeere kommenden Winde kalt, die von Süden kommenden warm. Der West=, Südwest= und Nordwestwind ist in Teutschland feucht, weil er vom Atlantischen Meere kommt und also Luftschichten herbeiführt, welche viel Wasserdunst enthalten. Der Ostwind und Nordostwind dagegen ist trocken, weil er seinen Weg über die weiten Länderstrecken von Asien und

tungen von C. Hallaschka rc. Prag, 1830. Druck bei M. I. Landau.

*) Dr. Buek: Hamburgs Clima und Witterung. S. 82 und 83.

dem östlichen Europa nehmen muß, wo er keine Gelegenheit hat, Wasserdunst aufzunehmen. Die Nordwinde in Aegypten, wohin sie über das Mittelländische Meer gelangen, sind feucht und führen Salztheile bei sich, welche sie an den Gebäuden und Pflanzen absetzen. Kommt der Wind aus Gegenden, wo die Luft mit schädlichen Bestandtheilen, Gasarten ꝛc. erfüllt worden ist, so kann er auch der menschlichen Gesundheit mehr oder weniger nachtheilig werden. Manche Miasmen oder Ansteckungsstoffe, z. B. des gelben Fiebers ꝛc. scheinen durch die Luft von einem Orte zum andern gebracht zu werden.

Wir wollen einige durch ihre Beschaffenheit besonders merkwürdige Winde näher beschreiben.

An der westlichen Küste von Afrika weht, am Senegal im April, in Guinea aber um die Weihnachtszeit *), der sogenannte Harmatta (oder Harmattan, d. h. trockner Wind). Er kommt aus Osten, also über die Sahara, und hält nach Umständen drei bis fünf, zuweilen auch bis zwölf Tage an. So lange er weht, ist die Atmosphäre so trübe, daß die Sonnenstrahlen kaum zur Mittagszeit ein wenig durchdringen können; doch erblickt man keine eigentlichen Wolken am Himmel; es ist mehr ein trockner Nebel, welcher macht, daß man den ganzen Tag ohne Hinderniß in die Scheibe der Sonne schauen kann. Wahrscheinlich ist dieser Nebel ein feiner Staub, den der Wind in der Wüste emporgehoben hat; wenig-

*) Monrad's Gemälde der Küste von Guinea ꝛc. ꝛc. Aus dem Dänischen von Wolf, ꝛc. Weimar, 1824. S. 271 u. ff.

stens werden die Mauern und andere im Freien befindliche Gegenstände linienhoch mit feinem Staube bedeckt; ja er dringt sogar bis in das Innere der Gebäude. Das Gras und das Laub der Bäume werden welk und zuletzt so dürr, daß man sie zwischen den Fingern zerreiben kann. Alles Holzwerk dorrt zusammen und kleine Fugen und Ritze werden zu fingerbreiten Spalten, die sich jedoch beim Aufhören des Windes wieder schließen. Monrad sagt, die austrocknende Eigenschaft der Luft sei zuweilen so stark, daß man beim Schreiben kaum die Feder naß erhalten könne. Indessen ist diese Dürre nicht die ganze Zeit gleich groß und es giebt Tage, wo die Sonne ziemlich hell scheint. Der Harmatta ist übrigens der Gesundheit gerade nicht nachtheilig, um so weniger, da nach Monrad die Luft wegen der bedeckten Sonne merklich kühler ist als zu andern Zeiten; aber doch wird die Haut davon so trocken und spröde, daß sie aufspringt und Blut fließt. Auch der Schweiß ist äußerst scharf und das Athemholen wird so beschwerlich, daß man, wollte man sich dem Winde im Freien aussetzen, leicht ersticken könnte. Man bleibt daher sorgfältig zu Hause und sucht sich auf alle mögliche Weise gegen den Wind zu verwahren. Nach den Bemerkungen einiger Reisenden sollen, so lange der Harmatta weht, alle Fieber, Flüsse (Rheumatismen) und mehre andere Krankheiten aufhören. Monrad, der sich fünf Jahre in Guinea aufhielt, erwähnt jedoch dieses Umstandes nicht.

Von ähnlicher Beschaffenheit, aber den Menschen nachtheiliger, ist in Italien und Sicilien der Scirocco oder Scilocco *). Er kommt aus der afrikanischen Wüste, hat aber, wegen der Wasserdünste, die er bei seinem Wege über das Mittelländische Meer aufgenommen, etwas außerordentlich Ermattendes und Erschlaffendes, so daß die kräftigsten, muntersten und gesundesten Menschen abgespannt und niedergeschlagen werden. Man stellt alle Arbeiten ein, so lange er weht, und wenn ein schlechtes Buch zum Vorschein kommt, so weiß man sein Mißfallen darüber nicht stärker auszudrücken, als durch die Redensart: E scritto in tempo del scirocco (d. h. es ist beim Scirocco geschrieben). In Sicilien ist dieser Wind viel heftiger als in Neapel, obschon er dort nur zwei Tage, und hier mehre Wochen anhält. So lange er, besonders in Sicilien, weht, werden Thüren und Fenster aufs sorgfältigste verschlossen; man hängt in den Zimmern naßgemachte Decken vor die Fenster und besprengt die Zimmer unaufhörlich mit Wasser. In Neapel steigt während des Scirocco das Reaumursche Thermometer im Schatten nicht selten auf 36 Grad; nur das Barometer bleibt sich gleich. Es entstehen hier häufige Faulfieber, und der schnell auf den Scirocco eintretende kalte Nordwind zieht starke Verkühlungen nach sich **).

Ein mit dem Scirocco sehr verwandter, gleichfalls aus Süden kommender, warmer und erschlaffender Wind, ist der Föhn, welcher meist im Herbst und Frühlinge,

*) Wird ausgesprochen: Schirokko, Schilokko. Minder richtig und gewöhnlich ist die Benennung Sirocco.

**) Kant, a. a. O. S. 22.

seltner im Winter und Sommer, in den Hochgebirgen der Schweiz zu blasen pflegt. Der Eintritt dieses Föhns kündigt sich durch ein bleiches Ansehen der Sonne, einen farbigen Hof um den Mond, starkes Flimmern der Sterne, häufige Sternschnuppen, niederfallenden Rauch aus den Schornsteinen, viel Nebel und Höhenrauch an. Beim Blasen des Windes selbst bemerkt man sowohl in seiner Bewegung als in der Wärme der Luft eine große Ungleichheit, so daß, wenn man in einer freien Ebene wandelt, man oft eine lange Zeit nicht die mindeste Bewegung der Luft wahrnimmt, dann aber plötzlich bald kühl, bald warm, wie aus einem geheizten Zimmer angehaucht wird. Der Föhn weht stets von Süden nach Norden und dauert zuweilen nur einige Stunden, zu andern Zeiten acht und mehre Tage. Die Pflanzen werden welk, die Thiere unruhig. Das Rindvieh will nicht trinken und springt mit hochgehobenem Schwanz brüllend umher; Mücken, Bremsen und Flöhe sind viel zudringlicher und peinigender. Auch der Mensch wird vor dem Eintritte des Föhns abgespannt, bekommt Kopfweh, Uebelkeit, Gliederreißen 2c., welche Beschwerden indeß aufhören, sobald der Wind zum vollen Ausbruche gekommen ist. Obschon vom Schnee binnen 24 Stunden weit mehr hinwegschmilzt, als bei der stärksten Sonnenhitze des Sommers in drei bis vier Tagen: so schwellen doch die Gewässer davon verhältnißmäßig weit weniger an, weil die Verdunstung zugleich während des Föhns außerordentlich stark ist. Auch hat der Föhn das Eigene vor andern Winden, daß er auf den Seen weit heftiger wirkt, die in der Tiefe liegenden Fischernetze zerreißt und tiefe Wasserpflanzen entwurzelt. Seine Geschwindigkeit und Stärke ist verschieden und ungleichförmig. Oft ist es an einem Orte beinahe windstill, während hundert Schritte davon Bäume entwurzelt und Dächer abgedeckt werden. Oft hört er plötzlich auf, der Himmel wird heiter, das Thermometer fällt, das Barometer steigt ein wenig, und es folgt ein angenehmer Nordostwind; aber dieß währt selten lange, und bald kehrt der Föhn zurück; weßhalb der Landmann auch nichts auf diese Art von Wetter hält und es Föhnschön nennt. Oft auch lös't er sich in ein Gewitter und anhaltenden Regen auf, oder es kommt ein Nordwestwind, der den Föhn verdrängt, und Regen oder Schnee mitbringt *).

Lampadius **) meint, daß zuweilen eine Spur dieser heißen aus Afrika kommenden Winde, welche sich in Italien als Scirocco, und in der Schweiz als Föhn zeigen, sich auch bis zu uns nach Teutschland verliere. Er führt als Beispiel den heißen und feuchten Südostwind an, welcher im April 1800 zu Freiberg wahrgenommen wurde. Die Temperatur war 21 Grad Reaumur und die Luft sehr beklemmend und erschlaffend.

Auch im südlichen Spanien, in Andalusien, weht zuweilen ein, dem Scirocco in Beschaffenheit und

*) Morgenblatt, 1823, 3. März, oder Nr. 53, nach Angaben des Dr. Lussers in Altdorf. Man vergleiche auch Wyß Reise in das Berner Oberland, II. Theil, S. 599.

**) A. a. O. S. 194.

Wirkung ganz ähnlicher, Südwind, welcher der Solano heißt.

In den Wüsten Arabiens und Syriens wird, in den Sommermonaten von der Mitte des Juni bis zur Herbst-Nachtgleiche, der Samum oder Samieli den Reisenden sehr gefährlich. Jene Benennung ist arabisch, diese türkisch; beide stammen von dem arabischen Worte Sam ab, welches Gift bedeutet. Die vollständigsten Nachrichten über diesen Wind und eine viel Beachtung verdienende Erklärungsart desselben, verdanken wir dem Grafen Resdiwesky, welcher im Jahr 1819 die syrischen und arabischen Wüsten bereis't hat *). Diesen zu Folge kommt der Samum aus Südwesten, und äußert sich in mehr oder weniger heißen und langen Stößen, von welchen jeder länger dauert, als ein Mensch den Athem an sich halten kann. Die beträchtlichste Temperatur dieser Windstöße soll 63° Reaum. betragen! Ueber den Dunstkreis verbreitet sich eine gelbe, ins Bleigraue übergehende Farbe, und die Sonne wird dunkelroth. Der Wind selbst hat einen faulen und schwefeligen Geruch, welcher ohne Zweifel von einem schweren und faulen, der Luft beigemischten Gas herrührt. Er verursacht eine starke Ausdunstung, welche aber zum Theil von der Beängstigung, die man empfindet, und von der Schwierigkeit, mit welcher man athmet, herrühren kann. Graf Resdiwesky öffnete, um die Beschaffenheit und die Wirkungen des Samum so genau als möglich

*) Man sehe mein Taschenbuch zur Verbreitung geographischer Kenntnisse, rc. I. Jahrg. (1823), S. 184 u. ff. nebst der dazu gehörigen Kupfertafel.

zu erforschen, den Mund ein wenig, und athmete ihn ein. Gaumen und Kehle waren augenblicklich ausgetrocknet. Die Araber verhüllen sich daher, um nicht zu ersticken, das Gesicht mit dem Kefieh, oder dem Tuche, das sie auf dem Kopfe tragen, und der Wind scheint, indem er durch dieses Gewebe geht, einen Theil seiner schädlichen Wirkungen zu verlieren. Er trifft die Menschen entweder auf eine tödtliche Weise, durch eine Art von Todtenohnmacht (Asphyxie), oder er verursacht eine außerordentliche Schwäche. Im ersten Falle kommt zuweilen die Natur dem Getroffenen durch ein Blutharnen zu Hilfe, welches ihm Erleichterung gewährt und rettet. Nach einigen Stunden lösen sich, bei der geringsten Berührung des Leichnams, die Glieder aus den Knochenfügungen; man hält auch solche Leichname für ansteckend. Graf Nesdiwesky sagt, daß er nichts so Schreckliches als diesen Wind kenne, und daß er ihn einst drei Tage und drei Nächte nach einander habe erdulden müssen. Er behielt mehre Wochen hindurch eine außerordentliche Schwäche bei, und fühlte in den Gelenken eine große Abspannung. Der Samum weht übrigens nie länger als 7 Tage nach einander; es verfließen dazwischen ruhige Zeiträume von 3 bis 10, ja selbst 15 Tagen, doch scheint er während dieser Zeit an andern Orten zu wehen, oder eine andere Richtung genommen zu haben, so wie er sich überhaupt auf einen nicht sehr breiten Landstrich beschränkt.

Da die Zeit des Samum mit dem Anschwellen des Nils zusammentrifft, so ist Nesdiwesky dadurch auf eine sehr sinnreiche Erklärungsart dieses Windes geleitet worden. Gestützt auf die damaligen Angaben über den Lauf des Niger, nimmt er im Innern des mittlern Afrika eine große vertiefte Hochebene, oder ein hochliegendes Becken an, dessen Tiefe von Westen nach Osten vom Niger durchströmt wird, und auch den Wangara-See enthält. Am östlichen Rande dieses Beckens entspringt der Nil (oder vielmehr dessen westlicher Hauptarm, der Bahr el Abiad). Wenn die Sonne sich vom Frühlinge bis zum Sommer dem nördlichen Wendekreise nähert, so fallen auf dieser Hochebene die tropischen Regen und das große Becken füllt sich mit einer unermeßlichen Menge Wasser an, welches bis an den östlichen Rand emporsteigt, endlich überströmt, und zum Theil durch den Nil (Bahr el Abiad) seinen Abfluß nach Aegypten nimmt. Nach dieser Entleerung aber fällt das Wasser in dem großen Becken und es werden ungeheure Moräste und Sümpfe sichtbar, aus welchen die in den Monaten Juli, August und September nach der Linie zurückkehrende Sonne durch die Fäulniß eine ungeheure Menge der schädlichsten Dünste (mephitischer Gasarten) entwickelt. Heftige Südwestwinde treiben diese verpestete Luft, welche noch überdieß durch die Gluth der Sonne erhitzt wird, vor sich her und tragen sie theils nach Arabien, theils nach Syrien. Im letztern Lande bricht sich dieser Luftstrom zum Theil an der bei Sohneh sich hinziehenden Gebirgskette, und wird von dieser nach Süden hin geworfen, daher der Samum zu Bagdad aus Norden zu kommen scheint.

Etwas verschieden von den Beobachtungen Nesdiwesky's über den Samum, sind diejenigen, welche Burckhardt *) darüber mittheilt und die der Vollständigkeit wegen auch hier nicht übergangen werden dürfen. Er sagt: „Die schlimmste Folge dieses Windes" (den er Semum nennt) „ist, daß durch ihn das Wasser in den Schläuchen auftrocknet, und in so fern kann er allerdings die Reisenden in Gefahr bringen. Doch sind in diesen Gegenden die Schläuche gewöhnlich von sehr dickem Kuhleder gemacht, welches der Semum kaum durchdringen kann. Ich bin dem heißen Winde in den syrischen und arabischen Wüsten, in Ober-Aegypten und Nubien, mehrmals ausgesetzt gewesen. Den heißesten und heftigsten erlebte ich in Suakin, doch spürte ich auch dort keine besonders unangenehme Wirkung, obgleich ich in der offnen Ebene ihm ganz preisgegeben war. . . . . . Auch habe ich nie bemerkt, daß der Semum, wie man allgemein annimmt, nahe am Boden hinweht, sondern stets erschien die ganze Atmosphäre gleichsam in Aufruhr. Sand und Staub werden hoch in die Luft gehoben und diese nimmt eine röthliche, gelbliche oder bläuliche Farbe an, je nachdem der Boden, von welchem sich der Staub erhebt, beschaffen ist. Doch stets herrscht, mehr oder weniger, das Gelbliche vor. Wenn man durch ein hellgelb gefärbtes Glas sieht, so kann man sich eine ziemlich richtige Vorstellung machen von dem Anblick des Himmels, wie ich ihn im

*) J. L. Burckhardts Reisen in Nubien und Arabien ꝛc. Aus dem Engl. von Dr. Branz in dessen Ethnographischem Archive VIII. Bd. 1. Heft S. 54 u. ff.

Mai 1813 zu Esne in Ober-Aegypten, während eines stürmischen Semums, beobachtete. Der Semum ist nicht immer von Wirbelwinden begleitet; in seinem weniger heftigen Grade bläs't er zuweilen Stunden lang mit geringer Kraft, aber drückender Hitze, die noch um einige Grade wächst, sobald durch Wirbelwinde der Staub sich erhebt. Bei dem Semum in Esne stieg das Thermometer im Schatten auf 121°" (Fahr. = $39\frac{5}{9}$° Reaum.); „aber die Luft bleibt selten über eine Viertelstunde, oder länger als der Wirbelwind dauert, in diesem Zustande. Die unangenehmste Wirkung des Semum auf den Menschen besteht darin, daß er die Ausdunstung hemmt, den Gaumen trocknet und eine große Unruhe verursacht. Nie sah ich Jemanden sich aufs Gesicht werfen, um seinem verderblichen Hauche zu entgehen, wie Bruce auf seiner Reise durch die Wüste selbst gethan zu haben versichert; aber während der Wirbelwinde verhüllen die Araber oft das Gesicht mit ihrem Mantel und knieen neben ihren Kameelen nieder, damit der Sand oder Staub nicht ihre Augen beschädige."

Nicht minder lästig ist der in den Wüsten Aegyptens wehende Khamsin, welcher diesen im Arabischen so viel als fünfzig bedeutenden Namen davon erhalten hat, daß er in einem Zeitraume von ungefähr 50 Tagen um die Zeit der Nachtgleichen herrschend ist. Er erreicht den Hitzegrad des Samum, und die Luft zeigt dabei die nämlichen Erscheinungen, aber das faulige Gas ist nicht damit verbunden. Nach den Berichten eines der neuesten

Reisenden in Aegypten, Hrn. Rüppels *) aus Frankfurt am Main, scheint ein hoher Grad von Elektricität mit dem Khamsin verbunden zu seyn. Dieser Reisende beobachtete ihn am 21. Mai 1822, sieben Stunden östlich von Kairo, mitten in der Wüste. Der Wind blies aus Südsüdost sehr heftig und erfüllte die Luft so mit Staub, daß man in einer Entfernung von fünfzig Schritten kein Kameel sehen konnte. Auf dem Erdboden vernahm man ein schwaches Geräusch, als ob kleine Steine vom Winde fortgetrieben würden. Gesicht, Backen, Hände und Füße waren an der vom Winde getroffenen Seite ungemein heiß, und schmerzten, als ob man mit Nadeln gestochen würde. Zugleich ließ sich ein starkes Knistern dabei vernehmen. Herr Rüppel war Anfangs der Meinung, daß vom Winde herumgetriebne spitzige Steinchen diesen Schmerz im Gesichte verursachten; aber es befremdete ihn bald, daß er kein einziges davon auffangen konnte. Er hielt nun dem Winde einen ausgespannten Bogen Papier entgegen, an welchem die Steinchen und Sandkörner hätten anprallen müssen, hörte aber nicht das mindeste Geräusch. Als er nun auch wahrnahm, daß seine Haare sich ein wenig emporrichteten und der Hautschmerz sich hauptsächlich in den Gelenken und Muskelverbindungen äußerte: so gerieth er auf die Vermuthung, daß jene Erscheinungen in der Elektricität

*) Man sehe sein Schreiben aus Damiette vom 31. Juli 1822 an den Freiherrn von Zach in Genua, in dessen Correspondance astronomique, Vol. [illegible]. p. 454 — 468; und 524 — 543.

ihren Grund haben möchten. Er konnte indessen keine genauern Beobachtungen darüber anstellen.

Die beiden hier beschriebenen Winde, der Samum und der Khamsin, scheinen von vielen Reisenden mit einander verwechselt worden zu seyn. Was die große Hitze des Khamsin betrifft, so kann er durch die außerordentliche Verdünnung und das dadurch erschwerte Athmen eben so verderblich werden, als der Samum. Von den vielen in den afrikanischen Wüsten zu Grunde gegangenen Karawanen mögen einige durch diese Winde getödtet, andere aber auch durch bloße Sandstürme überschüttet und lebendig begraben worden seyn. Die Berichte, welche die Eingebornen europäischen Reisenden über diese Winde mitgetheilt haben, scheinen auch zum Theil viel Uebertriebnes zu enthalten. Burckhardt sagt dieses ausdrücklich in folgender Stelle seines Tagebuches: „Ich bin meinerseits völlig überzeugt, daß alle die Geschichten, welche die Reisenden oder die Bewohner ägyptischer und syrischer Städte von dem Semum der Wüste erzählen, gar sehr übertrieben sind, und ich konnte kein einziges authentisches Beispiel erfahren, wo dieser Wind Menschen oder Thieren tödtlich gewesen wäre. Die Sache ist die, daß die Beduinen, wenn sie über diesen Gegenstand befragt werden, oft die Städter in Schrecken setzen, indem sie ihnen erzählen, wie nicht nur (einzelne) Menschen, sondern selbst ganze Karawanen durch die Wirkungen des Semums ihr Leben verloren hätten; wenn sie aber merken, daß der Fragende nicht ganz unwissend in Betreff der Wüste ist, werden sie stets die reine Wahrheit erzählen."

Eine ganz eigene Art von Winden, denen wir hier am Schlusse des Ganzen noch einige Betrachtungen widmen müssen, sind jene Orkane, welche gewissen Ländern und Gegenden vorzugsweise eigen zu seyn scheinen. Lampadius, Hube, und andere Naturforscher, betrachten sie gleichfalls als Wirkungen der Elektricität, als wahre Gewitter in der höchsten Stärke, mehr oder weniger nahe an der Erde. Mit dem fürchterlichsten Sturm, der oft von allen Seiten des Horizonts auf Ein Mal hereinbricht, zeigen sich zugleich Blitz und Donner, und die heftigsten Regengüsse. Sie entstehen nicht selten bei ganz heiterem Himmel und völlig unerwartet. Nur ein ungewöhnlich tiefes Fallen des Barometers kündigt sie an. Auf den Antillen pflegt ihnen eine drückende Schwüle, gänzliche Windstille, und ein rothes Ansehen der Sonne vorauszugehen. Am Vorgebirge der guten Hoffnung zeigt sich, als Vorbote des Orkans, am Gipfel des Tafelberges eine kleine Wolke, welche von den Schiffern das Ochsenauge genannt wird. Auf Isle de France, östlich von Afrika, werden diese Gewitterstürme gleichfalls durch eine Art kleiner Wolken angekündigt, welche dort **Barbes du chat** (Katzenschnurren) heißen.

Am Senegal, in Afrika, sind diese Orkane unter dem Namen der Tornados bekannt. „Eine unangenehme, drückende und beklemmende Luft" — heißt es in einer Beschreibung der Insel Senegal (am Ausflusse des gleichnamigen Stromes *) — „welche hei-

*) Götting. Magazin, III. Bd., 6tes Stück, bei Hube, a. a. O. II. Buch, S. 430.

ßer zu seyn scheint, als es das Thermometer anzeigt, geht vor dem Tornado her, dessen Annäherung die in Südosten aufsteigenden Wolken verkündigen. Bald ziehen sie sich zusammen, und bilden einen ganz schwarzen Horizont, in welchem man entfernte Blitze bemerkt. So wie der Tornado heraufkommt, hört der Wind gänzlich auf, und es folgt eine völlige Windstille. Die Luft wird noch dunkler. Thiere und Vögel suchen Schutz und verkriechen sich. Ueberall herrscht eine todte Stille. Das Gewölk des herannahenden Tornado ist schrecklich. Plötzlich kommt ein eiskalter brausender Sturm, so kalt, daß innerhalb weniger Minuten das Thermometer 7 bis 8 Grade fallen muß, und so heftig, daß er die Negerhütten und Fahrzeuge niederreißt und umschlägt, oder von ihren Ankern treibt. Indem er nachzulassen anfängt, fällt ein starker Regen, von vielen Blitzen und heftigen Donnerschlägen begleitet. Bisweilen kommen auch Tornados ohne Regen, oder nur mit sehr wenigem; desto heftiger und anhaltender ist dafür der Sturm."

Unter die fürchterlichsten Orkane der neuern Zeit gehört der, welcher im Jahr 1818, vom 28. Februar bis zum 1. März, Isle de France verwüstete. Wir theilen die umständliche Beschreibung desselben hier aus Billards Reise *) mit.

„Die Zeichen, an welchen auf Isle de France sonst gewöhnlich die Annäherung großer Stürme erkannt

*) Reise nach Isle de France und der Insel Bourbon. Nach dem Franz. in Dr. Brans Ethnographischem Archiv, XVIII. Bd. 2. Heft, S. 400 u. ff.

wird, waren diesem Orkane nicht vorausgegangen. An den ihm zunächst vorausgehenden Tagen war in der Hauptstadt das Quecksilber der Barometer zwei Mal unter 28 Linien *) gefallen, aber am 28. Februar war es wieder zu seinem gewöhnlichen Niveau gekommen. Bloß Nachmittags begann ein Wehen des Windes mit Regengüssen. Die Zugwolken nahmen progressiv an Stärke zu bis zur Nacht. Indeß wenige Personen wurden unruhig darüber. Schon häufig waren in derselben Jahreszeit bedenklichere Erscheinungen in der Atmosphäre ohne traurige Folgen gewesen. Auch unterließen es eben so sehr die im Hafen befindlichen Seeleute, als die auf dem Lande wohnenden Colonisten, die Vorsichts-Maßregeln zu nehmen, die in der Befürchtung eines Windstoßes gewöhnlich genommen werden. Wenige Schiffe befestigten sich mit stärkeren Ankern. Kein Colonist war darauf bedacht, seine Maniok-Bäume umzuhauen, um wenigstens die Wurzeln zu retten."

„Die Nacht brach herein und alsbald begann auch der Orkan. Das Quecksilber der Barometer sank plötzlich auf 26 Zoll 4 Linien. So tief hatte man es noch nie gesehen. Mehre Personen glaubten einige Augenblicke, ihr Barometer sei beschädigt; die, welchen über die traurige Wahrheit kein Zweifel blieb, ahnten eine schreckliche Katastrophe. Von halb 5 Uhr Abends bis 6 Uhr des Morgens tobte der Sturm mit einer Heftigkeit, deren Wirkungen unerhört waren. Von fünfundsiebenzig im Hafen liegenden Schiffen scheiterte ein Theil am Gestade

*) Soll vermuthlich heißen: um 28 Linien.

oder rannte auf Klippen. Mehre wurden entmastet. Einige fügten sich den größten Schaden zu, indem sie an einander selbst anrannten. Eines ging mitten im Hafen unter und begrub seine ganze Mannschaft mit sich in den Fluthen. Die kleinen Fahrzeuge waren alle rettungslos verloren. Pirogen fand man auf Ländereien hingeschleudert, die noch über hundert Toisen vom gewöhnlichen Bereich der Meeresfluth entfernt waren. Noch zwölf Fuß über die höchste Fluthmarke hinauf hatte sie sich erhoben. Während dieses Tumults der Natur, dieses großen Unglücks, war die Nacht von einer außerordentlichen Dunkelheit, die es noch viel schauderhafter machte."

„In der Stadt stürzten Häuser von sehr fester Bauart ein, von den wiederholten Stößen des Orkans überwältigt. Das Schauspiel-Haus, ein hölzernes Gebäude von 100 Fuß Länge, ward mehr als 5 Fuß weit von dem Grunde, auf dem es stand, h i n w e g g e s c h o b e n. Ich würde es ganz unglaublich finden, wenn ich es nicht mit meinen eignen Augen gesehen hätte. Auf einer Batterie wurden zwei Kanonen von schwerem Caliber so umgekehrt, daß sie die ganz entgegengesetzte Richtung bekamen von der, die sie am vorigen Tage gehabt hatten. Von den Gewürznelken-Pflanzungen blieb nicht die Hälfte übrig. Noch viel stärkere Bäume, z. B. die T a m a r i n d e n, welche dem Sturme am leichtesten trotzen, wurden zerbrochen und entwurzelt. In den Urwäldern blieb auf manchen Räumen von mehren Morgen Land auch nicht ein einziger Baum stehen. Während der ganzen Dauer des Orkans hörte der Regen nicht auf, in

Strömen zu gießen. Sein Wasser hatte einen salzigen Geschmack, alle Häuser wurden davon überschwemmt. Die, welche aus ihnen ins Freie flüchteten, wurden vom Winde fortgerissen, von geschleuderten Baumästen und Trümmern beschädigt. Die, welche das Haus nicht verließen, standen Todesangst darin aus, da sie alle Augenblicke gewärtig seyn mußten, daß es zusammenstürze und sie unter seinen Trümmern begrabe. Dieß war auch wirklich das Loos mehrer Familien."

„Ein Colonist, Namens Delaunay, bewohnte ein 47 Fuß langes hölzernes Haus, dessen sämmtliche Wände sehr solid getäfelt waren. Es schien ihm, die Gewalt des Sturmes reiße es ganz mit sich fort. Schnell eilte er mit Gattin und Kindern aus ihm heraus. Die stärksten und beherztesten der Neger nahmen die Kinder in ihre Arme. Kaum aber hatten sie den Fuß über die Schwelle gesetzt, als der Orkan das Haus wirklich fortriß. Herr Delaunay brach den rechten Arm. Sein ältester Sohn und der Schwarze, der ihn trug, wurden auf der Stelle erschlagen, die übrigen Kinder und Schwarzen wurden alle sehr beschädigt. Ohne Ausnahme Alle wären umgekommen, wenn das Haus in der Richtung, die sie beim Herausgehen genommen hatten, fortgerissen worden wäre; aber es stürzte 100 Fuß weit von seinem Grunde auf der andern Seite nieder, und brach mit seinem Fall gleich ganz auseinander. Der Sturm führte die Trümmer fort; das Hausgeräth, die Effekten, Alles verschwand. Manches davon ward 600 Toisen weit entfernt noch wieder gefunden."

„Herr Delaunay war nicht der Einzige, der seine Kinder vor seinen Augen zerschmettert werden sah. Andere Unglückliche, auf der Flucht zwischen zwei furchtbare Gießbäche gerathen, erwarteten mit Entsetzen die Woge, welche sie fortreißen sollte."

„Endlich ging der Tag auf und beleuchtete die schauderhafte Scene. Der Sturm legte sich allmählich. Hätte er mit derselben Heftigkeit noch einige Stunden länger angehalten, so hätte nichts seinen wiederholten Anfällen widerstehen können. Es wäre nirgend, weder in der Stadt noch auf dem Lande, eine Freistatt geblieben; ganz Port Louis wäre in einen Ruinenhaufen verwandelt worden."

„Am Nachmittage des 28. Februar war der Wind variirend von Ostsüdost nach Südost und Südsüdost. In dieser letztern Richtung blies er bis Mitternacht. Eine Stunde nach Mitternacht setzte er nach Ost um. Mit Tagesanbruch war er in Nordnordost und Nord. Er legte sich allmählich, indem er nach Nordwest überging. Diese Angaben entlehne ich aus den damaligen Nachrichten in den Tageblättern der Insel."

Dieser Wechsel in der Richtung des Windes ist bei mehren Orkanen beobachtet worden; unter andern auch bei dem vom 20. Februar 1806 auf der nämlichen Insel, welchen der Capitän Flinders erlebte. Er war an diesem Tage von Südwest nach Süden, Osten und Nordost gegangen, und man besorgte daher, daß bald ein neuer Orkan eintreten würde. Dieser erfolgte auch nach 14 Tagen, fing mit Ostsüdost an, ging nach Nordost, Nord und endlich bis nach Westsüdwest herum. Krusenstern erzählt von einem Sturme, welcher plötzlich von Ostsüdost nach Westnordwest umsprang. Nur eine Stille von wenigen Minuten ging dem neuanbrechenden Sturme voraus *). Es verdient noch bemerkt zu werden, daß sehr viele Orkane mit Erdbeben, oder wenigstens leichten Erderschütterungen begleitet sind.

Obschon die Orkane zwischen den Wendekreisen am häufigsten und stärksten sind, so fehlt es doch auch den Bewohnern der gemäßigten und kalten Zonen nicht an Gelegenheit, dieses furchtbare Naturschauspiel bisweilen zu beobachten. Merkwürdig war z. B. der Orkan, welcher am 28. Juni 1818 Abends zwischen 6 und 7 Uhr zu Prag so verheerend wüthete. Es war ein heiterer und heißer Tag gewesen; ein großer Theil der Einwohner befand sich, da gerade Sonntag war, außerhalb der Stadt, auf den Spaziergängen, und die Fenster aller Wohnungen waren geöffnet. Gegen Abend zog von Südwesten ein furchtbares Gewitter heran, dessen Wolken aber nicht die gewöhnliche dunkle Farbe hatten, sondern von einem ganz eignen Roth glänzten. Plötzlich brach der heftigste Sturm herein, welcher die Straßen der Stadt mit vielen Tausend zerbrochenen Fensterscheiben, zum Theil auch ganzen Fenstern und Flügeln bedeckte,

*) Brandes Beiträge ꝛc. S. 378 u. 379.

so daß mehre Menschen beschädigt wurden. Noch vor dem heftigsten Ausbruche des Sturmes erhoben sich die dichtesten Staubwolken hoch über die höchsten Kirchthürme, was indessen mehr eine Wirkung der elektrischen Anziehung als des Windes selbst seyn mochte. Im Freien wurden Wagen umgeworfen und die stärksten Bäume abgebrochen und ausgerissen. Zum Glück war in einer halben oder drei Viertelstunden Alles wieder vorüber. Das Merkwürdigste dabei war, daß nicht ein Tropfen Regen fiel, auch weder Blitz noch Donner wahrgenommen wurde. In den westlichen Theilen von Böhmen, bei Eger, Karlsbad rc. hatte dieser Orkan ungefähr eine Stunde früher und zwar eben so verheerend gewüthet. Nimmt man die Entfernung dieser Punkte von Prag der Kürze wegen in gerader Linie zu 15 Meilen (1 = 24000 Fuß) an, so gäbe dieß eine Geschwindigkeit des Orkans von 100 Fuß auf die Sekunde.

Bei dem Orkane, welcher im Dezember 1791 im nördlichen Teutschland wüthete, war der eigentliche Mittelpunkt desselben in der Gegend von Spandau bei Berlin. Zu Göttingen war in dem nämlichen Augenblicke Südwest- und in Königsberg in Preußen Nordostwind *). Auch andere Stürme scheinen in einem solchen Zusammenströmen der Luft von mehren entgegengesetzten Seiten her nach einem gemeinschaftlichen Mittelpunkte zu bestehen. So bemerkte Henry Forth, im Jahre 1735, zu Darlington bei Durham,

*) Lampadius, a. a. O. S. 192.

im nördlichsten Theile von England, einen Nordostwind, während zu derselben Stunde im südlichen Theile dieser Insel der Sturm aus Süden blies. Er bemerkt es zugleich als etwas Unerklärliches, daß bei diesen gegen einander gerichteten Winden, wo dem Anschein nach ein Zusammenhäufen der Luft Statt finden mußte, dennoch das Barometer sehr stark fiel *).

Alle diese bisher dargestellten Bewegungen der Atmosphäre scheinen, da sie größtentheils von Ursachen herrühren, welche nur an der Oberfläche der Erde und in kleinen Höhen wirksam sind, sich nicht weit hinauf zu erstrecken. In Höhen von 5000 bis 6000 Klafter ist wahrscheinlich keine Spur mehr von unsern Stürmen und Orkanen anzutreffen. Nur die Bewegung der wärmern Luft über der heißen Zone nach den Polen hin kann in diesen Höhen Statt finden, muß aber mit großer Regelmäßigkeit vor sich gehen, und also mehr ein ruhiges Fortströmen seyn. „Erinnert man sich dabei," — sagt Parrot, — „daß auch das Meer nur an seiner Oberfläche, durch Ebbe und Fluth, durch Stürme und Orkane bewegt wird, daß hingegen in seinen Tiefen eine ewige Ruhe herrscht, welche durch die schwache Strömung oben vom Aequator nach den Polen, unten von den Polen nach dem Aequator, kaum gestört wird: so wird man finden, daß der Mensch auf dem festen Lande und auf dem Meere gerade im unruhigsten Wirkungskreise der Natur lebt. Kein Wun=

*) Brandes, a. a. O. S. 376.

der also, wenn auch sein Geist unruhig ist, und sein Gemüth von den Stürmen der Leidenschaften erschüttert wird. Die ganze organische Natur lebt in diesem Kreise von Bewegungen und Verwandlungen, die sich einander durchkreuzen, zerstören und wieder erzeugen, weil das Leben nur in der thätigen Welt bestehen kann. Das Leben wird durch das Leben erzeugt."

Druckfehler.

S. 9, Z. 14 v. o. soll mit dem Worte Bei ein neuer Absatz anfangen.
= 42, = — = = statt Morreau lese man Morveau.
= 55, = 5 v. u. soll mit dem Worte In ein neuer Absatz anfangen.
= 110, = 1 und 2 v. o. statt stoßt lese man stößt.
= 113, = 9 v. o. statt zeigen, waren lese man waren, zeigen.
= 221, = 15 = = statt kommenden lese man kommender.

Von dem Herrn Verfasser dieses Werkes sind erschienen:

Sommer, J. G., Taschenbuch zur Verbreitung geographischer Kenntnisse. Eine Uebersicht des Neuesten und Wissenswürdigsten im Gebiete der gesammten Länder- und Völkerkunde. Zugleich als fortlaufende Ergänzung zu Zimmermanns Taschenbuch der Reisen. 1—8. Jahrgang oder 1823—1830. (Jeder 19—20 Bogen stark). Mit vielen Kupf. und Karten. 12. 1823—30. Jeder Jahrgang 2 Rthlr. sächs. (Im Inlande 3 fl. C. M.)

—— neuestes wort- und sacherklärendes Verteutschungswörterbuch aller jener aus fremden Sprachen entlehnten Wörter, Ausdrücke und Redensarten, welche die Teutschen bis jetzt in Schriften und Büchern sowohl als in der Umgangssprache, noch immer für unentbehrlich und unersetzlich gehalten haben. Ein Handbuch für Geschäftsmänner, Zeitungsleser und alle gebildete Menschen überhaupt. 3te verbesserte und vermehrte Auflage. gr. 8. 1825. (36 Bogen) gebunden 2 Rthlr. 12 ggr. (3 fl. 24 kr. C. M.)

—— kleines Verteutschungswörterbuch, oder Anleitung, die im Teutschen am häufigsten vorkommenden Wörter aus fremden Sprachen richtig aussprechen, verstehen und schreiben zu lernen. Ein Auszug aus dem größern Verteutschungswörterbuche. 8. 1822. (15¼ Bogen.) Herabgesetzter Preis 12 ggr. (45 kr. C. M.)

—— tabellarische Uebersicht aller jetzt lebenden Glieder der europäischen Regenten-Familien. gr. quer 8. 1827. (4 Bogen) 21 ggr. (1 fl. 12 kr. C. M.)

Im Verlage der J. G. Calve'schen Buchhandlung sind auch folgende empfehlungswerthe Werke erschienen und durch jede solide Buchhandlung zu haben:

Ebert, K. E., Dichtungen in 2 Bändchen. Erster Band enthält: Lieder, Balladen, Romanzen und vermischte lyrische Gedichte. Zweiter Band enthält: Epische, dramatische und andere größere Gedichte. Zweite vermehrte Auflage. kl. 8. 1828. (32 Bogen) Broschirt 2 Thlr. sächs. (Im Inlande 2 fl. 40 kr. C. M.)

—— Wlasta. Böhmisch-nationales Heldengedicht in drei Büchern. 8. 1829. (21 Bogen). Velinpapier cartonirt 2 Thlr. 8 gr. (3 fl. 30 kr. C. M.) Druckpapier cartonirt 1 Thlr. 16 gr. (2 fl. 30 kr. C. M.)

Homer's Werke. Prosaisch übersetzt von Prof. J. St. Zauper. 4 Bände. gr. 16. 1r. 2r. Band: Ilias. 1826. (26 Bogen). Gebunden 1 Thlr. 12 gr. (2 fl. C. M.) 3r. 4r. Band: Odyssee. 1827. (21 Bogen.) Gebunden 1 Thlr. 12 gr. (2 fl. C. M.)

Jahrbücher des böhmischen Museums für Natur- und Länderkunde, Geschichte, Kunst und Literatur. Jahrgang 1830 in 4 Heften. gr. 8. 2 Thlr. 16 gr. (4 fl. C. M.) [Fortsetzung der in den Jahren 1827 — 1829 erschienenen Monatschrift dieser Gesellschaft, wovon der Jahrgang für 5 Thlr. (7 fl. C. M.) noch zu haben ist. Alle 3 Jahrgänge zusammen genommen kosten 12 Rthlr. sächs. (18 fl. C. M.)]

Rukopis, Kralodworsky. Zbjrka staročeskych zpiewo-prawych Basnj, s niekolika ginymi staročeskymi Zpiewy. Nalezen a wydan od Waclawa Hanky; s diegopisnym uwodem od Waclawa Aloysia Swobody. Připogen wierny snjmek pjsma. Königinhofer Handschrift. Sammlung altböhmischer lyrisch - epischer Gesänge, nebst andern altböhmischen Gedichten. Aufgefunden und herausgegeben von Wenceslaw Hanka; verteutscht und mit einer historisch-kritischen Einleitung versehen von Wenceslaw Aloys Swoboda. Nebst einem Facsimile. Zweite umgearbeitete und vermehrte Auflage gr. 8. 1829. (17 Bogen) Gebunden 1 Thlr. 12 gr. (2 fl. C. M.)

Schnabel, G. N., über Raum- und Bevölkerungsverhältnisse der österreichischen Länder. Mit 3 lithographirten Karten. gr. 4. 1826. (2 Bogen). Cartonirt 1 Thlr. (1 fl. 24 kr. C. M.)

— — geographisch - statistisches Tableau der Staaten und Länder aller Welttheile. Nebst 5 Karten, quer 8. Gebunden mit Schuber (10 Bogen). 1828. Herabgesetzter Preis 1 Thlr. (1 fl. 20 kr. C. M.)

— — General - Statistik der europäischen Staaten, mit vorzüglicher Berücksichtigung des Kaiserthumes Oesterreich. Nebst 2 großen Uebersichtskarten. 2 Theile. gr. 8. 1829. (34 Bogen). 3 Thlr. 18 gr. (5 fl. 36 kr. C. M.)

— — Zwei geographisch - statistische Uebersichtskarten. (Werden besonders aus dessen General-Statistik gegeben) Royal-Farmat. Geheftet 1 Thlr. (1 fl. 24 kr. C. M.)

Schwippel, A., Methodologie des Elementar - Unterrichts oder gründliche Anweisung, Kindern auf eine angenehme, leichte und geisterregende Art schreiben, lesen und rechnen zu lehren; nebst den wenig bekannten überaus nützlichen Uebungen in der Pestalozzischen Einheitstabelle. Mit 3 Tabellen. gr. 12. 1828. (5 Bogen). 8 ggr. (30 kr. C. M.)

...Jahr für versch...

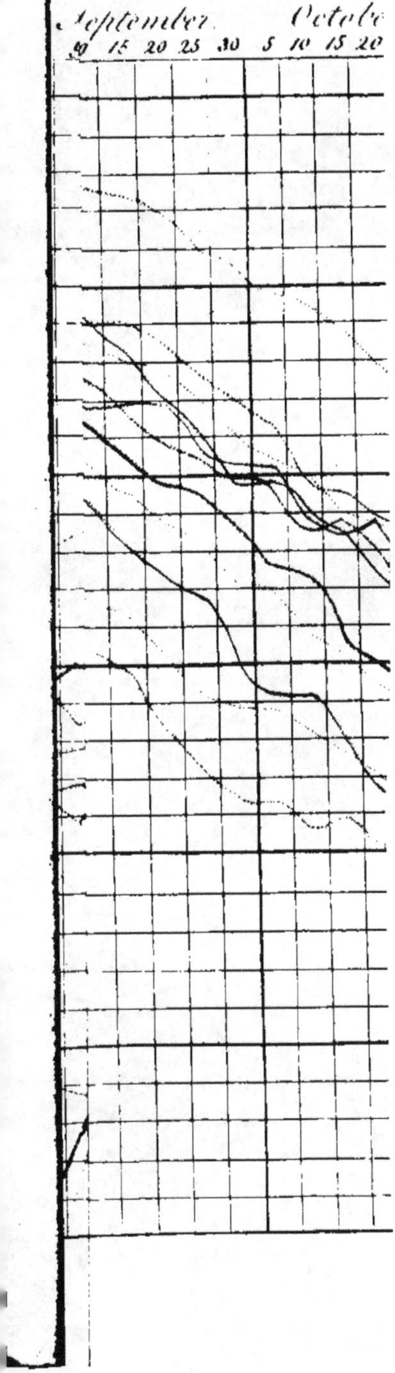

September ... Octobe...

10 15 20 25 30 5 10 15 20

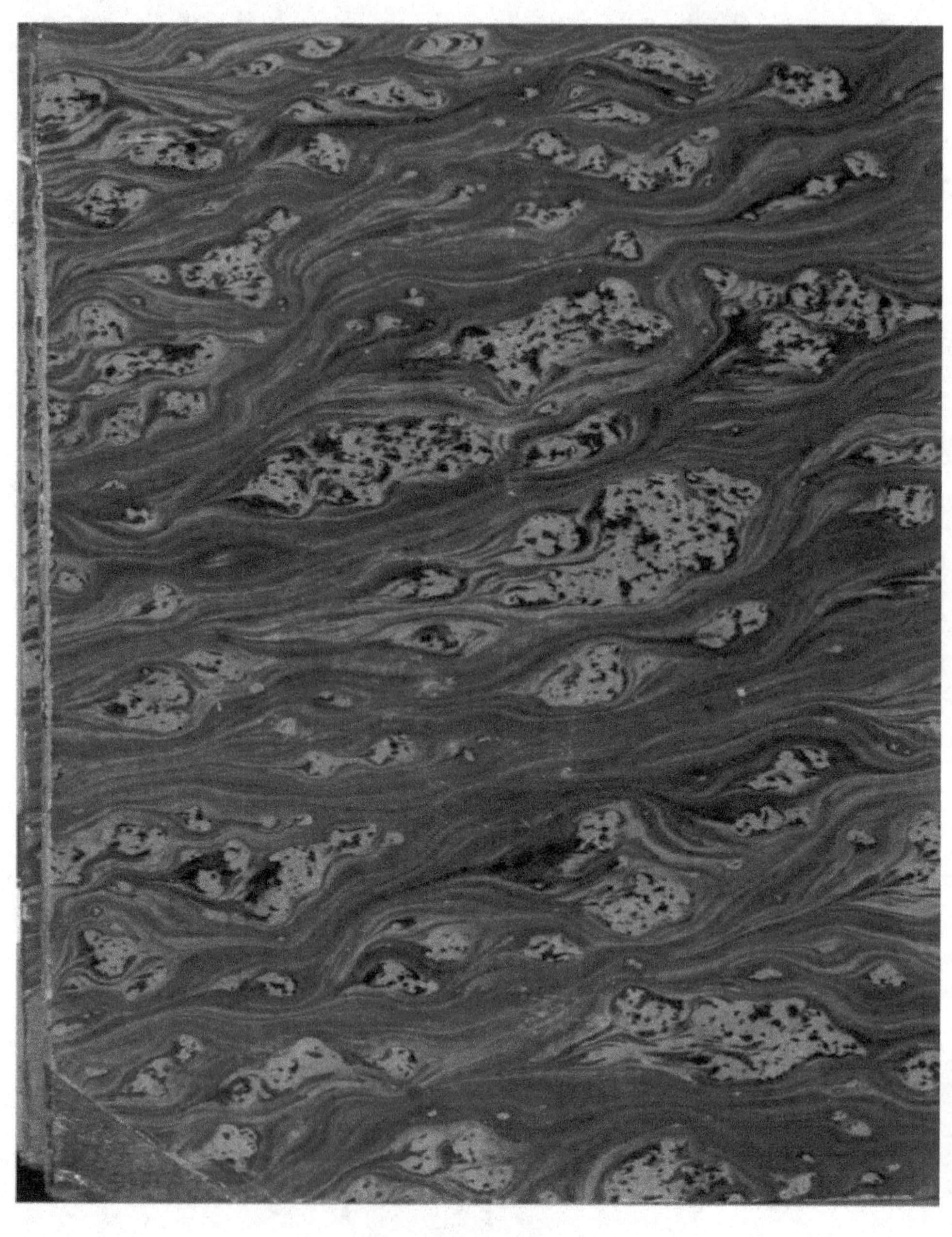

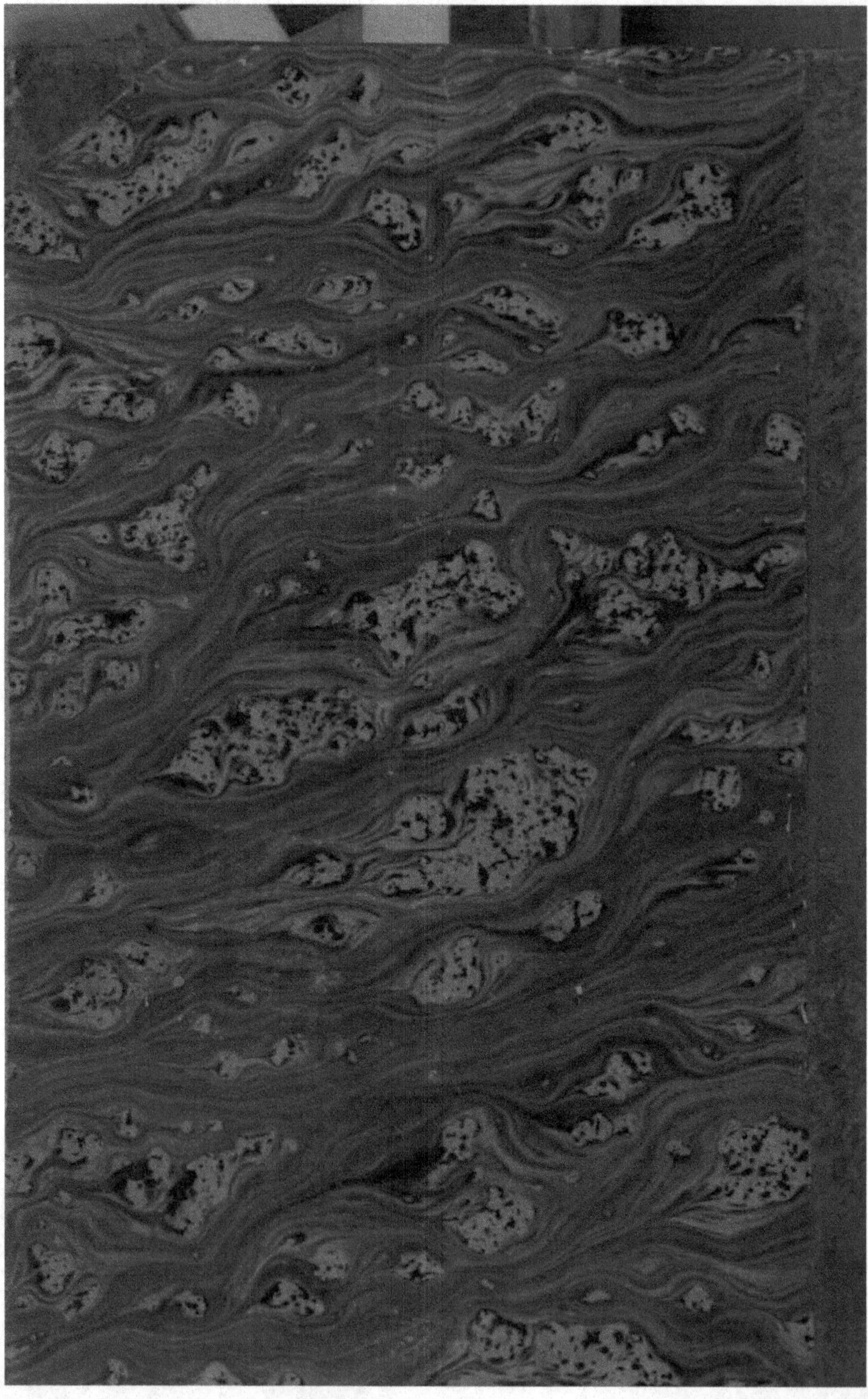

CPSIA information can be obtained
at www.ICGtesting.com
Printed in the USA
BVHW062209270819
556849BV00013B/1574/P